DE TODO LO VISIBLE Y LO INVISIBLE

Una novela sobre el amor y otras mentiras

Esta obra obtuvo por mayoría el Premio Primavera 2001, convocado por Espasa Calpe y Ámbito Cultural, y concedido por el siguiente Jurado: Luis Mateo Díez, Ángel Basanta, Antonio Soler, Ramón Pernas y Rafael González Cortés.

Lucía Etxebarria

De Todo lo Visible y lo Invisible

Una novela sobre el amor y otras mentiras

ESPASA

ESPASA € NARRATIVA

© Lucía Etxebarria, 2001
© Espasa Calpe, 2001

Primera edición: abril de 2001
Segunda edición: abril de 2001
Tercera edición: abril de 2001
Cuarta edición: abril de 2001
Quinta edición: mayo de 2001

Diseño de la colección: Tasmanias
Ilustración de cubierta: *Desnudo con margarita,*
Lucía Etxebarria - Juan Pedro López Agulló (acrílico - técnica mixta)
Foto de la autora: Gabriela Grech
Realización de cubierta: Ángel Sanz Martín

Depósito legal: M. 21.755-2001
ISBN: 84-239-5159-6

Espasa, en su deseo de mejorar sus publicaciones, agradecerá cualquier
sugerencia que los lectores hagan al departamento editorial por correo
electrónico: sugerencias@espasa.es

Impreso en España/Printed in Spain
Impresión: Mateu Cromo Artes Gráficas, S. A.

Editorial Espasa Calpe, S. A.
Carretera de Irún, km 12,200. 28049 Madrid

A mi madre.

Y a Julián Hernández Rodríguez,
que tanto admira a Borges.
Una carta, una despedida.

Siempre, en el fondo, late una cuestión de poder. Quien tiene poder habla, a quien tiene poder se le ve, quien no lo tiene se vuelve invisible. Esta es una cuestión sociológico-política que acaba siendo literaria, de valoración literaria.

Olvido García Valdés.

Creador del cielo y de la Tierra, de todo lo visible y lo invisible...

De la profesión de la fe católica.

Cuando esta novela estaba en proceso de edición, Espasa Calpe fue advertida de que existe un libro de poemas llamado De todo lo visible y lo invisible, *publicado en mayo de 2000. Lucía Etxebarria y la editorial agradecen a su autor, don Javier Sangro, su generosidad al acceder a que ambos libros convivan con el mismo título.*

AGRADECIMIENTOS

Esta novela se escribió de forma itinerante en numerosos escenarios, cosa que no hubiera sido posible sin:

La Universidad de Aberdeen, que me proporcionó un despacho, una casa y la tranquilidad necesaria para escribir, amén de un montón de amigos. Gracias especiales a Philip Swanson, Pilar Escabias y Julia Biggane, que se ocuparon del necesario papeleo para hacerlo posible.

Sonia Núñez Puente sirvió de necesario frontón, me inyectó ingentes dosis de autoestima cuando más me flaqueaba y corrigió mis proverbiales laísmos y leísmos.

Dunia Ayaso y Félix Sabroso me enseñaron cómo se rueda una película con un presupuesto mínimo.

Espido Freire me explicó algunas cosas sobre el ambiente estudiantil de Deusto (Universidad en la que, por cierto, se graduó mi propio padre).

Carmen Nestares y Faby Galleto cuidaron de mi Rita, la perra ingenua, durante mis ausencias. Para colmo, Carmen se pasa media vida recogiéndome o llevándome al aeropuerto.

Rubén Alonso escuchó mis inacabables soliloquios demostrando una paciencia de santo y una devoción no menos religiosa.

La Casa de Cultura de Altea me cedió un espacio en su Biblioteca. Eduard e Ignasi se ocuparon de que pudiera acceder a mi correo electrónico y a algunos libros.

Juan Pedro López Agulló no sólo me cedió una habitación en Altea, sino que además hizo de *Petra, chica para todo* y se encargó de poner en orden todo el caos que yo iba generando a mi alrededor. Para colmo cuidó de Nacho (el perro inolvidable) y Mimi (el gato vividor), y me proporcionó el lienzo, los materiales y las necesarias indicaciones técnicas para retratar a Ruth. Amén de proporcionarme conversación y felicidad.

Gemma Beltrán me abrió las puertas en Barcelona.

Stéphan me llevó a París. Mate lo posibilitó. Mercedes Odina y Gabriel Halevi, a quienes no conozco de nada, escribieron un excelente ensayo, *El factor fama* (Editorial Anagrama, colección Argumentos), que sirvió de guía para la construcción del capítulo «La fama de Ruth». Un estudio detallado sobre el comportamiento de los perversos narcisistas puede hallarse en el libro *El acoso moral*, de Marie-France Hirigoyen (Editorial Paidós, colección Contextos).

No tengo espacio material, pero sí lo tengo en mi corazón, para el sinnúmero de amigos que me han apoyado en los momentos más difíciles, me han dado de comer o de cenar, me han cedido una habitación en su casa, me han servido de paño de lágrimas o me han alentado cuando las cosas se ponían difíciles.

In memoriam: Pedro Javier Echevarría, Bermeo, 1926–1998.

1

SANGRE SAVIA

Cuando surgió la vida
Mi creador me dio forma
Con la savia de los árboles
Con el néctar de los frutos
Se sirvió de la malvarrosa de la colina
De los árboles y los zarzales
De las flores de la ortiga
En mí hay huellas de lo eterno que hay en la naturaleza

Atribuido al bardo galés Taliesyn.

¿Por que ha de ser la matanza de un buey o de una
oveja mayor agravio que el sentimiento por la tala de
un abeto o de un roble, si también estos árboles tienen
un alma viva?

Porfirio.

ÁRBOL DE DIANA

Duermo, duermo, duermo, duermo, soy un árbol, un vegetal, y pienso, pienso, pienso, pienso, y la savia bulle en mi interior y extraigo lágrimas del suelo, y, a través de pasadizos vegetales, las elevo a la copa. Las elevo a la copa. La parte de mi cuerpo sumida en la tierra me concede una firme sensación de equilibrio. Raíces, pies de madera y fibras que aman la tierra. Soy un árbol: el eje del mundo. Estructura suficiente y completa. De pronto siento cómo alguien me agita y me sacude intentando despertarme, voy ascendiendo sucesivas capas de sueño hacia la realidad y voy subiendo subiendo subiendo subiendo subiendo subiendo subiendo

    Subiendo

       Subiendo

          Subiendo

             Subiendo

                Cuando Ruth abre los ojos no alcanza, al principio, a entender lo que pasa. Antes de ver al hombre que la sacude, lo intuye. Lo intuye por el aliento agrio que le llega en vaharadas, como una bofetada, por las gotas de saliva que le caen sobre la cara. El hombre grita «¡despierta, despierta!» y sigue sacudiéndola. Como Ruth no consigue mantener los ojos abiertos mucho tiempo, no puede hacerse una idea de quién es ese hombre, ni de cómo es su cara. No lo conoce, eso es seguro, puesto que no reconoce esa voz que le grita. Ruth se hace una pequeña idea de lo que pasa: ya no es un árbol, vuelve a ser persona, se llama Ruth. Ésta es su habitación. Ruth está tendida en la cama, y hay un desconocido que intenta despertarla. Pero los párpados le pesan y la cabeza le da vueltas, y la conciencia de la realidad se le va difuminando poco a poco, y Ruth no tiene ganas de enfrentarse a ese hombre o a cualquiera que sea la situación fuera de su sueño, así que vuelve a cerrar los ojos, definitivamente, y se dispone a regresar al mundo de lo invisible y empieza a descender y sigue bajando bajando bajando bajando y...

Bajando

Bajando

Bajando

Bajando

Grité cuando la sangre se convirtió en savia, cuando las hojas comenzaron a invadir mis brazos, cuando mis pies plantaron raíces, cuando mis dedos empezaron a germinar en la tierra, cuando mis cabellos, hechos hojas, se enredaron en la frondosa arquitectura del ramaje. Pero las imágenes del sueño se agitan en la cabeza como en una coctelera, porque quienquiera que sea ese desconocido, no está dispuesto a dejarla ir así como así, y sigue sacudiendo ese cuerpo que se ha quedado en el mundo visible, no en un bosque sino en una habitación, en una cama, y no queda más remedio que volver a subir, y seguir subiendo subiendo subiendo subiendo subiendo subiendo y

Subiendo

Subiendo

Subiendo

Subiendo

El desconocido intenta in-

corporar a Ruth. Sus gritos se superponen a una algarabía de voces más lejanas cuyo sentido Ruth no alcanza a descifrar. Pero poco a poco va diferenciando unos tonos de otros y se da cuenta de que en esa habitación hay más personas, tres o cuatro, hombres y mujeres. «¿Está bien? ¿Está bien?» Esa voz nerviosa, masculina le resulta familiar. «Está inconsciente», responde el hombre. «Traed la camilla, vamos a llevárnosla». El mundo invisible tira de Ruth con fuerza, hacia abajo, empeñado en convertir a Ruth en árbol, y Ruth no opone resistencia y se deja caer y sigue bajando bajando bajando bajando bajando bajando bajando bajando bajando

Bajando

Bajando

Bajando

Bajando

Grité cuando mis brazos se tornaron en ramas, mis piernas en tronco, mis cabellos en hojas, grité mientras mi cuerpo se iba volviendo ocre y verde, gris limón como mis ojos, grité mientras pensaba qué poco puede una ninfa contra el deseo de un dios. Alguien arrastra el cuerpo de Ruth, el recipiente que contiene, allá arriba, los sueños de Ruth, y ese transporte atropellado la marea y la despierta por un instante, y la vuelve a traer de nuevo a la realidad subiendo subiendo subiendo subiendo subiendo subiendo subiendo subiendo subiendo

Subiendo

Subiendo

Subiendo

Subiendo

Ruth está en una camilla. Alguien la arrastra a toda velocidad. Los colores de fondo, el paisaje difuminado, pero de contornos conocidos, contra el que se mueve, le resulta familiar. Claro, es el salón de su casa. Alguien abre la puerta de casa y el cuerpo de Ruth abandona su territorio. Pero Ruth quiere volver a ser árbol y no está dispuesta a prestar más atención a ese transporte. No sabe quién se lleva su cuerpo, ni por qué, ni adónde. Y no le importa. Ruth se deja arrastrar hacia abajo, al bosque. Ruth quiere volver a ser árbol bajando bajando bajando bajando bajando bajando

Bajando

Bajando

Bajando

Bajando

Ya no puedo correr, porque me he negado a ser la puta de un dios. Porque me he negado al absurdo comercio de mi cuerpo, me he convertido en laurel. Y ahora soy mi propia dueña, árbol de majestad que crece digno en medio de la tierra. Edén de abundancia y descanso, laboratorio de savia y agua, largas venas de madera, cordón umbilical de raíces y tierra… Imposible ignorar los baches y los saltos. Dos personas arrastran a Ruth, en camilla, por las escaleras. El cuerpo de Ruth sube y baja. Así, por mucho que una quiera, resulta imposible dormir, permanecer en el mundo de lo invisible, y no queda más remedio que volver a subir y seguir subiendo subiendo

Subiendo

Subiendo

Subiendo

Subiendo

La camilla abandona el portal y alguien la introduce, como un supositorio, en una ambulancia, por la parte trasera. Esto es serio, se dice Ruth. Me quieren hacer volver, no me quieren dejar dormir en paz. Pero no pienso volver, no pienso volver a abrir los ojos pase lo que pase, quiero ser árbol, quiero ser árbol, ya no quiero ser ninfa, y Ruth se lanza de cabeza hacia lo oscuro, cierra con fuerza los ojos y sigue bajando, bajando

Bajando

Bajando

Bajando

Bajando

Prisionera de mis raíces, me acarician los vientos y el sol y la lluvia y las alas de las aves, y me arrulla la música que nunca vence, que nunca mengua, que nunca calla, siento que me mece el viento como si me acunara, al ritmo de la música que ondea hacia la eternidad como los arroyos transparentes del país de las ninfas; los pájaros retozan en las ramas, me hacen cosquillas en las nervaduras y el sol brilla sobre mis hojas en los ramajes de verdor rumoroso, en mi espléndida capa verde, y duermo, duermo, duermo, duermo, soy un árbol, un vegetal, y pienso, pienso, pienso, pienso y la savia bulle en mi interior…

Fundación Jiménez Díaz
Clínica de Nuestra Señora de la Concepción
Avenida de los Reyes Católicos, 2
Ciudad Universitaria
28040 Madrid

INFORME DE URGENCIAS

HISTORIA CLÍNICA: 758346
NÚMERO DE URGENCIA: 503502973
SUR URGENCIAS MUR

DE SILES SWANSON, RUTH   ENTRADA: 28/07/1998   HORA: 22:48
FECHA NACIMIENTO: 03/01/1967 SALIDA: HORA:
SEXO: MUJER

DOMICILIO: DESTINO:
ECHEGARAY, 14, 3
MADRID
TFNO.

C.E.: PENDIENTE SEGURIDAD SOCIAL   DIAGNÓSTICO: Intox. medicam.
E.A: DIRECCIÓN TERRITORIAL INSALUD
NÚMERO SEG. SOCIAL
C.S.: 1699000000S

Mujer, 33 a.
M.C. Intoxicación medicamentosa.
Paciente traída por el 061, que refiere que la paciente se ha tomado 65 c de Orfidal y 45 c de Lexatín hace 5 h. La paciente se niega a que se le ponga SNG y se niega a colaborar.
Se administra Anexate I.V. con el que la paciente mejora su nivel de consciencia, pero sigue sin querer colaborar.
Paciente CyO. Eupneica. Pupilas hipotónicas y foto reactivas.

Fundación Jiménez Díaz
Clínica de Nuestra Señora de la Concepción
Avenida de los Reyes Católicos, 2
Ciudad Universitaria
28040 Madrid

INFORME DE URGENCIAS, 2

De Siles, Ruth

HEMOGRAMA

Leucocitos:	6.100		N	62,4 %
			L	30,8 %
Hematíes :	5´17/ Hb=14´2/ Hº= 44´6/VCM=86´2			
Plaquetas:	125			

ETÍLICO no se detecta

BQ
Glucosa = 85   Sodio = 137
Bun = 18   Potasio = 3,7 %
Creat = 0,7

GASES VENOSOS   ph = 7´4   pCO$_2$ = 29,7   SBC = 21

28/07 a 29/07   24:00
La paciente se encuentra de nuevo en estado inconsciente. Imposible despertarla.
Sus familiares han sido avisados y vienen hacia aquí.
Plan: nueva valoración por psiquiatría.

RUTH DESPIERTA EN UN HOSPITAL

Subiendo
Subiendo
Subiendo

Subiendo

Lo primero que Ruth ve es el techo. Cuadrados de placas grises que marcan un camino hacia el infinito. Tubos de neón. La luz. Esa luz extraña, fantasmal, sulfurosa. Horrorosa luz amarilla y cenital, luz marchita y lenta, espesa, lactescente. El olor: un olor casi palpable de desinfectante. El tacto. El tacto áspero de un lienzo que roza el cuerpo de Ruth. Y entonces Ruth se da cuenta: está cubierta por una sábana de hilo barata. Está sobre una camilla. No consigue incorporarse, así que echa una ojeada a su alrededor. A un lado y a otro: camillas, más camillas. Bultos envueltos en telas blancas. Manos que cuelgan a un lado. Gente abandonada y amontonada. Ruth vuelve la cabeza y se encuentra dos ojos como brasas que se le clavan, taladrándola a golpe de pupilas. Se trata de una chica joven, de pelo corto, ojerosa.

—Hola, por fin te has despertado.

Ruth no acierta a contestarle. Todavía no sabe bien dónde está. Hace un esfuerzo para recordar, para situarse, y entonces comprende.

Esto es un hospital. No está en una habitación, por lo que debe tratarse de un hospital de la Seguridad Social. Como hay escasez de camas, amontonan a los pacientes en los pasillos. Y recuerda. Recuerda las pastillas que se tomó. Pero está viva. Alguien ha entrado en su casa y la ha llevado a un hospital. Necesita saber qué ha pasado. Se incorpora y atisba un mostrador al fondo. Decidida a hablar con la enfermera, Ruth salta de la camilla. Y entonces se produce un tremendo alboroto, un estruendo metálico, de origen múltiple, y chirriante, que podríamos explicar si separamos todos los elementos amalgamados que lo componen y los vamos describiendo uno por uno:

a) El chirrido destemplado que hace una máquina pesada al arrastrarse por el suelo. Y es que Ruth no se ha dado cuenta, hasta que se ha movido, de que tiene conectada una red de cables y electrodos a diferentes puntos de su cuerpo. La red está unida a una máquina cuadrada, con muchas lucecitas, de la que parten, como tentáculos, como una cabellera de medusa, los cables que se adhieren al cuerpo de Ruth mediante las ventosas de los extremos. Y, por si eso fuera poco, hay una botella enorme, un gotero, que contiene una solución salina inyectada en el cuerpo a través de un tubo rematado en una aguja que lleva pinchada en el antebrazo y que se sujeta, además, con un esparadrapo. Esa solución salina se va inyectando en el cuerpo de Ruth, en la sangre de Ruth, en ese ácido fluido de plasma y factor rhesus que transporta sus glóbulos, su vida, su propio desamparo.

b) La enfermera, al ver el gotero a punto de caer, corre disparada hacia Ruth y la sujeta por los hombros intentando que no se mueva de donde está, y grita a berrido limpio: «¡Pero, niña…! ¿Qué haces? ¿TE QUIERES ESTAR QUIETA?».

c) Un chico, situado en una camilla aparcada justo detrás de la que ocupa Ruth, le dedica a ésta un sonoro silbido admirativo. Y es que, bien sea porque todavía le dura el efecto de las pastillas, bien por el *shock* que le ha supuesto despertarse en un hospital, Ruth se encuentra bastante desorientada y no ha caído en la cuenta de que está desnuda y de que, al ponerse de pie, ha deleitado a los presentes de la sala con una generosa exhibición de su no menos generosa anatomía..

—¡VUELVE A TU CAMILLA INMEDIATAMENTE! —grita la enfermera.

—¡YO NO QUIERO ESTAR EN NINGUNA CAMILLA! ¡YO QUIERO IRME A MI CASAAAAA! —replica Ruth en el mismo tono, o más alto incluso.

—¡TÚ TE QUEDAS AQUÍ, NIÑA! No te puedes ir a tu casa hasta que no te den el alta. Y te advierto que si sigues gritando así te enviaremos a la planta de atención psiquiátrica, y desde allí sí que se te va a resultar difícil volver a tu casa.

Por muy desorientada que Ruth esté, no lo está tanto como para no ser consciente del peso de la advertencia (o amenaza) y del hecho de que la enfermera habla de una posibilidad real. Además, a Ruth no le interesa que toda la planta se entere de por qué está allí, así que se calla y vuelve a su camilla. En ella se ovilla como puede en postura fetal y se tapa con la sabana áspera en un vano intento de hacerse pequeña, de desaparecer. La expresión más adecuada para definir su estado de ánimo sería: «Ruth se quiere morir», en su sentido literal, puesto que el gran problema de Ruth es que ha intentado matarse y no lo ha conseguido. Para colmo, es la segunda vez que lo intenta en tres meses. Primero san Valentín, y después esto. Hace falta ser inútil, hace falta ser idiota. Comienza a llorar con sollozos secos y cóncavos, que parecen, más que llanto, un ronquido animal y plañidero. Dos veces, intentarlo dos veces, fallar dos veces. No sólo Ruth está desesperada, sino que a todos los problemas que la indujeron a tragarse el contenido de varios frascos de pastillas, debe añadir la agobiante sensación de haber hecho el ridículo más espantoso. Debe de ser por eso por lo que la enfermera se ha permitido tratarla de «niña», pese a que Ruth haya cumplido ya los treinta y tres años, y se encuentre por tanto (y según las estadísticas que cifran la esperanza de vida media en setenta años) a punto de alcanzar el ecuador de su vida, esa vida que le resulta tan difícil de sobrellevar. Así que Ruth se encoge sobre sí misma —las rodillas, que rodean sus brazos, tocando la barbilla— para paladear la ausencia del día que no cuenta, la oscuridad de un día transcurrido, de un día tristemente alimentado con la sangre y con el suero de los tubos, de un día no vivido, solamente dormido. El tejido del tiempo es como la venda de un enfermo. Ruth siente la amenaza de los segundos goteando implacables como el suero, acechando sigilosos, vigilantes, y no sabe qué hacer para soportar el bramido interno que sigue llamándola a sollozos, la voz de la Diana en la que no ha llegado a convertirse a su pesar, el dolor implacable de estar viva.

—Pssss…

Ruth abre los ojos y se desenrosca lentamente, como una serpiente perezosa. Saca la cabeza de la sábana y atisba alrededor en busca de quienquiera que le haya chistado. Frente a ella hay una chica pálida, que tiene el pelo corto y sudoroso y los ojos muy brillantes.

—Eres Ruth, ¿verdad que eres Ruth?

Ruth asiente con la cabeza, bajándola y subiéndola muy lentamente, algo confusa. El atontamiento de las pastillas le impide reaccionar con rapidez y certeza. No sabe si conoce a esta chica y, si no la conoce, que es lo más probable, lo mejor habría sido no admitir su propia identidad. Pero el disco duro de Ruth procesa a mucha menor velocidad de la normal, y se da cuenta de que su cabeza ya ha dicho «sí», respondiendo en un gesto automático, por muy lento que haya sido, cuando ya es demasiado tarde.

—Te he reconocido enseguida, cuando te he visto en la camilla. Pero luego, cuando te has levantado, ya lo he tenido clarísimo…

Ruth vuelve a asentir con la cabeza, incapaz de hacer otra cosa.

—Qué bonito… —la chica hace un gesto con la cabeza, señalando a Ruth—. El prendedor —aclara, tocándose su propia cabeza, semirrapada, para ilustrar la explicación—. Ya me habían dicho que coleccionabas margaritas.

Ruth repite el gesto de la chica, como si se estuviera contemplando en un espejo, en uno de los miles de espejos que Ruth encuentra en los ojos de los otros, o como si fuera un chimpancé, y sus dedos tropiezan, efectivamente, con un prendedor de pelo que reconoce al tacto: se trata de una antigualla comprada en Londres años ha, y que, curiosamente, y a diferencia de las numerosas horquillas que ha usado a lo largo de su vida, y que siempre le han durado menos que un caramelo en la puerta de un colegio, no ha perdido en todo ese tiempo. Se lo quita y lo alarga, con gesto lento —sigue atontada y no coordina muy bien los movimientos—, hacia la chica, quien a su vez agarra el prendedor con mano rápida y depredadora, como si temiera que Ruth se arrepintiera de su decisión.

—¿Y tú por qué estás aquí? —pregunta Ruth con voz terrosa.

—Por lo mismo que tú.

Ruth prefiere no preguntar qué significa «lo mismo que tú», si esa chica sabe lo que Ruth ha hecho y, en caso de saberlo, cómo ha podido enterarse. Una larga culebra de angustia se le estira a Ruth por dentro, una invasión poderosa que la ahoga, que se desliza en su interior, bajando por la garganta, impidiéndole respirar, hacia el negro estómago recién lavado. Ruth vuelve a sepultarse bajo la sábana y cierra los ojos. Una marea de sueño piadoso borra el mundo, el hospital, el bosque de Diana, lo borra todo y deja a Ruth inconsciente, con los ecos de millones de vidas pasadas aún resonando en el pulso callado de la sangre.

Bajando

Bajando

Bajando

Bajando

Fundación Jiménez Díaz
Clínica de Nuestra Señora de la Concepción
Avenida de los Reyes Católicos, 2
Ciudad Universitaria
28040 Madrid

INFORME DE URGENCIAS, 3

De Siles, Ruth

Informe del psiquiatra de guardia, doctor Prieto:
Avisan para valoración de mujer 33 a. tras ingesta medicamentosa de 1 caja Orfidal
y 1 caja Lexatín. Al parecer, un amigo que tiene copia de las llaves de su domicilio se
personó en su casa y, al encontrarla inconsciente, alertó al 061. Paciente reacia a co-
laborar. No ha podido ser sondeada. Se encuentra muy somnolienta, habla en tono
muy bajo y formula respuestas incoherentes, por lo que la exploración psicológica
completa no es posible en este momento. La paciente repite de forma insistente que
sólo quiere que la dejen en paz.
La paciente se encuentra bajo los efectos de B7S y no puede firmar el A.V. Deberá
permanecer en el SU hasta que remitan los síntomas de la intoxicación. Si fuera pre-
ciso, se recomienda el uso de contención mecánica.
EPP: Obnubilada, somnolienta, confusa. Poco colaboradora. Reticente a suministrar
información. Sin crítica de lo sucedido.
I.C: Intoxicación medicamentosa.
Actitud: Deberá permanecer en observación médico-psiquiátrica hasta que ceda la
sintomatología de la intoxicación.
Se recomienda vigilancia de conducta hasta una nueva valoración psiquiátrica.

Fundación Jiménez Díaz
Clínica de Nuestra Señora de la Concepción
Avenida de los Reyes Católicos, 2
Ciudad Universitaria
28040 Madrid

INFORME DE URGENCIAS, 4

De Siles, Ruth

Dr. Sanz: 29/07/98 - 12 horas
La paciente se muestra muy poco colaboradora en la entrevista. Reconoce que ayer hizo una ingesta medicamentosa importante con la intención de «dormir en paz y desaparecer». No confía en que nadie pueda ayudarla y mucho menos los psiquiatras. Admite que podrían existir factores desencadenantes para este episodio, pero no los especifica.
Éste es su segundo episodio de ingesta medicamentosa.

Fundación Jiménez Díaz
Clínica de Nuestra Señora de la Concepción
Avenida de los Reyes Católicos, 2
Ciudad Universitaria
28040 Madrid

INFORME DE URGENCIAS, 5

De Siles, Ruth

Dr. Sanz 29/07/98 - 15:30 horas
La paciente se ha levantado por su propio pie y ha insistido en que quiere marcharse a su casa. Alertado por una enfermera, procedo a nueva valoración. Encuentro a la paciente somnolienta pero consciente, orientada y tranquila. La paciente se niega al ingreso de ningún tipo. Sus familiares, padre y hermana, que se encuentran en el centro, se responsabilizan de su vigilancia al alta. Teniendo en cuenta que en febrero de este año hubo otro episodio de intoxicación medicamentosa, aconsejamos que retome urgentemente el tratamiento psiquiátrico.

LA VERSIÓN DE PEDRO

Subiendo

Subiendo

Subiendo

Subiendo

Ruth abre los ojos y, por una vez, no necesita echar un vistazo alrededor para saber dónde está. Basta con una sola imagen intuida, los contornos de una margarita adivinados desde los ojos entrecerrados: ésta es su habitación, ésta es su cama, éste su edredón de margaritas bordadas, no hay de qué preocuparse, no más enfermeras de batas blancas, no más gritos. Todavía con los ojos entornados distingue un bulto, una sombra. La luz se le refleja en el pelo dorado y le dibuja una aureola alrededor de la cabeza. Parece un arcángel. Cuatro esquinitas tiene mi cama, cuatro angelitos que me la guardan. Uriel al norte, por la tierra. Miguel al este, por el fuego. Rafael al oeste, por el agua. Gabriel al sur, por el aire. ¿Es éste Gabriel, el ángel rubio? Gabriel, que significa «Dios es mi protector». Dios no es el protector de Ruth. El protector de Ruth se llama Pedro y (lo sabe sin necesidad de abrir los ojos) es él quien vela su sueño.

—Hola —murmura Ruth y abre despacio los ojos, intentando acostumbrarse a la luz.

Se incorpora sobre las almohadas. Y entonces cae en la cuenta de que lleva puesto un camisón blanco de batista. Ella nunca ha tenido un camisón, puesto que de pequeña usaba pijama y desde que dejó su casa duerme siempre desnuda. Alguien ha debido ponérselo, quienquiera que sea quien la haya traído hasta la cama. E imagina a alguien desvistiéndola, llevándola a la cama, arropándola, y encuentra algo peligrosamente atractivo en eso. Se da cuenta de que le gusta la idea de que la traten como a una niña. Un camisón de batista, blanco, con una orfebrería de encajes en el cuello. Esto ha debido de ser idea de Judith, piensa Ruth, seguro que el camisón es suyo. De quién si no.

Piensa en Judith, su hermana, su reverso, su contrario, su complementaria. Piensa en Judith como si hubiese penetrado en una dimensión alternativa, como si se asomara al umbral de un pozo, en el que una réplica de sí misma la contemplara desde el fondo. Ruth podría haber elegido la vida de Judith. Ruth podría haber sido una esposa ejemplar, una madrecita abnegada, un aceite balsámico concebido para engrasar la vida de los demás, para evitar chirridos y fricciones. A veces se pregunta si el matrimonio de Judith es algo más que una servidumbre disfrazada de éxito. Al fin y al cabo, desde la cuna, todo había sido diseñado para que Ruth fuera como Judith. Pero en algún momento el camino se bifurcó, sus pasos se habían encaminado por sendas contrarias y la opción de Ruth la había alejado de la calma de Judith, de su posible felicidad, pero también del aislamiento, de la indiferencia. Desde que Ruth eligiera su camino, entre Judith y ella había quedado establecida una ancha distancia desde cuyos extremos el afecto asomaba en palabras y gestos cifrados. Vivían en una torre de Babel invisible, cada una incapacitada para entender la lengua de la otra.

El bulto, Pedro, se levanta de la silla y se acerca a Ruth. Ruth reconoce la voz suave de Pedro, esa voz grata y familiar como el murmullo de una fuente; voz música que hace surgir la calma de sus notas. La voz que arrulla; arroyo transparente del país de las ninfas.

—Hola —Pedro la besa en la frente, como a una niña pequeña—, ¿cómo estás?

—Cansada. ¿Qué ha pasado?

—¿Me vas a decir que no te acuerdas de nada?

—Me acuerdo de que me tragué todo el arsenal de pastillas de esta casa, si es a eso a lo que te refieres —Ruth parece animada. Su voz, al principio pastosa y arrastrada, está recuperando, aunque lentamente, su entonación normal y cantarina—. Recuerdo haber intentado llegar a la cama y notar que la vista se me empañaba y el aire se hacía denso, como si fuera agua, de forma que me resultaba imposible avanzar... Recuerdo haber tirado una lámpara por el camino... Recuerdo un dolor muy agudo en el brazo.... Y ya no recuerdo casi nada a partir de entonces.

—Si quieres, yo te hago un recuento de los hechos, pero no sé si te vas a enterar de algo o todavía estás dormida.

—¿Cuánto tiempo he dormido?

—Unos tres días.

—Pues no creo que necesite dormir más. He estado en un hospital, ¿verdad?

—Verdad.

—¿Cómo llegué allí?

—Te llevó una ambulancia.

—Eso lo supongo. ¿Quién llamó a la ambulancia? Tú, ¿verdad?

—Sí, fui yo. Te estuve llamando todo el día y no cogías el teléfono y al final decidí venir a verte.

—Pero yo te había dicho que el juego de llaves era sólo para emergencias, que nunca debías abrir la casa sin mi permiso...

—Nena, era obvio que se trataba de una emergencia...

—¿Y tú cómo podías saberlo?

—Tuve una corazonada.

—Tú y tus corazonadas.

—(...)

—Vale, lo siento, sé que debería agradecerte la corazonada. Lo siento de verdad. Bueno, entraste, me encontraste, llamaste a la ambulancia...

—No fue como te imaginas. O sea, no me asaltó un pálpito psíquico de pronto y tuve una visión de mi amiga Ruth languideciendo en el lecho del dolor. Entre otras cosas, rayito de sol, porque ni se me pasaba por la imaginación que se te fuese a ocurrir hacer la misma estupidez por segunda vez. No te creía tan idiota.

—Ya ves.

—Pero resulta que no apareciste en un coloquio al que te habían invitado, bonita. En la Casa de América, por más señas, con Mónica Laguna e Isabel Coixet.

—¡Ay, la madre! ¡Es verdad! El coloquio… Isabel me va a matar…

—Pues sí, señorita, el coloquio. Allí estábamos esperándote tus amigos como agua de mayo…, y la señorita sin aparecer, y el coloquio tuvo que empezar sin ella. Y entonces me acordé de que me había llamado Lorena.

—¿Qué Lorena? Yo no conozco a ninguna Lorena.

—Sí, sí que conoces una.

—¿La secretaria de Alquimia?

—La misma que viste y calza. Que viste mal y calza peor, por cierto. Me había llamado porque por la mañana te habían enviado un mensajero con no sé qué papeles que tenías que firmar, y el tal mensajero la llamó, un tanto aterrado, diciendo que habías salido a abrirle la puerta desnuda.

—¿Desnuda, yo? Eso sí que no me lo creo…

—Pues créetelo, bonita: Desnuda, tú, y con pinta de drogada. O eso dijo el mensajero al que le debiste de dar el susto de su vida, o la alegría de su vida, vete tú a saber. Y claro, cuando comprobé que no llegabas al coloquio, me acordé de lo del mensajero, sumé dos y dos y me presenté aquí. Y llamé a una ambulancia.

—Creo que me acuerdo de lo de la ambulancia.

—¿Te acuerdas de algo más?

—No, creo que me desperté un momento en el hospital… Había una enfermera que me chillaba… Y una chica… Una chica muy rara en la camilla de al lado… Y ya está.

—O sea, que no te acuerdas del numerito del hospital.

—¿Qué numerito del hospital?

—¿Me juras que no te acuerdas?

—Te lo juro. Te juro que no sé de qué me hablas.

—¿No te acuerdas de nada? ¿Ni de lo de la pelea con tu hermana, ni de cómo llegaste aquí?

—Que no, que te he dicho que no, que no me acuerdo…

—A ver… Te llevamos al hospital. Creo que ya era tarde para hacerte un lavado de estómago, así que te inyectaron algo, y luego te tuvieron que dar carbón activado… No, el carbón activado te lo dieron en la misma ambulancia… Y no me preguntes para qué sirve el tal carbón activado que no lo sé, bastante hago con acordarme del nombre. Y luego te dieron descargas o algo así, no me enteré muy bien. El caso es que te llevamos a las diez de la noche y estuvimos esperando toda la noche a que nos dijeran algo. Pero nada. Sólo nos aseguraban que saldrías de aquella y poco más.

—¿Os aseguraban? ¿A quiénes?

—A Judith, a tu padre y a mí.

—¿Les llamaste?

—Claro que les llamé. ¿Qué querías que hiciera?

—No llamarles.

—Te recuerdo, linda flor, que yo no soy tu familiar directo. Y si no quieres que llame a tu padre y a tu hermana, la próxima vez no te empastilles, ¿vale?

Pedro parece enfadado, sus ojos muerden. Ruth sabe que Pedro tiene razón, que es normal que su amigo esté más que harto de lo que él —y no sólo él— considera «chiquilladas». La segunda vez, la segunda vez en seis meses. Hay que ser una estúpida, hay que estar desesperada, hay que ser ridícula o hay que ser, sencillamente, una auténtica hija de puta. Quizá en estos momentos Pedro piense que lo mejor habría sido haber dejado que se muriera, no haber ido a su casa, no haber llamado a la ambulancia, no haber pasado la noche en vela, con la ansiedad crujiéndole en el estómago, a la espera de noticias sobre la recuperación de Ruth. No, es imposible que Pedro piense eso, por mucho que ahora se muerda los labios para no explotar y soltarle a Ruth cuatro verdades bien dichas. En realidad, Pedro mantiene un difícil y paradójico equilibrio entre el bostezo y el insulto, pues Ruth le exaspera tanto como harto está de ella, aburrido de esa ansia autodestructiva que no alcanza a comprender, que se le escapa de las manos como el jabón, tanto más esquiva cuanto más se esfuerza uno en atraparla.

—¿Dónde esta Julio? —pregunta Ruth.

Pedro mira al techo, huraño y evasivo.

—¿No me oyes?

—No pretenderías que mi novio dejara de trabajar para venir a hacer de enfermera para ti, ¿no?

—No, ni mucho menos.

—Pues menos mal, porque ya sería lo último que nos faltara, hija.

—Bueno, ¿me vas a acabar de contar lo del hospital o no?

—Ah, lo del hospital... —Pedro se tranquiliza, vuelve en sí, recupera su afabilidad de costumbre, porque al mirar a Ruth (pálida como un cirio, el pelo enmarañado, los ojos llameantes), le ha invadido un sentimiento tibio y familiar, una ola de ternura que vuelve a acercarle a su amiga—. Pues, por fin, nos dicen que podemos pasar a verte y resulta que no estás en una habitación, sino en un pasillo, en mitad de un montón de camillas, porque no les quedaban habitaciones libres. Así que a tu hermana, que ya sabes lo pija que es, se le ocurre que lo que hay que hacer es trasladarte inmediatamente a otro sitio, a una clínica como dios manda, decía ella, y supongo que se refería al Ruber o algo así, a una clínica con habitaciones individuales y con televisión en color, o a la misma clínica a la que te enviaron la primera vez, vete tú a saber, el caso es que se pone a llamar a gritos a la enfermera. Y la enfermera, cuando viene, le cuenta que no pasa nada, que tú estás ya fuera de peligro, que todo consiste en dejarte dormir. Con lo cual Judith, encantada, dice que vale, que te llevamos a casa. Pero la enfermera insiste en que no te puedes ir, que hay que dejarte en observación. Y tu padre, tan tranquilo, como si la cosa no fuera con él, saca el teléfono móvil del bolsillo y desaparece por un pasillo. Y a todo esto tú dormidísima, claro, sin enterarte de nada, y tu hermana que seguía peleándose con la enfermera, porque hay que reconocer que tu hermana será todo lo pija que quieras, que lo es, pero le estaba echando un par de ovarios al asunto. Y así estábamos, tú dormida, la enfermera empeñada en que no te pueden dar el alta, y tu hermana, toda pija y toda mona, toda mechas y oros, y sin decir una palabra más alta que la otra, pero erre que erre, sin dejar marchar a la enfermera, venga a insistir en que allí no te podías quedar, cuando, de repente, reaparece tu señor padre que viene a avisarnos de que, mientras nosotros nos hallábamos en aquéllas, él había hablado con no sé qué amigo suyo que al parecer es un jerifalte del hospital, o lo fue en tiempos mejores, y que en breve van a hacer las gestiones pertinentes, con esas mismas palabras lo dijo, que en breve iban a hacer las gestiones pertinentes y que no nos preocupásemos más. Y bueno, allí estuvimos otro par de horas esperando entre un mar de camillas, y tú dormida, y al final nos mandan a la sala de espera porque viene un doctor o un psiquiatra o algo a entrevistarte, y eso, que nos vamos, y diez minutos más tarde, por fin, nos avisan de que, efectivamente, te puedes marchar, siempre y cuando firmemos un papel diciendo que nos hacemos responsables. Y claro, a ver cómo te movíamos de allí, si no te enterabas de nada. Así que te despertamos. Más o menos parecías consciente y tranquila, pero no muy colaboradora precisamente; te dejabas hacer como una marioneta, y te tuvimos que vestir allí mismo, delante de todo el mundo, entre los tres, con una ropa que Judith había llevado, como si fueras una niña pequeña. Y tú no colaborabas, eso ya te lo he dicho, pero te dejabas hacer, no es que estuvieras muy despierta, pero tampoco estabas inconsciente. Saliste por tu propio pie y todo, apoyada en nosotros, eso sí. Así que nada, tu padre firmó no sé qué papeles y nos fuimos. Y eso, subimos en el coche de tu padre, que era quien conducía, yo iba de copiloto y Judith detrás contigo, cuando tú abres esa boquita de piñón que tienes y dices algo así como «¿adónde me lleváis?», y tu hermanita, toda dulce y toda mona como siempre, que contesta: «a casa», y tú que respondes, con un hilillo raquítico de voz: «¿a qué casa?», y Judith que te dice algo así como que a qué casa va a ser, que a tu casa de toda la vida en Puerta de Hierro, y tú que respondes, con la misma voz delgadita, que tu casa está en Echegaray, y de repente (y no esperes que te lo explique mejor, porque al fin y al cabo yo iba delante y todo fue visto y no visto), pues eso, que de repente tú te despiertas, vete a saber cómo, y sacas fuerzas y voz de vete a saber dónde y empiezas a grito pelado a decir que tú quieres ir A TU CASAAAAA y que a Puerta de Hierro no vuelves ni atada, y de repente te revuelves como gato panza arriba y no sé ni cómo empezó la cosa, pero el caso es que tu hermana te pegó una bofetada de las que hacen época, hija, que ni Glenn Ford a Rita Hayworth, te lo digo de verdad, y en ese momento tú sí que perdiste los nervios bien perdidos y empezaste a gritar, qué digo a gritar, a aullar, que parecías una fiera herida, o mejor dicho, posesa, y no se te entendía nada de lo que decías, si es que querías decir algo, porque lo más probable es que no quisieses decir nada, sólo aullabas y te revolvías histérica, agitando la cabeza de un lado a otro.

—No… me lo puedo… creer —susurra Ruth, articulando morosamente cada sílaba, muy despacio, como si las paladease, o como si le costara mucho reunir las fuerzas necesarias para hablar—. No me acuerdo… No me acuerdo de nada… Te lo juro… Te lo juro: tienes que creerme.

—No, si yo te creo, porque es que estabas ida, se te había ido la cabeza. Y ten en cuenta que todo eso ocurría dentro del coche, en mitad de la Gran Vía a la hora punta, que yo pensé que nos matábamos, porque tu padre no podía gobernar el coche con el escándalo que es-

tabas organizando, y tampoco podíamos parar porque nos encontrá-
bamos justo en medio de la corriente fluida de tráfico. Al final les
convencí de que diéramos la vuelta hasta tu casa, que yo me ocuparía
de ti. Y tu hermana que no, y yo que sí, y al final tu padre, sin decir
nada, dio la vuelta y te dijo a gritos que íbamos a tu casa, que hicieses
el favor de callarte, así que te callaste y te quedaste dormida otra vez.
Y cuando llegamos aquí tu hermana se empeñaba en quedarse, pero
yo insistí en que se fuera a casa, porque la pobre no había dormido y
estaba hecha una pena mora, y además sus crías, por mucho que
cuenten con la tata y tal, también la echarían de menos y la necesita-
rían, digo yo, y como tú parecías estar bien, respirabas con normali-
dad y te había vuelto el color a las mejillas, le dije que yo me hacía
cargo, que la llamaría en cuanto despertases, pero ella que no, erre
que erre, que se quedaba aquí contigo, y al final tu padre la convenció, apelando al argumento de las crías, y yo me quedé aquí. Y eso es
todo.

—Si me hubieras besado para que despertase habría sido igual
que el cuento de la Bella Durmiente.

—O que *The Matrix*.

—Qué más da. La misma historia en diferentes versiones... ¿Me
puedes dar agua?

—Hay un vaso y una jarra en la mesilla. Espera, tú no te muevas,
ahora te lo alcanzo. Quédate tranquilita.

—Sí.

—Recuéstate bien.

—Tengo frío.

—Ahora te traigo una manta.

—No sé cómo agradecerte...

—No seas mema. A ver... Levanta un poco para allá. Así, muy
bien... Ahora vuelve a recostarte que yo te tapo. A ver... Levántate de
este lado.... Y ahora de este lado, así no te me enfrías. Y sobre todo,
no te muevas, que sólo falta ahora que nos cojas una gripe. Si quieres
algo, ya te lo alcanzo yo.

—Pero si estoy bien...

—Por si acaso... Es que no te puedes ni imaginar el disgusto, no
puedes. La próxima vez que se te ocurra hacer una tontería semejante
deberías acordarte, al menos, de que tienes una contrato firmado
para hacer una película en la que yo trabajo, y que si te nos mueres

me harías la putada del siglo. Apelo a tu sentido de la responsabilidad, porque si te apelara al corazón, si te dijera que hay gente que te quiere y que sentiría dejar de verte, no me harías ni caso, para variar. En fin, ya sé que estás medio dormida y que no es el momento de hablar, pero ya que ésta ha sido la segunda vez en lo que va de año, creo que cuando despiertes debemos tener unas palabras en serio. En el hospital estuve hablando con tu padre...

—¿Mi padre...?

—Quiere que vayas a ver a un psiquiatra. Parece ser que conoce a uno buenísimo. Y ya sabes que yo normalmente no creo en los loqueros, pero por una vez estoy de acuerdo con él.

—Tengo sueño. Se me están cerrando otra vez los ojos.

—Pues ciérralos y duerme, que falta te hará. Yo me quedo aquí, a tu lado.

—A mi lado —Ruth cierra los ojos y desciende en picado hacia el país del sueño, hacia una infinitud de silencio sólida, indivisible, insoluble, irrompible.

Bajando

    Bajando

  Bajando

Bajando

LA VERSIÓN DE RUTH

Subiendo

    Subiendo

        Subiendo

            Subiendo

                Vuelve a abrir los ojos, casi olvidada de sí misma, y le cuesta, todavía saliendo de ese vago paisaje fronterizo entre sueño y vigilia, reconocer su habitación, ahora en semitinieblas, alumbrada apenas por la lamparilla de noche. ¿Cuántas horas han pasado? Palabras que se quedan indecisas al borde de los labios. No se atreve a despertar a Pedro, que parece dormido, en la mecedora que antes estaba en el salón y que ahora está al lado de la cama. Fija la mirada en su rostro, en su boca ancha y generosa, ligeramente entreabierta. Como suele suceder en estos casos, Pedro acaba por abrir los ojos, notándose, de algún modo, observado.

—Ya te has despertado.

—Llevo un rato despierta. ¿Qué hora es?

Pedro consulta su reloj de pulsera.

—Las diez. Y tres minutos, exactamente.

—¿No deberías haberte ido a casa?

—He llamado a Julio, no me espera. No tengas cuidado, me quedo a dormir aquí.

—No pensarás quedarte a dormir en la mecedora, que te conozco.

—No; dormiré en el futón del salón.

—No hace falta, no hace falta que te quedes, de verdad. Me encuentro bien.

—No puedo dejarte sola, ni quiero. No se hable más. Me quedo a dormir aquí, y punto.

Pedro se despereza, se desenrosca desde le mecedora, se alza sinuoso y se acerca a Ruth.

—Espera… ahora… a ver, que te envuelva en la manta.

—Me tratas como a una niña.

—Desde luego, no mereces que nadie te trate como a una adulta. Tu pobre hermana ha llamado así como quinientas veces. Quería venir, pero le he quitado la idea de la cabeza. Pero eso sí, me tienes que prometer que cuando te pongas bien irás a verla.

—Ya estoy bien.

—Bueno, pues mañana mismo vas a verla.

—Entonces me pondré peor.

—Mira, Ruth, no te consiento que digas eso. Tu hermana y tú tendréis vuestras diferencias, no te lo niego, pero la pobre se ha portado como una santa. Y no se merece que le des esos sustos. Joder, yo ni siquiera alcanzo a comprender cómo todavía les preocupas. Yo en su lugar, ni te hablaba. ¿Que te quieres matar? Pues te matas. ¿Es que no aprendiste la primera vez? ¿No pensaste que a los demás nos afectó? Una cosa es que no mencionáramos el tema, para no hurgar en la herida, y otra que no estuviéramos hechos polvo.

—No quiero empezar una discusión ahora, pero de sobra sabes que mi hermana y yo prácticamente no nos vemos, así que no creo que le tenga que rendir a ella cuenta de mis actos.

—Es tu hermana, ha vivido muchos años contigo y le importas.

—Vale. Ya te he dicho que no quiero empezar una discusión ahora.

—¿Es que no te das cuenta, Ruth, del daño que nos haces? Entiéndeme, sé de sobra que no lo haces por joder, y que el daño te lo haces sobre todo a ti misma, pero quizá, si aprendieses a elevarte un poco sobre los acontecimientos, te darías cuenta de que hay gente que se preocupa por ti. Es ofensivo, ¿sabes? Tu actitud indica un rechazo total hacia los demás y el más absoluto desprecio por nuestros esfuerzos.

—No dudo de que tú te preocupes por mí, incluso de que mi hermana se preocupe por mí, y si me apuras, de que mi padre se preocupe por mí, pero vosotros no sois responsables de mi vida. Vuestras vidas pueden existir sin la mía. Yo no le digo a mi hermana lo que debe hacer con su marido, ni a mi padre cómo debe invertir sus ahorros, ni a ti cómo debes enfocar tu relación con Julio. Y no he intentado matarme pensando en cómo haceros daño, ni siquiera sé si he intentado matarme, ni siquiera sé qué hice, o si lo hice yo, o si estaba enajenada, o qué pasó.

—¿Cómo que estabas enajenada?

—No sé, oí una voz…

—Eso no es estar enajenada; eso es ser una esquizofrénica.

—Puede, pero para que me entendieras tendría que contarte la historia desde el principio…

—Tengo todo el tiempo del mundo y, además, me he pasado el día durmiendo, aquí, a tu lado. O sea, que estoy desvelado. Puedes contarme lo que quieras.

—Bien; ya sabes que a veces oigo voces. Eso lo sabes. Como cuando perdí la cadena de oro de mi madre, ¿te acuerdas?

—Eso bien pudo ser casualidad, o tu propio inconsciente.

—No era casualidad. La habíamos estado buscando como locos, tú y yo, por toda la casa. Hasta en la bolsa del aspirador y en la basura, acuérdate, y cuando la dábamos por perdida escucho una voz que me dice: «debajo de la cama», y allí estaba, debajo de la cama, la cadena de oro hecha un círculo, y tú y yo habíamos mirado un millón de veces debajo de la cama, acuérdate; no pudo ser casualidad.

—Vale, suponiendo que no fuera casualidad, ¿qué tiene que ver esa historia con tu sobredosis de pastillas?

—La historia no tiene nada que ver: hablo de las voces. Todo empezó hace más o menos una semana. Debían de ser las dos o las tres de la mañana, y yo estaba aquí, en casa, en esta misma cama, leyendo. Leyendo un libro de Sylvia Plath. ¿Has leído un poema que se llama «Olmo»?

—Yo no he leído a Sylvia Plath. Ni ganas.

—No lo recuerdo de memoria, pero el olmo le viene a decir algo como que sus raíces se hunden en el infierno. *Sé cuál es el fondo,* le dice el arbol, o algo así. Y ella responde: *No lo temo. Ya he estado allí*. Y de repente escuché una voz, una voz clarísima, que me decía, en inglés, *why don´t you?* (yo estaba leyendo el libro en inglés, claro). Me llevé un susto de muerte.

—Eso fue una alucinación, Ruth.

—Puede ser, no te lo discuto. Pero ése es sólo el preludio de la historia. La historia de verdad comienza la noche antes de que me tragase el bote de pastillas.

—Por cierto, ¿de dónde coño las sacaste? Yo pensé que desde la última vez ya nadie te recetaba pastillas.

—Te sorprendería lo fácil que resulta encontrarlas. Hice una procesión de farmacia en farmacia hasta que en una se creyeron la historia de que se me había olvidado la receta y me las dieron sin.

—Ya… Bueno, volviendo a la historia. Hace una semana escuchas una voz… ¿Y por eso intentas suicidarte? Joder, Ruth, que ésta es la segunda vez, coño. Primero el numerito de san Valentín, el hospital, el coma, casi creemos que no vuelves. Ya nos diste el susto de tu vida. Y ahora esto. ¡Es que van dos, coño! ¡VAN DOS!

—No van dos. No he intentado suicidarme. Esto no ha sido un intento de suicidio. Esta vez sólo quería dormir, desaparecer, no sé, pero no pensé en suicidarme; a decir verdad, no creo siquiera que pensase en absoluto. No pensé en matarme.

—Pues te faltó poco, hija.

—Si me dejaras acabar, te lo explicaría.

—Te dejo.

—Bueno, pues la noche anterior a la mañana de autos, a la mañana en que me empastillé, quiero decir, habíamos salido Juan y yo…

—Ya sabía yo que el nombre tenía que aparecer… Creía que habías acabado con ese impresentable para siempre jamás. Joder, Ruth, es que no se puede confiar en ti.

—Mira, quedamos en un café para que recogiera sus cosas, luego nos alargamos hablando y se vino conmigo al estreno de la película de Santesmases, *La fuente*... No me acuerdo de cómo se llamaba. Algo de una fuente, en cualquier caso. Salían muchos chinos, pero la peli no forma parte de la historia. El caso es que después de la película nos fuimos a la consabida fiesta del estreno y nos encontramos con Juanito.

—¿Qué Juanito?

—Juanito, hombre; Juan Sin Miedo, el actor.

—Ya, ya caigo.

—Y yo había bebido, sabes que siempre acabo bebiendo cuando voy a ese tipo de fiestas, y sí, ya sé, me vas a decir que no debería haber bebido, pero es que en cuanto pongo el pie en un local atestado de gente me entra un miedo irracional, agorafóbico o como quiera que se diga, y si no bebo no puedo contener la temblequera de las manos.

—Pues no vayas a estrenos, te lo tengo dicho.

—No, si yo no pensaba ir. Fue Juan el que se empeñó. Ya sabes que él se pirra por figurar entre el famoseo.

—Es que te has liado con el peor arribista que ha pisado la Villa y Corte…

—Ya no estoy *liada* con él.

—Por lo menos aún eres consciente de su calaña.

—Pues sí, sé cómo es, sé que le gusta ir a ese tipo de sitios y por eso le llevé, le he llevado siempre… El caso es que cuando ya me había tomado tres copas se presentó Juanito, que estaba encantador, y empezamos a coquetear en plan broma, y yo en realidad lo hacía, más que nada, por darle celos a Juan.

—Pero, ¿cómo le ibas a dar celos si Juanito es gay perdido?

—Sí, ya lo sé. Pero Juan no lo sabe. Y Juanito es guapísimo y no tiene ninguna pluma, así que resultaba ideal para eso.

—Pues no sé a qué vienen esos jueguecitos absurdos.

—Mira, yo tampoco sé a qué vienen, pero cuando bebo no me sale la Ruth racional, sino la Ruth más bruta, y yo he vivido enferma de celos a cuenta de la novia esa que tiene en Bilbao y, qué quieres que te diga, me apetecía pagarle con la misma moneda, que se diera cuenta de que podía vivir sin él, que podía rehacer mi vida…

—Con Juanito Sin Miedo dudo mucho de que tú o cualquier otra mujer rehaga su vida.

—Bueno, al cabo de un rato ya estaba acarameladísima con Juanito, que, obvio es decirlo, me seguía el juego encantado, y me iba dando cuenta de cómo al otro se le salían los ojos de las órbitas, y, mira, probablemente me excedí. El caso es que luego se ofreció a acompañarme a casa y, justo en el portal, empezó a organizarme una bronca descomunal, de las que hacen época, y me preguntó si yo quería follar con Juanito, a lo que le respondí, como comprenderás, que con qué derecho me decía él nada, y de pronto me pegó un empujón que me tiró al suelo y salió corriendo, pero así, corriendo, a zancadas largas, una tras otra, y yo intenté seguirle como pude, pero no había manera, y entonces le vi coger un taxi y supe que iba a la Residencia...

—El resto me lo sé.

—¿Cómo que te lo sabes?

—Me lo sé porque tu querido amigo tuvo la desfachatez de presentarse en el coloquio a contar a quien quisiera escucharle cómo la noche anterior te presentaste en la Residencia a montar un escándalo a grito pelado.

—Es cierto. Le seguí hasta la Residencia y empecé a gritar debajo de su ventana, a ver si bajaba. Pero no bajó, y eso que se encendieron las luces de todas las habitaciones. Debí de despertar a medio mundo, y al final salió un bedel que me echó, y me fui a casa.

—Ese tío es un hijo de puta. ¿Quién le manda divulgar así una historia privada? Encima, al muy cabrón, le rezumaba el orgullo por los poros como si fuera sudor. Se le notaba encantado de proclamar al mundo que él, un don nadie, había conseguido tener a sus pies a la mismísima Ruth Swanson. Lo que yo te diga, un cabrón y un arribista de medio pelo. Y no se te ocurra disculparle, que te conozco.

—No pensaba hacerlo. Bueno, el caso es que me vine a casa, borracha perdida todavía, y entonces empezó a sonar el teléfono. Era él, insultándome de todas las maneras habidas y por haber. Que si era una loca histérica y una exhibicionista, que si hacía con mi vida lo mismo que con mis películas, que si era una solterona amargada, que si no tenía el menor valor, ni como artista, ni como persona...

—¿Y por qué no colgaste?

—No podía. Porque creía todo lo que me estaba diciendo. A veces lo creo, ya sabes. Que no sirvo para nada ni como persona ni como artista. Y era como si me hablase la voz de mi conciencia, de mi peor conciencia, de mi conciencia más negra, de esa que menos me quiere, la parte más oscura de mí misma, y yo le dejaba hablar y no le decía nada. Y lo curioso es que él no paraba. No sé de dónde sacaba tanto carrete, era como un río de palabras; le salían a borbotones, casi atropellándose las unas a las otras. Estuvo hablando como una media hora, y lo peor no eran las palabras, era el tono, ese tono agresivo con el que hablaba, más amenazador aún que lo que decía. Y de repente me pareció clarísimo que mi vida no tenía ningún sentido. No sabes cómo me dolía todo, el corazón, la cabeza, los oídos; sentía las palpitaciones de la sangre en las sienes, me dolía pensar, o saber, que él tenía razón, y entonces escuché de nuevo la misma voz, clarísima, que me hablaba en inglés, y que me decía, suavísimo, que lo mejor que podía hacer era dormir, dormir hasta desaparecer, y me recordaba dónde estaban las pastillas, en el cajón de la mesilla, y de repente reconocí la voz, no sé cómo supe que era ella, no sé si el sonido de esa voz lo tenía archivado en algún recóndito fichero del subconsciente, pero supe que era su voz, que era su voz...

—¿La voz de quién?

—La voz de mi madre.

Bajando

Bajando

Bajando

Bajando

2

VÍSPERAS DE NADA

En la vida hay muchos amores, pero sólo una gran pasión.

De un anuncio de coñac.

Un autor de veinticuatro años obtiene el Premio Adonais de Poesía

Se presentaban 110 jóvenes

EFE

Juan Ángel de Seoane, autor vasco de origen gallego, ganó hoy la LV edición del premio Adonais de poesía con su primer poemario, titulado *Justicia poética,* una obra escrita «muy desde dentro, con un lenguaje sencillo y emotivo», según declaró Luis Mateo, presidente del jurado, tras hacer público el fallo, que se dio a conocer en la Casa de América de Madrid.

El ganador no ocultó la gran satisfacción que le producía ganar un premio que otros años había recaído en escritores de la talla de Claudio Rodríguez, Ricardo Molina, José Hierro o José Ángel Valente. Además, el hecho de haberlo logrado con su primer libro de poemas —el autor trabaja actualmente en una novela— supone «el mayor refrendo que podía obtener, un acicate para seguir escribiendo y una constatación de la pasión que siento por la literatura».

Homenajes implícitos

El poemario ganador está plagado de «homenajes implícitos» a escritores que han influido en el autor y lleno de las «referencias literarias» que han marcado al joven poeta, licenciado en Derecho por la Universidad de Deusto, en Bilbao. El autor asegura que en su vida «siempre estará la literatura por encima de todo», y ha dedicado el poemario a su novia, Biotza.

UN SÁNDWICH DE QUESO

Antes de empezar a narrar la historia de cómo se conocieron Ruth y Juan, y de la evolución de su historia de amor y mentiras, tendremos que presentar a nuestros personajes, que, si bien fueron personas reales un día, se han convertido en personajes literarios desde el momento en que el lector no los conoce de primera mano y debe acercarse a sus vidas a través de un camino de palabras. En realidad éste es un libro que trata más de Ruth que de Juan, pero, puesto que durante casi un año la vida de Ruth sólo tuvo sentido para ésta en tanto en cuanto estaba conectada con la de Juan, no nos queda más remedio que presentar al lector los dos personajes.

Por ejemplo, podríamos empezar diciendo algo así como que:

Juan no hubiera desentonado en ningún libro de Dostoievski, puesto que no era extraño verle atravesar el jardín de la Residencia de Estudiantes en la que vivía con una cara tan larga como su abrigo, y un abrigo tan negro como su espíritu. También podríamos decir de él que tenía una mancha en forma de fresa en el hombro derecho y que aspiraba a ser un artista en dos campos simultáneos: la literatura y el sexo oral.

Y en algún momento deberíamos contraponerle este otro personaje:

Ruth también era una mujer de aspecto decimonónico, pero no parecía sacada de una novela de Dostoievski, sino, más bien, de Leopoldo Alas «Clarín». Tenía unas formas rotundas, algo pasadas de moda, que hubieran entusiasmado al citado autor, un pelo que nada envidiaría en abundancia y espesura a la cabellera de Ana Ozores de Quintanar (también castaño, pero más claro, tirando a rojizo, en el caso de Ruth), unos ojos llameantes dignos, por su intensidad, de la Bovary (no tan negros como los suyos, sino verdes) y una expresión ojerosa y asustada que podría ser de la Karenina. Conste que los padres literarios de Ana y Enma decidieron hacerlas morenas porque, por entonces, la oscuridad en ojos y cabello se asociaba a la sensualidad, pero Ruth, por muy claros que fueran sus ojos y su melena, podría presumir, de haberlo querido, de la cualidad intemporal de su belleza, a partir de cierto aire anticuado que exhibían sus facciones. Mucha gente, al referirse a ella, la calificaba de «belleza prerrafaelista», y cierto era que los rizos dorado-cobrizos, la nariz recta, la piel blanquísima y los labios carnosos le hacían parecer recién salida de un cuadro de Dante Gabriel Rossetti.

En fin, podríamos hacer muchas analogías literarias y llenar así páginas y más páginas que nos granjearían cierto respeto por parte de determinado sector de la crítica, pero más vale que abandonemos los vericuetos de los cerros de Úbeda y pasemos a contar cómo se produjo el encuentro entre Ruth y Juan.

Fue un periódico el que los unió, o más bien, fue el director del suplemento semanal de un periódico a quien se le ocurrió la feliz idea de encargar un reportaje gráfico sobre «Los jóvenes turcos», esto es, una galería de retratos de los jóvenes creadores, en todos los campos, que hubieran irrumpido con más fuerza en la arena de las artes en aquel año.

Como las biografías, obras y milagros del resto de los componentes de la lista nos ocuparían tiempo y espacio y nada aportarían a esta historia, vamos a centrarnos, pues, en las razones por las que Ruth y Juan habían sido elegidos para formar parte de la susodicha muestra. Juan había obtenido el Premio Adonais de poesía con su libro *Justicia poética*, que había recibido el aplauso unánime de la crítica y que lo había consagrado como «una de las más firmes promesas de la joven poesía española, cuya obra busca la plenitud de la trascendencia con una firmeza y un dominio formal dignos de mención», en palabras del crítico de *El Cultural*. Ruth había debutado con un corto, *Show Room*, que se había llevado el Premio del Público en los festivales de Huelva y Alfas del Pi, y el Premio al Mejor Cortometraje en el Festival de Sitges, y que, amén de haber sido seleccionado para competir en numerosos festivales internacionales, había sido adquirido para su difusión por Canal Plus España y Francia, y por la ARD alemana. Un año más tarde había realizado la película *Fea*, una cinta de bajo presupuesto que se había convertido en uno de los mayores éxitos de taquilla, y también en uno de los filmes más controvertidos del cine español. La crítica, en general, había despreciado el trabajo de Ruth, por considerarlo vulgar, exhibicionista y pretencioso, amén de un «descarado artilugio comercial malamente disfrazado de feminismo beligerante y coqueto», según el crítico de *El País*. Ruth se había convertido en una de las figuras más polémicas del panorama cultural español porque, en lugar de hacer lo que todo el mundo, esto es, quedarse calladita y aguantar el chaparrón de las críticas como buenamente pudiera, más o menos cobijada bajo el paraguas de la indiferencia, se había despachado a gusto no sólo contra la crítica, sino contra la Academia, en cuanta entrevista le hicieron, ya fuese en prensa, radio o televisión. Había encendido una especie de debate que enfrentaba a los detractores de Ruth (que, para entendernos, generalizando mucho y a riesgo de pecar de ultrasimplistas, podríamos identificar con varón, mayor de cuarenta años, eximio defensor del valor de la progresía en su juventud y amante de las recepciones con canapés, las copas libres en los estrenos y las chaquetas de pana) contra sus seguidores (mujer, menor de cuarenta, rigurosamente moderna y muy feminista por mucho que no haya leído un tratado serio de feminismo en su vida).

Volviendo al asunto del reportaje fotográfico que unió a ambos personajes, tendremos que añadir un detalle que posibilitó la colisión estelar de tamañas luminarias. Y esto se lo tendremos que agradecer a la secretaria encargada de la producción, que se equivocó a la hora de concertar las citas y que, sin darse cuenta, emplazó tanto a Ruth como a Juan a las siete de la tarde en el estudio de Alejandro Castellote. Aquel día la secretaria se había peleado con su novio y, debido a la tensión emocional, no cayó en la cuenta de que en realidad debió citar a Ruth a las cinco y media, y a Juan a las siete. El error no se descubrió hasta las seis y cuarto, cuando Alejandro Castellote, todavía solo en su estudio, empezó a barruntar que algo iba mal, y llamó a la secretaria que, mientras se sonaba con un *kleenex* la moquera resultante de tanto llanto, revisó las confirmaciones de citas, las contrastó con el *planning* de producción y recuperó inmediatamente la llorera (ahora no a causa del novio peleón, sino por la metedura de pata cometida). Entre lágrima y lágrima la secretaria intentó ponerse en contacto con Ruth Swanson, pero nadie respondía al teléfono en su casa (Ruth no tenía contestador, por razones que se explicarán más tarde) y no contaban con su número de móvil (tampoco tenía móvil; ídem), de forma que Ruth no sólo no llegó a la hora prevista, sino que llegó más tarde de la hora no prevista. Apareció en el estudio de Castellote a las siete y diez, y chocó con Juan casi en la misma puerta.

Y es que si la secretaria de producción no se hubiese equivocado, si Ruth hubiera llegado a la hora convenida y no más tarde, Ruth no habría chocado con Juan en la puerta del estudio y esta historia no se habría escrito. Se habría escrito otra, eso sí, porque *por donde quiera que vaya una persona lleva consigo su novela.* Pero ésta no.

Al encontrarse Juan de Seoane a Ruth Swanson en la puerta del estudio de Alejandro Castellote, como decíamos, el escritor quedó impresionado por la belleza de la directora. Cierto es que ya antes la había visto en fotografías, pero hasta entonces nunca se había fijado mucho, y no podía ni imaginar que ella al natural ganara tanto.

Era verdaderamente guapa, y se diría que consciente de serlo. Pese a su cara de niña asustada, la seguridad en sí misma parecía envolverla como un campo magnético. Al dirigirse a él, adelantó el cuerpo en una postura decidida, casi desafiante, que contrastaba con cierto aire frágil que transmitía, ese que a veces tienen las personas altas (ella medía un metro setenta y cinco), como si su propia estatura le diera vértigo. Quizá el aire de fragilidad que se intuía bajo la primera impresión de fuerza viniera de los ojos tiernos y verdiámbar, de gatito doméstico, a los que las mechas rojizas de la cabellera larga y abundante parecían comunicar tonalidades: aquellos ojos brujos rebrillaban bajo un bosque de pestañas, y miraban de soslayo, como las chiquillas tímidas. De alguna manera, no sólo se le adivinaba en la expresión de los ojos la niña que Ruth fue, sino también la niña que, inevitablemente, siempre sería. Ruth no tenía un tipo elegante, al contrario, era más bien redondita, de pechos muy redondos y llenos, cintura breve y caderas amplias, de un tipo que no se lleva ahora, del que suelen despreciar las mujeres envidiosas y los editores de revistas femeninas, pero que gusta mucho a ciertos hombres. Los gestos sinuosos (gesticulaba mucho al hablar) parecían acompañar, a juego con las curvas del cuerpo y con las facciones suaves: óvalo redondeado, labios florales y cejas en forma de media luna. A pesar de que ya había cumplido treinta y tres años, no había en su rostro una sola arruga, y la piel de color de pan reciente (salpicada de pecas en el puente de la nariz) había retenido una frescura y una inocencia que la adolescencia suele deslustrar. En aquel momento Juan vio a Ruth como una pelirroja de ojos verdes, por efecto de la luz y de su propia fantasía: impresionado por la melena espectacular, había añadido exotismo a la imagen de Ruth. Pero, como descubriría más tarde, Ruth se alimentaba de la mirada ajena en muchos sentidos: existía en tanto que la miraban. Y esa característica no era sólo mental, sino incluso física, porque Ruth resultaba muy camaleónica. Aquel día Juan había visto una pelirroja de ojos verdes, pero otros días vería una rubia de ojos ámbar. El color de los ojos y del pelo de Ruth variaba en función de la luz o del momento, o del recuerdo o la interpretación de la persona que hablara de ella. Algunos la describían como rubia, otros como castaña, otros como pelirroja. Algunos la veían delgada y otros no. Para unos era blanquísima, para otros más bien tostadita. No parecía haber una Ruth, sino una pluralidad de Ruths distintas.

Sin embargo, sólo existía un Juan, delgado como un raíl, aunque fibroso, y todos los que lo conocían lo definían más o menos de la misma manera: esbelto, moreno, de ojos penetrantes, bastante guapo. Tenía un rostro de aristas afiladas, como de dios azteca, los rasgos perfectamente armónicos divididos en dos por una nariz de filo acuchillado. En su cara, pálida y grave, había dibujada una expresión de alerta que parecía tocarlo todo con curiosidad insaciable. La forma de andar, los pasos elásticos, el cuerpo que tan acostumbrado parecía al ejercicio, transmitían sensación de fuerza. Los ojos, muy negros, miraban de frente y parecían clavados en el mundo, como para no perderse ningún movimiento. Eran verdaderamente llamativos, brillantes y sombreados por un oscuro abanico de pestañas; ojos de Cristo procesionado, ojos de jueves santo. Unos pliegues minúsculos los subrayaban en el ángulo externo, sugiriendo que su propietario quizá hubiese vivido o visto más de lo que por edad le correspondiera. Por esto, aunque era ocho años más joven que Ruth, parecía mayor. Por esto y porque Ruth tampoco aparentaba su edad. La simplicidad con la que ella vestía subrayaba esa ilusión: vaqueros, botas y una camiseta blanca con una margarita estampada en el pecho. No iba maquillada, y por su aspecto cualquiera diría que había cerrado la puerta de casa con el pelo aún mojado, recién salida de la ducha (lo cual, por otra parte, era cierto).

Él se quedó mirándola en la puerta con ojos de sobresalto y permaneció inmóvil en su sitio, con los ojos fijos y las facciones veladas por la expresión rígida y alarmada que asumía en los momentos de nerviosa desconfianza. Transcurrió un incómodo silencio de puños apretados hasta que Ruth se decidió a hablar.

—Hola, vengo al estudio del fotógrafo.

Ruth tenía una voz grave, como de lamento ronco, de rumor de mar, muy bien modulada. Una voz convocante, acariciadora.

—Sí, yo también.

Él tenía una voz de tono bajo y agradable, una voz beige, que se demoraba en las eses con una extraña inflexión femenina. Era una voz bonita, cosa que a Ruth le sorprendió mucho. Por la expresión, habría esperado un timbre más agudo. Aquella voz le acercó al chico y, de pronto, aquel hombre le resultó cálido, familiar. Como si en lugar de tratarse de un perfecto desconocido, Ruth acabara de reconocer a Juan, al que le habría unido, en otro tiempo, una relación larga y cordial.

—¿Vienes por lo de las fotos de *El Mundo*?

—Sí…

—¿Eres el fotógrafo?

—No, qué va. Vengo a que me fotografíen.

—Yo también, qué casualidad. Me llamo Ruth. Ruth Swanson.

—Juan Ángel de Seoane.

Ella extendió la mano hacia él para evitar los dos besos de cortesía, que detestaba. Él extendió a su vez una mano sudorosa y blanca. Ella observó que al tacto era fría y blanda, y que sólo la había dejado un momento entre las suyas, sin ejercer la menor presión. Disgustada por el gesto, por la aprensión evidente de él, ella apretó la mano y la sacudió enérgicamente. Le molestaba advertir que un hombre se sentía nervioso en su presencia, ya que eso impedía un posterior acercamiento, y también porque ese sentimiento de inferioridad que provocaba en algunos hombres había dado lugar muchas veces a resentimientos y absurdas venganzas por parte de los ofendidos. Los hombres desprecian en público aquello que temen en privado. Luego, Ruth llamó al timbre. Enseguida les salió a abrir el fotógrafo y les explicó el problema: la equivocación de la secretaria, la coincidencia de citas.

Al fotógrafo no se le ocurría la manera de desfacer semejante entuerto, y en un momento se había desatado una caballerosa discusión entre Ruth y Juan: ¿quién debía fotografiarse primero?, ¿quién debía esperar pacientemente una hora hasta que el otro acabara?, ¿quién tenía compromisos más urgentes que atender? Ninguno, porque ambos contaban con el resto de la tarde libre, y ambos se negaban a ocupar el primer turno: Juan porque se consideraba un caballero y pensaba que era él quien tenía que resignarse a esperar, y no la señorita; y Ruth porque se consideraba feminista y jamás permitiría que un hombre le cediese el primer puesto así porque sí. El fotógrafo, harto de tanta tontería, les propuso jugarse el turno a los chinos, y fue Ruth —que al fin y al cabo, como buena directora de cine, también tenía algo de fotógrafa— la que sugirió la feliz idea: ¿por qué no fotografiarse juntos? Si primero se sacaban una foto en pareja, después todo sería fácil, puesto que la luz ya estaría medida. Castellote se opuso: para hacer un retrato —opinaba él— se necesita estar a solas frente al personaje, para encontrar la pose que mejor se le adapte.

—Yo odio que me retraten —le aseguró Ruth—, y te juraría que, al contrario de lo que tú crees, cuanto más tiempo emplees en mí, peor saldré, porque me voy poniendo cada vez más nerviosa y, al cabo de diez minutos, pierdo toda la espontaneidad que puedas captar al principio. Confía en lo que te digo, Alejandro, que este año me han hecho posar unas veinte veces, y no exagero.

—Estoy de acuerdo con ella —dijo Juan—. No es que esté muy acostumbrado a que me retraten, pero tampoco me gusta nada posar. Cuanto menos tardemos, mejor. Además, creo que me facilitaría las cosas posar al principio con ella. No sé…, tengo la impresión de que si me siento acompañado me parecerá más fácil. Siempre me encuentro un poco ridículo cuando tengo que posar.

Puede que parte del argumento fuera cierto, pero también lo era (y esto se lo callaban) que ninguno de los dos quería reconocer que se habían gustado a primera vista y que deseaban aprovechar la situación que se les brindaba en bandeja para conocerse mejor.

Como hemos dicho, los dos tenían la tarde libre, pero el fotógrafo no. A las ocho y media había quedado con una joven modelo en la que había depositado muchas esperanzas (no precisamente profesionales) y , como era un tipo listo, en seguida cayó en la cuenta de la razón oculta por la que aquellos dos se empeñaban en aportar una solución tan estúpida al conflicto, y sabía muy bien que, como no aceptase, se le pasaría la tarde en reproches y propuestas del uno y de la otra. Así que se dijo a sí mismo que más valía seguirles la corriente a aquellos dos, que, total, tampoco los del periódico le pagaban tanto, y que él no había enviado a sus barcos a luchar contra los elementos. Y es verdad que le quedaron unas fotos muy bonitas, en parte porque él era un buen fotógrafo y en parte porque al escritor y a la directora el embeleso mutuo les había distendido las facciones, y salieron los dos con una sonrisa que podría iluminar un callejón estrecho a medianoche. Y, además, apenas tardó una hora entre el retrato conjunto y los dos retratos individuales. Un éxito, vamos.

Los dos salieron juntos del estudio. El día ya se estaba disolviendo entre las recién encendidas luces de las farolas. Ella propuso ir a tomar un café, y él aceptó con tono de jovial conformidad, cual si sacrificara sus gustos al capricho de una reina. El Café Comercial no estaba muy lejos del estudio de Alejandro Castellote, así que decidieron tomarlo allí. Mientras paseaban por la calle, Juan reparó en el sinnúmero de transeúntes que se quedaban mirando a Ruth. No habría sabido decir si esa confluencia de miradas se debía a la belleza de la chica o al hecho de ser conocida. Al entrar en el café, y tras sentarse a la mesa elegida (un velador de mármol situado junto a uno de los ventanales), se dio cuenta de que la atracción que Ruth ejercía parecía haberse intensificado. Muchos de los que estaban allí miraban a Ruth, algunos disimulaban más su curiosidad y otros menos. Había un par de chicas bastante monas, por ejemplo, que parecían fascinadas con ella. Cuando Ruth atravesó el café por el corredor que se abría entre las mesas, una de las chicas se quedó mirándola, le propinó instantáneamente un codazo a la otra y señaló a Ruth con la cabeza. Cuando la segunda se dio cuenta de lo que su amiga le indicaba abrió desmesuradamente los ojos y se quedó estupefacta, como si tuviera el alma en suspenso, como si se le acabara de aparecer la Virgen María en medio mismo de aquel local. Ruth, sin embargo, no parecía enterarse de la agitación que su presencia despertaba. O es muy despistada o está más que acostumbrada a llamar la atención, pensó Juan, y se sintió repentinamente orgulloso de ser visto en su compañía, como si la popularidad de Ruth se le contagiara por contacto. Juan se debatía entre la envidia y la admiración. Al lado de Ruth, tan famosa, se le rebullía algo en el interior que protestaba contra la injusticia de su propio anonimato, pero, por otra parte, agradecía esa oportunidad de ser visto, de ser mirado, de destacar, que ella le concedía, puesto que sentía que aquella gente que miraba a Ruth le admiraba a él también sólo por el hecho de estar a su lado.

Cuando llegó el camarero Ruth pidió un café con leche, y él un *gin tonic*. El camarero, un chico jovencito de largas patillas, se quedó mirando a Ruth con la misma expresión extraña de la pareja de niñas. Juan casi nunca bebía a una hora tan temprana, pero, por un lado, deseaba impresionarla con algo tan mundano y varonil como le parecía a él que era beber a deshoras, y, por otro, pensaba que el alcohol le ayudaría a superar el nerviosismo. Ruth jugaba con un rizo de su melena, lo enroscaba y desenroscaba entre uno de sus larguísimos dedos, y parecía tan nerviosa como él. A Juan le fascinó aquella peculiar manera de enroscar el dedo luminoso en un no menos luminoso mechón, y empujarlo para atrás con pertinaz insistencia, todo para que el mechón rebelde volviera a caer sobre la nariz pecosa. Le encantó el gesto por infantil, porque desmentía la aparente seguridad de la chica, y tuvo que reprimir el deseo, casi el instinto, de alargar la mano y rozar él mismo aquel mechón que lo magnetizaba. Pero no se acercó a su pelo ni de lejos. Con mujeres como ésta, pensó, mejor sumirse en la indiferencia, o, al menos, aparentarla. Por fin, ella confesó no saber nada de él.

—Lo siento —se disculpó—, pero es que últimamente vivo bastante encerrada, ¿sabes? Estoy escribiendo un guión y prácticamente no me entero de la actualidad.

—No te preocupes —la tranquilizó él—. De todas maneras casi nadie me conoce. El Adonais es un premio muy minoritario —se advertía cierto poso de orgullo en su voz, como si intentara oponer a la popularidad de ella aquello de exquisito que se supone a los placeres reservados a las minorías—. Además, tampoco yo he visto tu película.

—Ni tú ni treinta y nueve millones de españoles. No te preocupes, no te pierdes gran cosa…

Él se dijo a sí mismo que tanta modestia no podía ser cierta. En los círculos que él frecuentaba nadie se denigraba a sí mismo en público. Ni siquiera era frecuente la autoironía.

—De todas formas —dijo Juan—, si quieres, podría enviarte un ejemplar de mi libro.

—¿Lo dices en serio? —preguntó Ruth, y su rostro se le encendió como si le ardieran por dentro hogueras de entusiasmo.

Juan se sorprendió mucho al comprobar el resplandor de la suave luz verdosa presa en sus ojos, pues tanta emoción parecía sincera y él nunca la habría esperado de una celebridad mediática. Al fin y al cabo, a su lado él era un don nadie. Al menos, así se sentía.

Ruth sacó una agenda de su bolso, la abrió, garrapateó algo en una hoja, la arrancó y luego le pasó el papel a Juan.

—Aquí tienes mi dirección. Si me das la tuya, te enviaré, en justa correspondencia, el vídeo de mi corto. El de la película no, porque aún la exhiben en cines, y creo que preferiría que la vieses en pantalla grande.

Ruth hizo una seña al camarero que se encontraba apoyado en la barra y que no había dejado de mirarla. El camarero se desplazó hacia ella con tal rapidez que casi se lleva por delante la silla de una chica que se levantaba en aquel momento.

—¿Me podría traer un sándwich de queso, por favor? —le preguntó Ruth cuando le tuvo al lado.

—¿De queso? ¿Sólo de queso? Tenemos sándwiches mixtos...

—Sólo de queso, gracias —respondió Ruth—. Queso con queso —y dirigiéndose a Juan añadió—: Perdona, es que me acabo de dar cuenta de que no he comido nada en todo el día. Me he levantado demasiado tarde. ¿Tú no quieres nada?

Juan negó con la cabeza.

En los ojos del camarero brillaba un rescoldo de voraz veneración, como si quisiera comérsela. No se movió de allí. Ruth empezaba a ponerse nerviosa. Juan se dio cuenta enseguida, y, en un intento de aventar un tanto la tensión del ambiente, escribió su dirección en una servilleta y se la pasó a Ruth. El camarero, por fin, deshizo el camino andado hacia la barra.

Juan reparó en un detalle aparentemente insignificante: la autosuficiencia de Ruth. Ruth había sentido hambre, había llamado al camarero y pedido un sándwich. Biotza, su novia, casi nunca reconocía que tenía hambre (la verdad es que Biotza comía poquísimo, pues estaba siempre a dieta, una dieta que no parecía necesitar, ya que era muy delgada, casi demasiado delgada, aunque eso Juan no lo reconocería nunca: le avergonzaba su secreta atracción por las mujeres llenitas, que, en opinión de Biotza, resultaban vulgares), pero, si se hubiera encontrado en semejante situación, se lo habría dicho primero a él, y hubiese sido él quien habría llamado al camarero. Y, desde luego, Biotza nunca habría pedido algo para sí misma y luego le habría preguntado a Juan si él quería algo también. Biotza, una chica de familia bien de toda la vida, seguía el código de provincias: cuando estaba con su hombre no se dirigía a otro. Ruth, sin embargo, se había saltado el código a la torera. ¿Era Ruth maleducada o cosmopolita?

—Vivo en la Residencia de Estudiantes —explicó Juan mientras Ruth leía lo que había escrito en el papel—. Me dieron una beca, y pasaré ahí un año entero. Yo también estoy retirado escribiendo... Pero no un guión, claro. Una novela.

—¿Una beca? ¿Y qué te da la beca?

—Prácticamente nada. El alojamiento y la comida, poco más. Bueno, y una cantidad mínima para gastos. Pero está muy bien para escribir, porque no me tengo que ocupar de nada. Me hacen la cama, me dan de comer, y todo eso... Así que me puedo dedicar sólo a lo mío. Y, sobre todo, me hacía falta el aislamiento. En casa me habría sido imposible. Vivía con mis padres...

—¿Aquí en Madrid?

—No, en Bilbao. Bueno, en realidad en Bermeo. Pero mientras hacía la carrera vivía en Bilbao. Luego, volví a casa con mis padres.

—¿Qué estudiaste?

—Derecho.

—Pues no tiene nada que ver con lo de ser poeta. Te habría convenido más Filología.

—Es una larga historia...

—Tenemos tiempo.

Animado por la sonrisa de la pelirroja, Juan le explicó, a grandes rasgos su vida. Cómo sus padres le habían desanimado cuando él sugirió la idea de estudiar la carrera de Filología o Filosofía, y cómo, por fin, él había accedido a hacer Derecho, puesto que al fin y al cabo eran sus padres los que pagarían la carrera y el alojamiento en Bilbao durante los cinco años que aquélla durara. Y cómo él, convencido de su vocación, se había presentado a todos los concursos de poesía habidos y por haber, desde los juegos florales del pueblo más perdido (muy al principio) hasta, años más tarde, el propio Adonais; y cómo, a la vez, había escrito a todos los literatos que admiraba y les había enviado sus poemas, y cómo algunos le habían respondido y le habían animado y hecho sugerencias, aunque otros no le respondieron nunca, y eso que llegó a mandarles hasta cinco cartas seguidas; y cómo uno de los que contestaron, el mismísimo Francisco Umbral, había accedido a verse con él tras un año de intercambiar correspondencia, y cómo él había ahorrado para viajar a Madrid y conocerle, y cómo se hospedó en una pensión cochambrosa durante cuatro noches, escuchando el goteo de la cisterna en aquel váter de paredes desconchadas y melancólicas que escondía cocodrilos, dinosaurios, peces y toda una familia de reptiles dibujados por la humedad, un clop-clop que se mezclaba con los gemidos hipócritas de las putas que recibían a sus clientes en los cuartos contiguos; y cómo todo valía la pena porque Paco —le llamaba no sólo por su nombre de pila, sino por su diminutivo— le había llevado consigo a cócteles literarios, a tertulias, a presentaciones de libros, tratándole como a un joven protegido, y cómo en Madrid se le reafirmó la vocación y supo desde entonces que él quería ser escritor y nunca abogado.

El camarero reapareció con un sándwich de queso en un plato que colocó ceremoniosamente frente a Ruth. Y otra vez permaneció inmóvil frente a la mesa, los ojos clavados en ella.

—¿Y...? —le dijo la pelirroja.

Los ojos de Ruth le contemplaban inmensos como prados indiferentes.

El chico parecía cortado

—Esto... ¿Desea algo más?

—Sí —dijo Ruth—. Intimidad.

El rostro del camarero se encendió hasta ponerse tan color grana como un alemán en su primer día de playa. La réplica de Ruth había impresionado a Juan, pero no sabría decir en qué sentido. ¿Era muy lista o muy borde?

Ruth pensaba, mientras cortaba el sándwich para quitarle el borde de la corteza al pan, que esa persecución del escritor famoso tenía algo de servil y de caníbal. Esa palabra, «protegido», le sonaba obscena, le traía reminiscencias de juegos de erastas y efebos, y por un momento pensó si no habría habido un intercambio carnal en aquella historia que el chico contaba, si no estaría el joven rapiñando las sobras del reconocido talento del viejo. Pero desechó enseguida esa idea, no porque le repugnara, en absoluto, sino porque Francisco Umbral arrastraba una supuestamente merecida fama de mujeriego y, según aseguraba Pedro, también de homófobo, aunque la verdad era que para Pedro todos los héteros eran homófobos. Más bien, pensó, se trataba de otro tipo de intercambio. El erasta moderno no buscaba la carne, sino la admiración, y su protegido buscaba el acceso a un círculo restringido a través del cual darse a conocer. Así solía funcionar la fecunda hipocresía de los urbanitas, pensó Ruth mientras rumiaba su primer bocado de sándwich de queso. Además (Ruth ya acometía el segundo bocado), ¿qué era eso de que la vocación se le cimentó después de asistir a presentaciones y tertulias? Más pareciera que el chico, en lugar de tener vocación por la escritura, quería que le invitaran a cócteles. Después se sintió malpensada. Al fin y al cabo, él parecía un chico tímido y bastante normalito, y quizá lo que a ella le parecía indigna y zalamera adulación no era sino pura ingenuidad de provinciano deslumbrado por los falsos oropeles de un mecanismo de vanidades que a ella nunca le había atraído demasiado, precisamente, porque no lo había tenido lejos. Además, a un escritor como Francisco Umbral se le suponía criterio probado y sobrado como para no permitirle a cualquier tarambaina de medio pelo que mariposease a su alrededor para chupar cámara. Si había visto algo en el chico, habría razones para ello. Claro que el chico podría estar mintiendo. Ruth sabía de mucha gente que alardeaba de su intimidad con ella sin conocerla apenas. Entretanto, Juan continuaba perorando y hablando sobre alguna presentación de libros que a Ruth no le interesaba en lo más mínimo, y ahora se había puesto a hablar de un tal Indalecio Echevarría, un crítico muy renombrado, por lo visto, cuyo nombre a ella no le sonaba ni de lejos. Ella asentía con la cabeza de cuando en cuando para fingir interés y seguía atacando el sándwich sin misericordia. Ruth sentía cierta compasión por la ingenuidad del chico, no exenta de morbo. Le resultaba interesante alguien que todavía se dejaba sorprender por cosas tan tontas. Casi encontraba tierna aquella pasión por las apariencias. No le habría resultado tan fácil pensar bien de Juan, sin embargo, si hubiera sido gordo y acneico, si no hubiese tenido aquel perfil griego, aquella sonrisa de anuncio, aquella mandíbula de actor de cine y, sobre todo, aquellos ojos nazarenos y brillantes, radiantes en su propia oscuridad.

Entretanto, Juan admiraba el modo en que Ruth manejaba los cubiertos, con precisión y cuidado a la vez, y pensaba en cómo se notaba la buena cuna en algo tan aparentemente trivial como comerse un sándwich de queso. Hasta que conoció a Biotza no había visto a nadie comer un sándwich con cuchillo y tenedor. Ruth, como solía hacer Biotza, se llevó la servilleta a la boca con delicadeza y apartó el plato hacia una esquina de la mesa, pero Ruth exhibía cierto hedónico donaire en los modales que la diferenciaba de Biotza, más contenida. Lo que Juan no sabía todavía es que Ruth había nacido con un «de» en el apellido, un «de» que se quitó para evitar que la llamaran pija y niña bien, un «de» que Juan se había puesto para pretender una buena cuna que no tenía, porque Juan no había nacido Juan Ángel de Seoane, sino Juan Hernández, y Ruth no había nacido Ruth Swanson, sino Ruth de Siles.

—¿Quieres otro café? —le preguntó Juan.

La pregunta la distrajo de sus pensamientos. Miró el reloj: ya eran casi las diez. Le habría apetecido quedarse con él, pero no se sentía del todo a gusto. El chico le agradaba, era cierto, pero después de su conversación le había quedado cierta sombra de duda. Además, aunque él no lo supiera, ella sí había advertido las expresiones expectantes a su alrededor y comenzaba a sentir una especie de febril inquietud a la que no sabía poner nombre, pues la propia Ruth no acertaba a explicarse a sí misma por qué le molestaba tanto sentirse reconocida.

—No, no puedo. Se me está haciendo tarde, y mañana me tengo que levantar pronto —mintió.

Nunca se levantaba antes de las once de la mañana.

—Entonces, ¿nos vamos?

—Sí, será lo mejor.

Ella se alzó del asiento y él tras ella. En un gesto caballeroso, le ayudó a ponerse el abrigo. Ella llevaba botas de tacón y resultaba un poco más alta que él. Juan recordó un test que tuvo que responder en el servicio militar, y en el que había que identificarse o distanciarse mediante un «sí» o un «no» de ciertas afirmaciones. Una de ellas era «Me intimidan las mujeres altas». Entonces Juan había subrayado la palabra «no», puesto que pensaba que si escribía «sí» le tomarían por un pusilánime. No tenía ni idea de quién leería aquel test, y ¿qué más daba lo que pensara de él un total desconocido? Pues importaba, porque Juan buscaba desesperadamente la aprobación ajena. Y sí le intimidaban las mujeres altas. Su novia apenas medía un metro sesenta.

Escoltó a Ruth hasta la salida del café. Ella paró un taxi desde la acera. Se despidió de él con un breve beso en las mejillas.

—¿Esto es una despedida? —preguntó Juan—. Quiero decir, ¿nos podemos volver a ver?

Casi se asombró de su propio descaro: ¿qué hacía él intentando quedar con una chica a la que casi no conocía, con una chica mayor que él, más famosa que él…?

—¿Una despedida? —Ruth se rió. A ella también le había sorprendido el descaro del diletante—. Una despedida es un éxtasis, una insensata fiesta de la desdicha… —Juan la miró con expresión de asombro. Ella pensó que habría captado la cita, pero no era así[1]. Ruth reparó en la cara del taxista, que la miraba oblicuamente desde su puesto con ojos de ansioso enfado: no podía tener el taxi parado en medio de la calle todo el día—. Me has prometido enviarme el libro, no lo olvides —le apremió ella.

—Descuida.

Ella le envío un beso con la punta de los dedos, corrió hacia el vehículo, avaivenando las caderas como una reina en retirada, y se deslizó dentro del taxi. Juan se quedó inmóvil un rato, deslumbrado, siguiendo el coche con la mirada. El semáforo cambió de rojo a verde, y el taxi, arrastrado por la corriente del tráfico, desapareció entre aquella ondulante procesión de luces. El brillo del semáforo le recordó a Juan la brillante y calmiverde naturaleza de los ojos de Ruth. Había leído algo en ellos: paso libre.

---

[1] Ruth cita a Borges.

¿Y QUIÉN ES RUTH?

Antes de entrar a describir a Ruth de Siles Swanson, más conocida para el gran público como Ruth Swanson, joven directora de cine (si se puede decir que una persona es «joven « a los treinta y tres años), habrá primero que advertir o recordar al lector que cada persona es más que una persona, que cada persona constituye una determinada intensidad de existencia que se envasa en formas distintas en momentos concretos, una multiplicidad contradictoria. Y de esa manera Ruth sabía, como todo el mundo sabe o debiera saber, que ella no era siempre la misma, que había muchas Ruths distintas. En numerosas ocasiones Ruth había sentido diferentes cambios en su vida y cada uno había sido como una marea, como una enorme ola que llegase a la playa y arrastrara cuanto encontrara, dejando tras de sí la orilla virgen de pisadas, a una nueva Ruth que olvidara las desgracias y los sinsabores de la antigua. Y sólo por eso Ruth había sobrevivido, y a punto estaba de alcanzar la «joven» y poco respetable edad de treinta y tres años: porque había impuesto la desmemoria en su existencia, porque había ido olvidando muchas reinterpretaciones de sí misma para volver a reinventarse cada vez que creía que sería imposible soportar la vida tal y como la estaba viviendo, y sólo por eso iba a alcanzar la poco respetable edad de treinta y tres años, y digo «poco respetable» porque en general la opinión pública conviene en que una mujer que haya llegado soltera a los treinta y tres años no es sino una solterona, por más que se trate de una mujer famosa y admirada, o al menos así es como se sentía Ruth íntimamente: solterona, sola, emocionalmente fracasada.

En cualquier caso, Ruth sabía que ésa no era la verdadera razón de su dolor, de su dolor de vivir, pero, a sus casi treinta y tres años, Ruth se daba por vencida y ya no intentaba analizar demasiado la razón de su desesperación. Sabía que era depresiva, que entraba y salía de las crisis de ansiedad como quien lo hace de los bares, que su equilibrio mental era bastante inestable, que de equilibrio tenía poco o nada, que era impulsiva, que tenía un carácter melancólico, que no acababa de sentirse a gusto en ningún lado... Pero ya había desistido de tratar de entender el porqué de todo esto, si era aquello enfermedad o simple rasgo de personalidad, si era muy creativa, imaginativa en exceso o sencillamente maníaco-depresiva. Ya no intentaba explicarse a sí misma en términos lógicos. Nada de lo importante para ella era susceptible de ser examinado a la luz de lo racional. Lo importante, lo que la conformaba y le dolía, se arrastraba inconscientemente con ella, como una sombra, sin análisis, sólo como una sensación que remolcaba y hacía patentes todos los resentimientos y heridas de Ruth. Aquel dolor agudo y constante, aquella ansiedad que no podía dejar de sentir, se derivaba de su índole de ser diferente, pues Ruth siempre supo, o más bien sintió, que era distinta. Entre otras cosas por su condición de pelirroja, la única de su clase. Y llevar en la cabeza esa llama anaranjada, esa distinción, le confirmaba lo que ella había sospechado desde que cumplió los cinco años: que por alguna razón no era como las otras. No como su padre ni como su hermana, no como el resto de las niñas de su colegio, no como nadie más que viviera cerca de ella. Ruth reconocía su distancia, su diferencia, en el espejo de los ojos de la gente: débil, variable, contradictoria. Y así, consciente de que poco podría obtener de los otros, aprendió a mirar a su alrededor sin hacer preguntas, y avanzó como pudo hasta la pubertad sin súplica, ni curiosidad, ni ambición, ni propósito.

Para proporcionar al lector una mejor aproximación a Ruth diremos que había crecido en una casa enorme con piscina, jardinero, doncella y cocinera. Su familia alardeaba de apellido ilustre: el patronímico De Siles puede rastrearse largamente en numerosos árboles genealógicos. Además de apellido, la familia presumía de dinero y de la supuesta buena educación que suele acompañar al dinero, lo que significa, en otras palabras, que Ruth era capaz de manejar con soltura el tenedor del pescado y de reconocer al primer sorbo si un vino era de buena añada, que hablaba tres idiomas con desenvoltura, que tocaba el piano aceptablemente y que mantenía siempre, aun sin quererlo, un cierto poso de clase, de dignidad esencial y distraída.

La madre de Ruth había muerto cuando ella tenía cuatro años en un accidente de coche. Una muerte así es algo triste, pero, al fin y al cabo, normal. Lo que no resultaba normal era el tácito pacto de silencio que parecía existir en aquella casa sobre la figura de su madre: nadie se refería nunca a ella y no había en toda la casa un solo retrato o una foto que la recordara. Estrella, la tata de Ruth, la mujer que las había cuidado a ella y a su hermana desde pequeñas, intentaba explicar aquella ausencia de vestigios de la madre contándoles que el padre había sufrido tanto cuando ella murió, que había preferido hacer desaparecer su recuerdo para no tener que enfrentarse cada día con él y con el dolor que la memoria acarrearía. Así que Ruth no preguntaba mucho sobre su madre porque, sin necesidad de que nadie se lo hubiera dicho, sabía que ese tema no debía ser mencionado.

De la historia de su madre no sabía mucho. Nadie se había tomado el trabajo de explicársela. Desde que ella recordaba, su madre había sido un fantasma, una vaga memoria de vida abreviada, que deambulaba por los pasillos de la casa suntuosa y somnolienta, de esa casa en la que, sin embargo, nadie se atrevía a reconocer su presencia o su ausencia. Y es que la ausencia, a veces, se percibe más que la misma presencia, sobre todo cuando se traduce en un suave impulso que sale del alma reclamando a la persona ausente. La madre, pues, era ausencia: no estaba en ningún lugar, sino en Ruth. Y Ruth la llevaba donde quiera que fuese. Ruth recordaba, o creía recordar —nunca estaba segura de si aquello se lo había inventado o lo había soñado— que, cuando ella era muy pequeña, su madre, para explicarle el valor de la humildad, le había dicho que nadie puede encontrar una moneda por la calle si no va mirando al suelo. El caso es que Ruth siempre iba por la calle con los hombros echados hacia atrás, la barbilla adelantada, la nariz apuntando al cielo y una intermitente mirada periférica para comprobar cuántos ojos la seguían. No podía avanzar mirando al suelo porque sólo existía en función de la mirada ajena. No podía ser humilde aunque quisiera.

Ruth no recordaba a su madre, pero albergaba un vago convencimiento de que no necesitaba de imágenes mentales, de recuerdos concretos, para sentirla cerca, como si la certeza de la ausencia de su madre no tuviera que ver con la memoria sino con los sentidos, como si conservara rastros de su presencia, de su tacto cuando la tocó, de su mirada, de su olor, del sonido de su voz, aunque fuera incapaz de adjudicarle a su madre un rostro que no lograba ver por mucho que intentase conjurarlo. En alguna ocasión existió una mujer que la despertaba y la besaba. Pero aquella mujer no tenía rostro, puesto que era imposible encontrar una sola fotografía suya.

Existía un acuerdo del que nunca se hablaba, pero que Ruth conocía, y no podría explicar por qué lo conocía, quizá porque durante años se había esforzado en interpretar los retazos de información que flotaban por la casa —las conversaciones telefónicas de su padre, los cuchicheos del servicio...—, para hilvanarlos y componer con ellos una explicación sobre la muerte de su madre y la razón por la que nadie quería hablar de ella. Durante la infancia, Ruth se sintió condenada a un doble encierro: aprisionada dentro de las paredes de su casa y dentro de un mundo diferente, oscuro y uterino, en el que habitaba por su doble condición de diferente y de hija de su madre. Hija de su madre, pensaba, porque era pelirroja, como había sido su madre, y no se parecía en nada ni a su padre ni a su hermana. Ruth sabía que su madre estaba en otro mundo, el invisible, ese que no tiene ángulos sino curvas, ese en el que los colores fulguran como si el sol les incidiese siempre directamente, ese en el que los contornos de las cosas se pierden en una sombra neblinosa, como el tiempo, que se difumina y se extiende y se comprime, ese mundo invisible en el que no hay dimensiones ni puntos cardinales. De ese mundo le hablaba a veces Estrella, que creía firmemente en otra vida, en otro espacio en que deambulaban los espíritus (Estrella, que a veces le leía las cartas, había vislumbrado un futuro brillantísimo para Ruth). Y cuando Ruth oía relatar a Estrella historias de fantasmas y aparecidos sentía un dulce consuelo al pensar que no había perdido del todo a su madre. Ruth se había formado en el agua del vientre de su madre, y llegó a la luz de la vida arrastrada por aquella agua que contenía el germen de la vida y la sal de las lágrimas futuras, un agua que creaba y destruía, y, Ruth, hecha de agua, no podía, no podía, no podía, negar de dónde había venido. Sabía muy bien que, aunque nadase y se zambullese a buena distancia de su madre, o del recuerdo de su madre, siempre seguiría sintiendo que el agua le pertenecía. Pero su madre no estaba con ella, aunque Ruth la nombrara siempre, se hallaba en algún sitio donde la voz no alcanzaba, y lo que había dejado no era más que un negro hueco devorándole la entraña.

Su madre se había llamado Margaret, era escocesa y había conocido a su padre en Londres, donde él estaba haciendo un curso de postgrado en arquitectura y ella trabajaba como secretaria en un bufete de abogados. Era mayor que su padre y se había casado tarde. Cuando Ruth nació, su madre tenía treinta y ocho años. Ruth no había conocido a sus abuelos maternos porque ambos habían muerto antes de que ella naciera. No tenía referencias de sus parientes por línea materna, en caso de que los hubiera. En resumidas cuentas, durante la mayor parte de su vida, Ruth supo menos de su madre que lo que la mayoría de la gente sabe de un primo lejano. Fue ese desconocimiento, el hecho de que toda la figura de su madre se quedara limitada a cuatro datos borrosos, lo que le permitió idealizarla. Su tata le había dicho que su madre había sido pelirroja, y aquel dato le confirmó a Ruth la razón por la cual se sentía tan distanciada de su padre y su hermana: porque no era como ellos, puesto que ellos descendían de otro linaje distinto. Su padre y su hermana eran morenos, castellanos recios, compactos, fornidos, serios, de carácter conservador y talante concentrado y eficiente, más bien pequeños; mientras que Ruth era pelirroja y alta, desorganizada, caótica, soñadora y tendente al despiste. No cabía duda de que todo aquello lo había heredado de su madre, ¿de quién si no? Y así, desde pequeña, Ruth se protegió de la distancia que se creaba entre ella y los otros miembros de su familia: decidió combatirla desde una historia que ella misma se había creado, oponiendo una nueva distancia a la distancia. Ruth se decía que no pertenecía al mismo mundo, porque ella era hija de su madre, que habitaba el mundo de lo invisible. Fue por eso por lo que Ruth empezó a coleccionar margaritas más o menos a los ocho años, porque así afirmaba simbólicamente de dónde venía: de una margarita. En inglés una flor de margarita se llama «daisy», y no Margaret, pero eso no importaba, puesto que Ruth encontraba más definitorio de su ambigüedad el cruce entre los dos significados. Ya que Ruth era la resultante de un cruce de dos países, su símbolo se basaría en el cruce entre dos idiomas. A los treinta y tres años, cuando ya se había deshecho del nombre de su padre y se presentaba al mundo utilizando únicamente el apellido materno, Ruth Swanson poseía una inmensa colección de margaritas: colgantes, horquillas, anillos en forma de margarita, bolsos y camisetas con margaritas estampadas, vestidos de verano con pequeñas margaritas bordadas, ceniceros, pendientes, estuches, tazas de desayuno, cuadernos de notas, agendas, monederos, todas las representaciones de margaritas que se puedan imaginar, recopiladas a través de los años con obsesivo celo. Nuestro psicoanalista asesor (al que nos referiremos a menudo a lo largo de esta historia) le hubiera dicho a Ruth que la introducción de mediaciones simbólicas en los mecanismos del recuerdo responde a la necesidad de que la experiencia traumática encuentre algún cierre. En el caso de Ruth, las margaritas eran símbolos, candados y tablas de salvación. Y más tarde, cuando las margaritas ya no bastaban, Ruth empezó a contar historias, y las películas sustituyeron a las margaritas, y, de esta forma, se dotó a sí misma de marcos de referencia explicativos que le ayudaran a dar cuenta de las múltiples dimensiones desde las que podía abordarse la construcción de su memoria. Así pues, su remembranza de la niñez no era fluida, no tenía una historia lineal como una película, sino que se construía más bien sobre una sucesión de fotos fijas.

Estrella, ¿cómo era mi madre? Tu madre era pelirroja, tenía los ojos verdes, tú te pareces a ella… Silencio espeso porque, de pronto, se escuchan en la lejanía los pasos del padre, y Estrella calla como si una ráfaga de viento se hubiera abatido de golpe sobre la llama de su recuerdo y, al reparar en los enormes ojos interrogantes de Ruth, dice: anda, no pienses tanto en tu madre, que no es bueno para ti. Pero, ¿y mis abuelos?, insiste Ruth, los padres de ella, quiero decir, no los abuelos de siempre, ¿por qué no los conozco? Porque murieron antes de que nacieras tú. ¿Pero no tengo yo tíos o primos o algo allá en Escocia? Chisss…. Chisss…. Calla, no hables de estas cosas. Y a Ruth le cosquillea por dentro la impresión de que allí, en la casa, todos saben (su padre, Estrella, Judith), pero todos callan, de que una muralla de secretos la rodea y ella nada puede hacer, excepto hurgar inútilmente con las uñas en los resquicios que se abren entre las piedras, intentar atisbar algo de lo que hay al otro lado. Y Ruth fijaba los ojos verdes abiertos de pestañas en un punto fijo de un paisaje imaginario y sin horizonte, buscando una imagen que nunca llegaba, que quizá se había perdido para siempre. Nunca lograba rescatar de las sombras el recuerdo de la cara de su madre, y sólo conseguía imaginarla a partir del rostro que cada mañana la contemplaba desde el espejo: ésta soy yo, y así fue mi madre. La memoria topaba siempre con una imagen sin formas definidas, cubierta por las sombras congeladas del tiempo y la distancia, una presencia distante que la arropó en la infancia, como si sus cuatro años, el punto de inflexión que marcaba el momento en el que Ruth perdió a su madre y aprendió a leer, no fueran sino una puerta cerrada tras la que se escondía no sólo su madre, sino también su origen, su sangre escocesa, su propia historia, la historia de su madre, de sus abuelos, y de muchas otras personas cuya existencia no contaba, sino que sólo se imaginaba a través del vacío que se cerraba en torno a su mención. No preguntes tanto, no es bueno para ti.

El padre de Ruth era un padre de traje y corbata, que dirigía con escrupulosa eficiencia un más que rentable grupo de empresas. Un padre de amoríos varios e indiscretos, o quizá muy discretos, según se mire: se le conocían montones de acompañantes femeninas, pero ninguna adquirió nunca un estatus formal. Un padre seco, frío, distante, deliberadamente anclado a lo visible. Debía de haber una rémora de dolor en alguna parte de la conciencia de aquel hombre, pensaba Ruth, la tristeza, o el arrepentimiento, o la compasión, o el odio, o lo que fuera que le impedía mostrarse cercano, debía de haberse acorazado contra el dolor y la memoria, y quizá era por eso por lo que aquel señor encorbatado se mostraba tan poco cariñoso. No había razones para quejarse, pensaba Ruth, de ese señor que le había proporcionado casa y comida y educación en un colegio de pago, que hablaba lo justo, que no sabía sonreír sin despegar los labios, de aquel perfecto desconocido al fin y al cabo. Pero tampoco había razones para amarle o respetarle. Porque Ruth siempre supo que ella era en realidad hija de su madre, que se sentía más cerca de una figura inexistente que de un padre vivo y presente, pero tan lejano, que deambulaba por la casa como un fantasma y que ni siquiera preguntaba por las notas de su hija, siempre buenas, por otra parte.

También había una hermana —*rubiateñida*, seis años mayor que Ruth, licenciada en derecho— que trabajaba en el departamento de planificación y estrategia de Arthur Andersen. Una hermana que *sabía*, suponía Ruth, pero que nunca lo demostraba, que tenía que conocer más de su madre de lo que contaba, que había vivido en aquel mundo cuando Ruth aún no existía y que poseía por tanto los recuerdos de unos años en los que Ruth no había podido presenciar nada, la clave para explicar el misterio de la casa. Pero su hermana nunca dejaba traslucir que supiera nada, ni que le importara: la trataba con cierta afable amabilidad, como a un animal doméstico, y a su padre con respeto, y nunca parecía ni intensamente feliz ni intensamente desgraciada. Judith pasó por el colegio como una niña más, sin destacar en nada, ni en lo malo ni en lo bueno, y a los dieciocho años eligió un novio que tampoco destacaba por nada en especial. Siempre se supo que, llegado el momento, se casaría con él y cuidaría de la casa y de los niños. Cabía la posibilidad de que trabajase después de casada, pero su trabajo siempre se consideraría menos importante que el de su marido. Para dar una idea de cómo era Judith bastará con decir que admiraba a la princesa Diana, que para describir un traje que le gustaba solía decir que era *ideal,* y para dar idea de un color lo definía como *verde clinique, gris armani* o *azul saint laurent.* La hermana de Ruth había aceptado unos ideales impuestos que en principio deberían facilitarle la vida, sin preocuparse demasiado por ellos. Su bienestar amable, su predecible matrimonio, su poco inquietante religión (se consideraba católica y pensó siempre en casarse de blanco y por la Iglesia y bautizar a sus hijos cuando llegaran, pese a que no iba a misa más que en Nochebuena, en las bodas y en los entierros), su eficiente profesionalidad de ejecutiva *junior* dispuesta a acatar sumisa las decisiones superiores, las entendiera o no, las compartiera o no, pero respetándolas siempre, le resultaban a Ruth tan extraños como si provinieran de una cultura diferente, sita a miles de leguas de distancia, en algún archipiélago remoto, y descrita por un antropólogo que se hubiese marchado allí a convivir con los indígenas para hacer su tesis. La vida, en la medida en que Judith la imaginaba, se constituía dentro de un círculo de gente agradable con idénticos intereses y enemigos, y, dentro de ese círculo uno pensaba, se casaba y se moría. Fuera estaban la pobreza, la vulgaridad, la violencia, intentando introducirse constantemente. Ruth se decía a menudo que quería a su hermana aunque no la entendiera. Pero aquélla era una mentira más. Sentía por Judith, racional y contenida, digna hija de su padre, más envidia y admiración que cariño; estaba unida a ella por un desafío que ambas ignoraban, porque, aunque representaran polos opuestos, también eran complementarias, inevitablemente. Cada hermana encarnaba un mundo, una opción de vida, cada una creía en su propia verdad y vivía en su realidad particular. Pero, como lo cierto encierra múltiples visiones, ninguna de las dos tenía razón o se equivocaba. Simple y llanamente, cada una se había comprometido con su subjetividad.

A lo largo de su vida, Judith no había hecho otra cosa que cumplir el papel que de ella se esperaba. Al fin y al cabo, de las niñas se creía que agotarían un brillante itinerario trazado de antemano por su padre. La educación básica y media en un colegio privado y católico. La educación superior en una universidad asimismo privada (católica también, a poder ser). Un hombre de buena familia como marido, con una brillante carrera para la que su mujer sirviera de apoyo. Pero Ruth decidió matricularse en la Universidad pública y no se casó, y así decepcionó a su padre y a su hermana y se puso del lado de su madre.

Ruth siempre supo que, en cuanto se le presentara la ocasión, debería abandonar aquella casa, aquella casa con los recuerdos invisibles y asfixiantes incrustados en las paredes, aquella atmósfera densa y casi irrespirable en la que se mezclaban los delirios de tristeza de Ruth —que se estrellaban inútilmente contra las conciencias acorazadas del padre y de la hermana— con los sobreentendidos, los cuchicheos, los secretos susurrados a media voz entre el servicio… Aquella aplastante manta de despreciativa compasión, y las mentiras cuidadosamente pulidas y redondeadas durante años con las que se pretendía ocultar un subsuelo de verdades. En aquella casa cada palabra que se decía llevaba cadenas en los tobillos y cada pensamiento arrastraba una pesada bola. Todo lo que Ruth era estaba atado, encadenado, ajustándose a las apariencias e intentando acomodarse a algo que no era.

Y cuando la ocasión se presentó, no lo dudó un minuto. Ruth tenía entonces diecinueve años, y era una chica, en apariencia, como tantas otras, aunque más alta y más atractiva que la mayoría. Y la huida, disfrazada de historia de amor, fue tan confusa y tan precipitada como habría podido esperarse de Ruth, que llevaba, no debemos olvidarlo, la carga de su madre remontando en el pulso de la sangre.

No es normal encontrarse con muchas chicas jóvenes en los conciertos de jazz, y mucho menos solas, y quizá fuera precisamente aquella la razón por la que a Ruth le gustaba asistir a ellos: para confirmar su asumida diferencia. Tenía casi veinte años cuando acudió, acompañada de Sara —una compañera de la Universidad que por entonces iba con ella a todas partes—, a uno de los conciertos del Festival de Jazz de Madrid. A su amiga no le gustaba gran cosa el jazz; de hecho Ruth no conocía a nadie a quien le gustara —a su padre, por supuesto, que era de quien había heredado la afición, pero su padre nunca se había ofrecido a llevarla a un concierto—, así que Ruth tuvo que convencer a Sara ofreciéndose a pagar la entrada de las dos, generoso gesto que, por otra parte, no le resultó particularmente gravoso, puesto que su padre compensaba su distancia con una pródiga asignación. El concierto tuvo lugar en un teatro y las entradas que consiguieron estaban prácticamente en primera fila, de forma que Ruth podía ver desde allí con nitidez las caras de cada músico, sus expresiones de concentración, el vertiginoso ascenso y descenso de los dedos por las cuerdas y los teclados. Y así fue cuando se vio reflejada en los ojos de un bajista alto y fibroso, profundos y oscuros como los del propio olvido. Aquel bajista tocaba en la primera sesión del concierto, pues la segunda le correspondía a otro grupo.

En el intermedio entre conciertos, Ruth y Sara se acercaron al bar del teatro, que estaba a rebosar de intelectuales melenudos, la mayoría con vaqueros y chaqueta de pana, cabellos que no habían conocido en muchos meses el arte de un peluquero y gafas redondas modelo *lennon,* y casi todos bebiendo cervezas, fumando ducados y haciendo comentarios ininteligibles sobre escalas atónicas y diatónicas. Aquellas dos veinteañeras desentonaban tanto en el bar como una cucaracha en un plato de arroz con leche, puesto que, a primera vista, todas las mujeres que había por allí (y no eran muchas), o eran de más edad, o ejercían de acompañantes de hombres mayores. Debió de ser por eso por lo que aquel bajista se las quedó mirando con semejante cara de cordero degollado, y debió de ser por eso por lo que Ruth se sintió tan segura como para corresponder a aquella mirada con una sonrisa, puesto que sabía perfectamente que en aquel recinto había pocas mujeres más atractivas que ella y que, caso de haberlas, no estarían disponibles. Al cabo de tres minutos ya estaban charlando animadamente en la misma barra en la que él se acodaba;

al cabo de veinte, cuando ya había empezado la segunda sesión del concierto, Sara, que no se había atrevido a reconocer, por aquello de que no quedaba muy intelectual, que el jazz la aburría soberanamente, aprovechó la tesitura de encontrarse con Ruth tan amartelada para pretextar un repentino dolor de cabeza y marchar a su casa a escuchar algunos discos comprensibles de Los Ramones; al cabo de veintitrés minutos, Ruth y el bajista ya estaban besándose en la penumbra del bar vacío. Y al cabo de doce horas, a la mañana siguiente, aquel bajista le propuso a Ruth que le acompañara en el vuelo de vuelta a Londres, a lo que Ruth, digna hija de su madre como era, contestó que sí. Ni siquiera se pasó antes por casa a recoger sus cosas, porque él se ofreció a comprarle toda la ropa que necesitara. Simplemente llamó para anunciar que había decidido irse de viaje, y se marchó para lo que iba a ser una estancia indeterminada que acabó concretándose en una residencia de cinco años.

No es normal encontrarse con una chica joven en un concierto de jazz. Tampoco es normal que un hombre de treinta y cinco le proponga a una jovencita a la que apenas conoce que abandone su casa y su patria para emprender una vida junto a él, ni que ella acepte sin pensárselo siquiera. Pero Ruth se había acostumbrado a dar por normales las cosas más absurdas y, por otra parte, ella siempre se sentía más cómoda en presencia de extraños. Era la cotidianeidad lo que la llenaba de una rabia silenciosa. Casi todo a lo que estaba acostumbrada era malo, y sólo en la novedad había aprendido a descubrir placer, así que, una semana después del concierto, regresó de Londres, hizo sus maletas, se despidió del padre, de la hermana, del servicio y de la vaga neblina de recuerdos y sospechas que flotaba por la casa, y tomó un avión rumbo a la incertidumbre.

Fue feliz al principio. Se limitaba a ser guapa y a estarse calladita, a seguir a su novio a todas partes como un corderito manso, a vivir encerrada en su concha impenetrable e invisible, a no hablar de lo que había vivido o esperaba vivir, ni de lo que pensaba ni de lo que veía por las noches cuando cerraba los ojos inmediatamente antes de dormirse y se enfrentaba, en el duermevela, a aquella inquietante conciencia de sí misma y de sus malgastadas posibilidades. En aquel tiempo su imaginación no miraba hacia el porvenir y, si lo intentaba, no veía nada.

Podría haber seguido así muchos años, haber tenido un hijo, haberse garantizado el sustento y el apoyo de su hombre, y haber sido tranquila y complaciente como las otras novias de los músicos, esos callados apéndices que flanqueaban a sus parejas en los camerinos. Podría haberlo hecho, pero lo cierto es que no pudo, porque ya hemos dicho que Ruth era una digna hija de su madre, y la curiosidad, corrosiva como un ácido, le fluía imparable por las venas. Se sentía como a la espera de que una luz se encendiera en su vida, pero incapaz de encontrar el interruptor. Así que un día se fijó en la sombra que el presente proyectaba hacia los espacios futuros y aquella imagen suya, estirada por la distancia, con tan disforme y quebrada silueta, entretuvo largo tiempo su atención, sugiriéndole mil pensamientos que la mortificaban y confundían, porque ella no quería ser la persona en la que parecía que se iba a convertir. Hasta entonces, se dijo, no había sido ella más que irreflexión y pasividad muñequil, un juguete sin ideas propias, dócil en los sentimientos, fácilmente manipulable. De pronto se sentía inquieta, ambiciosa, y percibía con lucidez su situación. Notó en sí misma algo que se le había colado de rondón por las puertas de la conciencia: orgullo, sentimiento de no ser una persona vulgar, de estar destinada a algo más alto, distante, como si su inteligencia le dijera «estoy aquí, ¿no me reconoces?, ¿vas a tenerme siempre aparcada en un rincón de tu cabeza?». Y, a medida que se cambiaba en sangre y médula de mujer el trapo de la muñeca, se dio cuenta de que no era feliz con la vida que llevaba. Se cansó de depender de Beau para todo y pronto se dio cuenta de que el dinero no constituía un problema para una mujer guapa, joven, lista y sin prejuicios. De forma que Ruth rehízo sus maletas y se mudó a un apartamento coqueto y pequeño en el Soho, en donde residió dos años hasta que volvió a Madrid.

Regresó con veinticinco años, el mismo cuerpo de antes o incluso mejor, la expresión de la cara cambiada y un cierto conocimiento sobre el mundo y sobre las astucias necesarias para desenvolverse en él. Era guapa, aunque ella no lo sintiese así. Esta estimación negativa nada tenía de impostura o de pueril, porque su inseguridad era tan profunda como una fosa. Por entonces acogía la admiración que despertaba como una oferta preciosa pero siempre inmerecida. Como no quería volver a su casa y, además, no estaba tampoco muy segura de que su padre —quien solía decir que Ruth le había dado el mayor disgusto de su vida cuando se fue a vivir a Londres— la hubiera aceptado allí, se buscó la vida como profesora de inglés. La prolongada melena pelirroja le hacía parecer extranjera, su nombre no tenía patria determinada y su acento era excelente. Aquella nacionalidad confusa le ayudó a conseguir un contrato para un trabajo de mera subsistencia en una academia, que no le hubiera dado ni para pagar el alquiler, pero que ella aceptó a la espera de decidir qué hacer consigo misma y cómo sacar fuera todo lo que llevaba dentro, mientras tiraba de los ahorros que le quedaban. Y un día se dio cuenta de que todo lo que llevaba dentro merecía salir de aquella cárcel de huesos, tendones, músculos y neuronas —el frágil reducto del cuerpo de Ruth no daba para aprisionar tantas historias no contadas— y fue cuando, recién cumplidos los veintisiete años, decidió matricularse en la Escuela de Cine. Y allí, en el mostrador de recepción, solicitando folletos de información, conoció a Pedro.

Se trataba de un chico rubio y bastante guapo, con unos ojos verdosos salpicados de motitas doradas que retenían la luz, para difundirla después convertida en un resplandor ardiente y lánguido. Unos ojos que se encontraron inmediatamente con los de Ruth e intercambiaron con ellos una breve mirada de complicidad. Ruth le tendió la mano, y con la más desenvuelta de sus sonrisas, se presentó. «Hola, me llamo Ruth —dijo—, ¿tú también vienes a matricularte en el curso de cine?» Tampoco es normal que una chica se presente a alguien de esa manera tan poco protocolaria, pero cuando Ruth lo tuvo cerca, codo con codo en aquel mostrador, se dio cuenta de que aquel hombre iba a formar parte de su vida. Lo supo sin necesidad de racionalizarlo. Lo supo en un segundo de luminosa claridad, gracias a esa intuición que Estrella le reconocía, un sexto sentido que avisaba a Ruth de las cosas que estaban a punto de suceder. Y cuando le tendió la mano y él a su vez le dijo su nombre, Ruth sugirió que salieran a tomar un café. Encontraron un local agradable, de los de mesas de mármol y camareros con pajarita y chaqueta blanca de sarga deslucida, y allí se les fueron pasando las horas en animada conversación. Mientras hojeaban los formularios de inscripción y los folletos de información de la escuela, Pedro comentó que la inscripción resultaba demasiado cara. «¿Seiscientas mil pesetas? Pero, ¿qué se han creído? ¡Con ese dinero podríamos hacer nuestra propia película!»

La idea de él no parecía descabellada en principio. O mejor dicho, sí lo era. Pero se trataba de una propuesta tan rara que a la fuerza tenía que resultar. ¿Para qué malgastar el desmedido importe de la inscripción en un curso que, a la postre, poco práctico podría enseñarles, teniendo en cuenta que el programa era básicamente teórico y que, en los pocos años que la escuela llevaba abierta, ningún director famoso había salido de allí, que se supiera? Juntando el dinero de sus respectivas matrículas tendrían suficiente para sufragar su propia película. Podían hacerla en vídeo digital y luego volcarla a cine. «Pero yo no tengo ni idea de hacer cine —protestó Ruth—. Ni siquiera he cogido una cámara en la vida». «¿Y qué importa eso?», dijo él, que sí había cogido una cámara, que, de hecho, había rodado su primer corto a los once años, cuando su tío —el primer hombre al que le había chupado la polla— le regaló una cámara de súper 8 por su cumpleaños, y así, desde entonces, Pedro supo que él iba a ser maricón y director de cine, aunque no necesariamente por ese orden. Desde esa época se había licenciado en Bellas Artes, había trabajado como camarero en varios bares de ambiente, había renovado religiosamente su abono de la Filmoteca Nacional durante varios años seguidos, había emprendido un azaroso viaje por las profundidades y las promiscuidades de los cuartos oscuros de los bares de Chueca y había ido alimentando y engordando la idea de hacer cine algún día.

Tras esa conversación de café, ninguno de los dos formalizó la inscripción de la escuela y, aunque no empezaron a escribir el guión de la futura película, por mucho que Pedro hablara tanto de ello, sí se hicieron inseparables y Pedro sustituyó a Sara en el puesto de *la mejor amiga de Ruth*, porque Ruth había vuelto de Londres tan cambiada, o tanto había cambiado Sara en esos años (qué más da) que, aunque ambas continuaban llamándose a menudo y viéndose de cuando en cuando, ya no iban a todas partes juntas como antaño.

Por entonces Ruth, que aún trabajaba dando clases de inglés en una academia, vivía sola, en la casa en la que seguiría viviendo muchos años, en la casa en la que aún vivía cuando conoció a Juan. Pedro compartía un piso en la calle Augusto Figueroa con dos amigos más, ambos camareros de bares de ambiente. Los tres inquilinos, poco aficionados a prontuarios, reglas, imposiciones o decálogos, sintonizaban con el universo neo-hippy de las *raves* y las pastillas y creían, en principio, que su convivencia funcionaría de maravilla. Pero en breve plazo, aquel universo de paz, concordia galáctica y amor libre al que aspiraban se fue alejando cada vez más de la armonía prometida para darle la razón a la lógica del caos. El piso se convirtió en una especie de asilo para colgados y chaperos varios, en un nido de chinches y pulgas, en una enorme cepa de virus peligrosos y en el cuartel general de un negocio de narcotráfico a pequeña escala manejado por Enrique, uno de los inquilinos «oficiales», que pasaba pastillas en el mismo bar donde pinchaba. En las escasas ocasiones en las que Ruth se pasaba por allí se encontraba siempre con un montón de jovencitos —algunos de ellos casi imberbes— desperdigados entre los cojines que sembraban el suelo del salón. No había visto en su vida tanto descontrol concentrado en tan pocos metros cuadrados. La galería de personajes que desfilaron por aquel piso mientras Pedro lo habitó fue amplia y variada y daría tema para otra novela, de mucho colorido y no menos sensacionalismo, que haría las delicias de Eduardo Mendicutti. Desde bisoños adolescentes fugados del domicilio paterno hasta maduros escritores de renombre, émulos de Oscar Wilde, que permanecían impertérritos en medio de aquel desbarajuste fingiendo que no desentonaban y que no eran conscientes de que sólo con el pañuelo de seda que llevaban anudado al cuello podrían haber pagado el alquiler mensual del piso entero. Éste, por cierto, solía abonarlo Luis, el chico a cuyo nombre estaba arrendado el piso, y que había llegado desde Valencia para estudiar arquitectura. Se decía muy versado en temas místicos y era aficionado a entonar a grito pelado, a primera hora de la mañana, presuntos mantras salmodiados en presunto sánscrito. Cuando no estaba intentando alcanzar el nirvana les mortificaba con la repetición incansable de los grandes éxitos de Madonna, cuya discografía completa poseía. Luis sufría de algún trastorno mental sin especificar, y cada mes, junto con su asignación mensual —que debía de ser bastante generosa, por lo visto—, la familia le remitía unos misteriosos medicamentos que su novio —un yonqui guiri que prácticamente no salía de la habitación de Luis y del que nadie sabía bien si era sueco, noruego o finlandés— se inyectaba rápidamente. Pero las medicinas sólo servían como alivios para el mono, y nadie creía que pudieran ser gran cosa, ya que las drogas más apreciadas en el piso eran el costo y los éxtasis. En aquella época solía recalar por allí a las horas más intempestivas un mulato monísimo que aseguraba ser el hijo del embajador de Santo Domingo, que prácticamente se comía los equis como si fuesen chocolatinas, y que un día desapareció tal y como llegó, sin que nadie lo advirtiera. Pero mientras se le vio el rizado pelo, estuvo más o menos liado con La Peque, un chaperillo de poca monta al que supuestamente mantenía un juez casado y con hijos que solía salir en los periódicos. La gran aspiración de La Peque era pegarle el sablazo definitivo al juez y marcharse al Nepal. Alguno pensó que esta conversión a lo místico se le había contagiado después de tanto escuchar mantras matutinos. Por un tiempo pensaron que lo había hecho (lo de irse al Nepal) porque un buen día también dejó de vérsele, puesto hasta las cejas, en los *chill outs* que se organizaban espontáneamente en el piso a altas horas de la madrugada, cuando cerraban los bares de la zona, pero a los dos meses regresó cual hijo pródigo, muy cambiado: traía los ojos vidriosos y había adelgazado tanto que en las cadavéricas facciones la nariz se le había quedado tan enorme y descarnada que parecía que pudiera señalar la hora como un reloj de sol.

Así pues, aunque eran tres los ocupantes «oficiales» de aquella especie de comuna, había que contar también con los asilados más o menos estables que recalaban con frecuencia, o con los que allí llegaban cualquier día y se instalaban durmiendo, bien en el sofá, bien en el suelo, o bien en la cama en la que les acogieran por un tiempo indeterminado, que podía oscilar entre una semana o varios meses. La sugerencia de desalojar el piso *manu militari* que aventuró tímidamente Ruth no encontró eco, probablemente porque los arrendatarios de la casa estaban demasiado puestos como para escucharla. A menudo les cortaban el agua, el gas y/o el teléfono, y no era extraño que quien saliera con el encargo de ir a pagar la cuenta volviera dos días después cargado de éxtasis y completamente olvidado de la misión a cumplir, mientras los ocupantes del piso leían a la luz de las velas y se duchaban con agua helada. La situación pasó al cabo de unos meses de complicada a desesperante: Pedro temía que la mugre se lo comiera y se vio obligado a dejar sus pertenencias más valiosas (su cámara de vídeo, su colección de CDs y sus dos chaquetas de Ángel Schlesser) en casa de Ruth, después de confirmar que alguien le había robado parte del vestuario. Entretanto, nuevos adheridos entraban y salían sin pedir permiso y asentaban sus reales en los rincones libres del aquel hogar no tan dulce hogar. Auténticos ejércitos invasores lo expoliaban cada fin de semana.

Un buen día, Pedro tropezó en una boca de metro con un pobre de pedir que le imploró veinte duros. Conmovido, le invitó a cenar a su casa. «Total, de Guatemala a Guatepeor...» —se dijo Pedro—, «y éste, al menos, parece que lo necesita de verdad». El tipo, que se presentó a las diez en el piso, en nada se parecía al que había abordado a Pedro en la puerta del metro, pues llegó bien trajeado y apestando a colonia. A la media hora de cena ya les había roto todos los esquemas: por lo visto mendigaba en cuatro esquinas muy buenas, disponía de atuendos adecuados para cada una de ellas y había diseñado una tabla de horarios según los momentos en que, según sus cálculos, cada esquina tenía mayor trasiego de gente (en la Castellana a mediodía, y en Chueca más bien por la tarde-noche). Cuando Luis le ofreció asilo en el piso, el pobre profesional pareció ofendidísimo: ¡por nada del mundo se instalaba él en pocilga semejante, antes dormía en la calle! De todas formas, aclaró, él ya tenía una habitación alquilada en una pensión de la calle de la Cruz.

Por fin, una mañana, aparecieron dos policías que buscaban a un menor huido de su domicilio e hijo, al parecer, de un importantísimo cargo de la Generalitat de Cataluña. Tras hacer un registro en el piso, en el que saltaron con expresión de asco profundo sobre un cúmulo de cuerpos semidesnudos y hacinados, se llevaron a La Peque. Nadie sabía quién había podido decirle a la madera que el chico se alojaba allí, de la misma forma que nadie había sospechado que La Peque fuera vástago de buenísima familia. Por cierto, que tiempo después Pedro se encontró con La Peque en el Leather, y el ex chapero le contó que sólo había accedido a regresar al domicilio paterno a cambio de convencer al padre de que desistiera en su empeño de denunciar al juez estrella por corrupción de menores. El escándalo del rescate de La Peque, al que los dos fornidos agentes se tuvieron que llevar prácticamente a rastras y chillando cual cerdo conducido al matadero, puso punto final a la historia de aquel piso franco, porque los vecinos, que ya habían protestado mil veces por los ruidos y por el constante trasiego de desconocidos en la escalera, presionaron al casero, y dos días después aparecieron dos agentes nuevos en la puerta de la casa, esta vez con una orden de desahucio. Un desalojo triste y sórdido que, sin embargo, le supuso a Pedro un secreto alivio.

Pedro se fue inmediatamente a vivir a casa de Ruth, para futura gran alegría de la pelirroja, por más que, al principio, ella se encontrase secretamente acobardada ante la idea de compartir su espacio con tan, en apariencia, caótico personaje. Sin embargo, contra todo pronóstico, Pedro se reveló de un organizado, un doméstico y un marujil subido: cualquiera que no le hubiese conocido en los tiempos de la comuna habría dicho que la cocina era su hábitat natural y la bayeta su mejor amiga. Además, era un encanto de persona: amable, simpático, gracioso a más no poder, cariñoso: ¡un compañero de piso tan ideal que ni en la serie Friends! Ruth estaba encantada de tenerlo cerca.

Lo que realmente fascinó a Ruth fue el hecho de que Pedro supiera cocinar. La aparición de los platos en la mesa siempre supone, para quien no los ha preparado, algo mágico. Al fin y al cabo, existe una larga tradición de utilización esotérica de comidas y bebidas para producir unos efectos determinados a través del conocimiento de los poderes de las hierbas y de sus energías. Ruth sabía cocinar y había cocinado para Beau durante cuatro largos años. Antes de eso, Estrella había cocinado para ella. Pero cuando vivió sola se enfrentó a una situación completamente nueva: no tenía nadie para quien hacer la magia ni nadie que se la hiciera, es decir, no era madre ni era hija. Estaba allí, personaje único, para turnarse en ambos escenarios, el laboratorio de alquimia y la mesa de mantel y agasajo. Al final, desistió de intervenir en ambos y empezó a practicar el ascetismo, porque no se atrevía a ir a un restaurante sola, se sentía desprotegida y triste, y le daba la impresión de que todo el mundo la miraba y pensaba «pobre chica, que no tiene con quién comer». Luego, estaba lo de lo poco sensato que parecía, *a priori*, cocinar para una sola persona, porque se diría que tanta inversión de tiempo no venía a cuento si después una iba a ventilar la faena en escasos minutos, por no hablar del problema de las cantidades: se diría que nada estaba pensado para una sola persona, y al final la leche se le agriaba antes de que se hubiese bebido ni la mitad del tetrabrik. Y el problema de las verduras... Como no podía ir al mercado a diario, compraba kilos y kilos de vegetales el sábado por la mañana que indefectiblemente se pudrían durante la semana sin que Ruth los hubiese tocado. Cuando llegaba de la academia, lo último que le apetecía a Ruth era ponerse a lavar, limpiar y pelar aquel kilo de judías hostil que le reprochaba su pereza desde un estante de la nevera semivacía. Y justo cuando Ruth rondaba peligrosamente los cincuenta kilos y la carita ahilada ya se perdía en aquel sol de pelos, llegó Pedro a su casa a ejercer funciones de madre nutricia y a devolverle a Ruth el apetito de avestruz, y con él la salud, las carnes perdidas, la confianza en el género humano y la alegría de vivir.

En un principio acordaron que Pedro dormiría en el sofá del salón, pero enseguida se fue a dormir a la cama de Ruth. Dormían abrazados muchas veces, pero nunca hubo sexo entre ellos; como mucho, algunos besos y caricias tímidas. Y eso a pesar de que Pedro se había acostado con alguna mujer, y de que habría estado más que dispuesto a añadir a Ruth a su lista de amantes femeninas si ella hubiera querido. Pero la pelirroja no se atrevió. Decía que estaba encantada con aquella amistad tan sólida y que no quería arriesgarse a perderla. Cosas de la vida; en breve se demostró que aquella amistad o, al menos, aquella convivencia, de sólido no tenía nada, y que se basaba en un equilibrio más bien precario.

El primer desencuentro llegó a cuenta de un tercero, el camarero del bar que había frente a la casa de Ruth, un cutre local de los de barra pringosa y opaca y raciones generosas pero grasientas donde solían desayunar Pedro y Ruth cuando volvían de una de sus juergas. El camarero se hacía llamar García, y con García se quedó, probablemente, aventuraba Ruth, porque tenía un nombre tan horrible —tipo Gumersindo o Restituto— como para no desear que nadie lo conociera. Pedro, para hacerle rabiar, le llamaba Eufemismo García, pero el camarero, o no se enteraba de qué iba la broma o de verdad no se sentía molesto por ella, porque no alteraba un solo músculo cuando Pedro le reclamaba por tal nombre, a berrido limpio, desde la otra esquina de la barra, y se limitaba a servirle el café sin aspavientos. La situación era bastante clásica: a Pedro le gustaba García, a García le gustaba Ruth, y a Ruth, en realidad, le gustaba Pedro mucho más de lo que ella quería reconocer, así que acabó seduciendo a García sólo por quitarse a Pedro de la cabeza. Como consecuencia, Pedro tuvo que volver al sofá del salón.

Pedro, que hasta entonces no había llevado a ningún amante a casa de Ruth, correspondió a tal agravio con otro. Un día dejó de dormir en casa y al otro se descolgó por el piso con un acompañante que resultó ser un pintor valenciano de éxito relativo que respondía al sonoro y muy germánico nombre de Tristán, pues al parecer su queridísima madre, que era de quien él aseguraba haber heredado el talento artístico, era una wagneriana devota. No sólo había recibido Tristán de su madre el talento, sino también una cuantiosa renta, que cualquiera diría estaba determinado a pulirse en coca, y así fue como, a cuenta de los celos, y de Tristán, y de los vicios de Tristán, se acabó el paraíso doméstico en aquel hogar, porque Pedro no sólo dejó de limpiar y cocinar, sino que también dejó de aparecer por casa y, cuando lo hacía, era con Tristán, montando un escándalo terrible y empeñado en dejar rastro de su paso cual camino de Pulgarcito sólo que usando vasos vacíos y colillas aplastadas en lugar de piedras. Una madrugada en la que Pedro y Tristán aparecieron por el piso cantando *Laik a veryin, chu-chuá, tach for de beri ferstaaaaaaaaim...* a grito pelado y desafinando notablemente, despertaron a Ruth y a García, que, ajenos al fervor madonista que les amenazaba, dormían el sueño postcoito de los justos. Ruth salió desnuda al salón con los ojos encendidos de ira y echó a Pedro de allí con cajas destempladas. Nunca reconocería que lo echó por celos, como Pedro nunca reconocería que la provocó por celos. Y así es como la historia de amor de Ruth y Pedro se murió antes de nacer.

Sin embargo, y contra todo pronóstico, la amistad entre Pedro y Ruth sobrevivió a aquella bronca, mientras que —y como los lectores más avispados ya habrán adivinado— las de Ruth y García y Pedro y Tristán empezaron a languidecer poco después del episodio. Pedro encontró un estudio en La Latina cuya exigua renta mensual se equiparaba a su aún más exiguo espacio, puesto que era más pequeño que el salón del piso de Ruth. No volvió a dormir en casa de la pelirroja, pero siguió yendo con ella a todas partes. Durante mucho tiempo (hasta que encontró a Julio) Pedro insistió y requeteinsistió (cada vez que tomaba una copa de más) en intentar liarse con Ruth e incluso en asegurar que estaba enamoradísimo de ella, pero Ruth no quiso ni oír hablar del tema. Y no porque dudara de que Pedro la quisiera, sino porque ya había oído muchas historias de gays que se enamoran de una mujer y creía que, por mucho que uno diga que le gustan los caracoles pero también las almejas, al final la cabra tira al monte, y un hombre al que le gustan los caracoles no puede dejarlos así como así, por mucha almeja excepcional que se encuentre. En ese sentido, ella se identificaba con Pedro, porque a Ruth también le gustaban las mujeres (*algunas* mujeres), y se había acostado con una o dos en sus tiempos promiscuos de universidad, antes de conocer a Beau, e incluso había llegado a pensar muy seriamente en su día que estaba enamorada de Sara y que lo hubiese dejado todo por ella (como Sara no quiso ni oír hablar del tema, Ruth nunca supo si la cosa hubiera podido funcionar), pero sabía que en el fondo a ella le ponían más los caracoles que las almejas y que siempre acabaría por volver a ellos. Eso no impedía que a veces fantaseara con la idea de la fenomenal pareja que harían Pedro y ella si se lo intentaran. Al fin y al cabo, Ruth conocía muchos casos de gays casados cuya mujer lo llevaba con tranquilidad, y esos hombres querían de verdad a sus esposas, como querían a sus hermanas o a sus madres o a sus mejores amigas. Es más, esos hombres las *necesitaban* y no las dejarían nunca. A Ruth se le venía a la cabeza el ejemplo de un mítico cantante ya entradito en años, muy famoso y matrimoniado con una chica de la nobleza (el padre de ella era conde o algo así) que salía constantemente en las revistas declarando con orgullo y contundencia lo feliz que era con su mujer y sus hijos. Ruth sabía de buena fuente (el cantante había hecho películas en su día y todo se acaba sabiendo en la profesión) que él era homosexual, que su mujer lo sabía de sobra (hubiera sido difícil que no lo sospechara ya que él era un auténtico prodigio de amaneramiento), y que eso no había impedido, en apariencia, que la relación funcionase. Pero Ruth no se sentía capaz de casarse con alguien sabiendo que, indefectiblemente, ese alguien acabaría descolgándose por una sauna o un cuarto oscuro en busca de lo que ella nunca podría darle. Y no se sentía capaz de hacer como la hija del conde, de mirar hacia otro lado fingiendo no enterarse de nada y de decir que a ella, mientras su marido durmiera en casa por las noches, poco le importaba o le dejaba de importar lo que pudiera hacer por las tardes.

Y así estaban las cosas: Ruth, delgada de nuevo, con sus clases de inglés; Pedro, enamorado no correspondido, con su trabajo de barra, y los dos quedando por las tardes para ver películas antiguas en la Filmoteca y llamándose por teléfono todos los días, cuando a Pedro volvió a entrarle la perra con lo de que tenían que hacer una película.

Primero filmaron un corto en vídeo digital, a partir de un guión de Ruth. Puesto que resultaría mucho más barato y menos complicado rodar en interiores, y como tampoco tenían dinero para preparar un plató, Ruth construyó una historia que no cambiaba de escenario. Sucedía en un *show room* [1]. Una diseñadora, enterada de que su

---

[1] Idea importada, cómo no, de Londres. Se trata de una concesión que un diseñador hace a sus clientes. Éstos, en lugar de ir a comprar la ropa a una tienda, se pasan por el estudio del propio diseñador y se prueban allí sus creaciones. Este sistema conviene a los diseñadores que están empezando y ni siquiera cuentan con una red de tiendas distribuidoras/intermediarias que les comercialicen la ropa. O a los clientes increíblemente chics y esnobs que no se dignan, como el común de los mortales, a adquirir su ropa en vulgares tiendas.

novio le ponía los cuernos, había conseguido que una de sus amigas, conocida de la rival, invitara a ésta a un pase privado en el *show room*, lo que permitiría a la presunta «legítima» observar de cerca a «la otra» mientras se desnudaba. La rival resultaba ser mucho más guapa de lo que la diseñadora había imaginado y, para colmo, era bisexual... Y el resto resulta fácil de imaginar.

Sin darse cuenta Ruth había plasmado en su primer corto la principal de sus obsesiones: la figura de la otra. El enfrentamiento entre dos mujeres rivales y su posible fusión final tenía mucho que ver consigo misma, como el lector tendrá ocasión de confirmar.

Como no encontraron muchas actrices que estuvieran dispuestas, por lo que se les iba a pagar (o sea, nada), a aparecer desnudas en pantalla y, además, besándose con otra chica, y como las pocas que encontraron no tenían lo que se dice una amplia variedad de recursos dramáticos, al final Ruth se decidió a interpretar ella misma el papel de la diseñadora. El corto se rodó en dos tardes, se montó en el mismísimo ordenador de Pedro en otras dos, se volcó a cine por la módica cantidad de cien mil pesetas, y luego se presentó a todos los festivales de cortos de los que sus directores tenían noticia. Acabó, como ya reseñamos, llevándose varios premios en distintos festivales de cierto prestigio y, para colmo, se difundió en canales de televisión de España, Francia y Alemania. Puesto que los productores eran ellos mismos (habían constituido una compañía denominada Producciones La Esfinge, por aquello de las actividades misteriosas), Ruth y Pedro se encontraron, entre el montante en metálico de unos premios y otros, y el beneficio derivado de los derechos de difusión, con la bonita cantidad de cuatro millones de pesetas entre las manos, ahí era nada.

—Millón y medio para ti, millón y medio para mí. Nos da para vivir casi un año. Tú te despides de la academia y yo del bar, y con el millón de pelas que nos queda rodamos una película —dijo Pedro.

—Tú estás mal de la cabeza —dijo Ruth.

Dora y Katy son dos chicas de provincias que comparten un cutre apartamento en Tirso de Molina y trabajan de limpiadoras en un burger. *Ambas poseen en común una ambición que las sostiene en el duro día a día de la jungla urbana: ser actrices, ser famosas, ser estrellas. Pero las pobres no tienen un puto duro, no tienen talento, no tienen relaciones y, por no tener, ni siquiera tienen buenas tetas, así que, de momento, trabajan en el* burger, *es-*

perando a que llegue el glorioso día en que un avispado productor se fije en ellas y las lance de cabeza al estrellato. Como tienen la cabeza ocupada en sus sueños de grandeza, no dan un palo al agua en el trabajo, y se pasan las horas muertas leyendo y releyendo el Diez Minutos *y metiéndose con las famosillas de turno, hasta el día en que el encargado del* burger, *que casualmente también sueña con ser actor, las pilla fumándose un porro en horas de trabajo y las pone de patitas en la calle. Desesperadas y sin trabajo, nuestras heroínas se enteran, a través de los programas de corazoneo a los que son adictas, de que en breve se estrenará la próxima película de Pedro Almódovar. ¡La fiesta de la temporada! Allí estará el quién es quién al completo del mundillo cinematográfico español: productores, agentes, actores, técnicos, modelos y chaperos varios. Dora siente en lo más hondo de su corazón que la providencia les está poniendo en bandeja la ocasión de su vida, la oportunidad de lucirse, de hacer relaciones, de introducirse en el ambiente. A partir de ese momento su vida tendrá un único objetivo: conseguir dos entradas para la fiesta del estreno de Almodóvar.*

A partir de tan endeble línea argumental, tan difusa como disparatada, Ruth se dedicó a rellenar cuartillas satirizando sin piedad el ambiente de Chueca en el que Pedro y ella solían moverse, bares más o menos modernos en los que *tooooodo* el mundo era actor, *toooooooodo* el mundo tenía entre manos «un proyecto interesantísimo del que no quiero hablar, porque ya sabes que trae mala suerte» y *tooooooooooooodo* el mundo decía ser *íííííííííííííííííntimo* amigo de Pedro Almodóvar, al que, sin embargo, nunca se le veía el pelo por ningún lado. El guión escrito por Ruth no era más que una sucesión de situaciones delirantes y aparentemente inverosímiles, pero ni una sola de las escenas que refería era producto exclusivo de su imaginación: ella se había limitado a contar lo que veía, las historias de los habitantes del piso de Pedro, las relaciones amorosas de los habituales del bar en el que su amigo trabajaba, e incluso algunas de las cuitas de los alumnos a los que ella enseñaba inglés en la Academia. Más tarde, en el rodaje, nadie se ajustó con demasiada fidelidad al guión, bien fuera porque los actores no lograban memorizar sus diálogos y los sustituían por la primera improvisación que se les venía a la cabeza, bien porque en pleno rodaje a Ruth se le ocurría alguna frase nueva, algún efecto cómico, alguna chorrada que añadir al argumento, bien porque un actor no se presentara una mañana y hubiera que reescribir la escena a rodar de acuerdo con las nuevas circunstancias, sustituyendo un personaje por otro, bien porque no se podía rodar en la localización prevista y tocaba atenerse a un nuevo escenario en el que se desarrollara la escena.

Rodaron *Fea* gracias a la buena voluntad de muchos amigos, de numerosos conocidos y de algunos desconocidos. Retiraron los muebles de casa de Ruth y los amontonaron como pudieron en el dormitorio (que, más que dormitorio, parecía un almacén de chamarilero) para montar la oficina de producción. Además, muchos miembros del equipo vinieron de otras ciudades (Ruth descubrió de pronto que Pedro, como el marinero del anuncio, tenía o había tenido un amor en cada puerto, que sus amantes o ex amantes estaban más que dispuestos a resarcir con favores el amor que de él recibieron y que, para colmo, no sólo no se molestaban al hallar compañeros en la empresa, otros cuerpos que habían compartido el cuerpo que amaban, sino que todos congeniaban bastante bien, cual si hubieran desarrollado una extraña fraternidad en la admiración) y, como no contaban con dinero para cubrir hospedaje, muchos de ellos dormían en colchonetas desperdigadas por el salón —claro que lo de dormir es un decir tan sólo, porque en general se pasaban las noches de juerga improvisada, bebiendo, drogándose o retozando unos con otros—. Así que, durante mes y medio, Ruth tuvo que acostumbrarse a contar con un nutrido grupo de cohabitantes de su hogar que deambulaban por su casa mientras ella dormía, hacía pis o se lavaba los dientes. García se encargó del catering, y durante tres semanas el pobre chico se deslomó haciendo bocatas y caldo para un equipo de treinta personas. Como contrapartida, Ruth le dejó hacer de encargado del *burger,* papel que el chaval, por cierto, bordó en un alarde de energía interpretativa: nadie como él para freír hamburguesas ante la cámara, nadie como él para lucir el delantal con garbo.

Comprometiendo a unos y otros consiguieron en préstamo una furgoneta para moverse, dos oficinas desde las que trabajar, y dos locales, tres casas, una discoteca, un bar y una terraza donde poder rodar sin pagar un duro, pues Ruth había pasado ampliamente de la máxima según la cual un guión para una película de poco presupuesto no debe tener muchas localizaciones y puede contar con escenas rodadas en exteriores tan sólo si son imprescindibles. Lo de los exteriores podía representar un problema grave, por aquello de que para rodar en la calle hay que solicitar permisos, y para lo de los permisos se requiere un papeleo agobiante, una productora mejor constituida que la que ellos tenían y una amplia experiencia en lides burocráticas, de la que ellos carecían. A Pedro, menos imaginativo que Ruth en lo concerniente a escribir historias, pero más a la hora de buscar soluciones para casos prácticos y reales, se le ocurrió una feliz idea. Enterado de que en Madrid se iba a rodar una película de Ornella Mutti, decidió que resultaría mucho más fácil hacerse con el plan de rodaje de la película italiana que con los permisos pertinentes para rodar la suya, así que se dedicaron a seguir al equipo de la Mutti y adaptaron su propio plan de rodaje al de ellos. Cuando los italianos filmaban en una calle, el equipo de *Fea* rodaba en la contigua, de forma que si la policía se presentaba para verificar permisos, daba por hecho que los dos equipos eran uno solo, y así Pedro y Ruth podían rodar sin problemas. Uno de los actores —reclutado a través de un anuncio en el *Shangay*— trabajaba en una línea erótica y, por medio de un cliente, que resultó ser el jefe de eléctricos de una conocida empresa de iluminación, consiguieron los focos de la película, los cuales, todo hay que decirlo, le devolvieron íntegros acabado el rodaje.

En total treinta actores trabajaron gratis en un largometraje rodado en vídeo. Como una semana antes de empezar a rodar aún faltaban actores, algunos papeles los interpretaron amigos dispuestos a defenderlos. La figuración era real: se trataba de gente de la calle que se apuntaba graciosamente al cotarro o que ni siquiera sabía que la estaban rodando. Para las escenas de discoteca, Ruth y Pedro tiraban de agenda y llamaban a todos los conocidos para que avisasen a cualquiera que pudiese estar dispuesto a una noche de farra. Muchos de los invitados ni siquiera sabían que estaban haciendo de extras de una película. Lo malo era que algunos se cansaban y se largaban sin más, y así el equipo se iba quedando sin extras a lo largo de una jornada de rodaje, de forma que allí nadie se podía permitir repetir escenas, por si acaso en la segunda toma el local se había quedado ya vacío. A Ruth no le quedaba más remedio que aceptar la primera, con fallos o sin ellos. Todas las noches, al acabar de rodar, el equipo se iba de copas. Acodada en la barra, Ruth escuchaba las sugerencias de unas y otros y, bolígrafo en mano, iba modificando el guión de acuerdo con las que le parecían más interesantes.

Como no podían pagar a los actores y ninguna actriz profesional se avino a hacer escenas de desnudo por la cara, Ruth optó por interpretar ella misma el papel de Dora, la más pánfila de las dos aspirantes a actrices, una ingenua que se acostaba con cualquiera al que supusiese en condiciones de conseguirle las preciadas invitaciones VIP para el estreno de Almodóvar. En consecuencia, se pasó media película en cueros, de forma que, después del rodaje, a ninguno de los integrantes del equipo les cupo la más mínima duda sobre el hecho de que Ruth fuera pelirroja natural.

El resultado fue una película muy ácida que todo el mundo quería ver porque satirizaba y mostraba el Madrid nocturno del momento. Pedro organizó un «*estreno*» en la sala Morocco al que acudió media ciudad. En la fecha señalada la sala estaba tan abarrotada que casi no se podía ni respirar, porque entre el equipo, los amigos de los del equipo y las parentelas varias de unos y otros se superaba ya con mucho el aforo del local. A semejente turbamulta hubo que añadir a los más aguerridos elementos de la modernidad local, quienes, avisados por la rumorología de que aquélla iba a ser la fiesta más petarda de la historia del Morocco, se presentaron en el local con el ánimo curioso y la lengua viperina más afilada que nunca. El éxito fue tal que los responsables del Morocco decidieron proyectar la película todos los miércoles, con lo que, al cabo de un mes, medio Madrid la había visto y el otro medio rabiaba por verla. Entre el medio que la vio se encontraba Paco Ramos, un joven ejecutivo que acababa de dejar su puesto en una multinacional de la distribución cinematográfica para montar Alquimia, su propia empresa de producción. Animado por el éxito que en Estados Unidos había tenido *The Blair Witch Project,* contactó con Pedro y Ruth y les ofreció encargarse de la postproducción y distribución de la película.

La crítica —lo hemos apuntado ya— tachó a Ruth de oportunista, feminista de salón, frívola, grosera, tosca y demás adjetivos calificativos igualmente poco halagüeños. «No acabamos de entender la intencionalidad de este engendro —decía un crítico desde *El Espectador*—. ¿Ironía o simple y desconcertante ausencia total de opinión, de posicionamiento, de toma de partido? Lo que está claro es que a la directora conceptos como planificación, estructura argumental, creación de personajes o pulso narrativo le suenan a chino o le son totalmente indiferentes. La película asume, desde una pretendida reivindicación feminista, esa forma de pornografía que se ha dado en (mal) llamar erotismo. Una pornografía de bulevar donde la única consigna parece ser el recurso a cualquier escena de desnudo o sexo sin que se pueda aludir siquiera a la manida excusa de «las exigencias del guión», ya que en esta película no parece haberlo, sustituido tan anticuado concepto por una aburrida sucesión de *gags* inverosímiles, diálogos sin sentido y previsibles líneas argumentales que se embrollan unas con otras para acabar perdidas en una maraña de incoherencias. Pero el argumento es lo de menos. Un buen director puede hacer, en principio, una película de cualquier tema. El problema es tratar de hacerla desde un estilo tan plano, cayendo en el uso indiscriminado del tópico, y pretender vender lo que no es más que una mera travesura de pandilla como la culminación de la originalidad y el underground».

Sin embargo, al público parecía importarle bastante poco la opinión airada y unánime de la crítica. En menos de un mes, *Fea* había atraído a los cines a quinientos mil espectadores y, por si fuera poco, fue seleccionada para su exhibición en la *Quinzaine*[2] del Festival de Cannes. La polémica estaba servida[3].

Gracias a la cámara, Ruth se permitió asumir de una vez, pública y objetivamente, lo que siempre había sido: esa extraña criatura que indagaba por sí misma. Ruth comenzó a filmar desde la inocencia, prosiguió a través del asombro y se afirmó hacia y por el dolor. El tiempo la había desterrado del mundo de lo invisible, del mundo de la infancia en el que ella podía creer los cuentos de hadas y aparecidos de la tata Estrella. Y los hombres la habían desterrado del visible, puesto que, durante mucho tiempo, nadie, al parecer, la tuvo en cuenta excepto como belleza. En el mundo visible se había sentido herida, taladrada de muerte, pero desdeñó el recurso a toda queja audible y se sirvió de las imágenes, pues sólo desde el pudor de la más-

---

[2] Quincena de Nuevos Realizadores. Sólo admite primeras películas.

[3] Esta historia está basada en un hecho real: Dunia Ayaso y Félix Sabroso rodaron *Fea* con un millón de pesetas. Como ningún banco accedió a financiarles el proyecto, cada uno solicitó una VISA con un fondo de quinientas mil pesetas que nunca devolvieron. En su caso, por desgracia, no contaron con ningún avispado productor que postprodujera la película. Eso porque aún no se había estrenado *The Blair Witch Project*, claro. En cualquier caso, si queréis obtener una copia en vídeo de esta obra magna, podéis contactar con Félix Sabroso a través de la siguiente dirección de *e-mail*: amorylujo@infonegocio.com.

Por lo demás, cualquier parecido entre los personajes ficticios de Pedro y Ruth, y los reales de Dunia y Félix, es pura coincidencia.

cara —Ruth convertida en actriz, Ruth protegida del interlocutor por la distancia que la pantalla imponía— se sentía capaz de arrojar sus quejas al mundo. En las imágenes, Ruth se encontró a sí misma, y en la pantalla halló su fortaleza, pues, desde la unilateralidad de una película, no se le permitía al interlocutor interrumpirla ni molestarla en la exposición de sus ideas. La relación con lo invisible se reanudó desde aquella nueva vía que la imagen, con su libertad, alumbraba. A partir de un lento y obstinado aprendizaje del oficio, tercamente empeñada en vencer todos los obstáculos que le impidieran la expresión personal de su mundo invisible, el asombro primero se convirtió en revelación. Una nueva realidad se hizo suya mediante las imágenes, y mediante las imágenes que las palabras transportaban: una revelación que pertenecía íntegramente a Ruth, que no venía de fuera —del mundo visible, del mundo de los otros—, sino de su interior secreto, antes oscuro y desde entonces, desde que Ruth aprendió a expresarse mediante historias, repentinamente iluminado. Los otros habían sido espejo, el resto del mundo era un espejo y, hasta entonces, Ruth se había definido según los demás: había asumido su distancia, su diferencia, porque sólo se había visto en el espejo de los ojos de la gente. Había sido débil, variable, contradictoria, porque así la veían los demás. Pero la imagen del celuloide no era espejo, sino desvelamiento, y, al verse a sí misma en una pantalla, Ruth empezó a conocerse, en lugar de reconocerse. En sus películas recogía la presencia de una extraña repentina, una recién nacida que la suplantaba. Que la suplantaba desde una impostura, desde una mentira. Pero una mentira que contenía más verdad que cualquiera de las verdades de Ruth. Cámara en mano, Ruth era a la vez la fuente y la sedienta, porque le encantaba aprender de sí misma, indagarse a sí misma, y pensaba que la recompensa a los sinsabores de su vida se cifraba en ese maravilloso momento en el que por fin podía conciliar sus problemas mediante la expresión de esos problemas: sentía que podía hablar idiomas nuevos y, sobre todo, lo mejor de todo, sentía que podría traducirlos.

Y cuando empezaba a ser feliz, cuando por fin comenzaba a ser ella misma, llegó la fama y la hundió. El espejismo de la celebridad de Ruth se convirtió en un cristal distorsionante a través del cual ella pasó a interpretar el mundo que le rodeaba, y dejó de entenderse a sí misma y a sus circunstancias, precisamente cuando habría podido empezar a hacerlo.

¿Y QUIÉN ES JUAN?

El joven poeta Juan Ángel de Seoane no había respondido siempre —ya nos hemos referido a ello— a tal nombre. En su partida de nacimiento rezaba Juan Hernández Rodríguez, resultando, pues, que aquel sonoro apellido De Seoane era composición del vate en ciernes, como si con el apellido embelleciese el nombre, y tan bien le caía el «de» en su rostro delgado, de líneas firmes y nobles, tan buen acomodo hacía el nombre con la nariz de caballete y los ojos nazarenos, que el propio Juan creía a veces que nunca se había llamado de otra manera. Puestos a ser exactos, tampoco Juan era vasco, sino gallego de nacimiento, de la región del Caurel por más señas, aunque, todo hay que decirlo, Juan se sentía vasco, y no sólo de adopción.

Para narrar la historia de Juan habrá que remontarse a sus orígenes. Y sobre todo, a la historia de su madre, porque la madre de Juan, aunque viva, resultaba tan crucial en su historia como la madre muerta de Ruth, y ésta era una diferencia que a la vez unía y separaba a ambos: los dos estaban enamorados de sus madres, pero Ruth amaba a un fantasma y Juan a un tirano. Tirano, sí, pero tirano reverenciado, de la misma forma que ciertos pueblos han amado con pasión a sus dictadores, e incluso, tras la caída de uno de aquéllos y una vez probado que cada peldaño en la escalera que supuso la ascensión del déspota se construyó a base de asesinatos, corruptelas y tropelías, el pueblo lo ha seguido amando (o al menos una parte de éste). Lo dicho: Juan adoraba a su madre. Sin la perseverancia de aquella mujer formidable, sin su voluntad de acero, se decía, ¿qué habría sido de él?

Su madre le correspondía; es más, sentía la emoción del legítimo orgullo de sí misma ante la conciencia clara y evidente de que en el fondo de todos los aciertos y errores de su vida, y dominándolos siempre, había latido, vigoroso, aquel amor por su hijo, aquella pasión no concupiscente y, sin embargo, mucho más violenta y ardorosa que si hubiera sido carnal. En ella lo más serio, lo más profundo, mucho más que el amor a su marido, había sido siempre el amor maternal. Y casi se alegraba de no haber tenido más hijos, de no haber criado una parejita, de haber concebido un único varón. Una mujer no podía continuarle a ella, nunca había deseado o siquiera imaginado femenino el ser que heredara su sangre, su espíritu. Porque bastante mal lo había pasado ella siendo mujer, y sabía muy bien que, digan lo que digan, en este mundo las mujeres no son más que ciudadanos de segunda clase, y mucho tendrían que cambiar las tornas para que la situación mejorara. En cualquier caso, ella no vería un mundo mejor para las hembras, y probablemente tampoco su hijo. Y se alegraba de tener un solo hijo porque así podía consagrarle un amor absoluto, sin rival. Amar a varios hijos le hubiera parecido una infidelidad respecto del primero, y comparaba las familias numerosas con el politeísmo: no se puede adorar a varios dioses. Y es que Juan era su dios, su ídolo, pero un ídolo cautivo, reo de su venerante, bien encerradito en su hornacina y protegido en su pedestal…, ¡y que no se le ocurriera bajarse de allí!

En el Caurel, los padres de Carmen habían vivido malamente cultivando una ingrata tierra de maíz y patatas. Para empeorar una situación difícil de por sí, su padre se gastaba en el bar lo poco que ganaba removiendo la tierra. Le gustaba contar allí sus aventuras, sentirse rumboso y, en el calor de la amistad improvisada al aroma del vino, abría créditos exorbitantes para invitar a todos los parroquianos. Aquella manía acabó por convertirse en vicio, en pasión de manirroto, porque le gustaba darse tono generoso y despreciaba el dinero, que en su casa tanta falta hacía, con gran prosopopeya, y así, mientras él se perdía en sus sueños, los compadres de borracheras, entre alabanzas y halagos, le sacaban más y más vasos. De esta forma, Carmen fue aprendiendo lo que valía el dinero a partir de la gran pena en que su madre lo lloraba como ausente. «Preferiría mil veces que se hubiera dado a las mujeres —decía la pobre mujer, que, por supuesto, ni una sola vez se planteó dejar a su marido—, pero ni siquiera es lo suficientemente hombre para eso; él lo único que sabe hacer es beber». Y esta conciencia de la miseria hizo a Carmen mujer antes de tiempo y le imprimió desde muy joven una seriedad prematura y un juicio firme y frío que la caracterizarían para el resto de su vida. Era Carmen ya a los trece años una flacaseca, tan enjuta como su carácter, que despreciaba la pobreza de su casa y vivía con la idea constante de volar sobre aquellas penurias.

Ni se le pasó por las mientes la idea de que pudiera salir de allí a fuerza de estudios. Ella había ido al colegio, pero sólo hasta los trece años, y aunque siempre había sido lista y avispada, entonces no le pesó dejar los estudios como le llegaría a pesar más tarde, pues nadie en su entorno la animó a continuarlos, ni había conocido ella ninguna mujer que supiese algo más que leer y escribir (su madre, de hecho, no sabía ni eso). Así que eligió la forma que se le antojaba más lógica para dejar la casa: el matrimonio. El elegido fue un vecino sencillo en el trato, oscuro y prosaico en gestos, acciones y palabras, no demasiado avispado, pero sí —en opinión del pueblo— serio y cabal, que destacaba sobre todo por los inmensos ojos azabache que luego heredaría su hijo. A Ángel Hernández se le tenía por el chico más guapo del pueblo. Carmen se sentía orgullosa de su adquisición y experimentaba la alegría íntima de la vanidad satisfecha. Sabía muy bien que la lista de la pareja era ella, y aunque nunca estuvo demasiado enamorada de Ángel, porque nunca le admiró, con el tiempo llegaría a sentir por su marido un afecto análogo al que sintiera un criador por su mejor caballo. A los diecisiete años se quedó embarazada, acontecimiento nada raro en la zona, pues allí era común que los jóvenes probasen a sus amadas antes de desposarlas y, según más de uno, era señal de buen agüero que la novia llegara con bombo al altar, pues así se aseguraba que la pareja tendría buena descendencia. La buena descendencia sólo servía de algo cuando había mucha tierra para trabajar, decía Carmen, y aquél no era el caso. Muy al contrario, muchos niños significarían muchas bocas que alimentar, y muchas penurias para la familia. Así pues, se casó decidida a no tener más hijos y cumplió con esta decisión como con todas las que en su vida había tomado y tomaría.

No había cumplido Juan el año cuando un primo de su padre, que había marchado a trabajar en Bilbao, volvió al pueblo por vacaciones y acabó convenciendo a Carmen, más que a su marido, de que lo mejor que el joven matrimonio podía hacer era probar fortuna en esa ciudad, pues en las contratas para las que el primo trabajaba estaban necesitados de albañiles y pagaban bien, y ¿qué iban a hacer sino morirse de hambre en aquella tierra tan poco agradecida? Decidió, pues, Carmen que marcharían a probar fortuna, y que al niño, de momento, lo dejarían al cuidado de los abuelos, para volver a buscarlo en cuanto se hubieran asentado. Pensó ella que no tardarían ni un mes en volver por el crío, pero pasarían tres años hasta que su hijo pudiera ir a vivir con ellos. Al principio no les daban los cuartos más que para vivir en una pensión y a Carmen se le metió entre ceja y ceja que tenían que ahorrar para conseguir un piso, pues de ninguna manera quería vivir de huésped toda la vida y menos con un niño pequeño. Además, se empeñó en trabajar fregando escaleras (que era, muy a su pesar, lo único que sabía hacer) para que al juntar dos sueldos les fuera más fácil ahorrar el dinero necesario. Quedó pronto claro que, estando así las cosas, el crío sólo serviría de estorbo. El caso es que a Juanito lo criaron los abuelos maternos hasta que cumplió los cuatro años y todo ese tiempo la madre sólo lo vio tres días al año, por Navidad.

Por fin pareció que la situación mejoraba. Bermeo, un pequeño pueblo de la costa de Vizcaya, había conocido un repentino enriquecimiento merced al establecimiento de la conservera Garavilla y a la localización de una bolsa de gas natural mar adentro. El trabajo en la planta de gas era duro (requería gente fuerte y capaz de pasar tres meses encerrada en un pequeño espacio), pero los bermeanos, acostumbrados durante siglos a las condiciones del trabajo en la mar —pues tradicionalmente el pueblo había vivido de la pesca de altura—, podían con eso y mucho más. La planta de gas, eso sí, pagaba excepcionalmente bien, y en poco tiempo todos los naturales del pueblo decidieron reformar sus casas o construirse otras en la falda del monte Sollube. Estas reformas y mudanzas atrajeron a muchos emigrantes que llegaban a trabajar como albañiles o peones de obra, animados no sólo por la posibilidad de empleo, sino también por el hecho de que los alquileres y los precios en general eran más bajos que en Bilbao. El padre de Juan encontró trabajo en la fábrica de conser-

sañado con su película, los productores que la llamaban «flor de un día» («te lo digo yo, todo es cosa de marketing, ya verás como la segunda película es un fracaso»), los colegas que aseguraban que su talento era inversamente proporcional a su descaro... Y es que vivir en la envidia por los logros ajenos permite al anónimo redimirse de la renuncia a los propios deseos y liberarse de la impotencia resultante de no haberlos cumplido. El envidioso necesita desesperadamente rebajar los méritos del exitoso, pues así no se sentirá tan inferior en comparación.

El ojo que ves no es / ojo porque tú lo veas; / es ojo porque te ve. Un poema de Antonio Machado, pero que muchos atribuyen a Truffaut, que no por casualidad era cineasta. La mirada en cine es doble: mirada del creador que elige el encuadre, mirada del público que devora. El ojo se convierte en ventana y arma. Si la personalidad se construye sobre la mirada ajena, sobre el Otro, el cine multiplica por millones el alcance de la mirada contraria. Ruth veía el mundo a través de una cámara, Ruth miraba, pero, por otra parte, Ruth se exhibía, se dejaba devorar. La mirada del público —voraz, depredadora— se convirtió en una amenaza para Ruth. Ya no podía salir a la calle sin saberse mirada, juzgada, sin sentir los ojos anónimos clavados en su nuca, las sonrisitas cómplices, los guiños, los codazos a su paso, las frases escuchadas a medias o imaginadas: «pues está bastante gorda», «no es tan guapa», «¿has visto qué pelos?», «va puesta de jaco, seguro, mira qué ojos». Los bares, antaño espacios sagrados, catedrales del ocio, recintos de placer y diversión, se convirtieron en calabozos, en salas de tortura. Continuamente la asediaban para pedirle autógrafos, la interrumpían en medio de las conversaciones, la abordaban. Si ella era amable, malo, pues el admirador o admiradora se sentía acogido y se creía con derecho a imponer su presencia y su conversación. Si no lo era, peor, pues entonces el extraño podía ofenderse y exigir explicaciones: «¿Y por qué eres tan borde tú, eh? ¿Qué pasa, que porque eres famosa te crees con derecho a tratarnos a los demás como si fuéramos basura?». Ruth estaba acostumbrada a que la abordasen, eso no era lo nuevo, al fin y al cabo se trataba de una mujer muy llamativa —la antorcha de cabello encendido, los ojos refulgentes, las curvas de vértigo— y siempre había llamado la atención. A lo que no estaba acostumbrada, a lo que no sabía acostumbrarse, era a la recién adquirida responsabilidad sobre sus admiradores. Antaño, los moscones no se sentían insultados cuando ella los rechazaba. De hecho, casi parecía que era lo que esperaban, que para estar a la altura de las expectativas ella debía hacer de mujer fatal, adecuarse a la imagen de Gilda que tenía y no decepcionarlos. De pronto, se diría que su público esperaba de ella una cercanía, una intimidad, una especie de colegueo adquirido o comprado, pues era como si pensasen que, tras verla en pantalla, ya la conocían de sobra, que ella se había convertido en una amiga, una gurú, una hermana mayor. Y es que se supone que los famosos deben saber vender parte de su intimidad a cambio de vender su producto. Esta relación con el famoso basada en la ilusión de la intimidad ha abolido las tradicionales normas que antiguamente regían la relación entre los desconocidos. La distancia se ha borrado de un plumazo, por la sencilla razón de que el público ya no tiene por extraño a aquel que ve en televisión o cine, y, a través del poder de la mirada, cree conocerlo, cree tener derecho a su atención.

La intimidad se convierte en el reclamo que despliegan los medios para venderse a sí mismos a través del famoso: cuanta más naturalidad tenga o aparente el famoso, cuanta más vida íntima exhiba o aparente exhibir, mayor será su capacidad de atracción. Ruth no concedía entrevistas sobre su vida privada; se negó rotundamente a aparecer en revistas o programas de corazón y defendía su intimidad con espíritu de leona, pero daba igual: se había exhibido tanto en el cine, se había desnudado en todos los sentidos, emocional y físicamente, había sido tan cruda, tan sincera, tan descarnada, que el mayor vendedor de exclusivas no podría ofrecer nunca una ilusión de cercanía tan potente.

Ruth se sintió, de pronto, agobiada por la obsesiva, por la voraz ansia de su público, de sus admiradores. El mirar vigilante, la observación entrometida, la curiosidad implacable, policíaca, ratonil, de su audiencia la estaban volviendo loca. Se sentía oprimida, falta de libertad, incapaz de comportarse con naturalidad en cualquier contexto, ya fuera en el mercado, en los bares, en el cine («¿has visto qué facha lleva?», «¡se ha reído en la escena más triste!», «va borracha como una cuba», «la he visto morreando con un gañán impresentable»), harta de ser objeto de atención constante. Se debatía entre la necesidad de publicidad para su obra (pues si su obra no se conocía, no podría mantenerse, y tendría que volver a los trabajos alimenticios, y ya no podría crear, ya no podría redimirse a sí misma) y la falta de privacidad que esta necesidad conllevaba.

La falta de confianza no tardó en aparecer en una dimensión muy cercana a la paranoia. Ruth, que hasta entonces se había creído una mujer sociable, empezaba a temer a los desconocidos. La gente trataba de arrimarse a ella, eso resultaba evidente; lo que no quedaba tan claro era el porqué. En sus relaciones confluían los más diversos ingredientes: vanidad, manipulación, envidia, idolatría, hipocresía, admiración, resentimiento..., que se agitaban y se mezclaban en un cóctel explosivo. Algunos se acercaban a Ruth esperando conseguir algo (un papel en la próxima película, una oreja comprensiva, un alma gemela, un buen polvo, todo lo que la pantalla les había sugerido, todo lo que creyeron que la imagen del celuloide les estaba prometiendo) y, ante la imposibilidad de conseguirlo, sufrían un violento ataque de furia contra ella, una furia suscitada, en el fondo, por lo que sentían como injusticia: ¿por qué ella era famosa y ellos no?

La idolatría sólo funciona cuando el ídolo se coloca en un pedestal de respeto y secreto. Cuando esto falla el ídolo se derrumba. El respeto, la distancia y el secreto, características imprescindibles para que la devoción se mantenga, desaparecen desde el momento en que al famoso se le tiene por un igual, y ya no existe la ilusión de que se trata de alguien totalmente excepcional. El proceso de identificación, de sentir al otro cercano, impide toda sublimación. El reconocimiento a través de las entrevistas y las películas, la exhibición continua del cuerpo y la mente de Ruth, resultaban contrarios a lo secreto: el ídolo tenía pies de barro y muchos se sentían con derecho a provocar la caída definitiva. Ruth no acababa de entender la tranquilidad y el desparpajo con que se refería a ella tantísima gente que de nada conocía. No sólo los periodistas y los que estaban metidos en el mundillo, también personas que la habían visto una sola vez en la vida o que nunca la habían visto. Pedro le contó un día cómo en un bar un jovencito que intentaba ligárselo, y creyendo que podría impresionar a Pedro haciendo gala de sus extensas relaciones sociales, le habló de su intimísima amistad con Ruth: si yo te contara, le decía, bueno, no te lo ibas a creer... No tenía aquel chico ni idea, claro, de que allí el único que contaría algo sería Pedro, al que le faltó tiempo para irle a Ruth con el cuento, creyendo muy equivocadamente que la haría reír, sin imaginar que sólo conseguiría exacerbar la incipiente paranoia de su amiga, de su Ruth, que ya no quería salir a ninguna parte, que le había cogido miedo a los bares, a la gente, que sólo quería quedarse en casa, lejos del acecho de las miradas ajenas. No la consolaba lo que decía Pedro, aquello de que cuando la criticaban o la atacaban muchos no hacían otra cosa que exorcizar sus demonios.

Pero encerrarse en casa no servía de nada. De repente, parecía que medio mundo había conseguido el teléfono de Ruth y, peor aún, que a medio mundo le había dado por marcarlo. Cuando Ruth descolgaba se encontraba con aberraciones tales como un redactor del *Diario de Cuenca* que quería saber su opinión sobre Boris Izaguirre, o con un aspirante a director (probablemente recién salido de un frenopático cercano) que quería contrastar con ella el gran argumento que en la cabeza le bullía. Probó a instalar un contestador, pero no sirvió de nada, porque cuando llegaba a casa se encontraba con treinta mensajes grabados. Y no había más porque la paciencia de la cinta de recepción también tenía un límite y a partir de la media hora de mensajes acumulados dejaba de grabar. Ni siquiera podía escucharlos, no sólo porque la tarea le hubiese llevado sus buenos tres cuartos de hora, sino porque la misma escucha de los mensajes se veía interrumpida por los constantes timbrazos del teléfono, que no dejaba de sonar. Por fin optó por desconectar la línea, hasta que al cabo de un mes los timbrazos remitieron, pero aun así Ruth se acostumbró a no coger el teléfono bajo ninguna circunstancia, excepto cuando sonaba el código reservado a Pedro: dos timbres, pausa, dos timbres. Por la misma razón, no disponía de teléfono móvil. Tuvo uno, pero, por mucho que se esforzó en ocultar el número, de alguna extraña manera parecía que cualquier desconocido podría hacerse con él, y al final se vio obligada a desconectarlo y a dejar que en el buzón de voz se acumulasen quince o veinte mensajes diarios que nunca escuchaba. Al final se lo regaló a una de sus sobrinas, sin saldo, para que jugara con él. Le resultaba divertido pensar que quienes la llamaran se encontraran a una cría de seis años diciéndoles que no tenía ni idea de dónde podía estar su tía Ruth. A la cría, por lo visto, y según le contó Judith, también le pareció divertidísmo el juego, hasta que su profesora acabó por confiscarle el nuevo juguete, que no dejaba de sonar en mitad de las clases.

La fama es un laberinto de espejos deformantes: si uno se define según los otros, si se ve a sí mismo según la reacción que provoca en los demás, ¿cómo le va a ser posible verse multiplicado en millones de espejos diferentes que se ciegan unos a otros con sus reflejos? Ruth se sentía como Rita Hayworth en la última escena de *La dama de Shanghay*, aturdida, incapaz de avanzar entre la pavorosa multiplicación de amenazantes imágenes de sí misma.

La presión le afectó al carácter. Ella siempre había sido una mujer impulsiva y tendente a los arrebatos de mal genio (por más que haya que añadir, en honor a la verdad, que se le pasaban pronto), pero desde que se hizo famosa se volvió de lo más irascible, pues no contaba con el necesario aguante y equilibrio emocional para soportar las presiones derivadas del éxito. Cuando iba a un estreno y las cámaras la interceptaban, le acometían unas ganas intensas de insultarles a todos, que reprimía sólo merced a un intensísimo esfuerzo de autocontrol. A menudo rompía a llorar sin motivo aparente, y estallaba en rabietas infantiles por cualquier minucia. Pedro, sorprendido ante el cambio tan radical que se había operado en pocos meses, empezó a preocuparse y fue el primero en aconsejarle que se retirara del mundanal ruido por una temporada. De forma que Ruth firmó un contrato con Alquimia por el cual se comprometía a escribir y dirigir una segunda película que debería rodarse en el plazo de un año. Y así, con la excusa de la escritura de ese guión, se encerró en su casa y se negó al trato social a excepción del más imprescindible: el contacto con Pedro, con Paco Ramos, con su familia y con Sara, que ya no era su amiga del alma, pero a la que debía devoción. Se escudó en una mentira, pues bien sabía ella que no necesitaba encerrarse para escribir guión alguno, pues a ella le bastaba una línea argumental a partir de la cual improvisar en el rodaje. Pero había desperdiciado tanta sinceridad, se había expuesto de una forma tan cruda, que sólo en la mentira podía hallar una tabla de salvación.

Primera cita

Apenas una semana después de la fiesta, Juan recibió otra carta en un sobre de papel canela. Reconoció al instante la pulcra caligrafía de Ruth, y desgarró el sobre con impaciencia:

Hola, Juan,

Te habría llamado por teléfono, pero no me diste tu número. Por supuesto, habría podido buscar el número de la Residencia de Estudiantes en la guía, pero he preferido recurrir al correo porque pensé que si tú no me lo habías facilitado, quizá no querías que te llamara.

Estaré el jueves por la noche en la puerta de la Filmoteca, a las nueve y media. Quiero ir a ver una película del ciclo de Buñuel. Tendré dos entradas. Si estás allí, perfecto. Si no estás, pensaré que tenías algún otro compromiso previo que no podrías anular o que, sencillamente, no has querido venir.

Hasta el jueves, si diosa quiere,

Ruth.

Le resultó gracioso que escribiera «diosa» en lugar de «dios». Al parecer, Ruth no aceptaba la existencia de un dios masculino, lo cual no le sorprendía, después de la broma que hizo en la fiesta a propósito de los católicos. Reparó también en que había firmado sólo con su nombre de pila, y no con su nombre y apellido, como en la carta anterior. Sin embargo, todavía no se atrevía a llamarle «querido Juan».

El jueves, por supuesto, se acicaló con esmero y se presentó en la Filmoteca a las nueve y cuarto. Ruth ya estaba allí. Le esperaba en la puerta del cine vestida con un traje largo de gasa blanca, liviana, semitransparente, que permitía adivinar las curvas de sus senos, augurar la precisa redondez de las nalgas, predecir la elipse de su vientre. A Juan le vino a la cabeza un verso: «*the rare and radiant maiden whom the angels call...*» [1]. Cierto era que él no la conocía mucho y que, por tanto, no podía saber cómo se vestía normalmente, pero la primera vez que la había visto en persona y siempre que había contemplado su imagen en televisión o en revistas, Ruth iba de negro de pies a cabeza, con botas y pantalones, así que dedujo que ella se había arreglado especialmente para la ocasión. Para entender el porqué del vestido de Ruth recurriremos una vez más a nuestro asesor, doctor en psiquiatría. Las imágenes, los símbolos —las margaritas de Ruth, su vestido blanco— nos dirá él, no constituyen un mero ornato, sino una forma inconsciente de expresión y, por qué no, de terapia: un intento de expresión de lo inexpresable. Una imagen, un símbolo, obliga a dar un salto entre las cosas y las ideas que asocia. Un vestido blanco hace pensar en pureza, en lienzo por pintar, en hoja por escribir, en historia a punto de ser contada, en ofrenda. Y es que Ruth, sin saberlo, pero acaso sabiéndolo en el fondo más profundo de su fondo, se había vestido de novia.

Se precipitaron al interior del cine porque la película estaba a punto de empezar. Sobre la pantalla se sucedían los títulos de crédito. Ruth se sentó a su lado, con los ojos muy abiertos, y no pronunció palabra durante toda la proyección. La historia no era buena ni mala. En algún momento los protagonistas hicieron el amor en medio de un descalabro de mobiliario y de estruendosos alaridos. Juan sabía que en realidad no estaban haciendo el amor, que se trataba de una coreografía preparada con minuciosidad que probablemente les habría llevado días ensayar, pero eso no impidió que una erección incipiente le tensara la bragueta. La exhibición lo había descentrado, y esa sensación de confusión oscilaba entre la envidia y la lujuria. No quiso mi-

---

[1] Es de Edgar Allan Poe: «la exquisita y radiante doncella a la que los ángeles llaman...» Leonor, no Ruth.

rar a su compañera, porque pensó que, si ella le sorprendía, se daría cuenta inmediatamente de lo que estaba pensando. Una dinamo de frustración, la furtividad del *voyeur,* se añadían a la atracción que Ruth le inspiraba. Pensó en deslizar una mano por debajo del vestido blanco y al momento se arrepintió de haber albergado semejante idea. Al fin y al cabo, prácticamente no conocía a aquella mujer. Le habría gustado saber qué estaba pensando Ruth. La miró de soslayo y sólo entrevió un rostro impenetrable. Juan, que advertía cómo disminuía su confianza en inversa proporción al crecimiento de su erección, se sentía dolido por su propia incapacidad para aproximarse a Ruth y se despreciaba a sí mismo por lo vulgar de su curiosidad.

A la salida del cine caminaron un largo trecho en paralelo, sin discutir siquiera los méritos de la película, como suelen hacer en las primeras citas las parejas que quedan para ir al cine. Juan pensaba en algo que decir, pero no se le ocurría nada, y, alentado por el silencio de ella, que parecía más apacible que incómodo, mantenía el suyo.

De pronto ella se detuvo frente al escaparate de una perfumería.

—¿Has jugado una vez a elegir algo en un escaparate?

Juan se encogió de hombros con expresión sorprendida.

—Tienes diez segundos para escoger un objeto del escaparate, el que más te llame la atención. Luego contamos uno, dos y tres, y señalamos cada uno el objeto que hayamos elegido, a ver si coincidimos. ¿Vale?

—Vale. Diez segundos.

En diez segundos recorrió con su mirada los frascos apilados en los estantes, semicegado por los confusos y atrayentes brillos de la luna. Una botella de perfume en forma de corazón pugnaba por llamar su atención y parecía gritarle «estoy aquí» con desesperados berridos de cristal. Pero Juan pensó que quizá ella juzgaría la elección demasiado cursi, así que acabó decidiéndose por un frasco que representaba una especie de racimo de uvas de cristal verde coronado por una voluta de pámpanos de metal dorado.

—¿Ya está? Pues eso. A la una, a las dos y a las...

Tres. Juan señaló el frasco verde y oro, y entonces se dio cuenta de que Ruth había señalado el corazón.

—Te juro que iba a señalar ese corazón. Pero en el último momento pensé que a ti no te gustaría.

—Así que has renunciado a tu elección en función de la que creías que iba a ser la mía.

—Precisamente.

—Pues te has equivocado de medio a medio. Eso es lo que sucede por intentar agradar a toda costa.

—Pero todo el mundo hace lo mismo. Tú también lo haces, seguro. Dime, cuando te entrevistan, cuando sales en televisión, ¿no mientes, en cierto modo?, ¿no dices lo que el presentador, tu público, quiere que digas?

Ella rió.

—En general digo lo primero que me viene a la cabeza. Y así me va… Pero es que yo no sé mentir. Se me da muy mal, se me nota en seguida… Nunca he podido mentir bien. La primera noche que estuve con un chico, por ejemplo, llegué a casa a las cinco de la mañana y en un estado… Te puedes imaginar. Y me encontré con mi padre esperándome en el salón, con una cara hasta los pies. También te la puedes imaginar. Bueno, me preguntó que dónde había estado y, en lugar de inventarme cualquier mentira de circunstancias, lo típico, que habíamos ido a una fiesta en Majadahonda y que a la vuelta se estropeó el coche, le solté la verdad en tres segundos. Me arreó un bofetón que me tiró al suelo. Aún me acuerdo.

Ruth dijo esto con la cara frente al escaparate, la nariz casi pegada al cristal, como un niño fascinado ante una pastelería. Inesperadamente, se volvió de costado y ambos quedaron frente a frente. Juan se dio cuenta de que no se había atrevido a mirarla a la cara desde que habían salido del cine. Así que le sorprendió encontrar la mirada de Ruth ya clavada en la suya y a la expectativa. Durante algunos segundos permanecieron inmóviles, mirándose a los ojos sin más expresión que la de la ansiedad compartida. Juan intuyó además un destello de deseo, quizá algo burlón. Ruth, a su vez, creyó imaginar un brillo de afecto protector y sonrió mientras adelantaba la barbilla y cerraba los ojos. De manera confusa anhelaba no sabía qué. Cuántas expectativas contenía el gesto insignificante y, sin embargo, poderosísimo de adelantar la barbilla y entrecerrar los ojos para recibir un beso, qué inmensa carga de esperanza transportada, qué inmensa carga de temor viajando a su lado, en la misma bodega. Se trataba de un gesto fugaz que anulaba cualquier otro, cualquier otro movimiento del cuerpo (el temblor nervioso de las manos, por ejemplo), pues toda el alma estaba concentrada en esa tímida ofrenda de los labios.

Fue un abrazo torpe, apenas un rápido y breve acercamiento, un desmañado ajuste de los labios. Él se separó y se quedó mirándola un instante. Los ojos de Ruth se encendieron en una sola llama esmeralda, alumbrados ante el pensamiento de lo que estaba a punto de llegar. Experimentó un mareo, un remolino de luz y se secó una lágrima con el dorso de la mano. Al abrazar a Juan, a Ruth se le contagió su deseo, de la misma forma en que alguien puede contagiarse, por contacto, de unos hongos en la piel. Pero mientras para Juan el deseo no pasaba de ser deseo y se traducía en una simple y terrena erección, la comezón de Ruth se manifestaba en una desesperada necesidad de entender la forma perfecta y el significado de ese deseo. Se sintió como si de pronto su personalidad se hubiese evaporado y no contara con otra de recambio. Porque debajo de la aparente resolución de un simple abrazo se esconden multitud de suposiciones, sobre esas suposiciones se fundan falsas esperanzas, de la tierra de estas falsas esperanzas acabarán por crecer las dudas, y de las dudas brotarán los resentimientos... Así es como se tuerce el recto transcurrir de unas vidas.

Extrañas luciérnagas zumbaban de pronto por la mente feliz de Ruth. Aturdida, se dio cuenta de que le era imposible asirlas y estudiarlas, porque la felicidad es una cuestión fugaz, química, un destello del instante y no un estado de ánimo.

Ruth sabía muy bien que el Amor es el Diablo. Pero esta asunción se desvaneció en el momento en que besó a Juan y el sentimiento adoptó nombre de pila. Rebautizada con el nombre de Juan, aquella extraña condición dejó de parecer amenazadora y terrible, y la ingenua Ruth la acogió con los brazos abiertos, halagada hasta la sumisión por la oferta que imaginaba paladear en aquellos labios. Ya estaba unida a Juan como el zorro al cepo.

Fuera lo que fuera lo que aquel beso había disparado en el subconsciente de Ruth, los límites entre lo real y lo imaginario, entre lo visible y lo invisible, desaparecieron, y ella empezó a flotar en una piscina de autosugestión y recibió aquel sueño con los brazos abiertos, haciendo el muerto, sin querer ver que acabaría, inevitablemente, hundiéndose. *Cuando uno está enamorado empieza por engañarse a sí mismo y acaba engañando a los demás*[2].

---

[2]   Eso lo dijo Wilde. Y es muy cierto.

—¿Vamos a tomar una copa? —preguntó Juan.

—No sé, no me gusta mucho salir de bares. Siempre hay un pesado que acaba reconociéndome y que se empeña en contarme su vida. Un presunto actor, o un aspirante a director, o un cortometrajista en ciernes... Ya sabes. Pero si quieres, podemos ir a mi casa. Está aquí al lado.

Juan no quería creer lo que parecía obvio. A él le habían enseñado que cuando una mujer invita a un hombre a tomar una copa en su casa le está proponiendo sexo. Pero le resultaba difícil admitir que Ruth se sintiera tan magnéticamente atraída hacia su persona como para querer acostarse con él casi sin conocerse, después de que sólo hubiesen intercambiado un beso. Se preguntó si aquella alusión a los desconocidos que la asediaban en los bares sería o no una excusa.

—Además, soy una persona muy casera, aunque no lo parezca —prosiguió Ruth, como si hubiese podido escuchar dentro de su cabeza—. No me gustan los bares, ni el ruido, ni las aglomeraciones. Me siento más a gusto en casa.

«Me siento más segura en casa», habría debido decir. Pero su agorafobia era un tema para discutir con un psiquiatra, no con un desconocido.

Caminaron hacia la casa de Ruth con las manos enlazadas, a través de un laberinto de callejuelas que serpenteaban en el trazado del Madrid de los Austrias. Entre ellos seguía flotando el mismo silencio de antes. Los minutos transcurrían en elegante procesión, sin pausa, sin prisa, adaptándose al ritmo tranquilo de los pasos de cada uno, que, en un intento de acomodarse a los del compañero, sacrificaban la velocidad a favor de la sincronización. Juan no hablaba por pura timidez, y Ruth no hablaba porque creía sinceramente que, en una situación como aquella, las palabras sobraban.

—Hemos llegado —anunció ella al fin—. Éste es el portal de mi casa.

—Ya lo había reconocido.

Ascendieron trabajosamente por los deslucidos tramos de escaleras y cuando llegaron al rellano del piso de Ruth y ella se detuvo para buscar las llaves en las profundidades de su bolso, él estuvo a punto de añadir: «Aquí mismo te besé el otro día, cuando abandonaba tu fiesta», pero se contuvo en el último momento, porque no quería dar la impresión de que se sentía demasiado seguro de sí.

La sensación aplastante de la casa, con su olor a cerrado, a cementerio de libros polvorientos, volvió a cerrarse sobre ambos en cuanto Ruth cerró la puerta tras de sí. Juan fue derecho a sentarse en el sofá del salón. Se sostuvo las piernas con las manos, para evitar que ella advirtiese cómo temblaba ligeramente.

—¿Qué quieres tomar? —preguntó Ruth.

—Cualquier cosa. Lo que tomes tú.

—¿Vodka vale?

Él asintió con la cabeza.

—¿Me dejas tu abrigo?

—Sí, claro…

Se incorporó, se deshizo del abrigo y la bufanda y se los pasó a Ruth.

—Es preciosa esta bufanda —observó Ruth. Al tacto parecía cachemir. Lo comprobó al verificar la etiqueta. Le sorprendió una bufanda tan cara en contraste con el abrigo raído. También buscó la etiqueta del abrigo: Zara. Toda esta verificación apenas le llevó treinta segundos—. Es un regalo, ¿verdad?

—Pues sí.

—De una mujer —Ruth no preguntó, afirmó.

—Sí… —Juan se lo pensó dos veces antes de decir lo que se disponía a decir. Si lo decía, podría arruinar las posibilidades de lo que vendría después. Si no lo decía, se sentiría culpable en el caso de que lo que esperaba, efectivamente, llegara. Todo este proceso mental tampoco le llevó más de treinta segundos—. Me la regaló mi novia —dijo por fin.

—Tiene muy buen gusto.

—Mucho.

—¿Llevas mucho tiempo con ella?

—Unos cuatro años.

Juan se sacó la cartera del bolsillo trasero del pantalón. La abrió y le enseñó la foto de Biotza. Ruth cogió la cartera y contempló la foto durante unos instantes. Una chica sonreía apoyada en una barandilla, frente al mar.

—Parece muy joven.

—Veintitrés años.

—Ya… Bueno, voy a buscar las copas.

Desapareció por la puerta de la cocina. Mientras escuchaba el trajinar de Ruth, Juan se entretuvo en leer los nombres de los artistas impresos en los cantos de un montón de CDs apilados al lado de la televisión. No reconoció la mayoría. Intentaba distraerse para no pensar en lo que podría pasar. Desde que empezó a salir con Biotza, nunca había estado con otra mujer. No por falta de ganas, sino de oportunidades. La vida que llevaba en Bilbao se componía de sesiones de estudio los días laborables y salidas en pandilla los fines de semana, y no ofrecía muchas ocasiones para conocer gente nueva. Cuando le ofrecieron la beca en Madrid había fantaseado con la idea de que conocería una realidad liviana y diferente, una existencia sin compromisos, un mundo sin culpas, en el que las vagas ensoñaciones que le asaltaban en sus delirios masturbatorios pudieran tomar cuerpo, pero no había pensado que aquello pudiera concretarse tan pronto y, de repente, le invadió una angustia indeterminada, un presentimiento de que no sabría estar a la altura. Tranquilízate, se dijo. Puede que no quiera nada. Puede que no pase nada.

Ruth reapareció con una bandeja que colocó sobre la mesa. Traía dos vasos pequeños rellenos de un líquido transparente. Le acercó uno a él, se sentó y se hizo con el otro.

—Hay que bebérselo de un trago —le dijo—. Por… Dostoievski —echó la cabeza hacia atrás y apuró el contenido del vaso. Juan la imitó.

—¿Por qué por Dostoievski?

—Porque es vodka rusa.

Se quedaron sin decir nada y se repitió la misma incertidumbre que había habido frente al escaparate. Entonces la mano de Ruth tocó la de Juan, sin temblar, tibia, suave. Él sintió vergüenza de su torpeza ridícula, de su miedo estúpido… Juan sintió sus dedos entre los de ella, la tentación. La sensación del contacto se le antojaba eléctrica, corrosiva, y la sintió llegar hasta el pecho como una corriente cálida y vibrante. Le zumbaban los oídos. Se debatía entre unos vehementes deseos de besarla y unas imperiosas ganas de levantarse y marcharse de allí. Pero esta vez fue ella la que tomó la iniciativa. Cuando la besaba, él se sintió aliviado: era ella la que había empezado, y ella sabía, puesto que él se lo había dicho, que tenía novia. Podía, por lo tanto, descargar la culpa en ella y entregarse a ese beso, liberado del peso de su conciencia. Siguió besándola y acariciándola y, poco a poco, los remordimientos se le fueron diluyendo en un sentimiento absolutamente irracional que le dominaba. Se dejó llevar por Ruth. Cayendo, era feliz, sentía el mareo de la caída en las entrañas, mezclado con una sensación envolvente, resultante de cada caricia de Ruth, de los sentimientos que le comunicaban sus terminaciones nerviosas, del roce eléctrico de cada poro de su piel al contacto con los itinerantes dedos de Ruth. Se alzaron sin despegarse, y llegaron hasta la cama todavía besándose y riéndose, chocando con los muebles, despreocupados como animales. Se desnudaron el uno al otro y cayeron enlazados sobre la cama. Mientras la besaba, y luego, el ansia de la piel a flor de dientes, mientras seguía mordiéndola y devorándola, Juan reparó en que había una vela encendida en la mesilla de noche. Ruth debía de haberla prendido en su camino de vuelta desde la cocina, puesto que no la creía capaz de haber abandonado la casa dejando la vela encendida, con el consiguiente riesgo de incendio. Por lo tanto, Ruth había planeado aquello, Ruth le había seducido, y este pensamiento le tranquilizó, le hizo sentirse deseado y manejado, y le dio fuerzas para tomar la iniciativa y empezar a llevar las cosas por sus propios derroteros. No sabía que aquella vela roja llevaba cinco clavos de olor ensartados en la cera, uno para que Juan sólo viera por los ojos de Ruth, otro para que sólo oliera su perfume, otro para que sólo fuera sensible a las palabras de su boca, otro para que sólo el tacto de su piel le excitase y otro para que sólo el sabor de su sexo le colmase, y que alrededor de la vela ella había atado un cordel rojo anudado siete veces, y que los nombres de él y de ella se habían escrito sobre la cera con una aguja virgen, como Estrella le había enseñado.

Unos brazos se tienden hacia otros... Un puente íntimo y sólido. La vela chisporroteaba vanas promesas contra la penumbra. Cuando Ruth repetía el nombre de Juan, su voz cambiaba sólo con decirlo, se hacía menos aguda y poseía una especie de temblor, de arrullo, como si antiguos suspiros hubieran permanecido en suspenso dentro de su pecho durante años y bastara con el nombre de Juan para liberarlos. Ruth estaba tendida boca abajo, replegadas las piernas y ofrendada la grupa. La cabellera rojiza, que a la luz de la vela adquiría caprichosas y danzantes tonalidades, le caía en cascada de espirales por la espalda. Juan, desde atrás, le asía las caderas para introducirse en ella con presión rectilínea, irresistible. Dolía. Ruth recordó algunos de sus juegos infantiles favoritos. La mayoría de ellos habían tenido que ver con fantasías que incluyeran la premisa de acabar atada. Princesas secuestradas, verdugos y prisiones... Una comba, la manguera del jardín, una cadena inservible de bicicleta... Accesorios para una compleja sucesión de pasatiempos rituales. Cuando Juan tocó fondo ambos emitieron un gemido de sincronizada satisfacción. El miembro crecía dentro de ella, como si se nutriese de su propio alojamiento. Dolía, pero ella exhaló un gemido ebrio de sumisión.

El tiempo se hizo total como un océano. Un océano que no calmaba, sin embargo, la sed. Un océano profundo y abisal en el que Ruth se sumergía, temblando como una gota, como una ola hecha de todas las olas, de golpes de agua azotada por su propio peso, de agua derramada entre la rosal reunión de sus piernas —allá donde su sexo parpadeaba—, de un turbulento río roto en desmesura, de un caudal que dibujaba, al fluir entre las sábanas, empapando lo oscuro, un mapa de fluidos y cabellos desbordados.

¿Cómo describir algo semejante? La suave languidez de los sentidos que embriagaba la conciencia, que balanceaba a Ruth con suavidad infinita, las luces azules que llegaban a alumbrar los gozos de aquella lucha agónica, los ojos cerrados que temblaban bajo el abrazo y cómo todo parecía felicidad hasta la muerte, paz hasta el vacío. Entre un hombre y una mujer, entre un cuerpo y otro cuerpo, entre un segundo y el siguiente, se abrían espacios inmensos, que ni el pensamiento podía medir, y mundos enteros que los llenaban. Ruth se encontraba en un tiempo detenido, caminaba por el infinito como el sol, rodaba como el océano sobre su lecho de arena, y el cuerpo ya no era cuerpo sino una vela intrépida que avanzaba inflada gracias a la tempestad que la empujaba. Imposible apresar el calor del instante, imposible apresar ninguno de los fuegos fundidos en la piel de Ruth. Todo giraba y vacilaba en aquella última embriaguez, algo frenético, una ebriedad de vida, una danza febril y sudorosa de demonios borrachos, una música rara e hipnótica que le zumbaba por dentro, y el cuerpo retorcido como el de una serpiente, un cuerpo poseído de un eléctrico rayo que lo pulsaba y sacudía, y Ruth que gritaba, que gemía convulsa, fuera de sí misma, que mordía las sábanas, que se aferraba con las uñas a la madera de la cama, Ruth que ejecutaba una sinfonía de gemidos, ama y señora de la disonancia, dueña del áspero contrapunto, y dueña de su sexo, diapasón de carne que marcaba el compás del tiempo, que se abría y se cerraba en un ritmo animal puro, un túnel que se contraía y aprisionaba. Y luego Ruth moría dulcemente, feliz, y todo se calmaba. Unas pulsaciones anunciaron el inminente latigazo del esperma. Toda esta serie de sensaciones invisibles se remitían a un espectáculo corriente y visible: nada había sido inventado; durante siglos, hombres y mujeres han jugado a componer en la cama descomunales y groseros insectos de ocho patas.

—Dime que me quieres —los susurros pronunciados en las sábanas suenan amplificados, multiplicados por diez, tal es el poder del silencio.
—No puedo —repondió ella—. ¿Cómo iba a decirlo?
—Además, tú nunca dices mentiras.
—Además, no sería mentira.
Ruth se desperezó como un gato, y el cabello, empapado de sudor, se le pegaba a la frente en ascuas como un brasero, y aún le quedaban rastros del viaje, del placer: la mirada verde encendida como un semáforo, el cuello tenso, la boca risueña y húmeda, los pezones erectos, el vientre palpitante... Y su cuerpo era como una botella de vino cuyo contenido se hubiera apurado: recordaba alegrías y mostraba un vacío.

Sin embargo, Ruth no se había comportado como hubiese querido, no había dado de sí todo lo que podía dar. Se había avergonzado de su cuerpo, de ese cuerpo que nunca había entendido, que había odiado tantos años porque se trataba de un cuerpo de mujer, porque ella habría querido un cuerpo liso, sin pechos ni caderas, un cuerpo que no le condenara a ser algo que Ruth no quería ser. No quiso ser activa porque no podía dejar de pensar en aquella Biotza de la foto, y en su cuerpo que imaginaba perfecto, sin celulitis ni estrías, tal y como su propio cuerpo había sido diez años atrás, cuando ella tenía la edad de la chica de la foto, y recordó aquella cara de niña, y se torturó pensando en cómo aquel cuerpo tenía más que ver con el de Juan que el suyo, y no quiso que Juan la viera. Tan sólo se dejó hacer y sólo se acercó a la mitad de la mitad de lo que habría podido dar de sí, delicia pasiva, sin esfuerzo, abstracta, ausente, dicha sin reserva pero sin trascendencia, y se quedó dormida con cierta sensación de contacto epidérmico, de haber tocado algo con la punta de los dedos sin llegar a alcanzarlo del todo. Y esa sensación se fue acrecentando en el mismo sueño, exactamente igual que cuando de pequeña probaba un trozo de tarta y se quedaba con las ganas de haberse comido la tarta entera, porque el pastel se había limitado a tentarla, pero no la había saciado.

Juan, a su lado, no podía dormir, y, a la media luz de la vela, rodeado de un silencio compacto que parecía hermetizarse a su alrededor, se quedó mirando las manchas de humedad del techo como si en ellas estuviera escrita la respuesta a sus preguntas. Le laceraba por dentro un enorme sentimiento de culpa. Le repugnaba, como una villanía, como una bajeza, aquella predilección con la que sus sentidos se recreaban en lo que acababa de hacer, pero el placer que había sentido con ella era nuevo, nuevo en absoluto, y tan fuerte, que le ataba como cadenas de hierro a lo que él ya juzgaba crimen, caída, perdición. El remordimiento que la infidelidad despertaba en él le traía asco de sí mismo, pero, por otra parte, lo que acababa de hacer se envolvía en una vaguedad ideal que lo atenuaba: él había sido seducido, y no por una mujer cualquiera, no. Por una mujer excepcional. Y el saberse elegido, distinguido con aquel honor, le halagaba infinitamente y le procuraba un paradójico placer, un sentimiento de vanidad tan grande que, a ratos, llegaba a cubrir el desprecio que se inspiraba a sí mismo segundos antes. Se debatía entre dos Juanes distintos.

Juan no lo sabía todavía, pero, a lo largo de los meses, iría avanzando desde la grosería natural del deseo hasta una suerte de comunicación trascendente, a través de técnicas, experiencias, perfeccionamientos, legítimas astucias y trucos novedosos que acabarían por convertirse en prácticas rutinarias. A lo largo de los meses Juan iría avanzando, Ruth iría avanzando... No hay forma de describir la adicción al sexo cuando ni siquiera es sexo y se convierte en algo más, en la traducción tangible de la necesidad imperiosa de salir de uno mismo, de una vida que no se entiende y no se quiere. Pero todo aquello llegaría más tarde, con el paso de los días, poco a poco, por acumulación, como los granos de arena que señalan los minutos en un reloj, sin que nos demos cuenta. Juan no lo sabía todavía, pero, con el tiempo, cada detalle de la habitación quedaría grabado en su memoria en virtud de la mnemotecnia propia de la pasión.

Juan no lo sabía todavía, pero, con el tiempo, se haría imprescindible para Ruth.

RUTH SE EMBARCA EN UNA RELACIÓN A TRES

Se supone que el tres es un número místico: la Santísima Trinidad y la Cábala así lo atestiguan. Ruth nació un día tres, conoció a Juan (al menos en el sentido bíblico) con treinta y tres años y, como buena mística que era, siempre había sido una ferviente devota del número tres. Porque el dos es el número de la definición por oposición, de la rivalidad, del uno frente al otro, del «yo soy de esta manera en tanto tú seas de esta otra», de la pareja. Y el tres es el número de los triángulos, ya sean los triángulos emocionales, en los que Ruth siempre acababa implicada (pues en su relación con Beau hubo muchas terceras y terceros laterales, ya que la profesión itinerante de él y sus largas ausencias hacían de la infidelidad un asunto fácil), o los triángulos geométricos, que se supone simbolizan la perfección, y por algo a Dios se le representa con un triángulo. El tres es también el número de la complejidad o incluso de la inseguridad (por lo de las relaciones a tres), pero también el de la variedad (por los *menages à trois*), el del siempre hay otra salida, el de a la tercera va la vencida, el de no hay dos sin tres.

La tercera nota de Ruth llegó, envuelta en el obligado sobre de papel canela, dos días después de que se hubiese acostado por primera vez con Juan. Pero Ruth no tenía muy claro si le escribía a él o se estaba escribiendo a sí misma. Sabía que le necesitaba a él, a Juan, como destinatario, como muso, como tercero en discordia en el diálogo perpetuo que mantenía entre sus Ruths, entre ella y su otra ella. Lo que sabía es que desde el momento en que se acostó con Juan no le apetecía escribir nada en tanto no supiese que él iba a leerlo. Aparcó, pues, el guión y escribió una larga carta para Juan.

Desde que Ruth entró en su depresión, desde que se encerró en casa con la excusa de escribir un guión, se levantaba muchas mañanas con lágrimas en los ojos, a pesar de que no existiera, en apariencia, motivo concreto para su llanto. Cuando Ruth bajó a la calle para echar en el buzón el sobre de color canela que contenía la nota que le enviaba a Juan llovía a mares, lo cual le confería una dimensión extra de tristeza al Momento Dramático y, de pronto, las lágrimas se le agolparon en los ojos. Le dominaba un sentimiento opresivo de tristeza derivado del hecho de saber que había tenido a Juan en sus brazos, que Juan había sido suyo, pero que no era del todo suyo, sino de otra. Si Juan era su Otro, Biotza era su Otra. Y Ruth no pudo evitar acordarse de aquella frase de *Blade Runner*: «Todas estas cosas desaparecerán como lágrimas en la lluvia». Pensó que no debía preocuparse, puesto que al fin y al cabo ella no iba a durar eternamente, e incluso su propia especie acabaría por extinguirse algún día, y que su vida y sus problemas representaban tan poco en relación al universo como las lágrimas a la lluvia. Sin embargo, esa explicación existencialista también se le antojaba inútil, por no decir esnob.

Pensó en una canción de Patti Smith que Pedro le había recomendado escuchar en los momentos bajos, *I refuse to lose, I refuse to fall down...* Pedro aseguraba que Ruth tenía una gran capacidad para ser feliz, y le repetía siempre que acabaría encontrando la felicidad en cuanto se lo propusiera. Pedro debía de creer que era una cosa muy fácil animarse y volver a salir otra vez. Mientras deslizaba el sobre canela por la ranura del buzón, Ruth se dijo: «Al menos conocí cinco minutos de felicidad la noche del jueves, y eso me da una esperanza enorme: si aquella felicidad —si aquellos cinco minutos de felicidad— pudo existir, incluso en medio de un momento tan malo como el presente, entonces siempre hay una esperanza».

Me he pasado la noche soñando contigo. No recuerdo del sueño más que imágenes vagas, como envueltas en niebla, pero, al despertarme, sabía que el sueño trataba de ti, que tú eras el protagonista...

Pero Ruth sabía otra cosa: que había soñado con sangre. Que había soñado con una compresa empapada en sangre, con ríos de sangre que se le deslizaban entre las piernas. Lo curioso es que Ruth no entraba en la categoría de las mujeres que sangran, de las mujeres de verdad, de las mujeres de maternidad y cosecha. Ella no tenía reglas, o no al menos esas reglas abundantes, de mujer-mujer, que debería tener, esas conexiones de sangre que coinciden con los ciclos lunares y que se supone les recuerdan a las mujeres su naturaleza misteriosa y fecunda. Y el caso es que sí había sangrado cuando tenía trece, catorce, quince años. Pero en algún momento aquello se acabó, y sólo quedó un caudal raquítico que apenas se hacía notar, cuatro gotas testimoniales que no daban siquiera para manchar unas bragas, y que sólo se descubrían en forma de un leve surco rojo que caía en el agua del inodoro, nada. Los médicos le ofrecieron montones de explicaciones posibles, pero ninguna concluyente: tenía los ovarios demasiado pequeños, una endometriosis, un déficit de hormonas. Y existía otra explicación psicoanalítica que a Ruth se le antojaba igual de plausible que las médicas: ella misma había rechazado aquella condición de mujer, ella misma estaba negando su feminidad, su caso se reducía a una cuestión psicosomática. Y es que Ruth odiaba todo el paquete en el que venía envuelto el concepto mujer, todas las consecuencias que se equiparaban en su cultura al concepto de feminidad: odiaba las quejas, el victimismo, los reproches, los chantajes sentimentales y las enfermedades de sus tías, las hermanas solteras de su padre, odiaba su vida malgastada y su sufrimiento, odiaba la constante comparación y la competencia entre mujeres, odiaba la, impuesta o asumida, dependencia de un hombre, odiaba la obligación de tener que esconder su libido y sus deseos, odiaba el color rosa, las falditas plisadas, los anillos de compromiso y, como era de esperar, odiaba —o más bien le daban asco— la sangre y las compresas.

Criada en un buen colegio de pago, de los de admisión restringida, Ruth conoció la prepubertad desde una exquisita educación católica entre unas monjas irlandesas que le hablaban en inglés. Existía en aquellos días un ritual no explícito entre «las niñas» de su colegio (las alumnas se referían a sí mismas como «las niñas del colegio», aunque ya no se tratase de niñas en el sentido estricto de la palabra, sino de lolitas o proyectos de mujeres), un ritual que tenía que ver con la menstruación: no se podía hablar de ella, porque se trataba en teoría de un tema tabú, pero llegaba un momento en que había que dejar claro de alguna manera que existía, y, mucho más importante, que una conocía de su existencia por experiencia, un momento en el que había que dejar claro que una era mujer, mujer-mujer, futura mujer de su hombre y futura madre de un montón de niños, así que una vez al mes tocaba negarse a bañarse en la piscina o a hacer gimnasia, y ponerse muy roja cuando alguien preguntaba por qué y ¡ay de aquellas pobres niñas que no crecían, que no necesitaban sujetador, que seguían sin tener la regla a los quince años! No les quedaba más remedio que fingir y aparentar dolores que no sufrían, y asegurar tajantes y rotundas que no querían bañarse aunque se asfixiaran de calor: no existía ninguna circunstancia que les impidiera zambullirse en el agua, pero ellas debían aparentar lo contrario. (¿La explicación a semejante comportamiento absurdo? Que entonces nadie usaba tampones, claro, por más que existieran, porque los tampones se asociaban a la penetración y unas buenas chicas católicas no se metían nada en la vagina, nada, de forma que aquella que tuviera el periodo no se bañaba.)

Ruth, que se desarrolló cuando debía (era una de las más abundantes entre las mujeres abundantes), no conoció esa angustia hasta años más tarde, cuando la vivió a una edad en la que no le correspondía vivirla, cuando empezó a envidiar, o al menos a sentir una curiosidad malsana hacia esas mujeres que se quejaban (de una forma tan ostentosa como para hacer sospechar que había algo de alarde en la queja) de la cantidad de veces al día en las que debían cambiarse de compresa, de las dos compresas superpuestas que tenían que usar por la noche para evitar manchar las sábanas. Porque a aquellas alturas Ruth ya ni siquiera necesitaba compresas. Había negado su feminidad y se había negado, de paso, a reconocer que siendo mujer iba a ser distinta de un hombre. Las diferencias entre géneros, creía Ruth, como buena feminista, son culturales, impuestas, y no vienen marcadas en ningún patrón genético. Y Ruth se negaba a admitir, por tanto, que las mujeres fuesen más intuitivas que los hombres, que el hecho de vivir en medio de un ciclo permanente de regeneración, de necesitar sangre nueva cada mes, de ser ellas mismas sangre de su sangre, que el hecho de estar conectadas a la Luna, de descender de una estirpe de brujas y hechiceras, pudiera otorgarles ciertos poderes no explicables desde la racionalidad. Ruth se negó a admitir durante muchos años la evidencia de que podía soñar cosas que iban a suceder, de que podía saber que ciertos amigos la necesitaban porque la habían llamado en sueños, de que podía funcionar a golpes de intuición cuando quería. Si Ruth había negado su condición de mujer, también había negado, con ella, sus poderes, su conexión con lo invisible.

El caso es que aquella mañana Ruth se despertó sangrando. Juan la había dejado a las ocho, pues tenía (o eso había pretextado) una cita con su editor. Ella siguió durmiendo hasta las doce, y soñó con sangre, y soñó con Juan. Y se despertó sangrando. No se trataba de un caudal muy abundante, por supuesto, pero constituía un acontecimiento inesperado, puesto que no tenía periodos regulares. ¿Por qué sangraba precisamente después de una noche de sexo? ¿Acaso Juan le había restituido su condición de mujer?

...he soñado contigo durante toda la noche. Soñaba que me llamabas. ¿Estabas pensando en mí?

Los sueños, la sangre, tenían que ver con su intuición femenina y con la asunción por parte de Ruth, admitida después de muchos años de intentar negarla a toda costa, de que vivía en un mundo que no se explicaba exclusivamente desde lo racional, de que los análisis que negaban el componente mágico y el azar no alcanzaban a interpretar todos los fenómenos que constituían su vida.

Ruth era una persona obsesiva, y ese rasgo de su carácter le hacía sufrir mucho, pues le impedía recuperarse tan fácilmente como otros de los desastres sentimentales, de las decepciones, de los contratiempos, de las pequeñas tragedias del día a día. Pero también gracias a ese rasgo trabajaba con entusiasmo hercúleo, entregándose a la cámara como a una amante y a los amantes como si fueran dioses, con una pasión de devota o incluso de mártir (en intensidad, al menos, aunque no fuera en duración). A lo largo de su vida, Ruth se había obsesionado con muchas personas, pero eso no quería decir que las hubiese incluido en su vida. A veces, sólo las miraba desde la distancia. Podía tratarse de amores platónicos, de estrellas desconocidas, de amantes de una noche, de amigas. Personas a las que necesitaba para crear. Todo lo que Ruth había escrito, actuado, filmado, había sido concebido para alguien. Cada monólogo, cada encuadre, cada plano, tenían un destinatario. Pensaba en aquella persona cuando filmaba o cuando actuaba, y el hecho de saber que esa persona existía, que podría verla algún día, se convertía en el carburante que engrasaba su máquina de crear, de dar, de mostrarse, de comunicar. Pero Ruth no podía definir a aquellas personas como inspiradores, sino, más bien, como espejos. Lo que escribía, filmaba o interpretaba estaba escrito, filmado o interpretado sólo para una persona, para nadie más, pero en el fondo estaba destinado para la propia Ruth. Sin la intervención de una tercera presencia no podía colocarse ni delante ni detrás de una cámara. Sus obsesiones eran como un catalizador. Necesitaba reconocerse en otro. Como si no supiera verse a sí misma sin otro.

Desde ayer tú eres mi otro, mi hermano de sangre, si me aceptas. No pretendo, entiéndeme, suplantar a tu novia. No busco horarios ni exigencias ni ataduras ni compromisos. Aunque sea bien cierto que a veces los horarios, las exigencias, las ataduras y los compromisos son buenos sustitutos de la seguridad que, al fin y al cabo, todos necesitamos. La necesidad de ser querido, y la seguridad de ser querido que se asocia a la rutina, a ese orden estructurado y predecible que se identifica con la felicidad y que es posible que la constituya (yo todavía no sé si la constituye o no, a mí no me preguntes: las relaciones abiertas son caóticas y minan emocionalmente, las relaciones cerradas y restrictivas acaban por anular y aburrir, ser o no ser libre, ésa es la cuestión). Yo sólo quiero verte, verte otra vez lo antes posible, si tú quieres.

Lo curioso es que Ruth no se había obsesionado con Beau, ni tampoco solía soñar con él. Y eso que Beau era guapo, inteligente, buen artista, mejor amante, divertido, culto y enamorado de Ruth. Pero Ruth le dejó y nunca se arrepintió de ello. Y ni siquiera volvió a soñar con él.

¿Y por qué no se obsesionó con Beau, un hombre sensato, soltero, disponible y enamorado y se obsesionó, sin embargo, con un niñato descaradamente vampirista y que, para colmo, ya tenía novia formal? Nuestro psicoanalista de guardia nos diría que esa pasión por el riesgo, por lo imposible, esconde una compromisofobia. Quizá nos hablara también de cierto componente bisexual de Ruth, quien, al poseer a un hombre poseedor de una mujer, la poseería también a ella por experiencia vicaria, a través de una especie de perversa relación transitiva. Quizá nos hablase asimismo de una búsqueda del padre, representado en un hombre que ya tenía pareja. Quién sabe si el psicoanalista acertaría a explicar aquella sensación de obsesión de reconocimiento, de haber encontrado el espejo que andaba buscando.

El psicoanalista diría que hay algo de raro en obsesionarse con alguien a quien prácticamente no se conoce. Pero Ruth sabía que siempre que había sentido algo parecido había descubierto después que no se equivocaba, que aquella persona le estaba destinada. También había sucedido tres veces: tres personas que la atrajeron de la misma manera extraña desde el momento de conocerlas y hacia las que se sintió ineludiblemente forzada a acercarse: Beau, Pedro, Juan.

... Sé que no me estoy equivocando, que de una manera u otra me estás destinado, aunque aún no sepa por qué ni para qué. Pero si esto se hubiera acabado antes de empezar, si estuviera condenado a ser sólo la aventura de una noche, ya lo sabría, lo sentiría dentro, no sentiría esta pulsión de acercarme a ti, porque no la he sentido tantas veces en mi vida y, como es rara, sé reconocerla, de la misma manera que reconozco de inmediato la más leve vaharada de Opium o de Egoiste aunque pueda pasarme meses sin oler ese perfume en ningún lado...

En cierto modo Ruth se enfrentaba con su versión masculina, su reverso. Y eso a pesar de que, aparentemente, se trataba de dos personas por completo opuestas: ella era cobriza y blanca; él, azabache y zaino; ella pensaba que Dios era ateo, él se sentía permanentemente observado por un Dios que le pediría cuentas; ella ya no llevaba el cómputo de sus amantes, él anotaba cada infidelidad con meticulosa obsesión culpable; ella había conocido un éxito de público y un fracaso de ventas, él —ventas mínimas pero muchos halagos de papel— se creía cercano a una minoría de exquisitos. Eran dos espejos azogados. Dos narcisos enfrentados, cada uno obsesionado con su propio reflejo, impreso en el otro. Pero Juan le confirmaba a Ruth que sus miedos, sus fobias, sus pasiones, no eran ni extraños ni exclusivos. Al fin y al cabo él también vivía obsesionado con la mirada ajena y con su propia importancia, y obsesionado por el sexo, como única vía de comunicación que sabía manejar, además de la escritura. Se trataba de dos personas que no sabían comunicarse de manera directa, que necesitaban de disfraces y alter egos para enfrentarse al mundo. Ruth reconoció a su gemelo desde el momento en que él fue el único, en aquella fiesta de cumpleaños, que se había tomado en serio sus obsesiones suicidas. Se sentía atraída por él porque le confirmaba su propia existencia, su propio vacío, su propia angustia, su propio miedo. Él también parecía perdido.

> *... no tengo teléfono, o, más bien, nunca lo cojo, pero tengo una dirección de* e-mail: *ruthswanson@espasa.es* [1]. *Puedes enviarme un* e-mail, *o, si no tienes cómo hacerlo, escribirme a casa.*

---

[1] La dirección existe, y podéis escribir a Ruth si queréis. Pero ella nunca os responderá. Eso sí, yo leeré las cartas, y le transmitiré los mensajes.

RUTH ANTES DE SU SEGUNDA CITA

Una de las frases favoritas de Ruth, que aprendió en alguna película aunque no fuera capaz de recordar en cuál, era: «no soy lo suficientemente fuerte como para mostrarme vulnerable». Ruth se sentía muy débil por dentro, incapaz de contener la fragmentación resultante de las convicciones que la edad le había ido desplomando y que amenazaba con desmoronarle toda la personalidad, pero sabía de sobra que, en general, la gente que no la conocía mucho la tenía por una persona muy fuerte. En realidad, uno de los mayores problemas de Ruth —quizá el Problema, con mayúscula— radicaba en que Ruth no sabía cómo era Ruth.

Cuando tenía catorce, quince, dieciséis años se suponía que era la Puta Oficial de su urbanización. Era prácticamente virgen. Digo «prácticamente» porque hubo un episodio confuso a los trece años, un revolcón desafortunado en un descampado entre una Ruth borracha y un chavalote de pelo engominado que se abrigaba con un loden verde y se calzaba con unos castellanos color burdeos, un episodio que se saldó con la pérdida de la virginidad de Ruth y la ganancia de varios puntos para el índice de autoestima del contrincante. Y es que lo que para él constituiría toda la vida un orgullo —haber perdido la virginidad de forma tan precoz—, para ella sería una experiencia traumática. En cualquier caso, la calificación de Puta no tenía nada que ver con la historiografía sexual de Ruth, ni con el hecho de que recibiera favores de cualquier tipo a cambio de su complacencia sexual (no recibía nada), sino más bien con su aspecto. Se había desarrollado muy pronto, y ya desde la pubertad mostraba esa aura de animal en celo que la caracterizaría toda la vida y que la diferenciaba de las niñas *monas* de su edad, criaturas con más aspecto de angelito que de lolita. Desde el momento en que tenía aspecto sexual, todo el mundo dio por sentado que debía de mantener algún tipo de vida sexual y, por tanto, se la estigmatizó (sin su permiso), para convertirla en un cartel viviente que definiera la vida de todo el mundo. Cuando los chicos la insultaban llamándola «puta» exorcizaban su miedo al sexo y su complejo de inferioridad frente a una mujer que ya lo era mientras que ellos todavía eran chicos, muchachos, proyectos de virilidad aún no conformada que tenían que cargar con sus granos, sus gallos y sus poluciones nocturnas. Y las chicas que se apuntaban al carro y decidían ponerla verde a sus espaldas, en corrillos, se definían por oposición: si Ruth era la *Puta*, eso significaba que ellas no lo eran, y así se colocaban en el lado bueno de la línea divisoria que separaba a *Las Vírgenes* de *Las Putas*; a *Mi Madre, Mi Hermana* y *Mi Novia* de *Las Otras*, categorías en las que los hombres dividen a las mujeres, categorías a las que las mujeres se adaptan sin discutir, o al menos así era en el mundo en el que Ruth vivía, el mundo de su padre y de su hermana, un mundo regido por ciertas reglas y costumbres que esos adolescentes imitaban en su desesperado intento de fingirse adultos. También era cierto que el aspecto de mujer-mujer de Ruth amenazaba a todas aquellas chicas que la ponían verde. En el fondo estaban envidiosas porque no se atrevían a reconocer que a los catorce años aún no tenían la regla y que el sostén blanco y monjil que llevaban era más simbólico que otra cosa, pues sus pechos incipientes no conocían la ley de la gravedad y se mantenían firmes en su sitio sin necesidad de armazón que los sujetara, de forma que el sujetador más tenía de afirmación de una madurez sexual que aún sólo se apuntaba —pero que la interesada deseaba creer establecida— que de una necesidad.

Cuando Ruth se enteró de la fama que cargaba, pensó que eso se debía a la indiscreción del chico del loden, así que asumió su sambenito convencida de que se lo merecía, segura de que al no ser virgen ya era una puta, y sin siquiera sospechar que aquel episodio (un chico que ataca a una chica jovencita a la que ha emborrachado y que no se detiene cuando ella se lo pide porque da por seguro que las mujeres que dicen no en realidad quieren decir sí) se habría calificado en otra cultura menos reaccionaria, o unos años más tarde, de pura y simple violación. Ruth tampoco podía saber que, en realidad, ella era una de las chicas más ingenuas de su barrio, que entre las chicas que la criticaban quien más y quien menos había conocido un episodio similar, que todas sentían una curiosidad sexual muy semejante a la de la propia Ruth, que todas se morían de miedo de admitir ante los demás, y ante sí mismas, que la sentían, y que todas se sentían culpables por sentirla, y que por eso criticaban a Ruth: para sentirse mejor, para poder pensar: «Yo no soy una cualquiera, yo no soy como Ruth, yo pertenezco al otro bando, yo soy una buena chica, y pronto seré la Novia de alguien, y más tarde seré la Madre de alguien, y nunca seré una cualquiera, nunca, nunca seré como Ruth, porque yo no soy como Ruth, yo no soy como Ruth». Y puesto que desde tan temprano a Ruth se la obligó a definirse por contraste con ese tipo de mujeres —su hermana entre ellas—, no es extraño que más tarde, obligada a definirse en una relación por contraste con Biotza, que representaba exactamente a ese tipo de mujer sacralizada que se oponía a la mujer demonizada que Ruth representaba, Ruth reprodujera un conflicto que llevaba arraigado de forma tan profunda y se embarcase —por esa razón, y por muchas otras— en una espiral autodepresiva que acabaría conduciéndole al flirteo con el suicidio. La dualidad de Ruth frente a Biotza —el hecho de intentar por todos los medios diferenciarse de ella, y, sin embargo, desear sobre todas las cosas tener lo que Biotza poseía— se explicaba gracias al lema que había regido, hasta la aparición de Juan, la existencia de Ruth: hacerse un hueco en el lugar de nadie. De ahí la inconsciente tenacidad con la que Ruth se empeñaba en despreciar y amar a la vez las convenciones de pareja, en instalarse en la paradoja. Porque Ruth ejercía de mujer independiente y, sin embargo, con Juan llegó a comportarse como la más celosa de las marujas. Y es que su afán de dominio escondía el deseo de nombrarse a sí misma constantemente. Pero todavía no hemos llegado a ese punto de la historia, así que no adelantemos acontecimientos.

Desde el momento en que Ruth quedó oficialmente catalogada como «La Puta del Barrio» (en su caso, habría que decir «La Puta de la Urbanización»), todos aquellos chicos con granos y poluciones nocturnas y complejos de inferioridad se aficionaron a acercarse a ella buscando sexo, o algo parecido al sexo, y escondiendo debajo de ese deseo reconocido uno menos reconocido de afirmar una insegura virilidad. Todos los chicos del barrio querían pasar una tarde con Ruth... Pero sólo una, porque las putas, como todo el mundo sabe, están para tomarlas y dejarlas. Así que cuando conseguían lo que querían —unos pocos morreos y algún que otro magreo en alguna esquina poco iluminada más o menos cercana al portal de Ruth—, se iban derechitos a su casa, a desahogarse como podían la trempera tamaño familiar que había resultado de la sesión de jueguecitos con Ruth, y no volvían a dirigir la palabra a aquella paria, por mucho que la paria les gustara. Lo curioso es que Ruth conocía perfectamente las reglas del juego, sabía que si les dejaba besarla y tocarla ya no sabría más de ninguno de ellos, y deseaba con todas sus fuerzas que alguno se quedase, contar con al menos una persona que la quisiera, o, en su defecto, si tal cosa resultara tan difícil de conseguir, contar al menos con alguien con quien salir. Pero seguía besándoles de todas formas, esperando, inútilmente, que alguno dejase de ser rana y se convirtiese en príncipe, y sabiendo en el fondo que todos iban a seguir siendo ranas después de besarla, y seguirían con sus granos, sus poluciones nocturnas y sus concepciones absurdas sobre la vida, el amor y las mujeres. Entonces, ¿por qué participaba Ruth en aquel juego? ¿Por qué se dejaba besar y magrear? Según diría nuestro psicólogo asesor: porque estaba buscando cariño desesperadamente y no sabía dónde encontrarlo. Según podría añadir el mismo psicólogo o cualquier otro —y esta explicación combina con la anterior—, porque las únicas veces en las que obtenía la atención que andaba buscando lo hacía utilizando un reclamo sexual. Aunque ésa no fuera exactamente la atención que, según el psicólogo, Ruth andaría buscando, se trataba de una atención al fin y al cabo, de forma que Ruth continuaba reclamando consideración de la única forma que sabía que podía conseguirla.

Pero la explicación que daría el psicólogo no dejaría de ser tan conservadora como los chicos que se estrujaban contra Ruth o como las chicas que la criticaban. Puesto que si nos atenemos a lo que aquel señor dijera, resulta inconcebible que Ruth buscara sexo sin más, porque sí, y cuando el terapeuta asocia atención o afecto (amor, al fin y al cabo) a sexo, lo único que está intentando es que Ruth no quede como *una cualquiera*, porque el mismo hipotético psicólogo no se ha distanciado aún de esa absurda dicotomía entre la virgen y la puta. Pareciera que la promiscuidad sólo es comprensible *(ergo,* justificable o, peor aún, perdonable) si esconde la búsqueda de Algo Más Profundo. Viene a ser la misma filosofía del gañán, pero refinada y elevada al nivel académico.

Así que, durante muchos años, la Ruth adulta asumió este tipo de explicación que había leído en muchos libros escritos por feministas muy serias e incluso en algún que otro manual de autoayuda, y se convenció a sí misma de que su promiscuidad adolescente reflejaba una búsqueda de amor. Y puede que fuera así, pero también puede que lo que sucediera fuera que Ruth se había convertido en un ser sexuado, deseante y que, al tiempo que le crecieron las tetas, se desatara en ella la misma curiosidad sexual que impulsaba a aquellos jovencitos acneicos a acercarse a Ruth. Porque, vamos a ver: ¿acaso diría el hipotético psicólogo que lo que buscaban los jovencitos no era excitación sexual, sino cariño y atención? La diferencia estribaba en que los jovencitos con granos se tenían que contentar con hacerse pajas a escondidas en el baño de su casa, y acaso también, muy de cuando en cuando, con un único y aislado encuentro con Ruth, mientras que Ruth, que era una chica muy guapa, disponía de un variado surtido de jovencitos con los que experimentar. Y por mucho que Ruth supiera que con cada nuevo encuentro estaba comprometiendo su reputación y sus posibilidades para encontrar amigas y amores (lo cual no era del todo cierto, puesto que la reputación de Ruth estaba comprometida desde el principio y su promiscuidad fue resultado de la reputación y no al contrario; es decir, que los hombres empezaron a acosarla desde el momento en que las mujeres empezaron a llamarla «puta», y las mujeres empezaron a llamarla puta no a causa de sus acciones, sino de su aspecto), el caso es que Ruth no podía evitar seguir haciendo lo que hacía. Aquello era más fuerte que ella. Le encantaba que la besaran y que la tocaran.

Cuando Ruth llegó a la Universidad las cosas cambiaron de alguna manera. El ambiente ya no era tan cerrado y endogámico y, además, algunos de los estudiantes habían aprendido a apreciar la inteligencia de una mujer como una cualidad que la ensalzaba, con lo cual Ruth, que era una estudiante brillante, podía utilizar algo más que su belleza para seducir. Además, el barrio de Ruth era demasiado pequeño como para que las noticias se extendieran, y la reputación no le precedió. Y allí, en la universidad, no se ganó el sobrenombre porque ya no destacaba tanto: seguía siendo una mujer llamativa, siempre lo sería, pero ya no era la más llamativa ni la más desarrollada. Y, sin embargo, el esquema también se repetía: durante su juventud, y más tarde, en la edad adulta, Ruth conoció a un montón de hombres que la acosaban y la perseguían para dejarla inmediatamente después de «haber conseguido lo que querían», que habría dicho su tata Estrella, la misma que le leía las cartas. Durante mucho tiempo Ruth creyó, al igual que la tata, que lo que esos hombres querían era simple y llanamente sexo, y por lo tanto intentó el sistema de las Otras (las futuras *Novias de* y *Madres de*), aquello de esperar, de hacerse desear, de no concederles tan fácilmente lo que iban buscando. Así que, por mucho que en el fondo deseara comportarse de otra manera, durante cierto tiempo no tuvo por costumbre acostarse con desconocidos, con hombres a los que conociera en un bar y deseara apasionadamente. Pero aquella decorosa costumbre nada tenía que ver con una cuestión moral, sino con el funcionamiento de un perfeccionado sistema de autodefensa, o, por decirlo más simplemente, quizá por una cuestión de mera y simple cobardía. «Si un hombre se acuesta contigo —le decían sus compañeras de clase— sin que te hayas hecho desear lo suficiente, es decir, sin que le hayas hecho esperar unas cuantas semanas de cortejo hasta que se acueste contigo, te olvidará tan rápidamente como te ha conseguido». Pero a Ruth, por mucho que intentara creerse lo que le decían, le parecía que semejante actitud era de una estupidez supina, así que alguna que otra vez se dejó llevar por cierto remolino que llevaba dentro y que se le desataba en los bares después de haberse bebido alguna copa, y de repente sentía que cierto hombre que le estaba susurrando tonterías al oído, al que había conocido hacía media hora en la misma barra en la que bebían juntos o en otra cualquiera, le gustaba muchísimo y que eso no tenía nada que ver con el alcohol, que no iba a hacer lo que estaba a punto de hacer porque estuviera borracha, sino que el hecho de estar borracha le había obligado a reconocer que quería hacer lo que estaba a punto de hacer. Y quizá hiciera lo que hacía —aceptar la propuesta de aquel cuasi desconocido o de cualquier otro, o incluso plantear ella misma la propuesta— simplemente por llevar la contraria, y porque pensaba que si un tío iba a ser tan redomadamente machista como para pensar que una mujer dejaba de ser valiosa si expresaba el mismo deseo que él sentía, que una mujer que estuviese a su altura, que sintiese lo mismo que él y se atreviera a expresarlo, era algo despreciable, entonces más valía que ella lo supiera desde el principio antes de perder su precioso tiempo (¡dos semanas pueden suponer una eternidad, según a qué edad!) teniendo que quedar a cenar cuatro veces con semejante imbécil para conseguir llevárselo a la cama. Pero luego, cuando la dejaban, Ruth no podía evitar sentirse culpable y sucia, porque eso era lo que le habían dicho que tenía que sentir, y a veces los sentimientos no se originan en el corazón (o en la representación emocional simbólica de tal víscera), sino en la cabeza; no son reales, sino implantados; no se trata de emociones primarias y auténticas como el miedo o la ira, sino que se construyen a partir de una cuestión mental, obedeciendo a un mandato que alguien nos ha metido dentro: si me han dicho que me debo sentir sucia por hacer esto, entonces me sentiré sucia y negaré la emoción primaria (ese sentimiento de orgullo, de relajo, de conquista) que subyace debajo de todo esto y que estoy reprimiendo yo misma sin saberlo.

Lo curioso es que Ruth también seguía a veces las normas, y esperaba lo que había que esperar y contenía a duras penas su deseo y su frustración, y se abrazaba a la almohada al llegar a casa y la mordía con desesperación hasta dejar clavada en ella la huella de sus dientes, y aguantaba lo que hubiera que aguantar, las cenas, y las salidas al cine, y las visitas a los bares, deseando cada vez más al contrincante y confundiendo ese deseo con el amor (porque a Ruth le habían enseñado a confundirlos), y luego, cuando por fin, habiendo calculado cuidadosamente el cumplimiento del plazo, fingía darse por vencida, pasaba exactamente lo mismo: que se acostaban con ella y ya no llamaban más. Y si era sexo lo único que querían, pensaba Ruth, ¿por qué no se buscaban una puta de verdad, una que hiciera de ello su oficio y no una a la que le hubieran colgado arbitrariamente una calificación social, una que negociara el precio por anticipado y cobrara en metálico una vez finalizado el asunto? Al fin y al cabo, pagar a una de ellas seguro que les salía más barato que tener que invitarla a ella al cine y a cenar y a tomar copas y a esnifar cocaína. Algunos de sus amantes se habían gastado auténticas fortunas en ella: hubo uno que alquiló una *suite* del Ritz y otro que la invitó a pasar el fin de semana

en La Mamounia de Marrakech. Ruth pensaba que había algo en ella que hacía que los hombres la dejaran en cuanto la conocían, y de esta manera, y de tantas otras, se había ido minando lentamente su autoestima, que estaba algunos grados bajo cero, ligeramente por debajo de la de Kafka, cuando conoció a Juan. Y desde luego que había algo en ella que hacía que ciertos hombres no pudieran por menos de dejarla en cuanto la conseguían, pero no se trataba de lo que Ruth creía. Ruth no sabía que don Álvaro Mesía es algo más que un personaje literario: es un prototipo. Ruth ni siquiera imaginaba que el tipo de mujer que ella representaba atraía precisamente a los montones de Mesías que pululan por el mundo, hombres que se sienten tan inferiores ante las mujeres que necesitan ponerse por encima de ellas, hacerles daño, y que se sienten tanto más reafirmados en su virilidad cuanto más superior aparentemente sea la mujer a la que desprecien. Por lo tanto, Ruth —guapa, inteligente, educada, rica— se había convertido, sin saberlo, en una pieza a cobrar.

Pero una cosa es la teoría y otra la práctica, porque Ruth se había encontrado alguna que otra vez despertándose al lado de un perfecto desconocido que a la luz del día resultaba mucho menos interesante que la noche anterior y no sabiendo qué hacer para quitarse el muerto de encima. Aquel desconocido se había mostrado adorable, encantador y perfectamente seguro de que quería volver a verla, mientras que Ruth, que se había despertado con un dolor de cabeza de los que hacen época, se sentía desconcertada ante semejante entrega que desafiaba las reglas que ella consideraba absurdas, por mucho que se atuviera a ellas, y en lugar de apreciar aquel regalo del cielo, salía corriendo de aquella casa sin llevarse siquiera un número de teléfono.

Claro es también que, por otra parte, la única Gran Historia de Ruth (antes de conocer a Juan, se entiende) tuvo lugar con un hombre con el que se fue a la cama aproximadamente a las tres horas de conocerle... Así que nunca se sabe.

Y debe quedar claro asimismo que, cuando se despertó al lado de Juan, Ruth se sentía un poco desorientada, pero no pensó que Juan fuera menos inteligente ni valioso que lo que parecía la noche anterior.

Cuando Ruth decidió encerrarse en casa para olvidar sus problemas, no sólo no consiguió olvidarlos, sino que se encontró con un montón de problemas añadidos. Descubrió que, en realidad, echaba de menos su vida y pensó que no volvería a encontrarla nunca. Y cuando Juan, en la escalera de su casa, mostró interés por ella, y le dijo aquello de «si te sientes agobiada, llámame», quería creer que de verdad podía hacerlo, que de verdad podría recurrir a él para llorar sobre su hombro. Pero ¿cómo iba a confiar en alguien a quien apenas conocía?

El caso es que cuando Ruth besó a Juan frente al escaparate experimentó exactamente el mismo tipo de premonición que sentía en el portal de su casa: que había perdido a Juan, que desde ese momento se acababa la posibilidad de contar con un amigo o con un confidente, porque, según su experiencia, el sexo, que debería unir, separa. Probablemente porque cuando dos desconocidos se acuestan juntos cada uno invade la intimidad del otro. Y eso da miedo. Pero incluso si Ruth sabía que estaba haciendo una tontería, tal y como lo sabía antaño en el portal de su casa, se sentía tan incapaz de refrenarse como entonces, porque aquel deseo que la comía viva parecía más fuerte que ella. Es mucho más joven que yo, pensó, tiene su propia novia, yo tengo mis propios problemas, no es el momento de añadir uno más a mi ya larga lista de problemas, bla, bla, bla... Esto era lo que le decía una vocecita que canturreaba dentro de su cabeza. Pero también había otra vocecita haciendo coro, otra vocecita que llevaba la segunda voz, y que marcaba el ritmo bajo de la melodía, diciendo: «¿Y qué?, ¿y qué?, ¿y qué?», y finalmente la segunda voz se impuso sobre la otra y toda la canción fue simplemente ritmo, la machacona repetición de aquel estribillo que había acallado a la voz aguda de la Pepita Grilla particular de Ruth.

Y qué.

Pero luego, después de aquel beso larguísimo frente al escaparate, pensó que incluso si no volvía a ver a Juan, incluso si había echado por tierra la posibilidad de una amistad, incluso si se estaba comportando como una niña, siempre le quedaría el recuerdo de aquellos minutos (la luz, el sonido amplificado de dos respiraciones sincronizadas, la lengua que exploraba en su boca, las manos que le acariciaban la nuca, todo tan concentrado como para que no existiera nada más que ese beso en el mundo) y que eso no se lo iba a quitar nadie, nunca. Y que con eso le bastaba.

Juan le había gustado desde el principio. Era obvio. Pero a Ruth le costaba asumirlo y quería negarse a sí misma esa verdad por múltiples razones que pueden resumirse en una: miedo, terror. Ruth tenía miedo a iniciar relaciones porque, según su experiencia, aquello siempre comportaba cierta carga de sufrimiento, bien porque la otra persona decidiera acabar la historia, y entonces le correspondiera a Ruth atravesar un síndrome de abstinencia, bien porque decidiera acabarla Ruth y entonces el otro la asediara a chantajes sentimentales. Idealmente, el enganche debería ser mutuo, pero en veinte años de agitada vida sentimental aún no se había dado el caso, puesto que lo cierto es que —excepto en los comienzos de su relación— Beau dependía de ella, emocionalmente hablando, mucho más de lo que ella dependía de él. Pero entonces era joven, y pensaba que tenía mucha vida por delante, muchas experiencias por vivir. Pero a los treinta y tres años ya no podía llamarse joven, y empezaba a experimentar la sensación tristísima del vacío de la vida, ésa que marca la hora en que lo mejor de la existencia empieza a quedar atrás, cuando se dejan a la espalda los horizontes que antes estaban delante. Y no se sentía tan valiente como para atreverse a quedarse sola frente a esa certeza. Pero Ruth seguía esperando a que El Caso se diera algún día, aun a sabiendas de que las posibilidades apuntaran a que no se diera nunca. Por eso había llegado a los treinta y tres años soltera y sin compromiso, porque nunca había sido capaz de aceptar que podría querer a alguien que la quisiese menos que ella a él.

SEGUNDA CITA

Ruth supo, antes de abrir el sobre blanco que había encontrado en el buzón y que no llevaba remite, que se trataba de una nota de Juan. La escritura de Juan, sorprendentemente, se parecía mucho a la suya propia, aunque el trazo fuera ligeramente más irregular y no se inclinara hacia la derecha, sino hacia la izquierda, como si las letras necesitaran tomar impulso o como si les diese miedo enfrentarse al mundo.

La nota contenida era breve:

Querida Ruth...

(¡La llamaba querida! La ansiedad le crujía por dentro, con la memoria de la última noche mariposeando en la boca del estómago.)

..., debo de ser el único hombre en el mundo que todavía no está conectado a Internet. Tengo dirección de e-mail, pero sólo la uso para asuntos del trabajo y hoy no me apetece ir hasta la editorial para ponerte unas letras. Además, me parece más bonito enviarte una nota manuscrita, por aquello del romanticismo que se le supone a lo anacrónico.

En fin, el teléfono de la residencia es el 5613209. Espero que me llames en cuanto hayas acabado de leer ésta.
Un beso. O más…

J.

Ruth subió corriendo, a zancadas, el tramo de escaleras y se abalanzó sobre el teléfono para marcar el número que ya se había aprendido de memoria. Al otro lado de la línea, una voz de mujer le indicó que aquella era la Residencia de Estudiantes. Ruth preguntó por Juan de Seoane. La voz anónima respondió: «Le pongo». Y transcurrieron unos minutos que parecieron eternos hasta que se escuchó otra voz, aquella voz beige y reposada que Ruth ya había empezado a amar.

—¿Sí?

—Hola, soy Ruth. Acabo de leer tu nota.

—Pues ha sido un milagro, porque justo ahora me iba para la editorial a entregar unos informes. Si llegas a llamar dos minutos más tarde no me encuentras. Oye, cuando acabe en la editorial me tengo que ir a la presentación del último libro de Marcos Giralt, en el Cock. ¿Te apetece acompañarme?

Cómo iba a acompañarle Ruth a un acto público, si los odiaba, si se ponía enferma en cuanto se sabía reconocida, si se moría de angustia cuando sospechaba que en los murmullos de la gente que se levantaban apenas ella entraba en un sitio público, circulaba un odio contenido, un río de críticas, una lava de envidia.

—Sí, claro que te acompaño —dijo Ruth.

—Está bien. Entonces podemos quedar en el Comercial para tomarnos un café antes. ¿Te parece bien a las seis?

—Me parece bien.

—Pues hasta las seis. Un beso enorme.

—Otro. Hasta las seis.

El zumbido de la línea anunció que Juan acababa de cortar la conversación. Ruth se quedó mirando al auricular sin atinar a devolverlo a su cuna de plástico. El sonido del tono recorría largas espirales a través del cable; se transmitía del cable a los dedos que aferraban el teléfono y, desde allí, viajando por las venas, hasta los oídos de Ruth, que se quedó largos minutos inmóvil, hipnotizada por aquel ronroneo eléctrico, hasta que, por fin, depositó el auricular de nuevo en su cuna con tanta suavidad como si acariciara a un bebé.

Tip-top, tip-top. Tip-top... Sherezade imagina las pisadas de aquel a quien admira y, por tanto, al admirarlo, lo reinventa (porque, al fin y al cabo, si un personaje no es una tentación, ¿qué otra cosa puede ser?), aquel que baja las escaleras hacia la puerta de casa, andando a pasitos cortos y elásticos, ligeramente de puntillas (pero no mucho, no andando sobre puntas como una bailarina, sino simplemente despegando los talones del suelo; ese andar que es el preciso contrario a los pasos cansinos y arrastrados de los que tienen más edad o menos esperanzas). Lo primero que la cámara ve en este descenso (pues nuestra moderna Sherezade es directora de cine y piensa, como es lógico, en términos de lenguaje visual) son los pies, grandes, de dedos largos, ligeramente asimétricos, muy blancos, y siguen (ascenso vertical de la cámara) unas pantorrillas también muy blancas (como era de esperar) recubiertas de una pelusilla escasa, casi amelocotonada, a la que siguen unos muslos perfectos, que se dirían tallados en músculo, innegablemente masculinos, pero que contienen una extraña y delicada cualidad femenina, pues son casi demasiado estilizados sin dejar por ello de ser fuertes, como los que uno podría imaginarse si pensase en las piernas de una Diana cazadora. Cuando por fin vemos por completo al poseedor del estupendo par de piernas, sabemos que viste unos pantalones cortos y una camiseta azul, que lleva el pelo desgreñado y los ojos legañosos, como si se acabara de levantar, y que sus brazos no tienen nada que envidiar a las piernas en elegancia y solidez.

Cuando el joven (porque ahora ya sabemos que se trata de un joven, incuestionablemente guapo, por cierto) desciende todo el tramo de escaleras enmoquetadas, se acerca a la puerta de la Residencia. No, no va a salir, es evidente, no con semejantes pintas. Sólo ha bajado a recoger el correo, y resulta que el casillero donde el correo se entrega está situado prácticamente al lado de la puerta de la Residencia. Y, entre el predecible amasijo de sobres blancos que contienen publicidades varias, información sobre novedades enviada por unas cuantas editoriales y extractos bancarios, detecta inmediatamente un sobre canela, el mismo tipo de sobre de aspecto basto en el que Ruth suele enviarle sus notas. Constata de inmediato que, efectivamente, se trata de una de sus cartas porque reconoce la letra (picuda, ligeramente inclinada a la derecha, las aes bien abiertas, los trazos disparados), que ha aprendido a identificar. Sonríe porque ya no la esperaba, puesto que en los últimos dos días no había recibido ninguna de esas notas en las que Ruth intenta ejercer de Sherezade y atraparle cada noche con un cuento que prometa una continuación para que él no se deshaga de ella, pero no sabe (o quizá sí lo sabía; dejemos que sea el lector quien lo decida) que en el momento en que le dijo en una conversación de café: «No te lo creerás, pero ayer bajé las escaleras sólo para ver si había otra carta tuya y me desilusioné mucho al no encontrar ninguna», había vertido la precisa gota de aceite que faltaba para volver a poner en marcha el mecanismo de escritura justo cuando parecía que la máquina se hubiera agotado sin remedio.

Pues bien, nuestro tentador personaje desecha los sobres blancos y, aprisionando el sobre contra su pecho como si de una colegiala se tratara, y esbozando una expresión de alegría —la flemática sonrisa brillando en un rostro que, por lo general, se presenta sobrio y contenido, es como un rayo de sol sobre una pista de hielo—, deshace el camino andado a pasitos mucho más acelerados que cuando lo descendía: prácticamente salta las escaleras de dos en dos. Todo esto, por supuesto, sin dejar de perder la compostura, porque el joven, a su pesar, es muy gallego en eso de salvaguardar las apariencias y guardar las formas en todo momento. Así que podemos prever que, antes de abalanzarse sobre el sobre y de despedazar el papel canela para que revele por fin su contenido (que es lo que hubiera hecho la remitente, que, al fin y al cabo, es medio celta y que ha debido de heredar el carácter temperamental de quienquiera que fuera la antepasada bruja de la que también ha heredado los ojos y el pelo, una de esas brujas a las que ahogaban los druidas en Edimburgo, una de esas brujas a las que todavía se escucha llorar algunas noches en *Old Mile* si uno presta la atención suficiente), se preparará una taza de té en la tetera eléctrica de su habitación y, más tarde, cómodamente sentado sobre la cama, la taza de té reposando sobre el alféizar de la ventana, abrirá el sobre con estudiada parsimonia, despegando cuidadosamente, como se debe, la lengüeta de cierre y extrayendo el fajo de papeles con tanto cuidado como si estuviera desnudando a un recién nacido y por fin, ¡por fin!, empezará a leerlos.

A la remitente le gustaría pensar que el susodicho fajo de papeles reposa sobre el regazo de su destinatario, porque eso significaría que se encuentran cerca de su entrepierna, de ese tesoro de tacto suave y de ligero olor a vainilla (en lo que ella recuerda). Él abre el sobre y comienza a leer. Las palabras, desde la orilla misma del papel, le miran pero no le nombran. La remitente, que imagina perfectamente la escena mientras la escribe, es perfectamente consciente de que está tejiendo una red de palabras para intentar atraparlo, de que ya empieza a dejar de ser Sherezade para hacerse una Penélope, una araña que teje con el hilo de Ariadna y, al fin al cabo, es lógico este tejer y destejer de palabras porque la forma en la que se suceden los cambios en su apenas esbozada relación, o como quiera que se llame lo que sucede entre ellos (esta danza de cortejo, de acercamiento y distancia que llevan bailando hace tres semanas), se parece más al tejido de una telaraña que a la construcción de una cadena, ya que muchos hilos causales se han cruzado y entrecruzado para formar intrincados dibujos en los que cada elemento ha desempeñado, sin embargo, un papel independiente.

Lo que ella quería decirle en esta carta son muchas cosas, y ninguna. Como la tarde anterior, en el Café Comercial, cuando él, sin que nadie se lo hubiera pedido, desvió la conversación hacia el sexo (las experiencias homosexuales de Ruth, la conveniencia o no de hacer tríos, la oscura fantasía que todo hombre y toda mujer imagina alguna vez de hacer el amor a un hermafrodita con cuerpo de hembra y pene de hombre...), y ella sintió cómo el fantasma del contacto sexual sobrevolaba la conversación por encima de sus cabezas y que de alguna manera él la estaba tocando con palabras, ya que no podía hacerlo con los dedos. A ella le habría gustado atreverse a decirle lo que estaba pensando, que a cada palabra que él decía sentía como si se le encendiese algo por dentro, y que tenía que controlar el corazón que amenazaba con desbocársele, la respiración que se le precipitaba, la palpitación de la sangre en las sienes, el temblor de las manos al intentar sostener la taza, incluso (casi no se atrevía a reconocérselo a sí misma) cierta y vaga familiar humedad en la entrepierna, en suma, todos los síntomas de la excitación sexual que dependían no tanto del físico de él (aunque no cabe duda de que el físico influía) como de la voz y de las palabras: lo que decía, por una vez, le distraía de lo que era.

Por la tarde habían ido a escuchar cómo Marcos Giralt leía un trozo de su novela y cómo otros escritores leían líneas que habían escrito a propósito de la tal novela, y después de que ella escuchara pacientemente argumentos y teorías que no había acabado de entender (si es que en algún momento había empezado a entenderlos) acabaron bebiendo las copas de costumbre en esos casos (a los escritores, más que escribir, les encanta hablar de la escritura, y más que hablar de la escritura, les encanta beber), y ella le tenía frente a sí, pero no se atrevía a tocarle porque no estaba segura de que él le permitiera que lo hiciera (en el ambiente de ella todo el mundo se toca, incluso en exceso, y los unos se saludan a los otros con exagerados besos al aire incluso si por dentro están pensando: «Anda, petarda, ¡mala puñalada te den!», pero en el de él, en ese entorno frío y sobreintelectualizado, el contacto físico se restringe hasta lo imprescindible). Hubo un momento puntual en el que él dobló la pierna sobre el asiento de la silla y se abrazó a su propia rodilla. De repente ella sintió que él componía una imagen tan perfecta (la combinación de su belleza, de sus manos dignas de estudio de pintor, del aire de desamparo que sugería esa necesidad de abrazarse a sí mismo) que deseó con todas sus fuerzas ser consciente del cuerpo astral que presuntamente aprisionaba dentro de su cuerpo físico, para poder enviarlo hacia él y besarle la nuca con su segundo cuerpo mientras el primero se quedaba sentadito en su sitio, fiel respetuoso de las apariencias y la compostura. Pero, por una vez, no había nada de sexual en aquello. Casi se trataba de un instinto maternal. Y entonces, por primera vez, fue dolorosamente consciente del lío en que se había metido, porque cayó en la cuenta de que había llegado al Punto Medio (el punto de inflexión que desencadena en un guión el desenlace del asunto), que a partir de ahora reconocería, a su pesar, que se había enamorado, incluso si no tenía muy claro o no era muy consciente del significado de semejante palabra, pero resultaba evidente que aquella especie de sentimiento de estar fuera de sí misma, de fascinación absoluta, sólo se conseguía a través de dos tipos de drogas: o las que venden los camellos, o las endorfinas que el propio organismo genera cuando se enamora. No estaba ella en situación de prever las consecuencias de semejante desequilibrio químico. Bastante raro le parecía haber tenido el valor de reconocer el fenómeno, sobre todo teniendo en cuenta que no parecía, a primera vista, que se fuera a tratar de un sentimiento correspondido. De pronto deseaba desesperadamente integrar a esa persona en su vida, beber con él, reír con él, acostarse con él, hacerse con él, devorarlo. Pero no estaba en condiciones de hacer nada de eso. En principio, todo lo que podía hacer era mantenerse pasiva, resignarse, prepararse para lo inevitable, dejar que los acontecimientos siguieran su curso, y contentarse con admirarlo en la distancia.

Ella había conocido antes muchos enamoramientos no correspondidos, pero en general no era ella la que daba sino la que recibía. Las relaciones con sus amigas y amigos más íntimos siempre habían corrido ese riesgo, y, desde su adolescencia, se había acostumbrado a los arrebatos etílicos de algunos, que aprovechaban las borracheras para declararle lo que sentían de la misma forma en la que ella aprovechaba la sobriedad del día siguiente para fingir que no se había enterado o no había concedido importancia a lo revelado. Y eso era exactamente lo que había sucedido con Pedro: el amor de Pedro estaba ahí, y se sabía, y se sabía durante años que habría bastado un simple gesto de ella, un simbólico extender la mano (una llamada, una carta...) para que la amistad hubiese pasado a convertirse en otra cosa, de la misma forma que se sabía que nunca lo haría. Y no lo haría por miedo, porque ella no estaba dispuesta a repetir la historia de los Bowles, porque no quería tener que compartir a Pedro con quién sabe cuántos jovencitos que aparecerían de cuando en cuando, y por mucho que supiera que lo que la unía a Pedro era mucho más fuerte que el sexo, y que ninguna historia de una noche podría desafiar al lazo íntimo y sólido que había entre ellos, un lazo que podría hacerse indestructible sólo con que ella se atreviera a dar el paso que nunca daba; se sentía demasiado débil como para embarcarse en una historia tan extraña, como para ser La Primera Mujer en la vida de Pedro, la Única Mujer en la vida de Pedro, y pretendía hacerse la convencional para esconder que el rechazo a la historia que se le ofrecía no estaba basado en la convencionalidad, sino en el miedo: el miedo a asumir tamaña responsabilidad, el miedo a enredarse en una historia de amor cuyas reglas habría que inventar a medida que se fuera viviendo, porque no podría enmarcarse dentro de los parámetros que definían las historias de amor en general, los parámetros que valían para su hermana y para sus compañeras de colegio y para la historia de Juan y Biotza, y que habían servido incluso para la historia de Beau y Ruth, pero que no servirían para Ruth y Pedro, y que en realidad no podrían servir, aunque Ruth eso no lo sabía, para la misma Ruth, porque Ruth, a su pesar, era distinta a su hermana, distinta a sus compañeras de colegio, distinta a Beau y distinta al propio Juan. Y distinta al propio Pedro, por supuesto. Pero no tanto. Era posible también que Ruth no hubiese aceptado el amor de Beau ni el amor de Pedro por puro y simple miedo, porque se trataba de dos amores tan absolutos en su entrega que exigirían de ella una entrega similar, y en cierto modo Ruth, que no había tenido madre, que había compartido su infancia con un padre ausente y una hermana despegada, y que no había conocido nunca una fuente de amor absoluto como la que se supone que los niños pequeños encuentran en sus madres, no estaba preparada a enfrentarse a algo tan bueno, y prefería quedarse en lo malo conocido antes de atreverse a experimentar con lo bueno por conocer.

Y así fue como Ruth perdió a Pedro, cuando Pedro, harto de esperar entre bambalinas, y de asistir como apuntador a la representación de los amores, los flirteos y las aventuras de Ruth, pero sin participar nunca en ella, decidió dejar el escenario y largarse a organizar su propia obra. Y entonces encontró a un chico que le quería. Al contrario de lo que Ruth hubiera esperado, se trataba de un muchacho de lo más corriente, que no destacaba por nada en especial, excepto por su intrépida determinación de amar a Pedro contra viento y marea, una determinación que casi lindaba en extravío. El novio de Pedro era un chico gordito con gafas, que tenía unos ojos bonitos y una sonrisa franca y encantadora, una sonrisa deslumbrante que sugería buenos dentistas y un aparato de alambres sobrellevado en el pasado, y que, en fin, por mucho que tuviese una cara simpática, no sugería precisamente fantasías muy desenfrenadas. Se trataba de una persona muy amable, de modales cuidados, pero lo suficientemente espontáneos como para no ser calificados con el horrible calificativo de «exquisitos», con una conversación lo suficientemente agradable como para no cansar y lo suficientemente previsible como para no emocionar. Al principio, Ruth no podía explicarse lo que Pedro había podido ver en él, y por qué le había elegido a él, concretamente, de entre los muchísimos aspirantes a sus favores que pululaban por los garitos de Madrid. Sólo con el tiempo se daría cuenta de que, al contrario que a ella, a Pedro no sólo no le asustaba la devoción y la entrega absolutas, sino que le gustaban, y precisamente había escogido a alguien de aspecto y conversación anodinos para no sentir en ningún momento que la competencia pudiera hundir su relación. Julito, su novio, trabajaba en una tienda de mobiliario de cocina que había heredado de sus padres y, por lo tanto, nadie podría sospechar que se hubiese unido a Pedro intentando medrar en la profesión (como era el caso de los muchos actores o aspirantes a serlo, mucho más guapos e ingeniosos que Julito, que acosaban a Pedro en todas las fiestas y le desbordaban la cinta del contestador con sus llamadas obsesivas). Julito, su novio, no podía ver en Pedro un trampolín o una plataforma y tampoco aspiraría nunca a tener nada de lo que Pedro tuviera, ni su fama ni su trabajo, tan sólo aspiraba a tener su amor y su cuerpo por las noches y no se podía ni creer que alguien como él, que ni siquiera había acabado el COU, al que apenas miraban en los ligódromos ni en las saunas, alguien que nunca había pasado de ser un chico simpático y encantador, alguien a quien nadie le había dicho «te quiero» antes de conocer a Pedro (aparte, claro está, de su mamá) se hubiera hecho con el director de moda, con un chico al que los porteros señalaban para que se evitase la cola en todos los locales de entrada limitada, con un chico que tenía el mismísimo número del mismísimo móvil del mismísimo Pedro Almódovar. Al principio Ruth estuvo casi tentada de despreciar a Pedro por conformarse con una solución tan fácil, una solución que aparentemente implicaba tan pocos retos, la opción cómoda de elegir por pareja a alguien que no represente un desafío en ningún sentido, a alguien aparentemente tan inferior que a nadie se le pasaría por las mientes que fuera a abandonar un chollo como el que le había caído en suerte, pero después tuvo que admitir que era mucho más difícil elegir a alguien que implicaba una pareja estable, un compromiso firme, unos sentimientos aceptados, alguien que se entregaba, alguien que resultaría sumamente herido si se le abandonaba, alguien de quien había que hacerse responsable, que optar por la solución contraria: enamorarse de alguien aparentemente superior que siempre se mantendría en la distancia y que no ofrecería nunca posibilidades de cimentar una relación seria. O, en su caso, enamorarse de alguien que ya tenía pareja. Porque Ruth había elegido, sin saberlo, no comprometerse, no arriesgarse, no entregarse. Pero no se libró del dolor, sino que encontró mucho más dolor. Pero aún no hemos llegado a esa parte de la historia.

Bien, Pedro había aceptado la situación impuesta por Ruth y se había conformado con admirarla en la distancia. Había comprado un piso y se llevó a Julio a vivir con él. Ruth nunca se había enamorado sin esperar nada a cambio, y todas las veces fue el amor del otro el que activó su respuesta, por contacto, como una cerilla cuando le acercan otra. También era posible que aquello que sentía por el joven al que escribía y que estaría bebiendo su taza de té no se llamara enamoramiento sino capricho, o fascinación, o forma de eludir los problemas. Y cuando pensaba en esto, caía en la cuenta de que el nombre le daba por completo igual. Se sentía absolutamente fascinada y admirada por alguien, simplemente, sin atreverse de momento a esperar más de aquello, de la misma forma que algunos se enamoran de un cuadro, de una novela, de un cantante de moda o de una presentadora de televisión.

Se suponía que el enamoramiento era un paso previo al Amor, con mayúsculas. Es decir, una primero se enamoraba, sentía mariposas revoloteándole en el estómago, experimentaba un brote de felicidad desatada que parecía iluminar el mundo entero, se obsesionaba con una monomanía en la que todo le recordaba al amado, dejaba de comer, suspiraba sin razón aparente, canturreaba al levantarse, sentía cómo se elevaba en una nube y, despegadas las plantas de los pies del contacto con el nada poético, el muy gris y muy realista asfalto de cada día, se transportaba a otros mundos de colores más vivos, y luego... Y luego, si tenía suerte, conseguía al amado en cuestión, la cosa se tranquilizaba y al final acababa casándose con él y teniendo que trabajar como una esclava para afrontar los plazos de la hipoteca y el mantenimiento de los niños.

Pero el caso es que ella nunca había experimentado la fase A (ergo: enamoramiento no correspondido) como paso previo para alcanzar la fase B (o consecución del objeto de deseo) que llevaría irremisiblemente a la fase C (la de la transformación de la angustia del enamoramiento en la plácida y pelín monótona felicidad del amor compartido). En su caso siempre había sido él quien se había enamorado, quien la había perseguido, quien la había conseguido y quien le había contagiado su entusiasmo, y así se habían edificado unas relaciones felices, o, al menos, establecidas dentro de un grado de felicidad razonable, de forma que el factor angustia nunca se asoció a la aparición del sentimiento amoroso, sino más bien a la desaparición de éste. La angustia era el factor que presagiaba la ruptura. Sí, la angustia siempre se había identificado con el fin del amor, no con el principio y, por lo tanto, el hecho de que una historia que todavía casi no había empezado, y quién sabe si algún día se consolidaría, naciese marcada por el signo de la angustia le parecía a ella, a bote pronto, muy mala, pero que muy mala, señal. Al fin y al cabo, ¿no se suponía que el amor debería ser, por definición, un acontecimiento feliz? Como feliz había sido la primera vez que se había acostado con Juan.

Sí, se había sentido tan feliz, tan extáticamente feliz, aquella noche, pese a no haberse entregado del todo, que daba por hecho que si algún laboratorio hubiera podido hacer un análisis de su sangre a la mañana siguiente se habría encontrado con varios miligramos de MDMA puro disueltos en ella, fabricados por obra y gracia de sus recursos químicos neuronales.

Enfrentada a lo que quiera que fuese lo que le estuviera pasando, Ruth-Sherezade se preguntó por vez primera (debía reconocerse ante sí misma que había sido bastante egoísta al no pensar antes en ello) cómo había podido soportar Pedro semejante torbellino interior y cómo, aun así, había sido capaz de mantener el contacto con ella, de verla a diario, de trabajar codo con codo con ella durante tres años. Cierto era que de cuando en cuando había habido algún que otro episodio de no muy feliz memoria (aquella vez que, en una fiesta, un grupo de amigos se vio obligado a sujetar a Pedro que, medio en broma medio en serio, se empeñaba en abrazarse a Ruth-Sherezade como una lapa, presa de la euforia alcohólica y decidido a que de allí no le separaría ni un soplete, o las más de una y más de dos veces en las que su mejor amigo pidió, rogó y suplicó que le dejase volver a dormir en su cama por una vez, sólo una), pero por lo demás la cosa siempre había transcurrido apaciblemente a través de un cauce de sobreentendidos: nada se decía, todo se suponía, pero *de lo que no se puede hablar siempre es mejor callar*. ¿Cómo habría podido soportarlo? Debía de ser, sin duda, porque se contentaba con admirarla a distancia. Y también puede que fuera porque Pedro no sufría esa ansia maternal, casi manipuladora, que impulsaba a Ruth a proteger a lo que amaba, esa necesidad de dar, de compartir, que se le escapaba por los poros y que era la que le había hecho experimentar ese impulso de abrazar al destinatario de la carta en el bar, impulso que reprimió de la misma manera en la que Pedro había aprendido a reprimir las manifestaciones de su amor.

Pero una vez que Ruth había comprendido por fin lo que significaba la palabra enamoramiento, empezaba a decidir que ese estado no le gustaba nada, por lo terriblemente impreciso que era. No podía soportar esa horrible sensación de no tener ni la menor idea de lo que el objeto de su amor estaría pensando. En comparación, su relación con Beau, por muy horrible que hubiera sido al final, había transcurrido en un entorno relativamente sosegado, puesto que, por mucho que a veces no le gustase lo que Beau pensaba (y ésa había sido la causa de que la historia con Beau y tantas otras más fugaces no duraran), en general había tenido siempre la casi certeza de saber lo que pensaba, y eso ya era algo, mientras que frente a aquel chico de ojos negros se sentía como en presencia de una esfinge. Y eso era angustioso. Y Ruth se repetía a sí misma que algo fallaba en aquel entramado, porque ella entendía el amor como felicidad, y se sentía, por supuesto, feliz al poder tener a Juan enfrente, pero infeliz porque no sabía si volvería a tenerle enfrente alguna vez. Todo este misterio de la naturaleza y posible definición de su enamoramiento le parecía tan sorprendente como el hecho de que se hubiera enamorado precisamente de Juan y no de otro. ¡Anda que no corrían hombres por el mundo! Y entre todos los que había, había muchos —de eso estaba segura— que estarían más que encantados de dejarse abrazar por ella. Pero al igual que las esfinges no revelan su secreto, por muchos siglos que hayan transcurrido desde su construcción, tampoco había mucha esperanza de que ese misterio —¿por qué precisamente él y no otro?— se desvelase, aunque, por supuesto, había muchas explicaciones para la elección: era guapo, era inteligente, era culto, sensible, ingenioso, y…, y aparentemente más reservado que el MI5.

En el transcurso de una de sus numerosas discusiones, Pedro le dijo una vez a Ruth: «Tu único problema es que no eres resistente a la frustración». Y aquella misma noche Ruth subrayó en el libro de Goethe que estaba leyendo las palabras que Mefistófeles le dijo a Fausto: «Nunca aprenderás a vivir hasta que no tengas confianza en ti mismo: cuando la tengas, podrás conseguir lo que quieras». Ruth escribió aquellas palabras en un papel, con un rotulador rojo de trazo muy grueso para que se vieran bien, y lo colgó en la nevera, para hacer de ello su mantra y obligarse a repetirlo todos los días antes de desayunar. Pero el papel debió de caerse quién sabe cuándo y la asistenta lo tiraría a la basura, y así Ruth se olvidó de lo de la confianza y la resistencia a la frustración, de forma que ahora se sentía frustrada y un poco idiota porque no se veía capaz de hacer feliz a Juan, y se le estaba olvidando que nadie puede hacer feliz a quien no sabe o no quiere hacerse feliz a sí mismo. Así que toda aquella historia de enamoramiento no compartido venía a resumirse, en el fondo, en el *leitmotiv* que caracterizaba la vida de Ruth (y quién sabe si las vidas de todo el mundo): en la persecución de la siempre esquiva felicidad.

Y es que Ruth deseaba, ante todo, ser feliz, y para colmo no se conformaba con una felicidad de bolsillo, de anuncio de galletas, una felicidad que se resume simplemente en la ausencia de tristeza, sino que quería una felicidad más plena, ese tipo de felicidad fecunda y arrolladora que había vivido alguna vez, sin ir más lejos, la primera noche en la que se acostó con el destinatario de sus cartas. Porque ella sabía que, pese a todo, tenía capacidad para vivir la felicidad y el placer, aunque fuera en momentos puntuales. Y si su felicidad, en ese preciso y puntual momento de su vida, dependía de la felicidad de él, entonces no le quedaba más remedio que escribirle una carta más, porque cuando él le dijo: «No te lo creerás, pero ayer bajé las escaleras sólo para ver si había otra carta tuya» —ya lo hemos comentado—, había vertido la precisa gota de aceite que faltaba para volver a poner en marcha el mecanismo de escritura.

O, lo que es lo mismo, el mecanismo de felicidad.

Ruth tras su tercera cita

A veces uno prefiere cariño a técnica. La gente suele decir que cuando una historia de amor se estabiliza, cuando la pareja ya convive durante años y se consideran uno propiedad del otro, al amor pasión viene a sustituirlo otro amor más familiar, y a la llama primera le sucede una especie de brasero, que sigue dando calor pero que ya no asusta, porque tiene su espacio asignado bajo la mesa camilla y sus brasas prudentemente cubiertas por una tapadera. Pero un brasero no se alimenta de fuego, sino de rescoldos. Y un amor cimentado por el tiempo, un amor cálido y estable, se mantiene a partir de los rescoldos de una antigua pasión, la que inició la historia y luego se perdió por el camino, para que viniera a sucederla otro tipo de amor, el basado en el cariño y en la satisfacción mutua de expectativas. Y entonces el sexo ya no asusta, y cuando se limita a la repetición mecánica de una serie de posturas y trucos aprendidos (qué le gusta al otro, y qué hay que hacer para obtener lo que nos gusta del otro) resulta mucho menos emocionante, pero también menos angustioso. Eso de que a un amor viene a sustituirlo otro lo había leído Ruth en muchos libros (tanto novelas como libros de autoayuda) y lo había comprobado en carne propia, a través de su relación con Beau. Porque, con Beau, pasados los dos primeros meses, el sexo, una necesidad imperiosa al principio, un algo que se temía y se deseaba, había pasado a convertirse en una cosa fácil, conocida, familiar, incluso básica. Algo así como saber que se dispone de una nevera llena, a la que siempre se podrá recurrir cuando haya hambre, pero que ofrece siempre los mismos alimentos: allí habrá yogures y leche, lechugas, tomates y cebollas, huevos, mayonesa, salsa tártara, zumo de naranja… En fin, todo un repertorio variado que supliría de sobra las necesidades diarias. Pero, ojo, nada de champán ni de caviar: ese tipo de lujos deberían buscarse en la calle. Y habría que preguntarle a mucha gente qué preferirían si les dieran a elegir: ¿asegurarse la satisfacción de las necesidades diarias o salir en busca de lo exquisito, incluso si sabe uno que se arriesga a pasar hambre?

El sexo con desconocidos, o casi desconocidos, es una cuestión muy distinta. Si seguimos con nuestra metáfora, es como atreverse a probar algún manjar exótico del que antes no teníamos noticia. Puede que venga muy bien presentado, que tenga un aspecto y un olor tentadores y que, según nos haya asegurado el *maitre,* constituya una de las delicias más sabrosas de entre las preparables. Y al comensal le toca, primero, arriesgarse a probarlo, y, luego, acostumbrar su gusto a esa extraña combinación de especias, a ese sabor nunca antes experimentado. Si uno recuerda la primera vez en la que, ya adulto, probó alguna delicada golosina que provenía de un país extraño (el pescado crudo, por ejemplo), se dará cuenta de que la sorpresa precedió al placer: ¿a qué sabe esto?, ¿a qué me recuerda?, ¿podría llegar a gustarme?, ¿me atrevo con un segundo bocado?

Asimilemos las primeras veces en las que Ruth se acostó con Juan a los primeros bocados de un *sashimi.* Resultaron agradables a la vez que extrañas. Y luego vino aquella tarde en su casa, cuando Ruth ya empezaba a pensar en él a todas horas, cuando ya no le veía como un polvo de circunstancias, sino como la promesa de algo más sólido, y eso sólo podría equipararse al descubrimiento del *wasabi:* primero picaba como la peor de las guindillas, pero al picor seguía un regusto agradable, impreciso, curioso, y luego uno podía afirmar que le había gustado mucho la experiencia, pero que le daba miedo probar más. Lo mismo se podría decir del cilantro o de los chiles: agradables en pequeñas dosis, pero da miedo atreverse con más. Sólo los paladares muy habituados pueden enfrentarse a ellos sin reparos.

Siempre se dice que el hombre es un animal triste después del coito. La manía de utilizar el género masculino para referirse a la generalidad de las personas le hizo pensar durante mucho tiempo a Ruth (y quién sabe a cuánta gente más) que eran los hombres los que se sentían tristes después del coito, y no las mujeres, y que esa amarga sensación de tristeza y de vacío, ese extraño desacostumbrarse a la otra que había sido hacía un instante, ese no ejercer más de recién llegada sino de recién dejada, ese no poder encontrarse en los mismos ojos que antes se despeñaban en los suyos, esa tristeza postamorosa, pudiera llegarle a suceder a ella, a ella que estaba tan acostumbrada a los platos conocidos, al sexo mecánico de puro repetido, al sexo o bien tranquilo y predecible (el que tenía con Beau), o bien el puramente accidental (el de sus relaciones de una noche). Y cuando tuvo que despedir a Juan, que se marchaba quién sabía dónde, que partía hacia ese extraño orden, ajeno a ella, de imposiciones y rutinas, de horarios y necesidades que a ella no le afectaban ni tampoco la incluían, se sintió extraña y desplazada. Una extraña que despedía a un hombre no menos extraño, a un Juan que paralelamente a su vida (a la de ella) iría viviendo la suya (la de él), minuto por minuto y hora por hora. Se sentía más desplazada en tanto que hacía tan poco se había sentido como una parte de Juan, y de pronto notaba cómo se lo arrancaban bruscamente, y aquella partida le resultaba tan desgarradora como si le estuvieran arrancando una uña de cuajo, desgarrador aquel saberle de nuevo de otra cuando hacía minutos había sido suyo, desgarrador aquel tener que acatar un ritmo impuesto, ajeno, marcado de sobresaltos, y desgarrador aquel tener que volver a encerrarse en su casa y en su miedo, con el silencio pesando en el aire como una amenaza.

Mientras estaban en la cama hubo un momento en que le tuvo arrodillado sobre ella, el miembro frente a la cara para que ella lo besara, de forma que ella le podía contemplar en escorzo, y así, visto desde abajo, cuando él echó la cabeza hacia atrás, a ella le recordó a una imagen que se le quedó grabada mucho tiempo, una fotografía que contempló en una exposición, de un torso visto en la misma postura y desde idéntica perspectiva. Le enganchó tanto aquella imagen que no paró hasta conseguir el póster que anunciaba la muestra y, cuando por fin lo tuvo, lo colgó en una de las paredes de su despacho (lo perdería más tarde en una de las mudanzas), justo frente a su escritorio, para poder verlo a todas horas. En aquel entonces, cuando la escogió y la colgó, cuando la apuntaló a la pared con cuatro chinchetas, aún no entendía lo que significaba la imagen, no podía precisar por qué la llamaba tanto, no sabía que lo que se retrataba era un orgasmo, no sabía que, con el tiempo, ella *viviría* esa imagen y no sabía que estaba viendo lo que estaba por venir. Pero después de haberle conocido a él (de haberle conocido en el sentido más bíblico de la palabra) aquella imagen ya no pertenecía a la fantasía o al recuerdo de un fotógrafo; ahora era suya, suya, suya para archivarla en el disco duro de su memoria y para recuperarla cuando lo deseara. Tan suya como que él no lo era.

Aquella imagen era suya y le decía mucho de sí misma; mucho sobre sus ansiedades, sus gustos y sus necesidades. El cuerpo de Juan le había hablado, de la misma manera que en su día le habló la foto. Le había hecho sentirse poderosa al saberse capaz de ofrecerle a alguien semejante placer. Le había hecho sentirse cobarde por temer tanto el momento de perderle. Le había hecho sentirse una niña, una niña que se aferra desesperadamente a una muñeca que no es suya; y le había hecho sentirse mujer, una mujer que sabe escoger el placer que desea. El cuerpo de Juan, su propio cuerpo, eran espacios y oficios de revelación. Y por eso no podía entender el amor sin aquello, el amor que no aspirase a apropiarse del cuerpo del otro, el amor a distancia.

UN AMOR DE RUTH

Resulta difícil catalogar la relación de Ruth y Juan. No se hicieron «novios» porque siempre quedó claro que Juan tenía otra novia formalísima en Bilbao, pero se enamoraron como bobos —pues no existe otra manera de enamorarse— y, amparados en el hecho de que la novia formalísima residía a seiscientos kilómetros de Madrid, se comportaban como lo que eran: una pareja. Una pareja en todos los sentidos menos en el del reconocimiento. Qué paradójico que dos narcisistas tan obsesionados como ellos por el reconocimiento y la aprobación ajena, no supieran encontrar retribución ni aceptación para la esfera más íntima de sus vidas y que tuvieran que fingir ante el mundo que lo que sentían no existía, que no eran más que amigos. Como a Juan le fascinaban el boato y las fiestas, Ruth se avino a llevarle a estrenos a los que nunca habría acudido de no ser porque sabía que a Juan le encantaba aquel tropel de desconocidos con rostros familiares y todo lo que les acompañaba, la algarabía, las aglomeraciones, los flashes de los fotógrafos, las chicas bien vestidas, las *starlettes* en busca de mecenas, los camareros arrastrando bandejas de champán, los invitados saludándose los unos a los otros con sonrisitas aprendidas de memoria. Contagiada por su entusiasmo, Ruth hizo un esfuerzo para superar su agorafobia y volvió a asistir a jolgorios promocionales de películas u obras de teatro, y a participar otra vez en aquel juego, a comulgar con aquella estrepitosa y burbujeante alegría. Cuando Juan y Ruth asistían juntos a actos públicos, casi nunca se tocaban (a no ser que alguien se acercara a Ruth, porque Juan era muy territorial, y entonces siempre le pasaba el brazo por los hombros o le cogía la mano) y, por sorprendente que parezca, a nadie se le ocurrió pensar que el jovencito que acompañaba a Ruth a todos lados fuera su amante. En parte, porque los que no estaban muy al tanto de la vida privada de Ruth suponían que era Pedro su pareja, y, además, cuando Ruth llevaba a Juan a un acto público, Pedro también iba, acompañado de Julio, y el resultado es que Ruth llegaba acompañada de no uno, sino tres hombres. En parte, porque Ruth arrastraba una larga tradición de hacerse acompañar por jovencitos guapos, *protegés* o *chevaliers servants* homosexuales. En parte, por la multitud de rumores fantásticos que corrían como la pólvora sobre la vida sexual de Ruth: mucha gente creía que era lesbiana, ya que había tenido en el pasado relaciones con mujeres y, desde que era famosa, ninguna de sus antiguas amantes se había abstenido de airear a los cuatro vientos, con pelos y señales, sus antiguas relaciones, muchas veces exagerándolas y convirtiendo, desde una mezcla de recuerdo y fantasía, en historias amorosas lo que no habían sido más que escarceos —bastante inocentes, por cierto— de una noche. Probablemente, y en el sentido más estrictamente sexual de la palabra, Ruth no era lesbiana, ni siquiera bisexual, pero sí era cierto que solía fascinarse con las mujeres que le atraían. Se encaprichaba locamente de actrices a las que, durante una temporada, llamaba obsesivamente o enviaba regalos. Sentía, por ejemplo, auténtica pasión por Catherine Deneuve, a la que había conocido en Cannes en la *boite* de Canal Plus (por intercesión de un productor que se encaprichó de Ruth, que se gastó una fortuna en pasearla por todo el festival de Cannes y que la dejó sin mayor explicación después) y a la que había enviado, después de aquel encuentro y tras enterarse de en qué hotel se alojaba, un inmenso ramo de flores blancas a su *suite*. Pero nuestro psicoanalista asesor nos podría explicar que la razón de tales fascinaciones no se debía tanto a un impulso sexual, sino a la búsqueda simbólica de su madre perdida, a un mecanismo oscuro que pretendía proteger el corazón herido, siempre fiel a la ausente. La actitud de Ruth contribuía también a que la creyeran lesbiana, en función de un absurdo juego de roles y estereotipos que en la sociedad adjudica a cada quién una opción sexual según la personalidad y las actitudes que despliegue. Ruth vivía sola, acudía sola a muchos actos públicos, no se maquillaba, casi nunca usaba faldas, bebía mucho, se expresaba en un lenguaje salpicado de abundantes palabras malsonantes y, además, tenía muchísimos —demasiados— amigos varones a los que obviamente le unía una relación de iguales, una atracción basada en la complicidad y no en el deseo. Así pues, como Ruth no encajaba en un tipo de mujer conocido y fácilmente entendible, resultaba más simple asimilarla a otro tipo de mujer al que tampoco se ajustaba.

De forma que, a excepción de Pedro, casi nadie imaginaba que Ruth Swanson y Juan Ángel de Seoane fueran amantes. Prácticamente nadie conocía la vida privada de Ruth, aunque la mayoría del presunto gran mundo artístico de Madrid creyese lo contrario.

Desde que Ruth conoció a Juan, dejó aparcado el guión que supuestamente estaba escribiendo y consagró su vida y su espíritu a la imagen idealizada que de él se había confeccionado. Se veían a diario, siempre a partir de las ocho de la tarde, porque se suponía que ambos trabajaban durante el día, él en su novela y ella en su guión. Ninguno de los dos sabía que en realidad el otro no escribía, y que ambos no hacían otra cosa que leer o sumergirse en ensoñaciones románticas mezcladas con angustias varias: las de él, derivadas de su remordimiento, del miedo a que la relación trascendiera y llegara a oídos de Biotza o, peor aún, de su familia; y las de ella, fundadas en los celos, ya que, pese a la conciencia de su triunfo presente, Ruth sentía el desconsuelo de saber que no era dueña del pasado y el futuro de Juan. No existía entre ellos compromiso que le diera a Ruth derecho sobre ningún plano de la vida de Juan que se situara más allá de las cuatro paredes del dormitorio de ella. Pero tal pensamiento era una trampa, la trampa en la que siempre caen las mujeres temerosas de la terrible acusación de dominantes, posesivas, o, mucho peor, convencionales, porque, aunque Ruth no lo supiera, ya había pasado a formar parte de la vida de Juan, de todos los tiempos de Juan, y siempre tendría espacio asegurado en la vida de Juan (pese a que su espacio estuviera condenado a ser invisible y no visible), puesto que a Juan le iba a resultar imposible olvidarla.

En cualquier caso, todas estas divagaciones, las de él y las de ella, se disolvían en torno a las seis y media, hora en que cada uno empezaba con los preparativos para la cita próxima. Juan se duchaba, se afeitaba, planchaba una camisa, y luego, a las siete, empezaba a dar vueltas como un animal enjaulado de un lado a otro de la habitación, hasta que a las siete y cuarto salía de la Residencia y emprendía el camino hacia la casa de Ruth, pues siempre iba hasta allí dando un paseo que le llevaba cuarenta y cinco minutos, con la alegre perspectiva del reencuentro crepitando en su interior y suplantando a todo el anterior y sombrío panorama de culpas que se desvanecía en cuanto ponía los pies en la calle. A Ruth, que hasta entonces nunca se había preocupado lo más mínimo por su aspecto, le acometían, también en torno a las seis y media, terribles preocupaciones, y revolvía en los armarios como una posesa, y se probaba y desprobaba faldas y pantalones en busca de algo que le sentara bien. Nunca había recurrido a estos ritos del coqueteo, a estas absurdos ceremoniales de novicia en el amor, y se sentía enormemente insegura, puesto que se veía igual con unas faldas que con otras. Y digo faldas porque desde el momento en que Juan, en aquella presentacion del libro de Marcos Giralt a la que la llevó, elogió sus piernas y le dijo que Ruth le gustaba mucho más con faldas que con los pantalones que le había visto en fotos y que llevaba el primer día en que se vieron, Ruth abandonó el atavío que hasta entonces se había convertido casi en su uniforme de campaña (o sea, los vaqueros de diseño y las camisetas de Custo), no volvió a ponerse unos pantalones para salir con él, y recuperó del armario todas las faldas que conservaba como vestigios de su antigua vida en Londres y que llevaban meses, años, yaciendo sepultas en el fondo de los cajones, esperando ocasión más propicia de mostrarse. Las faldas resucitadas no se habían pasado de moda, dado que Ruth nunca había estado muy atenta a las modas, y así, como la moda es lo único que pasa de moda, su indumentaria mantenía un aire intemporal derivado de su propia excentricidad. Con tristeza descubrió que, si bien la mayoría de sus faldas aún le resultaban ponibles, le costaba mucho subir la cremallera o abrochar el botón de la cinturilla, que a veces incluso debía dejar desabrochado por debajo del jersey, porque si no la carne prisionera reclamaba de muy visibles modos la libertad. En aquel mes Ruth se encerraba a menudo en su cuarto y se miraba en el espejo de cuerpo entero, con una falda, con otra, en ropa interior, sin ropa, se examinaba detenidamente, se medía, se comparaba con otras, sacaba proporciones de ancho y de largo de sus pechos, de sus caderas y de cuantas partes corporales consideraba ella capitales, y por fin acababa arrojándose sobre la cama y rompía a llorar sin lágrimas, furiosa, como lloran los niños mimados. Recordaba una frase de su hermana, a la que en su momento no concedió ningún valor, pero que ahora resonaba en su cabeza como si se hubiera quedado allí impresa en tipos negros: Judith puso el grito en el cielo cuando se enteró de que Ruth iba a asistir a la ceremonia de entrega de los Goya en vaqueros y camiseta, a lo que Ruth le respondió que el atuendo no tenía importancia ninguna, no sólo porque ella no estaba nominada, sino porque cuando se cuenta con juventud y belleza, sobran los modelitos caros, a lo que Judith repuso: «A ti ya no te queda mucha juventud, y no sé si mucha belleza». Entonces Ruth pensó que aquella frase no era más que revancha de hermana celosa, pero, frente al espejo, pensaba que quizá Judith había sido sincera, y no simplemente cruel. De repente Ruth sentía una horrible vergüenza de su cuerpo pleno y redondo, *potelé,* e imaginaba en silencio cómo sería el cuerpo juncal de Biotza, al que se figuraba terso y fibroso a partir de la única foto que había visto, de la firmeza que se le supone —como el valor en la cartilla militar— a un cuerpo joven, y de algún comentario que se le había escapado a Juan sobre la obsesión de Biotza con el físico —vivía sometida a los rigores de una dieta constante y de durísimas sesiones semanales en el gimnasio más caro de Bilbao— y que se le había quedado a ella impreso en la memoria como el herraje de una marca candente. Se atormentaba haciendo comparaciones imaginarias y, aunque una parte de sí misma sabía de lo infantil y absurdo de estas mortificaciones, había otra, enajenada de la Ruth primaria, convencida de que el cuerpo en el que vivía aprisionada era una fortaleza que la encerraba condenándola a un encierro perpetuo. Ruth se sentía tan escindida entre estas dos personalidades que a veces casi las oía hablar entre ellas. Una Ruth argumentaba que tales preocupaciones eran estúpidas, que su cuerpo, si bien no era espléndido, tampoco era feo en absoluto, y que demostraba ser deseable desde el momento en que Juan no ponía reparo alguno en acostarse con ella todas las noches. La otra Ruth respondía que si Juan amara de verdad ese cuerpo, no se mantendría fiel al recuerdo —que no al cuerpo— de la otra, y que en realidad para Juan el cuerpo de Ruth no era sino metadona, un vulgar sustitutivo de la droga que verdaderamente le enganchaba. La primera repetía que su criterio estaba distorsionado, que a fuerza de ver en las revistas y en la publicidad falsos cuerpos de mujeres retocados con aerógrafo, difuminados por iluminaciones cálidas e indirectas, reinventados, se le había olvidado cómo era un cuerpo normal y corriente de mujer verdadera, un cuerpo como el suyo, generoso, desbordante, abierto. Pero a la segunda todo aquello le parecía panfleto y cursilada, y por más que la primera le dijese que su propia percepción estaba alterada por el condicionamiento mediático, la segunda contraponía al discurso político la evidencia, el cuerpo que se reflejaba en el espejo, las faldas cuya cinturilla ya no ajustaba.

Para cualquiera que la hubiera conocido le habría resultado absurdo imaginar que una mujer como Ruth pudiera estar insegura de su físico, pues se trataba de una de esas hembras a las que constantemente su entorno les recuerda que son atractivas. Siempre la habían piropeado por la calle y, entrara donde entrara, antes incluso de hacerse famosa, había cabezas que se volvían y miradas admirativas que la desnudaban. Cuando vivía en Londres la cosa se había incluso agudizado porque en el Reino Unido el canon de belleza difería y la delgadez no parecía tan importante. Recordaba haber entrado en clubs y haber sentido casi de forma física el peso de todas las miradas que se abatían sobre ella. Hubo una anécdota en particular que la hizo sentirse intensamente deseable. Sucedió en el Staminet, un club muy oscuro de entrada restringidísima que a Beau le encantaba y al que solían acudir modelos, actores, músicos y demás tipo de gente cuya vida se resume en una etiqueta social. Ruth había accedido a ir más por darle gusto a Beau que por otra cosa, porque le repateaba un poco el ambiente estirado del garito y por eso, intencionadamente, procuró vestir aquella noche de la manera más sencilla posible, para contrastar con los modelitos carísimos, los peinados inverosímiles y los maquillajes barrocos que la rodearían; la típica reacción revanchista: si no voy a estar a la altura, ¿para qué competir? A la media hora de estar allí, Beau se encontró con uno de los cien mil amigos músicos con los que se topaba cada vez que salía y que siempre parecían ignorar la presencia de Ruth, probablemente porque respetaban un extraño código según el cual la mujer de un amigo se hacía tan invisible como el aire. Con el tiempo Ruth había aprendido a no sentirse molesta por semejante actitud y ya no concedía importancia a los desplantes, o eso era lo que ella se decía a sí misma. Aburrida, se acodó en la barra y se dedicó a observar a la procesional marea de gente que iba y venía bajo las luces estroboscópicas, cuando de pronto sintió un roce en el hombro y, al volver la cabeza, se encontró con un tipo trajeado que se había situado a su lado, codo con codo, manteniéndose en una proximidad exagerada. El hombre le dedicó una sonrisa y luego le dijo unas frases que Ruth no entendió muy bien, pero cuyo significado se comprendía con facilidad en virtud del tono y de la mirada del sujeto. Decidida a no seguirle la corriente, Ruth le contestó con la primera bordería que se le vino a la cabeza, algo así como «olvídalo, soy demasiado cara para ti». «No lo creo», contestó él, y esto Ruth sí que lo entendió perfectamente. Entonces él extrajo una cartera de piel del bolsillo interior de la chaqueta. «Quinientas libras», dijo Ruth, por probar. «Hecho», respondió él, y Ruth comprendió que iba en serio, aunque lo normal hubiera sido creer que el tipo iba tan de farol como ella, pero algo en el brillo goloso de los ojos o en la seguridad con que se los clavaba en el escote le convenció de que él no estaba bromeando. Examinó al ofertante con una mirada rápida. No era guapo ni feo, ni mejor ni peor que algunos de los tipos con los que Ruth se había acostado en el pasado, con la diferencia de que ninguno de aquellos, desde luego, le había pagado por sus favores. Y de pronto se dio cuenta de que habría aceptado la proposición de aquel hombre si hubiese contado con la garantía de que su seguridad no estaba en peligro y de que el del traje cumpliría lo prometido y pagaría la cantidad acordada. Pero, ¿cómo hacían las prostitutas para conseguir el dinero? ¿Qué hacer si el cliente, una vez rematada la faena, se negaba a pagar? ¿Y por qué pensaba ella en semejantes cosas cuando en ese mismo local, a apenas unos metros de distancia, estaba el hombre con el que ella convivía, al que supuestamente amaba? Resultaba difícil aceptar ante sí misma que la oferta le parecía interesante, y no por el dinero. El dinero era más una excusa que una causa, porque lo que realmente le había interesado a Ruth era la sensación de poder que le proporcionaba la conciencia de que había alguien dispuesto a pagar tanto por lo que ella consideraba tan poco: su cuerpo. Aturdida, Ruth salió disparada hacia el centro de la pista sin dignarse siquiera mirar a aquel hombre, y es probable que él tomara por dignidad ofendida lo que no era sino miedo, pues Ruth acababa de asustarse a sí misma. Pero un minuto después Ruth ya había dejado atrás su miedo y al hombre del traje y avanzaba a través de la pista del Staminet con la barbilla apuntando hacia los focos del techo y la vista fija en el horizonte, altiva como un barco que surcase mares anchos y batidos, adelantando con orgullo la esbelta quilla, divisando desde lejos la serena bahía que Beau representaba, con el velamen henchido por dos clases de vanidad: la del improbable triunfo de su virtud y la no menos grande de ser objeto de pasión tan generosa. Más tarde se enteraría de que aquel tipo de ofertas era cosa habitual en el local, pues las presuntas modelos solían vivir más de acuerdos como aquéllos que de desfilar en pasarelas o posar para fotógrafos.

Y el caso es que allí estaba ella cada tarde frente al espejo, la misma mujer a la que le habían ofrecido el sueldo de un padre de familia por apenas media hora de sexo, convencida de que su cuerpo no era lo suficientemente valioso, lo suficientemente hermoso, lo suficientemente deseable.

Pero, al cabo de probarse y reprobarse faldas frente al espejo, de echarse a llorar sobre la cama, de maldecir su cuerpo redondo, Ruth estaba a las siete y media preparada, con su falda y sus tacones, el pelo recepillado y brillante, oloroso a champú de hierbas, toda ella exhalando efluvios a canela y feromonas —puesto que diluía en el agua del baño medio bote de canela en polvo porque sabía que el aroma de la especia era un afrodisíaco—, toda ella ansiosa y expectante, el latido acelerado del corazón resonando como un eco en una cueva subterránea y la piel atravesada por mareas de nervios y estremecimientos. Preparada para Juan, su cuerpo, tras tanto rito y ablución, convertido en catedral.

Como ninguno de los dos sabía que el otro pasaba las mañanas igual de ocioso, a nadie se le ocurrió proponer un cambio de rutina y costumbres, y cada uno fingía estar sometido a un régimen espartano de trabajo para así no desmerecer a los ojos del otro, a quien sí creían sometido a tal régimen, y de ese modo perdieron la oportunidad de acudir a exposiciones, o de realizar paseos matinales por el Retiro, o de entregarse a cualquier actividad conjunta que pudieran efectuar a la luz del día. Escribían poco, y cada uno sentía por su parte los remordimientos del artista, esa pena que inspiran los trozos sin concluir reclamando a gritos hechura y encaje, pero entre el arte y el amor no podían por menos que elegir el segundo, no tanto por voluntad como por un impulso innegable, y cada uno se excusaba por el trabajo perdido alegando que esa experiencia descubría a sus ojos un mundo nuevo, florido, exuberante, promisorio, del que había que tomar posesión de inmediato y afianzar las dotes de geógrafo o conquistador. El arte podía esperar, ya se volvería a él tras la conquista de ese tentador territorio, y qué duda cabía de que la experiencia artística sacaría provecho de la vital, pues, al fin y al cabo, ¿no son el arte y la vida vasos comunicantes? Al guión o a la novela se volvería cuando el amor perdiera el carácter de furibunda conquista y entrara en la fase de reposada colonización, fase que, por otro lado, nunca llegó, como más adelante se verá.

Así transcurrió un mes glorioso en el que nada perturbaba aparentemente la paz de sus rutinarias vidas, puesto que a Biotza, ocupada en la preparación de la boda de su prima Begotxu —una boda que vivía como si fuera propia, pues la veía como un ensayo general de lo que habría de ser la suya—, con todo lo que aquello suponía de visitas a modistas, a tiendas de decoración, a restaurantes y hoteles candidatos a ser lugar del banquete nupcial, no se le ocurrió proponer un viaje de visita a Madrid, y Juan adujo estar muy enfrascado en su novela y en las correcciones y lecturas de originales y manuscritos que le pasaba su editor como excusa para no ir, a su vez, a visitarla a Bilbao. De todas formas, tras cuatro años de noviazgo, una separación tan larga no resultaba dura para Biotza, que no estaba apasionadamente enamorada de él, sino, más bien, acostumbrada a su presencia y a su idea. Así que, durante ese mes glorioso, Juan fingió que Biotza no existía, y Ruth prefirió creer las mentiras que él le decía: que tarde o temprano dejaría a Biotza, pero que le resultaba más sensato esperar un tiempo prudente, esperar a que su relación (la de Juan y Ruth) se consolidara, estar seguro de que lo suyo no iba a fallar para saber que merecía la pena el sacrificio que iba a hacer, la infelicidad que le causaría a Biotza y a sus padres. Esto le suponía a Ruth una tortura, pues se sentía sometida a prueba, como un burro persiguiendo una zanahoria al final de un palo. Pero en este caso le parecía que el palo —la distancia abisal que la separaba de las concepciones del hostil entorno de Juan— nunca se rompería.

La transformación que se operó en Ruth en un solo mes sorprendió a propios y extraños. A propios, porque Pedro se asombraba de llamarla por teléfono y encontrársela animada y cantarina al otro lado del auricular, y porque Sara y Judith, a pesar de que no mantenían un contacto tan estrecho con Ruth, también advirtieron el cambio. Y a extraños, porque los conocidos empezaron a encontrársela otra vez en bares y tabernas y en salas de cine, siempre sonriente, alegre y decidora, y acompañada de aquel jovencito de ojos de cuadro de Murillo. La advirtieron rejuvenecida y distinta, más tranquila, más amable, más guapa que de costumbre, que ya era decir.

Y no sólo en el aspecto había cambiado Ruth. De la noche a la mañana Juan se había convertido en su oráculo y para Ruth no existía más opinión que la suya. Pedro estaba asustado: sospechaba que Ruth no se hubiera atrevido a sostener que lo negro era negro y lo blanco blanco si Juan se empeñara en lo contrario. Halagada hasta la sumisión por el interés que aquel joven tan guapo le demostraba, Ruth estaba empezando a aparcar peligrosamente su propio criterio. Juan le cautivaba de una manera exagerada, no por lo mucho que Ruth lo quisiera o lo admirara, sino por el sortilegio de la imaginación, y es que Ruth vivía alucinada en el espejismo de las dotes seductoras de Juan. Le quería tanto que no necesitaba ningún esfuerzo para creer en cuanto él decía, si bien se trataba más de fe que de convicción, de sentimiento que de razonamiento.

Ruth creía ver en Juan un hombre cultísimo, un dechado de virtudes intelectuales, un genio de talento, y no se percataba de que aquel barniz que recubría a Juan y daba aspecto de madera noble a lo que no era sino escayola hueca, estaba hecho de convencionalismos y frases ingeniosas, citas leídas en alguna parte, calco de las actitudes de otros. Juan se había emperejilado intelectualmente, planchándole los cuellos al lenguaje, cortándose un traje de gala para las ideas hecho a medida de sus precoces luces. Y Ruth se había enamorado de su propia idea del amor, una idea sustentada por la ropa de marca comprada por Biotza, por la buena estampa de Juan, por el brillo de sus ojos azabache por las necedades de la fama, por el polvo, por el aire… Sólo con el tiempo se daría cuenta Ruth de que Juan no sabía tanto como parecía, de que no hacía sino repetir frases leídas en los libros de otros, de que no disponía del valor o del talento para expresar un pensamiento propio u original y de que, habiendo leído mucha literatura, pero muy poca psicología, economía, antropología o cualquier otro tipo de *ía* en forma de ensayo, a veces repetía auténticas necedades novecentistas, elevando a la categoría de pensamiento sublime cualquier memez sólo porque la viera en letra impresa y firmada por un autor de prestigio.

Pero entonces la imaginación de Ruth había compuesto un personaje en quien se cifraban todas las bellezas visibles e invisibles. Su espíritu se inflamó en un cariño que lindaba con lo místico, porque el ser que tales afectos movía habitaba más en la cabeza de Ruth que en la Residencia de Estudiantes, y cierto que el Juan intangible se parecía en algo al verdadero, o al menos compartía con él los atributos físicos, pero no menos cierto que Ruth tributaba culto a un dios de su propia imaginación antes que a un joven poeta mortal. Estaba enamorada de un hombre que no existía, porque si hubiera existido habría sido Dios, y Dios, que se sepa, no se entretiene en venir al mundo para solaz de treintañeras neuróticas (y eso suponiendo que el tal Dios también exista).

Los dos aprendieron a usar un acervo de expresiones cariñosas que hasta entonces no habían pronunciado nunca, chiquilladas en estilo mimoso, tonterías empalagosas, caricaturas del lenguaje pronunciadas con la mayor gravedad del mundo. Vivían envueltos en una atmósfera de arrullos y aprovechaban cualquier momento para darse a hurtadillas abrazos teatrales y restallidos de besos. Todo era para ellos motivo de risa y contento, ya les fueran las cosas bien o mal: reían por entusiasmo o se mofaban de cualquier contrariedad. Si salía el sol, había risas, y si llovía a mares, también. Todo cuanto Juan decía, aunque fuera la cosa más seria del mundo, aunque se tratase de la estupidez más inmensa, le hacía a Ruth una gracia extraordinaria, y soltaba la carcajada a cuenta de cualquier trivialidad que él expresase. Creían vivir el uno para el otro y ambos para un yo doble, cuando en realidad vivían para un ideal. Se relataban el uno al otro, en detalle, los sucesos impactantes de sus vidas, aquellos que no se olvidan porque la tramposa memoria los ha ennoblecido o resumido, aquellos que nos convierten en lo que somos, o que al menos nos hacen sustentar esa creencia. Se reinventaban el uno para el otro, y cada uno dibujaba un nuevo retrato de sí mismo compuesto de diversos cuadros, para que el otro lo apreciara, recorriendo aquellos episodios en detalle y yendo y viniendo sobre las mismas historias, historias que les conducían a otras historias convenientemente embellecidas desde el recuerdo. Se interrogaban el uno al otro de manera severa, pero comprensivos ambos con las respuestas que obtenían, recreando cada uno sus vidas pasadas antes de que el otro apareciera, pero reescribiéndolas: en sus nuevas biografías. Biotza y Beau prácticamente no existían y se convirtieron en affaires sin importancia, porque lo importante, desde esta nueva revisión de sus existencias, eran sus trabajos, su vocación artística, aquello que les acercaba el uno al otro. Se embebían el uno con el otro, y los dos en charlas dulces y confiadas, todas amor, idealismo y arrullo, salpicadas con alguna queja mimosa o petición de amor egoísta que exigía promesas de más amor, de amor eterno, y ofrecía a cambio increíbles aumentos de amor, sin querer ver el límite que la naturaleza siempre acaba por imponer en los asuntos del crédito y débito del tal amor. Se mintieron el uno al otro, por supuesto, como hacen todos los enamorados, pero estas mentiras contenían muchísimas verdades, porque cada uno hablaba del yo que aspiraba a ser, mucho más real, en el fondo, del yo que verdaderamente era. Y así el tiempo transcurría sin sentir y ninguno apreciaba el curso de las horas fugitivas que pasaban juntos, que corrían como si supieran que el inevitable fin de aquel edén terreno les estuviera siguiendo los pasos. Y al contrario, cuando no estaban juntos, las horas se hacían largas como las de un condenado. El uno al otro, el otro al uno. El uno para el otro.

Pero no podía durar este estado de gracia mucho tiempo, porque seguían existiendo allá en el norte las obligaciones de Juan. Allá vivía Biotza, y los padres de Biotza, y los padres de Juan. Y aquello significaba que Ruth nunca podría aspirar a más de lo que había conocido, puesto que, existiendo aquellas cadenas férreas e invisibles, nunca podría ella aspirar a formar parte de la vida futura de Juan.

La situación se destapó a principios de febrero, cuando Ruth, como buena británica que era (aunque sólo lo fuera en parte) empezó a hacer preparativos para la cena de san Valentín.

Para Ruth, aquel enero con Juan había resultado tan hermoso precisamente porque había llegado tras una época particularmente mala para ella: diciembre. Diciembre equivalía a Navidades y Ruth no soportaba las Navidades porque le traían un montón de recuerdos nefastos. A veces Ruth decía que odiaba tanto las Navidades porque su madre había muerto en Nochebuena, lo que era verdad sólo a medias. Su madre había muerto a las puertas de la Nochebuena, sí, pero en realidad no podía ser aquella memoria la razón de su tristeza navideña, puesto que ella no alcanzaba a recordar aquella víspera de Nochebuena, cuando sólo era una niña. No, no era la evocación de la desaparición de su madre lo que la deprimía, pero resultaba más fácil explicar así las cosas, puesto que para la mayoría de la gente es fácil entender la muerte como un acontecimiento grave y, sin embargo, no entienden que hay pequeñas tragedias cotidianas mucho más duras que una Gran Tragedia puntual. Los pequeños dramas rutinarios, si sostenidos, acaban por convertirse en algo mucho más difícil de sobrellevar que un Gran Episodio Dramático, y, para colmo, esas pequeñas insidias diarias no se revisten a los ojos ajenos de ningún tono épico o dramático. Cosas que no parecen graves acaban por serlo, de la misma forma que una gota anónima y constante, sin apenas entidad, formará con el paso del tiempo una imponente estalactita. Para Ruth, la muerte de su madre, por extrañas que fueran las circunstancias que la rodearan, era un caso triste, brutal incluso, pero comprensible. Alguien que muere en un accidente de coche, eso pasa todos los días y no hace falta explicar más. Se trataba de un hecho aislable, incluso analizable. Pero la acumulación absurda y dispersa de pequeñas peleas, traiciones, discordias, celos, envidias, riñas, aquella corriente subterránea de afrentas aparentemente inofensivas que navegaba por el subsuelo de su casa, no resultaba analizable ni comprensible ni soportable, ni parecía responder a leyes de la física o de la lógica. ¿Por qué la atmósfera de su casa se tornaba tan irrespirable en Navidades? No respondía aquel fenómeno a ninguna ley meteorológica, ni los comportamientos de la casa se explicarían merced a las reglas de ningún manual. El caso es que en las vacaciones de Navidad la casa parecía posesionada por un espíritu maligno que contagiara a sus habitantes, un asesino implacable y reincidente del buen humor. Casi se podía ver cómo caían las sonrisas dando boqueadas, cómo languidecían tantos minutos huecos para no levantarse más, cómo alrededor de la casa se iba cociendo una tormenta eléctrica, un huracán, un tifón demoledor que encontrara su epicentro en el comedor.

La madre de Ruth murió un 23 de diciembre y eso hacía comprensible, en principio, el hecho de que su padre, que nunca tuvo —al menos que Ruth recordara— un talante particularmente alegre o comunicativo, se fuera poniendo más y más huraño y taciturno a medida que la fecha se avecinaba. De la misma manera, al hacerse mayor,

Ruth se deprimía cuando se acercaba la fecha, pero por razones distintas. La iluminación navideña le hacía daño en los ojos, las tarjetas de Navidad le parecían cartas bomba, los villancicos le sonaban a lamentos fúnebres, y la aglomeración humana en desesperada busca de regalos le provocaba tanto terror como una estampida de búfalos. Por esa razón, en Navidad, evitaba los grandes almacenes y las zonas céntricas, no salía a comprar a los mercados y procuraba quedarse en casa todo lo posible. Le habría encantado viajar fuera de Madrid, pero sus amigos —ya fueran españoles o ingleses— pasaban las fiestas con su familia. Así que, a su pesar, le tocaba pasarlas en casa de Judith, envidiándole la tranquilidad y las niñas, aburrida de muerte e interiormente convencida de que su padre le recriminaba en silencio el hecho de que nunca se hubiera casado como Judith y de que no le hubiera dado nietos. Odiaba las Navidades en casa de Judith, que eran un calco de las Navidades pasadas. Nadie se intercambiaba regalos, pues se sobreentendía que los regalos eran cosa de niños. El padre se pasaba la noche con los ojos brillantes y a punto de llorar, el marido de Judith no decía palabra, Judith mimaba exageradamente a las niñas intentando fingir a la desesperada que en el ambiente no flotaba la presencia que todo el mundo sabía que flotaba, y Ruth se dedicaba a beber una copa de vino tras otra, para que la cosa pasara con la mayor rapidez posible. A las doce y media se despedía, llamaba un taxi, llegaba a casa como podía, siempre borracha, se desplomaba en la cama como quien se deja caer en su ataúd y se ponía a llorar. Y se quedaba dormida sorbiéndose las propias lágrimas.

El padre de Ruth se deprimía porque recordaba a Margaret. Ruth se deprimía porque recordaba otras cosas. Recordaba Navidades pasadas, y recordaba a Estrella, la tata, siempre de mal humor la tarde de Nochebuena porque tenía que cocinar aquella opípara cena que inevitablemente se malgastaría, puesto que los invitados apenas probarían los platos: ésa era la tradición navideña. Estrella empezaba a gruñir a las tres, y aquel mal humor, como una bola de nieve despeñándose por la ladera de una montaña, iba creciendo de manera monstruosa, a velocidad uniformemente acelerada, a medida que avanzaban las horas, hasta que a las nueve la tata se ponía verdaderamente fuera de sí, y empezaba a gritar y a maldecir sola, en voz bien alta, sin interlocutor concreto, pero con la clara intención de que la oyera toda la casa. «Es que esto es imposible —decía—; bregar con todo esto yo sola. ¿Se creerán que soy una esclava o qué?» Si Judith o Ruth se ofrecían para ayudar en la preparación de los platos, las echaba de la cocina con la excusa de que dos señoritingas mimadas como ellas, que jamás habían tenido que hacer nada con sus manos, únicamente estorbarían. Pero si se iban a su cuarto a pasar la tarde leyendo entonces escuchaban cómo las acusaba de insolidarias y, otra vez, de mimadas. Y, por fin, a las diez en punto, se sentaban a la mesa junto con los abuelos paternos, y aquella cena, en lugar de ser el regocijado convite propio, se suponía, de la festividad, se desarrollaba en medio de un silencio funeral tan sólo interrumpido de cuando en cuando por el sonido de los cubiertos chocando con la loza. A veces, y dependiendo de la cantidad de vino que se hubiera bebido, el silencio desaparecería sustituido por algo peor, una discusión épica entre el padre y el abuelo, que nunca se habían llevado bien. Las discusiones, desde el recuerdo, no respondían a un propósito o una razón concreta, y Ruth no podía rememorar muy bien cómo empezaban. Pero sí cómo de pronto el abuelo se arrancaba la servilleta de la pechera, arrastraba la silla hacia atrás con un estruendo aterrador, como el de una maquinaria industrial, permanecía de pie unos instantes avanzando la mandíbula de manera tan exagerada que el rostro adquiría la expresión de una calavera (si es que una calavera pudiera adoptar una expresión de altiva suficiencia) y decía algo así como que «nunca has querido hacer lo que tu padre te ha dicho, nunca, y te empeñaste en casarte con aquella loca…». Entonces el padre se levantaba a su vez y le exigía que no hablara así de su mujer que en gloria estaba, y entretanto Estrella, tan acostumbrada a escenas similares, aparecía desde la cocina y aprovechaba la inmovilidad del resto de las comensales para llevarse los platos como si allí no hubiera pasado nada. El espectáculo se había acabado, el padre y el abuelo volvían a sentarse y lo que quedaba de cena transcurría en el mismo silencio sepeliar que la había inaugurado. A las doce, el abuelo (un señor del que Ruth poco recordaba, excepto los ojos alfilerinos de mirada escrutadora y fría como la de un confesor) se levantaba de la mesa y daba por terminada la velada. Sólo cuando él se levantaba podían hacerlo los demás. Después los abuelos se despedían de su hijo y de sus nietas (la abuela, en el recuerdo, era una presencia insignificante y subalterna a la de su imponente y despótico marido) y allí acababa todo. Ni villancicos, ni aguinaldo, ni regalos. Jamás se supo el origen de la profunda antipatía que parecían profesarse padre e hijo, pero Ruth suponía que el abuelo —seco, duro, marcial— debía de haber padecido algún tipo de trastorno mental leve, o al menos bien socializado, porque no le parecía que alguien en su sano juicio fuera capaz de mantener una actitud tan glacial. En su presencia se diría que la temperatura descendía varios grados.

Con el paso del tiempo las Navidades siempre significaron, básicamente, cenas sombrías y tristes. El día de Reyes (los abuelos no iban porque lo pasaban en casa de las tías) las niñas encontraban al despertar montones de regalos carísimos apilados bajo un inmenso árbol engalanado profusamente por Estrella, que parecía sufrir de *horror vacui* vegetal, tal era la cantidad de espumillón, bolas y bombillitas que lo decoraban, de forma que apenas se adivinaba bajo tanto perifollo el verde del ramaje, y el abeto parecía seriamente amenazado de desplome. La alegría por los regalos recibidos contrastaba con el adusto ceño del padre, que parecía más triste que un entierro en un día lluvioso, tanto que las niñas (que por muy niñas que fueran, o precisamente por eso, ya eran lo suficientemente empáticas como para entender cuándo no convenía hacer mucho ruido) procuraban no ser demasiado efusivas al manifestarla. Ruth, que conservaba indeleble la memoria de tantas y tantas Navidades tristísimas, no conseguía, ya de mayor, asimilar las fechas a otra cosa que no fuese tristeza[1].

Diciembre fueron las Navidades. Enero fue el tiempo de Juan. Y Ruth quería confirmar el tiempo de Juan en febrero con una cena de san Valentín. La festividad de san Valentín, al contrario que la de Navidad, la asociaba Ruth a memorias felices, las únicas memorias felices de las que tenía recuerdo. Durante cuatro años, cada 14 de febrero, Beau la invitó a cenar en restaurantes lujosos, le hizo llegar tarjetas horribles con mensajes empalagosos e infantiles y le regaló chucherías caras: un anillo *cladagh*[2] —Ruth, años después, aún lo usaba—, un broche de amatistas, unos pendientes en forma de margarita y, el último año, una pulsera de plata. Ni el broche ni la pulsera se los había puesto Ruth jamás, pero los conservaba con cariño porque eran los únicos regalos de amor que le habían hecho nunca.

---

[1] Nuestro psicoanalista asesor nos podría hablar aquí de una depresión asociativa.
[2] Un anillo de compromiso irlandés que ostenta un corazón, dos manos que lo rodean y una corona que lo ciñe. Símbolos del amor, la amistad y la lealtad.

Los regalos de Reyes de su infancia, por ejemplo, no eran regalos hechos con amor, y nunca tenían nada que ver con lo que Ruth quería, ni en el tiempo en el que escribía cartas ni en el tiempo en que directamente expresaba sus deseos a su padre o a la tata. Ruth sospechaba que era la secretaria de su padre la encargada de comprarlos. Y si fue así, el gusto de la secretaria no coincidía en absoluto con el de Ruth, de la misma forma que tampoco su gusto y el de Beau coincidían. Pero, por mucho que a Ruth no le gustaran los regalos de Beau, ni sus tarjetas, ni, con el tiempo, tampoco el propio Beau, eso no impedía que el recuerdo de aquellos regalos y aquellas cenas constituyese un tesoro preciado en su corazón y que, por aquello, amase de aquella manera la festividad de san Valentín, con intensidad paralela a como odiaba la de Navidad.

A veces, desde el recuerdo, a Ruth todavía le invadía un extraño sentimiento de desasosiego al pensar en Beau, como si hubiera dejado escapar una oportunidad única, un último tren. Porque allí, en Londres, se había quedado un hombre guapo, tranquilo, sensible, razonablemente inteligente y que la quería con locura. Pero Ruth no había nacido para permanecer inactiva, y al lado de Beau no parecía que fuese a hacer mucho con su vida. Cada vez que Ruth decía que le apetecía trabajar, él la disuadía con argumentos y palabras dulces. ¿Para qué necesitaba ella trabajar? Él tenía dinero de sobra y, si Ruth se sometía a un horario, no podría acompañarle a él a las giras o a los viajes, y no podría salir por las noches y no podrían los dos llevar la vida libre y sin ataduras que llevaban. También se le pasó a Ruth por la cabeza volver a estudiar, acabar la carrera que había dejado aparcada, pero bastante vergüenza le daba vivir a costa del dinero de su novio como para pedirle dinero para la carísima matrícula en la London University, ni soñarlo, y ni soñar tampoco con pedírselo a su padre, que no estaba nada contento con el exilio de la niña. Para compensar, Ruth leía todo lo posible, y compraba en las librerías de viejo todos los libros de a cincuenta peniques que encontraba, y luego los devoraba en el sillón desvencijado del salón mientras Beau ejecutaba una y otra vez sus escalas, hasta que acabó por leerse casi al completo la colección de clásicos de la Penguin. Una de las cosas que más le gustaban a Beau de ella, precisamente, era el hecho de que no le molestara nunca mientras ensayaba, de que permaneciera a su lado, tranquila como un perrito bien educado. A veces Ruth hacía de observadora atenta, de público, y se pasaba las horas muertas sin hacer otra cosa que escuchar la música de Beau. Se sentaba, medio acurrucada, medio erguida, sobre un cojín, componiendo un callado bulto de extremidades, sin moverse apenas, disfrutando la música, porque de verdad la disfrutaba. A Beau no le gustaba estar solo y decía que practicaba mejor si contaba con su proximidad. Su silenciosa presencia le apaciguaba y a veces le retaba a aventurarse más allá de los bajíos técnicos en los que se entretenía —las tediosas escalas, la interminable repetición de alguna frase— para entretenerla a ella, que le seguía con los ojos cerrados, repitiendo fragmentos de algunas piezas que sabía que a su novia le encantaban. Ni imaginaba el pobre que, entretanto, Ruth, asfixiada en aquel vegetar de planta parásita, rumiaba su insatisfacción, y la idea de que ella valía para algo más que para *novia de,* de que ella no había crecido para hundirse en el silencio huyente de la vida doméstica, de que la vida no era para vivirla solo, sin pararse a mirarla ni a contarla. Beau hacía algo, creaba, y ella no hacía nada, y la circunstancia de disfrutar la música tan intensamente no consolaba a Ruth, sino todo lo contrario: le hacía más consciente de su sensibilidad, condenada a ser sólo pasiva y nunca activa. Si ella era capaz de apreciar la música de forma tan aguda, ¿no sería acaso capaz de expresarse por sí misma, del mismo modo que Beau podía hacerlo? Beau comunicaba sentimientos, los contagiaba incluso, mientras que ella no era más que receptora, nunca emisora. Pero podía serlo, podía serlo, podría serlo el día en que se atreviera a salir de aquella casa, a hacer algo por sí misma. Fue precisamente esta aguda conciencia de su potencial desperdiciado, de que la vida no le estaba ofreciendo más que su forma entrevista, la que le hizo coquetear con la idea, cuando volvió a Madrid, de matricularse en la Escuela de Cine. Pensó en el cine porque así podía conciliar todas sus pasiones: la literatura, la música y el arte. Ruth no era una experta en ninguno de esos campos, pero sabía un poco de todo, y más o menos creía que así podría expresarse de alguna manera, hacer algo, sacar a esa criatura que sentía dentro y berreaba por salir. Y aquella criatura no era el hijo que Beau quería, sino otra cosa, otra presencia que ella todavía no acertaba a definir. No quería ser madre. No, al menos, tan pronto. Quería experimentar primero otro tipo de creación. No era buena pintora, pero podría componer los cuadros más hermosos en cada encuadre, como hacía Visconti; no era una gran novelista, pero podría contar historias en imágenes; y no sabía componer, pero sí tenía buen gusto, y sería buena eligiendo la música que acompañara a cada cuadro para subrayarlo. Y si no llegaba a dirigir…, bueno, al menos podría intentarlo. Todo menos quedarse inactiva y repetirse de mayor «yo hubiera podido», «yo hubiera sido». Todo menos dejar de vivir y resignarse simplemente a existir.

Fantaseaba Ruth a menudo con la idea de dejar a Beau y volver a Madrid a hacer algo con su vida, o de quedarse en Londres y empezar a trabajar en lo que fuera, pero el caso es que su vida era cómoda y placentera, no tan aburrida como pudiera pensarse, dado que la pareja salía mucho y Beau contaba con un amplio círculo de relaciones sociales, y así iba Ruth dejándose llevar, instalándose en aquella tierra de nadie, en aquel *impasse* hacia una futura vida más activa, y así pasaron cuatro años y puede que hubieran pasado algunos más si Beau no hubiera salido una buena mañana con la idea de que quería tener un hijo, una proposición que le hizo a Ruth percibir un atisbo de felicidad futura que arruinó inmediatamente su deseo de conseguirla, porque insinuaba un idilio doméstico tan dulce como aburrido. No es que Ruth no quisiera tener hijos o careciese de instinto maternal, pero aún no había cumplido los veinticinco años y la decisión le parecía un poco precipitada. Sin embargo, Beau ya había dejado atrás los cuarenta y empezaba a aspirar a una vida más familiar, y por primera vez reparó Ruth en que Beau se estaba haciendo viejo, en las canas que le clareaban en las sienes, en la barriguita que comenzaba a adquirir la línea obstétrica de una pera, en los pelos que le asomaban por los agujeros de la nariz y de las orejas. Aquella conciencia del deterioro de su amante sólo contribuía a hacer más patente la vida que a ella le sobraba, la que estaba echando a perder, todo lo que a ella le quedaba por delante, todo lo que Beau ya había dejado atrás, cosas que ella no había vivido y que deseaba vivir: una existencia propia, la libertad para tomar sus decisiones, para regular sus horarios, para entrar y salir sin tener que dar cuentas sobre dónde había estado o con quién. Pero, por otra parte, también le atraía la idea de una vida tranquila y predecible, de una fuente de cariño asegurado, y cada vez que veía en el metro o en la calle a un niño mulato se entretenía en sobreimponer los rasgos de su rostro sobre el de un niño imaginario que habría de ser el resultante de un cruce entre los genes nigerianos de Beau y los escoceses de Ruth, y se sentía como en una encrucijada de caminos, incapaz de optar por la senda que le habría de conducir a alguna parte, paralizada ante la idea de equivocarse, incluso sabiendo que equivocarse hubiera supuesto, de todas formas, avanzar.

Ruth no vio la luz al caerse de un caballo, como san Pablo, sino poco antes de subirse a un avión. Fue en la sala de espera de Heathrow, mientras esperaba con Beau a que se anunciase la salida del vuelo que habría de llevarles a Edimburgo, donde Beau actuaría en el marco del festival, en una *ensemble* de música y danza. A Ruth no le gustaba viajar a Escocia porque era la tierra de su madre, y se entristecía al pensar que allí tenía tan cerca la clave del misterio de aquella vida de la que nadie parecía querer contarle nada y que, sin embargo, no conseguía dar con ella. En su día Ruth buscó en la guía de Aberdeen, la ciudad natal de su madre, el apellido Swanson, para ver si conseguía dar con sus parientes maternos, pero el único Swanson que aparecía en la lista resultó ser un profesor de Universidad, nativo de Liverpool, que nada tenía que ver con ninguna Margaret Swanson. De todas formas convenció a Beau para que la llevara a visitar la ciudad, y se entretuvo imaginando a Margaret Swanson caminando de niña por aquellas calles empedradas. Llegó a pensar en contratar a un detective para rastrear a su familia, en caso de que la hubiera, de que Ruth tuviera parientes vivos, algún tío abuelo, quizá un primo de su madre. Pero, en primer lugar, no tenía dinero para pagar a un detective privado; en segundo lugar, carecía de valor para pedirle el dinero a Beau, y en tercer, lugar una vocecita en su interior le decía que si había parientes y nunca habían intentado localizarla, sería señal de que tampoco habían tenido en su día mucho trato con Margaret y de que poco interés mostrarían por tenerlo con Ruth. En esas divagaciones estaba, un tanto aplanada por la tristeza que siempre la rondaba cuando pensaba en Escocia o en su madre, con la mirada perdida en un punto indeterminado del aeropuerto, cuando Beau le preguntó que qué le pasaba, que por qué estaba tan callada y tan ausente, y al volver Ruth la cabeza para contestarle se fijó en unas minúsculas venillas rojas que se le marcaban a él en el blanco de los ojos y en las que hasta entonces no había reparado, y pensó que a Beau no le favorecía, desde luego, esa luz amarilla y fantasmal de los aeropuertos. Seguía siendo un hombre guapo, desde luego, muy guapo, alto y escultórico como un ídolo de ébano, pero estaba envejeciendo a ojos vistas y ya no era ese figurín de apostura espectacular, tan parecido a Denzel Washington, que a Ruth le había cautivado en su día. Habría engordado por lo menos diez kilos desde entonces, y quién sabía cuántos más le quedaban por engordar. Ruth le tenía un cariño enorme, profundo, denso, y admiraba su talento, y se llevaba bien con él, pero no estaba loca por sus baqueteados huesos y probablemente nunca lo había estado, sino que había aprovechado la oportunidad más fácil que se le puso por delante para huir de aquella casa y del ambiente de duelo que la estaba consumiendo como una fiebre. Sí, quería a Beau, se llevaba bien con él…, ¿y? Ruth echó una mirada circular a su alrededor y luego la fue posando sobre algunas de las personas que esperaban en los asientos: un hombre rubio al que se le adivinaba una musculatura imponente bajo la camiseta negra, una chica que tecleaba frenéticamente en su ordenador portátil, un tipo con un traje de aspecto muy caro que hablaba por su teléfono móvil. Se le ocurrió que todos iban al festival de Edimburgo a hacer cosas por sí mismos, que no eran meros acompañantes, meros apéndices de otros, y después se le ocurrió que cualquiera de ellos le parecía más deseable que Beau, y después de ese después pensó que no estaba preparada para tener un hijo, y que ya estaba aburrida de su vida de mantenida pija en Trinity Church Square. Como le sucedía tantas veces, se sintió dos veces repetida en dos Ruths distintas: una que se sentía terriblemente culpable, que se veía egoísta y desagradecida, y otra que creía que el egoísta era Beau, aquel hombre que quería una acompañante, una *escort*[3] de lujo, un apoyo, alguien que creciera a su sombra.

Tres meses después ya había abandonado el apartamento de Beau.

Las Navidades de Ruth habían sido tan terribles aquel año, que pensó que podría compensarlo organizando un san Valentín particularmente entrañable. Quería ella un restaurante coqueto, pequeñito, de los de velitas en las mesas y mantelitos de encaje y camareros ceremoniosos, quería una tarta con una margarita de azúcar y el tradicional intercambio de regalos a los postres. Ya sabía que a los españoles la celebración de san Valentín les parecía una cursilada o una importación de los grandes almacenes, siempre defensores del imperialismo cultural si la sujeción a las tradiciones de ese imperialismo se traducía en sustanciosos beneficios, pero eso a ella le daba igual.

---

[3] Acompañante pagada.

Adoradora de los ritos como era, aquél le parecía de lo más atractivo, y se puso a buscar restaurantes por todas las guías, encantada con los planes de la gloriosa fecha. Pero el 10 de febrero Juan le dijo que se marchaba en dos días, y no hizo falta que le explicara por qué se iba. Ruth sospechó enseguida que para visitar a Biotza, que era con ella con quien celebraría san Valentín, y aunque Juan, en principio, pensaba negar tal cosa, acabó por reconocerlo, pues vio tal convicción en Ruth, que pensó que quizá ella se había enterado, por vaya usted a saber qué extraña vía, de que la relación con su novia formalísima seguía tan viva y con tanta salud como de costumbre, sin que la relación paralela con Ruth la hubiera afectado en lo más mínimo. De forma que Ruth tuvo que asumir lo que en el fondo ya sabía pero había querido ocultarse: que Juan no había albergado nunca la menor intención de dejar a su novia.

Siguió Ruth insistiendo, suplicando, para que Juan anulara su compromiso con cualquier excusa y se quedara a su lado en san Valentín, pero Juan no dio su brazo a torcer, no tanto por causa de Biotza, a quien probablemente su ausencia no le hubiera importado tanto, como por la de su madre, que le había estado llamando y rellamando insistentemente durante aquel mes y que no aceptaría de ninguna manera que Juan retrasase el viaje y no apareciese por casa en la semana prevista. También, todo hay que decirlo, se empeñaba Juan en no aceptar por simple orgullo y tozudez. Cuanto más se lo pidiera Ruth, más se negaría él. La tarde del día 12, Ruth agarró un berrinche épico: lloró y pataleó, gritó y estrelló un cenicero contra la pared, pero sólo consiguió que Juan se reafirmara en la decisión tomada, pues se decía a sí mismo que Ruth era una histérica y que cuanto más insistía en su actitud, más se engrandecía, por contraste, Biotza, que nunca decía una palabra más alta que otra y jamás discutía una decisión tomada por su novio. «Eres una histérica», le dijo él antes de cerrar de un portazo la puerta de la casa y dejar a Ruth desplomada sobre el sillón, sorbiéndose las lágrimas.

Pese a todo, regresó a verla esa misma noche, y se acostó con ella como todas las noches, a su pesar, pues el deseo le arrebataba la sangre y le hacía abjurar de las decisiones de no verla más que había tomado apenas unas horas antes. Ruth también se había dicho que no volvería a abrirle la puerta y, sin embargo, allí estaba Juan, en su cama, a dos días de que la fuera a dejar por otra.

Aquella noche fue cuando, amparada en la falsa complicidad que sucede al coito, en una de esas conversaciones íntimas que suelen tener lugar al abrigo de las mantas y que hacen que los grandes generales cuchicheen secretos de Estado en los oídos de sus amantes, y después de que Juan hubiese preguntado acerca de las caras famosas de su tablón de fotos, Ruth empezó a hablarle sobre Londres, y no sólo de la vida con Beau, que como músico de sesión había participado en los discos de los grupos británicos más importantes, y de cómo se habían codeado en aquel tiempo con unos y con otros, sino de los dos años que pasó en Londres sin Beau, cuando se decidió a aceptar propuestas como la que le había surgido aquella noche en el Staminet, y de cómo alguien la había reclutado para una agencia, y de cómo había acabado por convertirse en una de las *escorts* más exclusivas de Londres, con una cartera de clientes fija y restringidísima entre los que estaban muchísimos famosos, porque a ella no le pagaban sólo por el sexo, sino por la compañía, por asistir a cenas de ejecutivos y poder pronunciar los platos del menú en impecable francés, por dar color a las presentaciones de discos y acceder a los requerimientos del presidente ejecutivo o el director financiero cuando bebiera más de la cuenta, por ser guapa y fácil y tener clase. Y así se enteró Juan de dónde habían salido los ahorros que habían pagado tanto tiempo el alquiler de Ruth.

Y, según se lo contaba, sabía que estaba asestando una puñalada en el orgullo de Juan. Sabía que le estaba hiriendo en lo más profundo, sabía que él nunca la perdonaría. Pero en aquel momento no le importó decirle algo que significaría perderle, porque desde que él le dijo que pasaría san Valentín con Biotza, supo que le tenía que haber dado por perdido desde el principio.

JUAN EN SAN VALENTÍN

La mañana del 13 de febrero, en el tren que había de conducirle a Bilbao, Juan respiraba con desahogo, y tan bien hallado se sentía con su viaje como un oficinista que un viernes por la tarde, después de una semana de trabajo a destajo, saboreara su descanso por anticipado. La diferencia estribaba en que el descanso que Juan ansiaba era moral, pues Juan soñaba con el placer que imaginaba allá en Bilbao, cuando estuviera lejos de la angustia a la que Ruth le sometía.

La confesión de Ruth había inclinado definitivamente a favor de Biotza un ánimo que en el último mes había estado basculando peligrosamente. Juan se creía hombre de carácter grave, educado en la soledad meditabunda, y por costumbre medía y pesaba todas las cosas previendo el posible desarrollo de cada elección. Por ello no había pensado en ningún momento precipitarse y dejar a Biotza, sino que había preferido esperar a ver por dónde discurrían los acontecimientos. Y así, todo aquel enero había estado sumido en la más nebulosa de las confusiones, porque lo cierto es que él sí se había enamorado de Ruth, eso no lo podía negar, pero al propio tiempo que consideraba su corazón inseparable del de aquella singular mujer, un terror sordo le rebullía por dentro. Por más que él intentara, haciendo trabajar a su imaginación como a una forzada, representarse un futuro al lado de Ruth, no acertaba a verlo, y la hechicera figura se difuminaba en un término nebuloso. Porque encontraba a Ruth estridente, tirante, rechinosa, excesiva, chirriante como un color metálico. Era cierto que ella le inspiraba más que nadie, que aprendía y se divertía con ella como con ninguna, que nunca había conocido una mujer con semejante labia, agudeza, sentido del humor y referencias de todo tipo, porque Ruth parecía una enciclopedia viviente: sabía de arte, de literatura, de cine, de música, hasta de danza, e iba salpicando referencias en sus conversaciones con la mayor naturalidad, como si todo el mundo comparara las puestas de sol a un cuadro de Turner o los pasillos de los hoteles al decorado de una película de Polanski. Y era cierto que, en comparación, Biotza, desde el recuerdo, se le antojaba una criatura bastante insípida. Pero también era cierto que, por su parte, Biotza era tranquila y confiable, mientras que de Ruth nunca se sabía lo que se podía esperar, y Juan no soportaba los cambios de humor, la impaciencia y las pataletas de la pelirroja. Ruth, por ejemplo, se ponía de los nervios cada vez que él llegaba tarde, cosa bastante usual en él, y era muy dada a reprochárselo o a elevarle la voz. Se notaba que, como directora, estaba muy acostumbrada a impartir órdenes y muy poco a recibirlas. Y a Juan, que había sido un niño mimado como pocos, y que estaba acostumbrado a salir con una chica que veía por sus ojos, los caprichos de Ruth y su insistencia en imponer su voluntad le molestaban soberanamente. Además, Juan era muy celoso, y no soportaba la idea de que la mujer con la que se acostaba tuviera un pasado sexual en el que él no hubiera intervenido. En todas sus posturas, sus sugerencias y sus trucos creía ver resabios de antiguos amantes, y aquello le ponía enfermo. Antes de la confesión de Ruth ya le resultaba difícil estar con ella, por aquello de la fama de promiscua que la pelirroja arrastraba, pero después de lo que ella le había contado… ¿Qué tipo de hombre pasaría por algo semejante? Bien, no se trataba exactamente de prostitución, no en el sentido estricto de la palabra, pero venía a ser lo mismo. Tantos brazos que habrían estrechado su cuerpo, tantos labios brindados a sus labios, tantos dedos tramando laberintos entre los rizos rojos y canela de su pubis, tantas voces pronunciando su nombre o cualquier otro que ella hubiera inventado para que la nombraran, tantas voces que escucharía en sueños, que le retumbarían en el cerebro toda la vida si siguiera con ella; no, definitivamente no, no podía seguir con ella.

Luego pensaba en su Biotza, mientras a través de la ventanilla se sucedían manchas verdes de campo y árboles y postes de teléfono, y se decía a sí mismo que Biotza era lo que le convenía, que con ella no había discutido nunca, que con ella se sentía inteligente y seguro. Ni aun cuando más loco estuvo por Ruth dejó de haber para Biotza un hueco en aquel corazón que tantos rincones y cámaras ocultas tenía. Admiraba en ella virtudes que él no tenía: paciencia, sensatez, equilibrio, integridad moral. Había que reconocer que Biotza no era tan culta ni tan brillante, pero ¿acaso era eso tan importante? Si necesitaba hablar de libros disponía de un montón de gente con quien hacerlo. Cierto que hasta que encontró a Ruth nunca había conocido a otra persona que supiera tanto de cine, arte o música, pero eso se arreglaba comprando libros, o incluso buceando en Internet. Y echaría de menos el sentido del humor de Ruth, eso seguro, porque, comparada con Ruth, Biotza resultaba de una sosería anémica: nada tenía de la locuacidad y el ingenio de Ruth, sino que hablaba poco y generalmente expresaba sus ideas con frases cortas y sentenciosas dichas en voz baja, que solían ser tópicos, o refranes, o sentencias copiadas de las de su madre o su futura suegra, y, para colmo, se atropellaba de modo fatigoso en cuanto tenía que hablar largo rato o sostener una discusión. Pero tendría que arreglárselas sin Ruth, tendría que reacostumbrarse a Biotza, repetirse que él no habría sido nunca feliz al lado de una mujer como Ruth, de una mujer tan maniática, tan retorcida, tan dominante, tan impulsiva, con tan mal genio y semejante pasado.

A eso había que añadir el hecho de que Indalecio Echevarría, el editor de Juan, le había insinuado, después de haberle visto llegar acompañado de Ruth a la presentación del libro de Marcos Giralt, que no era muy conveniente para su reputación que se dejara ver mucho en compañía de la Swanson y que le asociaran a su nombre en los círculos académicos, pues la reputación de frivolidad le precedería y ya nadie le tomaría en serio. Y aunque Juan, entonces, no hizo mucho caso a Echevarría, porque la tentación de la compañía de Ruth había tirado de él con mucha más fuerza que el sentido común y la sensatez, en el tren se dijo que Indalecio tenía razón.

Hay que hacer constar aquí que Juan estaba verdaderamente fascinado con su mentor y editor. Su ingenio, su elegancia, su gusto y su postura radical en pro de la Gran Literatura (con mayúsculas, por supuesto) subyugaban el espíritu de Juan, hambriento de grandes ideales y dispuesto a unirse a Indalecio en su fatigoso pugilato contra la incultura y la barbarie del mercado de las letras, en su ardiente cruzada contra la frivolidad y las modas a las que tantos jóvenes escritores se apuntaban. Porque, todo hay que decirlo, Indalecio despreciaba desdeñosamente a la casi totalidad de la nueva generación de escritores, a la mayoría de los cuales consideraba unos vulgares mercachifles que no hacían literatura, sino meros productos comerciales, y que se habían vendido por un adelanto (a pesar, claro, de que también él hubiera comprado a Juan con un adelanto). Sólo respetaba a unos cuantos, a los que salvaba de la criba con la indulgencia propia de un Calígula, y a ésos porque escribían un libro cada cuatro años, porque Indalecio era de los que confundían ritmo de trabajo con radicalidad: cuanto menos escribiera uno, más radical era, y ¡ay de aquel miserable vendido al oro de las multinacionales, que publicara un libro al año! ¡Anatematizado quedaba por Indalecio! Porque el editor era del tipo de gente que cree que está pensando cuando en realidad sólo está reordenando prejuicios. Esta postura tan tajante convertía a Echevarría en el tipo de amigo de los que te hacen tener enemigos, pero esa intolerancia que los envidiosos juzgaban fundamentalismo era para Juan como un sol resplandeciente al cual no se podía mirar cara a cara sin deslumbrarse, porque en tal estimación tenía la autoridad de Indalecio en materia de literatura, tan a ciegas creía en su criterio sobre lo que estaba bien o estaba mal, que Juan no se atrevía a proclamar, siquiera a albergar en su cabeza, una opinión que no fuera ardiente reflejo de las verdades por el editor defendidas, y más valía así, porque estando presente Indalecio en una habitación ningún otro mortal se hubiera atrevido a alzar el gallo en una conversación de literatura. Para Juan, todas las dudas sobre la valía o talento de un autor las arrancaba de cuajo una sola palabra de Echevarría. Lo que él dijera pasaba a ser cuerpo jurídico, legislación, doctrina, verdad revelada. Respetaba Juan su palabra como si se la hubieran dado escrita en las doce tablas, y tenía a Indalecio en el predicamento de los dogmas vivos: con la propia Carmen, con su propia madre, rivalizaba el crítico en el ascendiente sobre Juan, y a riesgo estaba de superar a la hasta entonces incuestionable gallega.

Muy bien, se dijo Juan, el affaire Swanson se daba por terminado, y tanto mejor para todos, para Biotza, para Juan y para la tranquilidad de Juan y para la reputación de Juan.

En la estación de Bilbao le estaba esperando Biotza, que se encargaría de llevarle en coche hasta Bermeo, donde comerían con los padres de Juan. Seguía mona, como siempre, pero de pronto Juan la vio distinta, como bajo otra luz. Siempre le había parecido que vestía bien, y sin embargo, de repente, al distinguir su figura menuda que avanzaba hacia él apurando el andén y la distancia que les separaba a pasitos menudos, con aquel traje de chaqueta de corte impecable, le dio la impresión de que Biotza vestía como si fuera su madre (la madre de Biotza, claro, porque Carmen no era de las que llevan trajes sastre). Biotza había dejado de parecerle elegante para resultarle sencillamente formal. Por fin ella estuvo frente a él y se acercó a abrazarlo. Juan reparó en el conjunto de pendientes y colgante que llevaba: un terceto de diamantes minúsculos, uno de ellos colgado al cuello pendiendo de un hilo tan fino que casi resultaba invisible, un aderezo que había puesto de moda una presentadora de televisión y que de la noche a la mañana llevaban todas las habituales de la prensa del corazón. A Juan le aterró la uniformidad que aquellas joyas revelaban, como promesa de la vida no menos uniforme que le esperaba. Aquella criatura que con tanto recato le abrazaba, que le envolvía en una atmósfera a Eau de Rochas, era su Biotza, tan rubia y tan blanca, distinguida la escueta muñeca con un Cartier y una pulserita de oro y perlas, toda ella merengue y cornucopia como una tarta nupcial. Muy guapa, desde luego, muy mona, fina como un coral, pero de pronto Juan consideró aquella belleza como la más sosa perfección del mundo. No le faltaba más que la vara de azucenas.

—¡*Jontxu, lastana!* [1] —le susurró ella al oído—. ¡Cuánto te he echado de menos!

Él se sintió terriblemente incómodo dentro de ese apelativo mimoso y reducido. Tan tenso debió de ponerse, tan mal debió de corresponder al abrazo, que Biotza se retiró y le dirigió, desde el palmo de distancia en el que se había situado, una de sus miradas de provincia, reservada y prudente.

—¿Te pasa algo? Te noto raro…

—Nada, no me pasa nada, no te preocupes. Es sólo que vengo algo mareado.

---

[1]   ¡Juanito, querido!

—Sí, tienes mala cara. ¿Has desayunado? ¿Quieres que tomemos algo en la cafetería?

—No, no te preocupes, estoy bien.

Y de repente se sintió anegado por una marea de culpabilidad. Entonces atrajo a Biotza hacia sí y la abrazó estrechamente. Hundió la cabeza en su pelo, aspirando aquel mareante aroma a perfume intentando perderse en él, narcotizarse, y se repitió que aquella primera impresión no había sido real, que sólo había sido consecuencia de la pérdida de costumbre a la que le había sometido la capital y que cuando pasara unos días con Biotza volvería a verla como de verdad era: dulce, calmada, confiable, buena persona, un ángel.

En el trayecto a Bermeo hizo un esfuerzo por mostrarse atento y cariñoso con Biotza y, para no tener que hablar demasiado, se concentró en el paisaje. Adoraba, a su pesar, aquellas montañas verdes en las que se había criado, pero de las que nunca se había sentido hijo legítimo, sino simplemente un bastardo, un maqueto importado. Ni siquiera hablaba euzkera con propiedad, sólo lo poco que había aprendido en la *ikastola*, apenas era capaz de mantener una conversación de circunstancias. Al llegar a Mundaka le sobresaltó el súbito impacto de belleza que le produjo la visión del estuario de Laida, aquella infinidad de arena blanquísima recortándose contra el mar azul y plano. Pero yo no soy vasco, no soy más que un maqueto, y casi se sentía como si no fuera digno de tanta belleza reunida, de la misma forma que no se sentía digno de su novia. Su novia, que vivía en un piso de doscientos metros cuadrados en plena Gran Vía de Bilbao y que se rebajaba a llevar a su casa a un maquetillo que vivía en un agujero del tamaño de una caja de cerillas, con muebles de formica y tapetitos de ganchillo por todas partes.

En cuanto llegaron a su casa intentó encandilar a padres y novia con sonrisas, pero le salían tan forzadas que su perspicaz madre se dio cuenta de que algo no iba bien. El día anterior prácticamente Juan no había dormido, pues la confesión de Ruth le había quitado el sueño y todavía le torturaba por dentro, sin que la presencia de su madre y su novia consiguieran hacérsela olvidar. Durante la comida sintió como si una serpiente enorme se le hubiera enroscado en el estómago y le impidiera probar la merluza. A Carmen no se le pasó por alto aquella inapetencia de su hijo, que hasta entonces no había rechazado jamás una merluza en el Sollube, y se reafirmó en la idea de que algo iba mal. La señora nada sabía de los devaneos de Juan, pero sospechaba que algo anormal y peligroso ocurría en la vida de su amadísimo retoño, y con acertado instinto se le figuraba Madrid una tierra de perdición y de malos devaneos.

—Te veo malísima cara, Juan, ¿verdad, Biotza?

—Mujer, no sé, un poco de mala cara sí que tiene, pero sigue estando guapo, como siempre —le dijo Biotza, discreta como de costumbre, que tampoco había hecho más que picotear la merluza, aunque en ella eso era lo habitual.

—No comerá, seguro, y a saber si duerme. Es que no sé qué se te ha perdido en Madrid a ti. Yo creo que aquí escribirías tan bien como allí, y aún mejor. Y sobre todo, aquí te librarías de tanto quebradero de cabeza y de las angustias que allí seguro estás pasando, que te lo veo en la cara. Te lo dice quien bien te quiere, que algo sabe de este mundo traicionero. No hay cosa peor que apegarse a la mala vida y a los vicios de una ciudad grande.

—No te pongas pesada, mamá, por favor, que lo único que me pasa es que tengo sueño y vengo cansado del viaje. En cuanto me eche una siesta me sentiré mucho mejor.

Así zanjó Juan la discusión, mientras su padre seguía sin decir nada, mirando al mar que se veía desde la ventana como si en el fondo del Cantábrico se hallara la solución a la salud de su hijo y a las preocupaciones de su mujer.

Después de la comida, Biotza regresó a Bilbao y quedó en recogerle al día siguiente. Había avisado a la pandilla con la que solían salir, la mayoría de ellos antiguos compañeros de Deusto, y ya habían organizado una cena en honor de la joven promesa. A Juan la idea de cenar con la pandilla tampoco le decía mucho, sobre todo teniendo en cuenta que ninguno de ellos era íntimo amigo suyo y que si mantenían el contacto se debía más bien a la iniciativa de Biotza. En particular, la anticipada visión de Begotxu perorando su organillo de anécdotas sobre la tan traída y llevada preparación de su boda le mareaba por anticipado. ¡Qué cruz, qué mareo de mujer…! Quizá fuera esta perspectiva la que le dio tantísimo sueño, porque la siesta se le alargó y se quedó dormido hasta el día siguiente. Su último pensamiento en vigilia fue recordar que la noche siguiente era la de san Valentín y que hubiese resultado más apropiada una cena íntima con Biotza que una bulliciosa reunión de amigos. Había que reconocer que Ruth era mucho más romántica que Biotza. O quizá más cursi. No, era Biotza la cursi. No, eso no debía ni pensarlo... Y así se quedó dormido, con la eterna comparación entre sus dos mujeres zumbándole en la cabeza.

Aquella cena que su novia le había organizado (nunca podría entender la manía de Biotza de organizar cenas, si luego ella apenas probaba bocado) le hizo caer en la cuenta de que todos sus antiguos amigos funcionaban en pareja, como si sólo desde la ausencia hubiese podido comprender que lo que creía un grupo unido no era más que una recopilación de conjuntos binarios. Todos parecían estar formalizando relaciones y, a poco que se descuidasen, el grupo se pasaría el verano de boda en boda. Cualquiera diría que alrededor de Juan se estaba representando una comedia romántica y que él ni siquiera se había enterado de que había habido un reparto de papeles. El resto de los mortales parecía vivir un perpetuo carnaval de optimismo en el cual a cada actividad se le otorgaba un significado en función a su relación con una no especificada pero garantizada actividad sentimental. ¿Qué tipo de apacible y cálida incubadora había empollado a aquellos polluelos domésticos y domesticados, a Biotza entre ellos? Su pandilla, sus antiguos amigos le parecían una hidra de muchas cabezas con todos sus estúpidos reglamentos y compromisos y, de repente, encontraba ñoña y cursi aquella intimidad prosaica y habitual de las parejas bien de la que él participara hacía no tanto, y no le veía el sentido a aquel montón de seres tan parecidos entre sí y organizados de a dos. Hubieran podido revolverles a todos, redistribuir las parejas, adjudicar a cada uno un novio o novia nuevo, y probablemente Juan no se hubiera dado ni cuenta, tan uniformes le parecían todos: ellas con el mismo tipo cuidado y bien proporcionado, senos apenas insinuados, caderas y cinturas breves, media melena desflecada y teñida con mechas, joyas discretas pero caras, zapatos o botines de medio tacón y maquillaje en tonos beiges, y el mismo bolso o parecido, tipo mochila; y ellos, graves y apersonados, componiendo una mancha monocroma azul oscuro, pelo corto, mocasines, pantalones de raya planchada y jerseys de cuello redondo sobre camisas blancas o de rayas con un caballito bordado en la pechera. La mayoría estaban trabajando ya en puestos que habían conseguido gracias a la influencia de sus padres y hacían muchas bromas sobre la vida bohemia de Juan, sobre todo la pelma de Begotxu, a la que algún familiar irónico le había colgado el mote de *La Saladísima* con el que hasta entonces se había quedado, y cuya voz chillona y estentórea le chirriaba a Juan como si alguien le estuviera arañando una pizarra en los mismísimos oídos ¿Así iban a ser sus fines de semana en el futuro? Los sábados, cenas en grupo, conversaciones sobre fútbol, sobre programas de televisión y sobre habituales de las revistas del corazón. Los domingos, predecibles paseos matinales a través de las siempre predecibles calles de la ciudad, rondas de chiquitos, quizá una salida al cine de cuando en cuando. Juan atisbó una visión de vida matrimonial reglamentada, hecha de fingimientos y estrecheces morales, una comedia doméstica representada al metódico y puntual correr de los recursos y las horas, un opresivo compuesto de vidas mal avenidas. No, él no podía quedarse en Bilbao, no así. Vio más claro que nunca la necesidad de escribir una novela y publicarla para huir de esa vida monótona y tediosa que le acechaba agazapada en los rincones oscuros de las Siete Calles. No, él escaparía a esa condena, y sólo volvería a Bilbao si se convertía en un escritor de renombre, si podía mirarles con otros ojos, si podía contactar con otra gente, con otra vida.

Acabada la cena, y tras apurar la copa de rigor en un bar de pijos, Biotza le llevó en coche a Bermeo, como hacía siempre, y prometió ir a buscarle al día siguiente. Durante el trayecto él no habló mucho, y se excusó diciendo que, acostumbrado a la frugalidad de las comidas en la Residencia, la cena le había resultado pesada y le estaba entrando sueño. Mentía, pues desde que conoció a Ruth no había vuelto a cenar en la Residencia. Se iban de tapas por la zona de Huertas o a cenar en uno de los restaurantes japoneses que Ruth le había enseñado a apreciar, o sencillamente se iban al cine y no cenaban. Pensando en aquello, tuvo un ensueño recordando a la pelirroja, y aquel mar tranquilo que se le había antojado su espíritu en el tren, la calma derivada de su decisión de dejar a Ruth, empezó a moverse con leve ondulación y amenazar con convertirse en borrasca. Al llegar a Bermeo, el mar estaba definitivamente picado, y olas encrespadas lo surcaban cuando se despidió de Biotza, con un apresurado beso en los labios y los ojos bajos y esquivos.

La mañana siguiente se la pasó procurando evitar a su madre, que le perseguía por la casa intentado inútilmente propiciar una conversación larga de madre a hijo para poder sonsacarle el porqué de su cambio de actitud. Que le veía raro, le decía, tristón, taciturno, arisco, descontento. Él insistía en decir y repetir que era el mismo de siempre. Después de comer vino a buscarle Biotza, para llevarle a dar una vuelta por Mundaka, pero él quiso pasear antes con ella por el malecón, porque tenía el antojo sentimental de ver Izaro y la estatua de la Lamía por última vez. Mientras avanzaban por el rompeolas cogidos de la mano, Juan se fijó en la placa que había sobre una de las piedras, y que recordaba el nombre de un chico al que una ola había arrastrado y había muerto ahogado. Era común en el pueblo que las parejas jóvenes se fuesen a hacer el amor entre los bloques de piedra del malecón, que siempre estaban desiertos y oscuros, y quiso la mala suerte que aquella noche el mar se picara tantísimo y se llevara al chico por delante. Su novia aún no se había recuperado del trauma, o eso era lo que decía Carmen, dejando entrever en el tono de la voz que bien se tenía merecido aquella fresca lo que le había pasado. Juan nunca había encontrado nada poético en aquella muerte, pero de pronto se dio cuenta de que aquel incidente, que reunía en un solo acontecimiento al mar y a Eros y Tánatos, era profundamente simbólico, y se le antojó la metáfora perfecta de su relación con Ruth. Y es que temía tanto a Ruth, a la pasión, porque sabía que, si se zambullía en ella, acabaría por arrastrarle irremisiblemente hacia su fondo.

En Mundaka hizo el amor con Biotza en un hotel coqueto que figuraba en las guías de hotelitos con encanto y al que solían acudir cuando querían estar juntos, y todo el tiempo se le vino a la cabeza la placa con el nombre del chico al que se llevaron las olas en semejante situación, mientras él seguía estrellándose contra Biotza con blanda ferocidad, en un acto ritual en el que los cuerpos obraban por costumbre, cuando un hombre y una mujer están a mil kilómetros de distancia de su propia carne. Biotza sólo había sido suya, de nadie más, él lo sabía, y bien que le había costado seducirla, había tardado mucho tiempo en acostarse con ella, casi dos años después de que empezaran a salir. De haber tenido que definir a Biotza con una sola palabra, ésa habría sido «mía». El hecho de haber sido su único amante debería unirle a ella, pero no le unía en absoluto. No es que Biotza fuera exactamente mala en la cama. De hecho mostraba un entusiasmo sorprendente en una chica tan convencional, y era muy cariñosa, pero apenas hablaba, ni se reía, y se tomaba todo el asunto con una seriedad trascendente que en el pasado nunca había molestado a Juan, pero que ahora le incomodaba. Lo que de verdad la diferenciaba de Ruth es que con Biotza no perdía nunca la conciencia de lo que estaba haciendo. Con Ruth, Juan se dejaba llevar y se sentía en manos de algo más fuerte que él mismo, de una voluntad superior, como enajenado, mientras que con Biotza el asunto era mecánico, un ejercicio gimnástico tantas veces repetido, muy agradable, eso sí. Cuando terminaron, Biotza apoyó la cabeza en su pecho y se quedó muy callada, mientras él miraba al techo y le acariciaba el rubio y sedoso pelo, sin encontrar nada agradable que decir. No se atrevía a abrir la boca porque pensó que todo sonaría falso. Al día siguiente volvía a Madrid, y no sabía cómo se las iba a arreglar para permanecer en la misma ciudad en la que vivía Ruth sin ceder al impulso de llamarla.

A la mañana siguiente, Biotza le llevó de vuelta a la estación en su coche. Carmen había querido acompañarles, pero Juan la había disuadido. Por fin, Carmen accedió a quedarse en Bermeo pensando que Juan quería despedirse a solas de su novia, y ni siquiera se le ocurrió imaginar que Juan no quería alargar más de lo necesario el tiempo de estar cerca de su madre y sometido a su mirada inquisitiva. En la estación, la voz monótona de Biotza devoraba cada uno de los minutos que le quedaban desgranando deberes y obligaciones: «llámame, no te olvides de escribirme, recuerda que te tienes que comprar un traje para la boda de Bego, mira escaparates por allí a ver si ves algo que te gusta...», y así, en la despedida, la intensidad del momento se arruinó en detalles vulgares. Cuando vieron aparecer la silueta del tren que se acercaba, se dieron un último beso. Fue un abrazo torpe, apenas un rápido y breve acercamiento. Juan se separó y se quedó mirándola un instante. Biotza se secó una lágrima con el dorso de la mano. Él subió al vagón y ella se quedó en el andén, de pie, esperando a que el tren se pusiese en marcha. La última imagen de Biotza que Juan se llevó era la de una frágil chiquilla delgada, anémica, pálida, descarnada, una criatura mansa y recogidita que agitaba desmañadamente la mano y que se iba empequeñeciendo por momentos.

Resultaría obvio para el lector concluir que Juan ya no estaba enamorado de Biotza, pero si el lector estuviera en la posición de Juan, ya no le resultaría tan obvio. Al fin y al cabo, la vida resulta mucho más fácil de escribir que de vivir. Juan sentía por su novia un cariño inmenso, la necesitaba porque Biotza representaba una superestructura y un orden que Juan amaba y respetaba. Pensaba Juan que si se hacía un escritor de éxito y se llevaba a Biotza a Madrid, la vida sería más fácil, pues él no se sentiría oprimido y aburrido como en aquella ciudad de provincias, en la que las actividades culturales escaseaban tanto en contraste con Madrid. Y con el apoyo de Biotza, con su presencia constante, iría poco a poco olvidando a Ruth. Existen muchas clases de amor, se dijo Juan, y la pasión es sólo una manifestación entre tantas. Nunca sentiría pasión por Biotza, pero tampoco sufriría nunca por ella, ni le atormentarían los celos, ni se sentiría inseguro, ni tendría que andar con pies de plomo para procurar no incomodarla y, sobre todo, no se tendría que enfrentar con su madre a causa de ella, porque su madre adoraba a Biotza, y, Juan estaba seguro, nunca hubiera congeniado con Ruth, no sólo porque Ruth tenía casi diez años más que él, sino porque no era en absoluto el tipo de mujer que a su madre podría gustarle. No, con Biotza la vida sería tranquila, y lo que Biotza no tenía —nervios, emoción, vida, energía, carne, sangre— se lo daría la Literatura. Entonces pensó en Ruth —sus nervios, su emoción, su vida, su energía, su carne, su carne, su carne, su piel, su sangre, el rojo de su espíritu, de sus labios, de su sexo, de su pelo—, pues no podía, aunque quisiera, dejar de pensar en ella. Quizá nunca podría. Quizá sí fueran ciertos aquellos viejos versos del de Villamediana… *Amor no es voluntad sino destino*. Pero él no quería creer eso. Él quería amar a Biotza, no quería amar a Ruth. Y en tanto él lo creyera, ¿qué importa que lo cierto no lo fuera? No, por favor. Más versos no. Y menos de Campoamor.

RUTH EN SAN VALENTÍN

El 13 de febrero Ruth se despertó a las once y se encontró sola en un piso inusualmente frío y silencioso. Aquella noche apenas había pegado ojo. Juan se había ido a las cinco de la madrugada, con la excusa de que tenía que preparar la maleta, aunque Ruth sabía perfectamente que no se había querido quedar porque no le había gustado nada enterarse de aquella parte de su pasado. Qué inútiles explicaciones, qué absurdas, qué infantil improvisar una excusa plausible a las cinco de la madrugada, qué infamante fuga apresurada y qué obvios el balbuceo de la voz, el temblor de las manos, la brusquedad de la partida, el carraspeo nervioso, la sonrisa tan falsa al despedirse, el rictus amargo dibujado en las comisuras de la boca que no lograban del todo curvarse hacia arriba... Qué torpe, qué deprimente despedida. *Una despedida es un éxtasis, una insensata fiesta de la desdicha.* Después Ruth había pasado la noche en semivigilia, entre sueños convulsionados que se interrumpían cada dos por tres. Los nervios se le insubordinaban y el cerebro le funcionaba en sueños con extravagante viveza, reproduciendo y distorsionando momentos de la conversación de la noche, de manera que Ruth sentía cómo le oprimían extrañas imágenes de un Juan deformado, apelotonándose apretadas y obstruyéndole el interior de la cabeza, que amenazaba con estallarle de un momento a otro. Intentando deshacerse de aquella amarga carga, Ruth se retorcía y se agitaba en sueños: en un momento se encontraba en su cama, pero su cama deformada, su propia cama reimaginada en un espacio onírico, para pasar inmediatamente después a estar de nuevo en la misma cama, pero esta vez en la cama real, de forma que a veces no sabía bien si se encontraba en sueño o en vigilia. ¿Cuál era la realidad y cuál la fantasía? ¿Cuál la cama visible, cuál la invisible? Se estaba volviendo loca. ¿Hasta cuándo perduraría en sus labios el sabor de otra saliva, la tibieza de otro cuerpo en las yemas de los dedos, la mirada de otro en las pupilas?

Once de la mañana. Un apagado ruido de automóviles subía desde la calle. Fuera, la vida seguía y miles de personas iban y volvían, buscándose, pero en la habitación de Ruth el tiempo parecía haberse detenido. A través de la ventana se veía un trocito del cielo de Madrid, y Ruth fue dejando pasar las horas, cuyo avance no notaba, viendo cómo la propia mañana se pasaba la mañana tan triste como ella, oscureciéndose poco a poco. Se le ocurrió abrir las ventanas para ventilar un poco la habitación, pero pensó que hacía demasiado frío como para pensarlo siquiera. Los dientes le castañeteaban, quizá no sólo por el frío, sino también a causa de la angustia, esa sensación de abandono y culpabilidad salvajes, como si se le alojase un dragón con garras en la respiración. Juan se había marchado y era probable que no volviese más, y esa idea le retumbaba en la cabeza como una jaqueca. Como se sentía muy mal —destemplada, desorientada y triste—, se arrebujó entre las sábanas de nuevo, sin conseguir volver a dormirse, y allí se quedó, hecha un ovillo, sobrecogida por la angustia, replegada en sí misma, con los huesos helados, indiferente a todo lo que no fuera memoria de Juan y tan inmóvil como la misma presencia del recuerdo.

Sobre las dos se decidió a llamar a Pedro, pensando que quizá el sonido de una voz amiga la relajaría. No se animó a contarle nada de lo que le atormentaba, ni la discusión de por la tarde, ni la confesión de por la noche, ni la cara atónita de Juan, ni la fría despedida de la madrugada. No le contó nada porque Ruth detestaba las confidencias, ya que le llevaban al conocimiento de sí misma y desataban toda suerte de terrores. Si hablaba de lo que le afectaba profundamente, se arriesgaba a desenredar el hilo de Ariadna, porque cada recuerdo enlazaba con otros recuerdos y asociaciones, y alguna vez el camino conducía a episodios que había enterrado hacía tiempo y que no quería recordar. En general Ruth escuchaba las historias de los demás, pero no contaba las suyas excepto en clave, a través de la cámara. Por eso su conversación solía ser tan frívola e irónica. Pero si aquella mañana hubiese dejado entrever apenas un tercio de un tercio de la profundidad de su desesperación, Pedro podría haberse dado cuenta de lo hundida que estaba en la fosa del sufrimiento, y tal vez hubiera hecho algo, invitarla a salir o llevarla a casa, o le hubiera organizado él mismo una cena de san Valentín, pero Ruth le evitó la molestia haciéndose la graciosa e ironizando sobre su terror a la llegada de la fatídica fecha («san Calentín», lo llamaba ella), de forma que Pedro no llegó a saber lo mal que se sentía Ruth.

Después marcó el número de Sara, a la que hacía tiempo que no veía. Mientras esperaba a que la comunicación se estableciese, pensó en que no sabría qué decirle. Para ponerla al día de todos los acontecimientos sucedidos en su vida en el último mes necesitaría más paciencia y mejor humor del que tenía aquella mañana. La voz mesurada de su amiga, grabada en el contestador automático, la envolvió en una oleada de recuerdos agridulces. La había querido tanto, en su día. Llegó a pensar en algún momento que una de las razones de su fuga a Londres había sido, precisamente, la necesidad de alejarse de Sara, de ese sentimiento indefinible que le inspiraba y al que no sabía cómo hacer frente. Pero de eso hacía mucho tiempo. Sara pesaba ahora cinco kilos más, trabajaba en una agencia de publicidad y veía a Ruth muy de cuando en cuando, y Ruth ya no sentía por ella más que un cariño muy fuerte, alentado por el impulso del recuerdo más que por ningún tipo de afinidad real. Todo pasa, se dijo Ruth, todo pasa, hasta las procesiones de Semana Santa, y algún día esta angustia que siento también se pasará. Pero una voz interna le respondía que las cosas no eran tan simples. Juan pasaría, aquella herida se cauterizaría, quedaría apenas la sombra de una cicatriz, pero la angustia, como un virus interno, como una enfermedad degenerativa, no tenía visos de curarse nunca.

Por fin se decidió a levantarse en busca de un tipo de ayuda al que hacía mucho tiempo que no recurría, y prácticamente se arrastró hasta el cuarto de baño. En el armario situado bajo el lavabo había una vieja caja de cartón en la que Ruth almacenaba medicamentos: jarabes para la tos, frenadoles, aspirinas, alka seltzers, almax, nolotiles, ibuprofeno, óvulos vaginales, polaramines… Ruth revolvió frenética hasta que encontró la caja de lexatines que andaba buscando. En su día se los recetaba el médico del seguro. Bastaba con presentarse en la consulta y decir que estaba estresada y que no podía dormir, y aquel señor de bata blanca, con pinta de necesitar las pastillas mucho más que ella (no había más que echar una ojeada a la ingente cantidad de señoras marchitas que se arracimaban en la sala de espera para tenerle lástima al médico), le extendía una receta sin preguntar mucho más. Había también allí dos cajas de orfidales que le había dado Pedro tiempo ha, cuando vivía en Augusto Figueroa, y que Pedro a su vez había recibido de Luis, quien, en un momento de inspiración mística, había decidido desprenderse de sus psicotrópicos convencido de que tanto a él como al novio noruego, o finlandés, o sueco, o lo que fuera, los tranquilizantes les impedían comunicarse de forma trascendente con su propio interior. Ruth abrió la caja de lexatines y extrajo una lámina de plástico plateado que contenía veinte pastillas, cada una dentro de una celdilla de celofán. *Fee foo fum, now I'm bothered, now I'm numb,* repitió para sí misma. Las pastillas le ayudarían a sepultar el recuerdo de Juan bajo una piadosa manta de nada. Extrajo dos orfidales y se los metió en la boca convencida de que así podría dormir, lo único que en ese momento le apetecía hacer. Quería sumergirse en un letargo sin sueños, en esa paz en blanco, sin imágenes de ningún tipo, que sólo las pastillas podían proporcionarle, para borrar el recuerdo que le golpeaba como un puño en el estómago.

A lo largo de su vida había entrado y salido de varias terapias como a través de puertas giratorias. En Londres había formado parte de un grupo de terapia integrado exclusivamente por mujeres. Le gustaba aquella experiencia de intercambio, aunque sólo fuera por escuchar las historias de otras personas y convencerse, por contraste, de que su vida era maravillosa y no el horror que ella había pensado que era, pero decidió dejarlo por la eterna razón de siempre: porque Beau lo pagaba. Después, cuando ya no vivía con Beau, estuvo visitando a una psicoanalista lacaniana, pero apenas aguantó cuatro sesiones, entre otras cosas porque, por muy bien que Ruth hablara en inglés e incluso soñara en esa lengua, le resultaba extraño hablar de lo más íntimo de sí misma en una lengua que no consideraba su primera lengua, pese a que el inglés fuera, en el sentido más estricto de la palabra, su lengua materna. La gente remarcaba a menudo lo sorprendente que resultaba que Ruth hablara tan bien el inglés, casi sin acento, lo que le llevaba a Ruth a pensar que probablemente ella había escuchado el idioma en la primera infancia, ya que los lingüistas aseguran que después de los cuatro años resulta casi imposible aprender a la perfección un idioma, e incorporar al habla con exactitud fonemas que no se hayan aprendido en la niñez. Estaba prácticamente segura de que su madre, cuando vivía, se había dirigido a ella en inglés, pero, por más que se esforzaba, no conseguía recordarlo. Quizá lo del idioma no había sido más que la excusa para abandonar una terapia que le daba miedo, quizá no quería saber demasiado de sí misma, quizá quería y no quería a la vez. La «otra» que ella era le intrigaba lo suficiente como para querer iniciar una autoindagación, y luego le inspiraba tanto miedo como para no querer continuarla. Miedo, pero no terror, puesto que cuando regresó a Madrid volvió a querer saber de la «otra», y empezó a visitar a una psicóloga a la que dejó cuando empezó a insistir demasiado en el pasado de Ruth como *escort*. La psicóloga se empeñaba en catalogar de pulsión autodestructiva lo que Ruth veía como todo lo contrario: no había hecho aquello para hundirse a sí misma, sino por sobrevivir.

Para atreverse a dejar a Beau, para reafirmarse en su eterna vocación de escapada, Ruth utilizó, como suele suceder, a otro amor como palanca. El afortunado fue el camarero del único pub del barrio —la zona en la que vivían, cerca de London Bridge, no constituía precisamente un prodigio de vida social—, un chico de Dundee que se parecía a Carlos Larrañaga en su juventud y que probablemente fue elegido por ser el que más a mano estaba, ya que la mayoría de los conocidos de Ruth eran amigos de Beau, y Frankie (que así se llamaba el sosias de Larrañaga) era uno de los pocos hombres en Londres a los que Ruth había conocido sin intercesión de su novio. Desde el primer día en que Ruth se presentó al pub sola se dio cuenta de que al chico le gustaba, porque prácticamente recorrió la barra como una exhalación para darle palique. No era común en ella acudir a bares sin la compañía de Beau, no por una cuestión moral, sino porque era tímida y no le gustaba estar sola en sitios públicos, pero aquella tarde se había enfadado con Beau por culpa de una nadería sin importancia. Beau había llegado ya enfadado de una sesión de grabación que se había alargado más de lo previsto y pagó su mal humor con Ruth porque no encontraba sus gafas, así que ella le dijo que bajaba a dar una vuelta y que volvería en media hora a ver si lo encontraba más calmado. A Ruth le halagó mucho el evidente interés que el camarero demostraba por ella y aceptó la invitación a una segunda cerveza, y así tardó en regresar a casa la media hora prometida más una hora de propina, con lo que no sólo no encontró a Beau de mejor humor que antes, sino que lo halló más enfadado si cabía. A aquella primera cerveza le siguieron más cervezas, y al mes ya creía Ruth estar enamoradísima de Frankie. Para abreviar, podemos resumir la historia en dos líneas y media: Ruth dejó a Beau y se fue a vivir con Frankie, y a los dos meses Frankie la dejó a ella o ella le dejó a él, no quedó muy claro quién había tomado la decisión, pero sí fue evidente que no funcionaban juntos.

Pensó entonces en regresar a Madrid, pero en aquellos tres meses con Frankie había empezado a atisbar lo que podía ser la vida en Londres para una soltera, y le apetecía vivir la experiencia. Encontró entonces trabajo como dependienta en una tienda de ropa. El sueldo era bastante bueno para lo que se pagaba normalmente en trabajos de ese tipo, casi diez libras la hora, pero resultaba irrisorio comparado con las cantidades que ella, viviendo con Beau, acostumbraba a manejar. Por lo menos, la tienda se hallaba en Oxford Street, justo al lado del Soho, lo cual no estaba nada mal porque siempre podía ir a tomar algo al salir, aprovechando que había hecho una amiga, otra dependienta de la tienda, Sonia, que también era española, y en cuyo apartamento estuvo acogida una temporada cuando se separó de Frankie. Sin embargo, el horario era una locura, no tenía ni pies ni cabeza. Cada día entraba Ruth a una hora diferente, y hasta el sábado no se podía saber ni el horario ni los días libres de la semana siguiente, con lo cual resultaba imposible planear nada. Además, a veces le tocaba hacer turnos de hasta diez horas con un solo día libre a la semana. Por supuesto, todo lo que pasaba de cuarenta horas semanales lo pagaban como horas extras, pero aquello no era vida. No hacía más que pensar en la manera de encontrar otro trabajo, ¿pero cuál? Tuvo entonces que reconocerse a sí misma que aparte de ser mona y simpática no había hecho gran cosa en la vida. Además, necesitaba dinero si quería buscar un piso por su cuenta, porque no podía quedarse mucho más tiempo durmiendo en el sofá de Sonia, puesto que en aquel piso ya vivían tres personas más, a las que, como era de esperar, no les hacía particular ilusión tenerla por allí. Entonces fue cuando, hojeando el periódico en las horas muertas de la tienda, reparó en el anuncio.

Escorts wanted. We look for young women, good looking and open minded. Knowledge of languages desirable. No hizo de *escort* durante mucho tiempo, pero nunca se arrepintió de haberlo hecho. No recordaba nombres ni rostros, ni miradas, ni gestos, ni paisajes perdidos, ni caminos antiguos. Besos indiferentes, entregas concertadas, cuerpos que le servían de espejo, desdeñosas renuncias, tristes impotencias, besos que no dejaban en sus labios sino olvido, heridas fácilmente restañables, inconfesables historias de ingles dolidas y sexos abatidos, efímeras promesas de señores que decían querer a una mujer y a unos hijos a los que no querían. En cualquier caso, ¿para qué pensar en ello o sentirse culpable, si no había caminos de regreso, si no había inocencia hacia la que volver los pasos o los ojos? No pensaba ensayar golpes en el pecho ni actos de contricción, no pensaba redactar propósitos de enmienda ni ceñirse cilicios reales o imaginarios. No creía en penitencias ni en ayunos ni en oraciones. No pensaba afirmar que equivocó el camino, abjurar del recodo o el desvío en que sus pasos se perdieron. No tenía por qué implorar la comprensión de otros alegando que fue víctima de las circunstancias. No pensaba mentir. Ya no le quedaba sitio en el corazón para el orgullo o la vergüenza respecto a aquella época. Durante mucho tiempo, hasta la noche anterior, había desgajado aquellos días de la memoria, no habían dejado impronta ni hueco ni huella. No, no había sido para tanto, casi ni se acordaba, no tuvo importancia. Nada tuvo importancia excepto el nombre que eligió: Margaret.

La mujer que la contrató, la intermediaria entre su cuerpo y sus clientes, insistió mucho en ese punto: nunca utilices tu verdadero nombre y nunca, nunca, bajo ninguna circunstancia, accedas a verlos fuera del trabajo. Margaret, la otra, la más otra entre las otras, supo triunfar fácilmente y con cierto donaire en las situaciones penosas que le creó alguna vez ocupación tan irregular, que Ruth veía como el primer paso en el camino de una mudanza moral e intelectual, la preparación para una vida nueva, en la que consiguiera, por fin, cierto control sobre su propia persona. El sexo se convirtió en una tarea cumplida con eficiencia, a pesar o al margen del placer. Aun en los casos más tristes y forzados había extraído de aquello una fuerza, una sensación de control y de orgullo, incluso en las ocasiones en las que más necesario se hizo exagerar el cinismo y la torcedura de la sonrisa. En el momento en que empezó a tener dudas, en el que sospechó que algún día podía darse asco a sí misma, lo dejó. Había ganado dinero, habia conocido a gente interesante y había aprendido mucho sobre el mundo, sobre los hombres y, principalmente, sobre la otra.

Pero eso era algo que la psicóloga no quería entender. No quería entender que la angustia de Ruth, su insomnio, su miedo a la gente, nada tenían que ver con aquellos meses en los que Ruth hizo, seamos sinceros, de puta de lujo. De todas formas, ¿qué podía saber una doctora que se conformaba con extenderle recetas de pastillas como quien estampa un sello en el pasaporte hacia la felicidad? De la doctora poco le había quedado. Más dudas aún sobre sí misma y dos cajas de lexatines.

Quería desaparecer. Se tragó con un sorbo de agua del grifo las dos pastillas que alumbraban con mortecina y parpadeante luz la oscuridad de aquel funesto día y regresó a la cama. Durmió sin soñar, horas en blanco, fuera de cualquier mundo, hasta la mañana siguiente.

El 14 de febrero amaneció como un día primaveral encajado por sorpresa en el último mes del invierno. Aquel día tan hermoso, con un sol tan claro y brillante, parecía haber sido creado expresamente como tormento para los solitarios. Ruth no se molestó siquiera en bajar para comprobar el correo porque sabía que no recibiría regalo ni postal alguna. Acostumbrada a su vida en Londres, donde se concedía tamaña importancia a la llegada de una valentina[1], la certeza de que nadie se acordaría de ella le envenenó la sangre, y se pasó la mañana ovillada bajo las sábanas, sorbiendo sus propias lágrimas. Cuando por fin, hacia el mediodía, se levantó, lo primero que hizo fue dirigirse a la estantería del salón en busca de una vieja guía de Euzkadi que el gobierno vasco le había hecho llegar en su día en virtud de vaya usted a saber qué promoción de turismo rural, y se entretuvo buscando Bermeo, el pueblo culpable, en el mapa. Emplazarlo geográficamente, apenas un pequeño puntito cercano a otro punto más grande que era Gernika, no le hizo sentirse mejor. El punto en el

---

[1] Valentine: una postal expresamente diseñada para que se reciba por san Valentín. Debe ser anónima, y se envía como mensaje de amor. Lo normal es que el remitente sea un enamorado, pero también puede enviarla un familiar o un amigo íntimo.

mapa parecía anunciar una leve brisa, un viento apenas perceptible, pero curiosamente persistente, como el heraldo de un invierno-infierno intenso.

Por fin, a las doce de la noche, se decidió a salir sola por primera vez en años. No había comido en todo el día. Me felicitaré san Valentín a mí misma, se dijo. Recuperó su atuendo habitual prejuan —botas, vaqueros, camiseta y cazadora de cuero—, se recogió la melena en una coleta y bajó a buscar un taxi.

A la deriva por los largos pasillos de la ciudad, aturdida por su rumor de colmena, Ruth perseguía un deslustrado grial peregrinando por bares sin luz en los que personajes derrotados se arrastraban, con las espaldas dobladas por el peso de sus sueños aplastados. Hizo el recorrido por los bares de Chueca que en otro tiempo frecuentara con Pedro (el Star´s, La Bohemia, el Truco, el Mito´s), y como si se tratara de las estaciones de un vía crucis, se bebió una copa en cada uno de ellos. Notaba cómo la reconocían al entrar, los cuchicheos y las risitas nerviosas, los codazos, las miradas impertinentes, incluso hubo alguien que se acercó para pedirle un autógrafo y a quien Ruth despachó con un garabato apresurado y cierta dignidad de princesa ofendida aunque un poco borracha.

Por último acabó en el Escape[2], curda perdida.

En la pista había gran cantidad de bailarinas, algunas de ellas bastante bonitas. Ruth se sentó al lado de la barra en un taburete cojo, que se tambaleó en cuanto Ruth plantó allí sus reales, comunicándole la sensación de que de un momento a otro podía perder el equilibrio y aterrizar en el suelo. Estaba congestionada y tenía mucho calor. Se quitó un poco el sudor con la palma de la mano y le pidió un *gin tonic* a la camarera, que le dedicó una amplísima sonrisa de dientes alumbrantes. Otra que la había reconocido. Cuando la chica regresó con la copa, que no le quiso cobrar, Ruth la apuró en tres tragos. Su existencia, en equilibrio inestable sobre aquel taburete, se le antojó de pronto tan vacía como el vaso. Por el contrario, las bailarinas de la pista inundada de luz, que parecían tan contentas y tan deseosas de exorcizar mediante la danza y la música todas sus preocupaciones, se constituyeron en la imagen de una felicidad inaccesible.

---

[2]   Un bar «de ambiente» de la zona de Chueca, presuntamente mixto, pero frecuentado sobre todo por mujeres.

Una de ellas, de una delicadeza y una elegancia increíbles, parecía más esbelta y más alta que las demás. Ruth la contemplaba con el embeleso de una niña frente a una muñeca cara y lejana que se expusiese en un escaparate, como si en toda su vida no hubiese visto nada tan puro, tan poco real. La chica se dio cuenta de que Ruth la observaba. Pareció complacida y le dedicó a Ruth una sonrisa amable. Ruth se sintió a punto de desmayarse y tuvo que asirse a la barra: el alcohol y el cansancio empezaban a hacerse notar. En ese momento le sobrevino una arcada. Se levantó como bien o mal pudo y se precipitó hacia el cuarto de baño, sin darse cuenta de que la chica la seguía.

Los acontecimientos se sucedieron en un confuso torbellino. De alguna manera Ruth llegó al cuarto de baño gracias al apoyo de la desconocida, inclinó la cabeza sobre la taza del váter y, sostenida por la otra, que la ayudaba a mantener el equilibrio, vomitó.

La muchacha colocó suavemente la mano sobre la frente de Ruth.

—¿Te encuentras mejor? —aquella chica alta y delgada se convirtió, inclinada sobre Ruth, en una especie de hada doliente, y a Ruth le pareció que la insólita dulzura de su voz le quemaba por dentro, que sólo esa voz podría remansarle la sangre—. Vamos, relájate, ya está.

Ruth salió de la cabina apoyada en el hombro de la desoconocida, varios centímetros más alta que ella, y eso que Ruth era alta. Se le ocurrió que la chica debería de ser jugadora de baloncesto. O quizá modelo. No, tenía las caderas demasiado anchas. Se enjuagó la boca en el lavabo y escupió el sabor amargo del regusto de su propio vómito y de su insatisfacción. Frente a ella su propia imagen, en el espejo, pálida como un fantasma, le devolvía una mirada desvalida. Y de repente, la vanidad la arrancó de las fauces de la indiferencia. Era guapa, seguía siendo guapa. Con los ojos brillantes a causa de las lágrimas rotas de su fondo, con las mejillas encendidas y el pelo revuelto, aún seguía teniendo algo, un resabio de juventud y de belleza, pese a la edad y a la borrachera. Algo que Juan no apreciaba. Pero quizá aquella chica sí. Volvió la cabeza para mirar a la desconocida que seguía a su lado con una expresión de ansiedad dibujada en su cara. Sí, se trataba de una chica guapa, tan guapa como la había intuido en la pista. Tenía los ojos negros y radiantes, con un rescoldo de brillo en el fondo, y las ojeras que los subrayaban no sólo no la afeaban en absoluto sino que le conferían al rostro un aire interesante, de persona vivida. Parecía muy interesada por el estado de Ruth. La pelirroja se preguntó por la razón que habría llevado a aquella chica a socorrerla. Quizá fuera buena persona, quizá intentaba ligar, quizá sabía quién era Ruth. La imaginaba hablando con sus amigas a la mañana siguiente desde el teléfono del despacho de la oficina de seguros o la inmobiliaria en la que trabajaría. «¿A qué no adivinas a quién tuve que ayudar anoche a vomitar en el cuarto de baño del Escape, curda perdida?» Resultaba repugnante, tan asqueroso como su propio vómito, pensar en algo así, pero cosas parecidas ya le habían pasado antes. ¿Cuánta gente iba por ahí contando que se había acostado con ella, o que había compartido con ella medio gramo de coca en un *chill out*, o que la había visto mear en plena calle a la salida de una fiesta? Desde que se hizo famosa parecía que toda su vida, la del presente y la del pasado, quedaba a disposición de una masa anónima, informe y ansiosa por conocerla en todos sus detalles. Cualquier desconocido podía ser un espía encubierto, un enemigo potencial.

—Gracias, muchas gracias —acertó a murmurar Ruth con voz deshilada y triste—. Creo que tengo que irme a casa.

Había estado tentada de proponerle algo a la morena. Quizá tomar otra copa o buscar otro bar, pero no se atrevió. Salió como pudo del local, se subió al primer taxi que encontró en la plaza y repitió como un autómata la dirección de su casa. En el camino, las palabras de Anne Sexton le tamborileaban en la cabeza. *What kind of life is this?...* Las calles de Madrid era estrechas y oscuras, y Ruth sabía que recorriéndolas recorría a la vez la estrecha senda que lleva desde el pánico hasta la autodestrucción. *Fee, foo, fum, now I´m bothered, now I´m numb.* Cuando el taxi se detuvo frente a su casa, revolvió en su monedero en busca del cambio, pero iba tan borracha que las monedas le resbalaban entre los dedos. Entonces sus ojos se cruzaron con los del taxista, reflejados en el cristal del espejo retrovisor, y creyó adivinar un brillo reprobatorio en ellos. ¿La habría reconocido? Te estás volviendo paranoica, pensó.

A trompicones subió las viejas escaleras, tropezando varias veces. Cuando llegó a casa la ausencia de Juan se hizo tan evidente como si hubiese dejado la huella de su cuerpo impresa en el lado de la cama que solía ocupar. Y fue entonces cuando a Ruth le asaltó la idea del suicidio. O, para ser más exactos, no fue tanto que «le asaltó» como que, más bien, le pareció haberla tenido desde siempre, como un pequeño dolor de estómago del que se hace caso omiso hasta el día en que se descubre, demasiado tarde, que se trataba de apendicitis. El esfuerzo de sobrevivir un solo día no le suponía ninguna carga, pero la idea de tener que sobrevivir los treinta, cuarenta, quizá cincuenta años que le quedaran de vida le resultaba agotadora.

Pensó que gracias a la borrachera se quedaría dormida de inmediato, pero no fue así. Para su sorpresa, el sueño no acudía a pesar de sentir ese mareo pesado y esa tensión en la sien que suelen preceder a la modorra de borrachera. No hacía sino acordarse de Juan. Sentía un frío espantoso en los huesos y en el corazón. Al cabo de un rato, harta de batallar contra las imágenes de Juan que el silencio y la oscuridad convocaban, se levantó y se dirigió al ordenador. Lo encendió y entró en Internet. Cuando el servidor confirmó que se había establecido la conexión, seleccionó un buscador y tecleó la palabra «suicidio». Aparecieron cientos de referencias, y las rastreó con el mismo ahínco con el que un perro de caza persigue a su presa. Se detenía a leer cada una de las que versara sobre una historia de suicidio real, con la esperanza de que el tema le diera miedo, que la sordidez de los detalles resultara disuasoria, pero resultó que esa atmósfera de autodestrucción le resultaba acogedora, casi hechizante. Apagó el ordenador. No había leído más que tres o cuatro de las referencias señaladas. Decidió irse a dormir, pero tumbada en la cama se dio cuenta de que le era imposible conciliar el sueño. Otra vez se levantó y se dirigió al salón.

En las estanterías buscó un libro que hacía tiempo no consultaba. Ni siquiera sabía si lo conservaba, porque lo había comprado hacía casi quince años, cuando estudiaba Historia del Arte. No, no podía haberlo perdido porque se trataba de un libro muy caro y difícil de encontrar. No era un libro que Ruth pudiera haber prestado a la ligera o tirado en cualquier mudanza. Pero a saber dónde podría estar en el caos de libros polvorientos que se acumulaban en aquel cementerio de letras muertas. El hecho de que apareciera enseguida, de que prácticamente se materializara ante sus ávidos ojos, le pareció una señal, una orden de lo invisible. Se trataba de un libro sobre Artemisia Gentileschi[3-4]. Ruth fue

---

[3]   Artemisia Gentileschi (1593-1652), hija y discípula de Orazio Gentileschi. Activa en Roma, Florencia y Nápoles. Elegante, casi neoclásica, su pintura es famosa por su acento en el tratamiento claroscurista y su inclinación a los temas trágicos y de tensión emotiva.

[4]   Una interesante reinterpretación/deconstrucción de los suicidios y decapitaciones de Artemisia Gentileschi se halla en la obra de Javier Carpintero (Zamora, 1967).

hojeando páginas: Salomé con la cabeza de san Juan, Judit con la de Holofernes, Lucrecia clavándose un puñal en un seno blanco, redondo, perfecto, de los que imitan las copas de champán, Lucrecia palpándose el pezón como quien se masturba, con una expresión tal de placer concentrado en su rostro que cualquiera desearía ser puñal, ese falo dominado por la mano de Lucrecia, falo sin soporte, sin sentimiento, sin hombre tras de él que pueda estropear el momento perfecto del último placer, del placer supremo, de la perfecta fusión entre Eros y Tánatos. Y, por fin, llegó la lámina de Cleopatra, desnuda, perfecta, hermosa, yaciente, la expresión orgásmica de tranquilidad y gozo absolutos, sujetando al áspid, la serpiente, el sexo, el pecado, justo a la altura del pubis, en ese momento intensamente erótico en el que el ser se despide de su soporte, pues ¿qué es un orgasmo sino una imitación de la muerte, un abandono temporal del cuerpo que imita al abandono definitivo, el anhelo de la materia cansada que ansía dejar de pertenecerse a sí misma? Orgasmo, muerte, huida de la materia, urgencia por dejar de ser y de sentir, pensamiento sin cuerpo, espíritu por fin libre, separación entre forma y ser, continente y contenido, ser allí, pero no aquí, no aquí donde morimos, donde nos mueren, donde nos matamos; y en un cuadro, en un orgasmo, en una *petite morte*, el deseo de muerte se mostraba con certeza, con convencimiento.

JUAN REGRESA A MADRID

Cuando Juan regresó a Madrid se había prometido a sí mismo dos cosas: una, no llamaría a Ruth de ninguna de las maneras. Dos, se concentraría en su novela y dedicaría un intenso esfuerzo diario a acabar el borrador. Se había propuesto a sí mismo una especie de plan estajanovista consistente en que escribiría al menos cinco páginas diarias y no se levantaría de la mesa de trabajo hasta haberlas terminado. Pero no había manera: el primer propósito interfería en el segundo, porque tener que recordarse que no debía llamar a Ruth sólo conseguía que pensase en ella cada vez más, y el recuerdo de Ruth le impedía concentrarse satisfactoriamente en el trabajo. Por extraño que para él mismo fuera, la vida con Ruth había adquirido en apenas un mes el carácter de rutina, y le resultaba extremadamente difícil desacostumbrarse, no planificar las tardes en función de la pelirroja, no dormir, no despertar a su lado.

No entendía qué pasaba con los días. De pronto la novela no tenía sentido, y lo que antaño le pareciera una propuesta innovadora e interesante ahora le tentaba a considerarlo como apenas un montón de páginas sin valor que le sonaban peligrosamente a refrito de argumentos ya leídos. Y aunque al principio ni sabía que extrañaba a Ruth, experimentaba un malestar vago y subterráneo. Algo ocurría.

No podía volver así como así a la vida que tenía en Madrid antes de Ruth. Era como ponerse un traje viejo y gastado después de haber estado un mes llevando ternos nuevos y de impecable corte. Se quedaba en blanco delante del ordenador. Cuando se aburría, se ponía a leer, pero no lograba concentrarse. ¡Qué iluso había sido...! ¿Cinco páginas diarias? En diez días apenas si había escrito dos, y cuando las volvió a releer le resultaron de un farragoso insoportable.

No podía llamarla porque sabía que ella nunca cogía el teléfono, y no se atrevía a enviarle un *e-mail* desde la editorial porque temía que Indalecio asomara la cabeza por encima del ordenador y le sorprendiera. Juan se pasaba por la oficina cada dos o tres días para entregar informes, recoger manuscritos, charlar con su editor sobre los presuntos avances de su trabajo y consultar su correo electrónico. Tenía que recibir y responder sus mensajes desde las oficinas de la editorial porque en la Residencia no disponía de línea telefónica privada (las llamadas las recibía a través de una centralita) y, dado que Indalecio solía pasear por allí, resultaba muy difícil disponer de un poco de intimidad. Pero no recibía muchos mensajes. Ni Biotza ni su madre utilizaban Intenet, ni tampoco mantenía contacto con muchos amigos, así que los que recibía se limitaban a comunicaciones de *sites* literarios en la red.

Descartados el teléfono y el correo electrónico, Juan se decidió finalmente a enviarle a Ruth una nota escueta en la que le decía que se encontraba de nuevo en Madrid y que estaría encantado en tomar un café con ella algún día. Se daba cuenta de que resultaba demasiado frío decirle algo así a una mujer con la que había estado durmiendo cada noche hasta hacía tan poco, pero no se atrevía a ser más cariñoso porque no quería que Ruth se imaginara algo que no era, que no podía ser. En su ingenuidad, pensaba que las cosas tenían arreglo, y se decía a sí mismo que Ruth y él podrían ser amigos. Al fin y al cabo, él nunca le había dicho que tuviera intención de dejar a Biotza. Cierto que tampoco le había dicho lo contrario, pero si Ruth se había hecho ilusiones, si había creído que lo suyo acabaría formalizándose de alguna manera, la culpa era de ella y sólo de ella.

No recibió respuesta alguna en dos días, y entonces se le ocurrió pasarse por el portal de su casa para hablar con ella. Comprendía que tal acción era absurda, puesto que si ella no le había contestado no existía razón para atosigarla de semejante manera, sobre todo teniendo en cuenta que él se había prometido a sí mismo no continuar con la historia que habían empezado, pero algo más fuerte que la razón lógica le arrastró, y al final se encontró camino de la casa de Ruth como si le guiaran unos hilos invisibles; habría podido afirmar que llegó hasta allí en sueños, o casi, no movido por voluntad propia, sino manejado por la de otro, como si le hubieran hipnotizado. Llamó al portero automático y nadie contestó. Entonces presionó los demás timbres del edificio, y cuando por fin alguien respondió probó el viejo truco de decir que era un cartero comercial, pero no funcionó. Esperó en vano casi media hora por si aparecía algún vecino. Nada. Al final, recurrió a una acción desesperada, e intentó forzar la puerta apoyando el peso del cuerpo en el hombro y empujando con él, como había visto hacer en las películas. La puerta siguió en su sitio, así que retrocedió y tomó impulso para intentarlo otra vez. Aquella puerta de madera era vieja, y la cerradura antigua —no de alta seguridad, sino un simple y corriente modelo Yale, de los que suele haber en los cobertizos de bicicletas— cedió por fin. Juan subió a toda velocidad los tramos de escaleras, y cuando llegó al piso de Ruth, estaba sin aliento. Ya ni siquiera se preguntaba a qué venía semejante ansiedad por verla, a qué venía esa conducta de ratero. Llamó al timbre con desesperación. Nadie contestaba. Pegó la oreja a la puerta y no escuchó nada. Volvió a llamar al timbre, dos, tres, cuatro, cinco veces. Nada. Consultó el reloj. Eran las doce de la mañana. A esas horas Ruth solía encontrarse en casa, y si estuviese todavía dormida se habría despertado. Un presentimiento extraño le asaltó.

Pensó en llamar a Pedro. Debía de tener el número de su teléfono móvil apuntado en alguna parte. Cuando empezaba a salir con Ruth, ella le llamó una tarde desde aquel teléfono. Habían quedado a las siete y media en casa de la pelirroja, como de costumbre, y ella le llamó para anular la cita, pues estaba de compras con Pedro, y su amigo no la iba a dejar marcharse hasta que encontraran exactamente la camisa que buscaba. Llevaban dos horas recorriendo tiendas sin hallarla, pero Pedro estaba seguro de haberla visto en algún escaparate de la calle Almirante y decidió inspeccionar una por una todas las tiendas de la calle, así que tanto podrían tardar diez minutos como una hora en dar por terminada tan importante misión. Llámame a este teléfono en media hora y te diré si ya hemos acabado y dónde quedamos, le dijo ella, y él apuntó el número. ¿Pero dónde?

¿Dónde lo había apuntado? ¿En qué libreta, en qué papel podía estar? Hizo memoria. Cuando ella llamó, él estaba sentado en su mesa de trabajo. Ojalá no hubiese escrito aquel número en un papel cualquiera que habría podido tirar a la papelera. Juan tenía dos «diarios de navegación», dos cuadernos negros en los que apuntaba ideas para poemas, citas de libros que leía, lecturas que Indalecio le había recomendado, esquemas de estructura para su novela, impresiones a modo de diario y demás anotaciones que él consideraba importantes para el adecuado avance de su trabajo, pues Indalecio le había dicho que la mayoría de los escritores se documentan abundantemente antes de abordar una novela. Reencaminó sus pasos —apresuradísimos— a la Residencia y, una vez en su dormitorio, se abalanzó frenéticamente sobre las libretas. Hojéo las paginas consumido por una ansiedad que le estaba devorando y, por fin, el número apareció, destacando entre las páginas emborronadas de garabatos como si estuviera escrito en neón fluorescente. No se habría felicitado más Juan en aquel momento si hubiera encontrado la fórmula de la Coca-Cola en su libreta que por el descubrimiento de aquella sucesión de números. Inmediatamente bajó al vestíbulo de entrada (pues los teléfonos de las habitaciones recibían llamadas, pero no podían efectuarlas), se dirigió al teléfono público, introdujo dos monedas en la ranura y, con dedos temblorosos, marcó el número de Pedro.

—¿Sí?

Juan se quedó paralizado un instante, a punto de colgar. Enseguida recuperó el aliento.

—¿Hola? ¿Pedro?

—Sí, ¿quién eres?

—Soy Juan. Juan Ángel de Seoane, el amigo de Ruth.

Al otro lado de la línea se hizo un silencio tenso que pareció mantenerse durante horas y que probablemente apenas duró cinco segundos.

—Sí, ya me acuerdo de quién eres. ¿Qué quieres?

—Bueno... —Juan se quedó un segundo en blanco, pero en seguida se sobrepuso—. Quería saber de Ruth. No consigo localizarla.

—¿Dónde estás?

Qué coño te importa a ti dónde estoy o dejo de estar, pensó Juan. Pero las cosas no marchaban como para quemar el único puente que le quedaba abierto hacia el mundo de Ruth.

—En la Residencia. ¿Por qué?

—¿Qué Residencia?

—En la Residencia de Estudiantes. En la calle Pinar...

—Ah, ya sé dónde es. Tristán me llevó una vez a una fiesta allí.

—¿Quién es Tristán?

—Tristán Martín Bagués, un pintor. ¿No te suena el nombre?

Aquella conversación comenzaba a avanzar por unos derroteros absurdos.

—No, no me suena —seguro que es uno de tus tres mil amigos locazas, de esos que se tiran cinco horas de tiendas hasta que encuentran la camisa de sus sueños. Pero Juan había decidido seguirle la corriente a Pedro si hacía falta, porque quería congraciarse con el amigo de Ruth, así que decidió mostrarse amable—. Lo siento.

—Bueno, ¿qué más da? Oye, ¿qué estás haciendo?

—Nada, nada en particular.

—¿Podemos vernos?

La pregunta le cogió de sorpresa. ¿Para qué coño quería verle?

—¿Ahora?

—Sí, puedo estar ahí en quince minutos. Hay una cafetería, ¿no?

—Sí... Sí, hay una.

—Vale, pues espérame allí —y colgó sin darle tiempo a Juan a decidir si quería ver a Pedro o inventar alguna excusa para no verle.

El presentimiento que le había invadido en la puerta de la casa de Ruth comenzaba a tomar cuerpo. Algo raro pasaba; si no, no tendría sentido que el amigo de Ruth se empeñara en verle, y con tanta premura además. Habían salido juntos algunas veces, con Ruth y con el tal Julito, habían acudido los cuatro a estrenos de películas, pero lo cierto es que en las ocasiones en que Juan y Pedro habían coincidido el hecho de ser ambos amigos de Ruth no había contribuido a acercarles, más bien al contrario, se habían tratado con fría cordialidad y poco más. De no ser porque Juan sabía que Pedro era homosexual, de no haberle visto paseando de la mano con su novio, con el que vivía, Juan habría jurado que Pedro tenía celos, y no los celos lógicos y entendibles del amigo que teme perder la confianza o compañía de una amiga querida, sino los celos furibundos del enamorado. En cualquier caso, era evidente que fluía entre ambos una corriente de rivalidad. En eso estaba pensando Juan mientras esperaba a Pedro en la cafetería, abstraída la mirada en la espuma de la caña de cerveza que acababa de pedir.

Por fin lo vio llegar por la puerta, vestido con elegante descuido. Tuvo que reconocer, a su pesar, que se trataba de un hombre muy atractivo. Ruth le había contado que Pedro estudiaba detenidamente todos los meses el *Vogue* para decidir las prendas que se pondría. Incluso en los tiempos en los que trabajaba como camarero prefería no comer y gastarse el sueldo en chaquetas caras, y después, cuando pudo permitírselo —pues, desde que la película había triunfado, Pedro había dirigido varios spots publicitarios, y se diría que las agencias de publicidad se lo rifaban—, se gastaba unas cantidades astronómicas en ropa. Su aparente desgaire indumentario era en realidad el producto de una minuciosa selección de prendas: trajes de hilo y chaquetas de *tweed* cortados a medida, camisas de algodón o de seda (poliéster nunca jamás de los jamases), jerseys *siempre* de cachemira y *siempre* en tonos fríos. A Pedro le inspiraba un profundo desprecio la elección desacertada de estilo, color o tejido, y se desesperaba porque no conseguía que Ruth vistiera con «un mínimo de sensatez», como él decía. Sí, pensó Juan mientras le veía aproximarse, definitivamente se trata de un hombre elegante, no sólo por su manera de vestir, sino también por la de andar. Había algo de grácil y de armónico en la manera como echaba los hombros hacia atrás al caminar, sin resultar amanerado en absoluto. Seguramente a Biotza le habría gustado aquel chico a primera vista. Juan tenía la impresión de que a Biotza no le gustaba su manera de vestir. Nunca lo había dicho (¿cómo se lo iba a decir una chica tan educada, tan fina como ella?), pero siempre le estaba regalando ropa, como si la que él llevaba no le agradara lo suficiente. En aquel momento reparó en que siempre le había molestado un poco lo sibilina que ella era, la manera oblicua de expresarse, de no decir nada a la cara, de conseguir lo que quería recurriendo a otros —a Carmen o a su madre, por lo general—, el estereotipo de pasiva-agresiva que Biotza encarnaba a la perfección.

Pedro se sentó a su lado, pidió un cortado al camarero, dobló el abrigo de pelo de camello beige con cuidado, dejando a la vista el forro de seda y lo colocó en el taburete contiguo. De cerca, el atractivo de aquel hombre se acentuaba más si cabe. Era dorado todo él, en el pelo y en los ojos, y tenía unos rasgos bonitos, dulces, y una piel lisa, prácticamente imberbe. Cara de bebé, se hubiera dicho de no ser por los ojos: aunque luminosos y brillantes, retenía en ellos cierto poso de historias vividas, como si hubiera probado todo tipo de experiencias que le hubieran sabido amargas. A pesar de todo, le quedaban restos de infancia en los ojos verdiclaros, pero no de una infancia inocente, sino una luz rabiosa, desafiante, como de niño que reclama con ceño hosco su juguete. Pedro le tendió una mano que Juan le estrechó con cautela. El apretón del otro resultó enérgico y fuerte.

—Supongo que te estarás preguntando por qué he insistido en venir a verte.

—Hombre…, pues la verdad es que sí.

—Ruth está en el hospital —anunció Pedro.

Juan no percibió estremecimiento o emoción en la voz, ni siquiera un dejo solemne. Le había dado la noticia como quien da el parte meteorológico.

—¿Por qué? ¿Qué le ha pasado?

—No lo sabemos muy bien. Tuvo una intoxicación.

—¿Qué tipo de intoxicación?

—Pastillas.

Juan se quedó sin habla. Su cerebro no acababa de procesar la información, o eso le parecía. No sabía si Pedro se refería a un intento de suicidio o a un descuido —sabía que Ruth probaba los éxtasis de cuando en cuando— y no se atrevía a preguntar.

—Fue bastante serio. Al principio pensamos que no salía del coma. Estuvo varios días en cuidados intensivos. Su padre se ocupó de todo, de trasladarla a un sitio discreto, ya sabes. Está en observación, pero creo que saldrá enseguida —Pedro exponía la situación con clínica frialdad.

Juan no sabía qué decir. Ni qué pensar.

—Como comprenderás, estamos llevando el asunto con la mayor discreción posible. Por eso no quería decírtelo por teléfono. Pero pensé que deberías saberlo.

—Sí, claro… —fue lo único que Juan acertó a responder.

Transcurrió un incómodo silencio mientras Pedro revolvía el contenido de la taza de café con la cucharilla. No parecía un gesto nervioso. Juan se fijó en sus manos de espátula, de dedos largos y cuidados, con uñas que parecían trabajadas por la manicura. Le recordaban las manos de Biotza, aunque sin los anillos. Biotza llevaba muchísimos anillos de oro, regalos en su mayoría de sus padres, y Juan había pensado en comprarle un anillo de compromiso cuando publicase la novela, otro círculo dorado que añadir a toda la quincallería que su novia ya llevaba en los dedos, algo que significara su relación, que gritara al mundo que el anillo era la argolla desde la cual Juan la arrastraba. El pensamiento voló a las manos de Ruth, toscas, sin pulir, con aquella sortija irlandesa brillando en el anular, aquellos ágiles dedos que culebreaban por su espalda hacía no tanto. Su pelo de agua, sus ojos de helecho, su cuerpo de arena. Su cuerpo en la cama, aquella carnal inmensidad color de pan; su cuerpo en otra cama, enfermo, en la cama aséptica de una clínica privada.

—¿En qué clínica está? ¿Podría ir a verla?

—No sé que decirte. Se trata de una situación un poco delicada… Mira, yo, obviamente, no tengo ni idea de qué tipo de relación llevabais, ni de si esa relación ha tenido que ver con lo que le ha pasado a Ruth, pero puedo imaginar algunas cosas… En fin, ya me entiendes, que quizá no convenga que la veas.

Oscuramente, a Juan le invadió la extraña sensación de que Pedro había estado hablando y mirándolo como a una persona de la que se han oído muchas cosas. Mantener los reflejos, se dijo, no perderle cara al oponente, no suministrarle más información que la justa, rendirlo aunque fuera por cansancio. Salir airoso del quite como fuera.

—Tú eres su mejor amigo. Deberías saber lo que había entre nosotros.

Durante unos segundos que se hicieron larguísimos, Pedro se quedó mirando a un punto indefinido, como ensimismado en sus propios pensamientos, como si estuviera atento a un ruido interno, y de pronto volvió la cabeza de nuevo hacia Juan y le preguntó a bocajarro:

—Dime una cosa: ¿tú estás enamorado de ella?

A Juan la pregunta le cogió de improviso.

—Bueno… No sé si Ruth te lo ha contado, pero…, yo tengo una novia en Bilbao, y tenemos planeado casarnos.

—Eso no responde a la pregunta. Como diría un amigo mío, «eso estorba, pero no impide». El que tengas una novia formal no quiere decir que estés enamorado de ella, ni que no te puedas enamorar de otra. El amor no se define por formalismos.

—¿Y tú? ¿Tú estás enamorado de Ruth?

Maniobra defensiva. Curiosidad malsana. Celos.

—Yo no me acuesto con Ruth. Además, yo también tengo un novio, y vivo con él, por si no lo recuerdas.

—Eso tampoco responde a mi pregunta. Y como tú mismo has dicho, el que tengas un novio no quiere decir nada. Según tu razonamiento, si los formalismos no quieren decir nada, entonces lo que tú tienes con Ruth es mucho más fuerte de lo que pueda tener yo. Al fin y al cabo, hablas con ella a diario, la ves a todas horas...

—Probablemente tienes razón. Lo que yo tengo con Ruth es una especie de matrimonio. Quizá venga a ser lo mismo que tú tienes con tu novia, según me has contado.

—No tiene nada que ver.

—¿Ah, no? Resulta que tú te vas a casar con una chica, pero sales con otra, a la que ves todos los días y en cuya casa prácticamente vives. En cuanto a mí, yo vivo con un chico, que es como estar casado con él, pero sin papeles. Pero veo a otra chica todos los días, una chica en la que confío más que en mi propio novio, cuyas opiniones respeto más que las de mi novio, una chica por la que daría medio brazo si fuera necesario, una chica con la que he vivido los momentos más importantes de mi vida... En fin, ¿quién está enamorado de quién?

Juan permaneció en silencio, mordiéndose los labios para atajar un temblor que hubiera acusado la fuerza del reproche. De todas formas, no logró aparentar la compostura deseada: algo negro y caliente le palpitaba tras los ojos. A Pedro le pareció que estaba impresionado.

—¿Sabes que leí tu libro? —dijo Pedro, cambiando de tema—. Ruth me lo dejó.

—¿Y bien?

—No me gustó nada.

—No esperaba otra cosa.

(La hostilidad manifiesta entre los contrincantes que ya no merece la pena siquiera disimular.)

—Sin embargo, había un poema que me gustó. Uno sobre el mar, *el mar con su largo rumor lento y cansado...* Uno sobre un monje que se ahoga.

—Ah, ya sé a cuál te refieres.

—Es bonito...

—¿Sabes que la historia es real? Yo vengo de un pueblo de Bilbao, Bermeo. Ruth ya te lo habrá dicho. Frente a mi pueblo hay una isla, Izaro. Hace siglos en aquella isla hubo un convento de monjes, que permaneció allí hasta que un corsario de la reina Isabel, sir

Francis Drake, le prendió fuego. Según una leyenda, uno de los monjes estaba enamorado de una chica de Mundaka, el pueblo vecino al mío.

—Yo creí que lo de ser monje era como lo de tener novia formal. Que no se podía estar enamorado de otro —Pedro se sonrió de su propia ironía—. Pero sigue, sigue. Es muy interesante —le apremió con un gesto tan atento como escéptico.

—Bueno, pues el monje se hacía nadando todos las noches el trecho que va de Izaro a Mundaka, que deben de ser unos cuantos kilómetros. Iba hasta Mundaka, estaba un rato con su amada, y luego se volvía a Izaro. Debía de estar muy fuerte el monje, porque, la verdad, menuda paliza...

—Ya, pero si no tenía cosa mejor que hacer... Imagínate al pobre hombre, aislado en una isla, aburridísimo, sin tele ni radio ni nada... Y encima hetero. Porque lo que es yo, en semejante situación, me habría liado con algún novicio...

—Ya, pero a éste le gustaban las mujeres. O una mujer en particular. El caso es que una noche la chica le dijo que aquello se había acabado, que ella no podía continuar con un monje y que se iba a casar con un chico del pueblo. Y el pobre monje, que había hecho un esfuerzo sobrehumano para nadar hasta Mundaka, porque había galerna y el mar estaba particularmente picado, se dejó llevar por las olas en el camino de vuelta y se ahogó. Y, según la leyenda, en las noches de tormenta se oye el lamento del monje.

—¿Y se oye?

—Sí, se oye. Pero es que en las noches de tormenta, en mi pueblo, el mar brama de tal manera que puedes escuchar el lamento del monje y el de todos los condenados del infierno si quieres.

—Ya me imagino. ¿Y has elegido esa historia porque encuentras poético el tema del suicidio por amor?

—No creo... No sé por qué elegí la historia. Porque forma parte de mi infancia, supongo.

—Así que tú no te suicidarías por amor.

¿Elige el tema porque es lo que Ruth ha hecho o, mejor dicho, ha intentado hacer?, pensó Juan.

—No, yo nunca me suicidaría, ni por amor ni por nada. Me parece un acto de cobardía...

—Pues yo creo que se necesita mucho valor para hacer algo así.

—Pues yo no, además me parece un acto egoísta, una crueldad no pensar en el daño que uno puede hacer a los que se quedan aquí.

—¿Y en el caso de que el suicida no tuviese a nadie?

—Yo creo que siempre hay alguien. Además, soy católico, aunque no practicante, y, aunque sólo sea porque me lo han enseñado así, siempre he visto el suicidio como una barbaridad. De todas formas, me sorprende que te guste precisamente ese poema, porque no es de los mejores del libro. A mi editor no le gusta nada —cambiaba de tema de forma intencionada—. Dice que rompe con el tono general del poemario.

—Claro que rompe, gracias a Dios. Es que el resto del libro es simple y llana prosa. Como si hubieras escrito tu diario y luego lo hubieras ido cortando por frases para que el contenido adquiriera la apariencia de un poema.

—Pero eso es intencionado. Es la simplicidad lo que se busca, la apariencia desnuda. Es poesía de la experiencia.

—Experiencia o no experiencia, qué quieres que te diga, a mí no me gusta.

—Pero tú no eres lector de poesía.

—¿Y qué? Eso no invalida mi criterio. Además, ese poema, el del monje, es el único en el que se muestra algún sentimiento. El único que parece algo sincero. El resto me suenan a cosas ya escritas en alguna parte. Y creo que a ti te pasa lo mismo. Con Ruth eres sincero. Con tu novia repites esquemas ya aprendidos. Y por eso valoras tan poco a Ruth, de la misma forma que no valoras tu mejor poema, porque no te valoras a ti mismo, y no valoras nada de lo que haces si no recibe la aprobación de otros —Juan le estaba mirando con ojos enormes, blanco y tenso como un nudillo en un puño apretado—. Dirás que me estoy metiendo donde no me llaman. Pero si no quisieras la opinión de otros sobre tu vida, entonces no publicarías tus poemas, ¿no? En cierto modo, publicar es someter algo íntimo al juicio de los demás.

—Hablas como un crítico.

—Supongo que eso es un insulto.

—No, no creas… Es sólo que siempre te había tenido por alguien más frívolo. O que no me gusta que me digan ciertas cosas a la cara. O que todavía estoy un poco aturdido después de lo que me has dicho de Ruth. Pero comprenderás que no estoy acostumbrado a que ningún desconocido —«de tres al cuarto», añadió mentalmente— se dirija a mí en ese tono.

—Yo tampoco estoy acostumbrado a ser tan sincero. Pero quiero que entiendas una cosa. Ruth es mi mejor amiga. La quiero. Y no estoy seguro de que tú no tengas nada que ver en el accidente de las pastillas.

Lo peor era que Juan pensaba lo mismo. Que si Ruth había hecho una tontería, su retirada a Bermeo tal vez tuviera que ver con la decisión. En otras circunstancias no habría seguido con una conversación que avanzara hacia semejantes derroteros, no le habría permitido a un desconocido tomarse tantas confianzas, no habría aceptado con aparente calma tan furibunda crítica a su obra.

—¿En qué clínica está?

—¿Por qué? ¿Acaso quieres verla?

—Sí, supongo que sí.

—Creo que hoy le daban el alta. Llámala a casa —se levantó la bocamanga de la chaqueta de Pedro Morago y, a la altura de la muñeca, apareció un reloj de pulsera que más bien parecía un cronómetro espacial, un artefacto de diseño modernísimo, con pinta de ser muy caro—. Yo me tengo que ir, es tarde, no te entretengo más.

Recobró la verticalidad y, con un extraño ademán angular, tendió su pulida mano para estrechar la de Juan, un gesto imperativo, pero en el fondo amable. Juan le acompañó hasta la puerta sin decir nada, educado pero ausente, buscando en vano una fórmula de adiós que no comprometiera, sintiéndose falso y expuesto, pequeño y limitado, mientras los pensamientos se le iban hundiendo en una ciénaga de autorreproches.

Aquella noche no pudo dormir y la madrugada le sorprendió leyendo. Pero no asimilaba nada de lo que leía. Había estado saltando de un libro a otro, y todo le resultaba aburrido, incongruente, soso, pedante. No podía apartar del pensamiento la imagen de Ruth. Pero él no tenía la culpa de nada, él no había prometido nada, él no había alentado nada. ¿O sí? ¿Acaso se podía esperar de una mujer que se resignara a ser la segunda de a bordo, la clandestina, la que se puede dejar en algún momento? ¿Y qué sabía él? Al fin y al cabo, él prácticamente no tenía experiencia sentimental. Había creído que Ruth no le daría tanta importancia a su partida o a su enfado. Ella era una mujer vivida, con numerosas relaciones a sus espaldas, acostumbrada a las rupturas, o eso era lo que aparentaba. Por otra parte, ese falso suicidio —si es que se había tratado de un intento de suicidio— le sonaba a llamada de atención, a chantaje sentimental. Algo dentro de él le decía que debía mantenerse apartado del asunto, no llamar a Ruth, no interesarse por su estado, fingir que nada sabía de lo sucedido, atenerse a las normas que se había impuesto, dedicarse por entero a su novela y a la memoria de su novia. Ruth ya estaba bien, ya le habían dado el alta, sería mejor para ella no reavivar antiguas llamas, no abrir viejas heridas, mejor no verla, no hacer reverdecer la esperanza…

Y sin embargo, después del desayuno —un café bebido y poco más porque el estómago no le pasaba bocado— salió disparado a la primera floristería que encontró y encargó un ramo enorme de margaritas que envío a la dirección de Ruth, y en el que se gastó su presupuesto de toda la semana. No habría, pues, esa semana gastos superfluos, llamadas o cartas a Biotza ni a Carmen, cañas de mediodía ni taxis. Sólo angustia. El dinero no le alcanzaba. La tristeza sí.

JUDITH ENCUENTRA A RUTH

El día 15 de febrero, a las once y cuarto de la mañana, a Judith le sorprendió mucho encontrarse con el sonido de la voz de su hermana al otro lado de la línea. Debía recordarle a Ruth que pronto sería el cumpleaños de su padre, y sugerirle que organizaran una cena en honor a la ocasión. Tenía pensado dejarle a la pelirroja un mensaje electrónico, un sistema de comunicación que venía siendo habitual en los últimos meses, desde que Ruth había adoptado la costumbre de no coger nunca el teléfono. Pero entonces le vino a la memoria que, en el transcurso de una de sus últimas conversaciones, Ruth le había dicho que se encontraba de mucho mejor humor (cosa evidente, por otra parte, Judith ya había advertido su cambio de actitud) y que empezaba a volver a ser la que era. «A veces, por la mañana, hasta cojo el teléfono y todo», le dijo, así que Judith se decidió a llamarla, por si acaso, aunque sin albergar demasiadas esperanzas. Quién sabe, pensó, quizá descuelgue el auricular. Aunque en el fondo Judith lo dudaba. Su hermana había cambiado, cierto, pero no tanto. Le sorprendió, pues, escuchar la voz de su hermana, y le sorprendió doblemente por hallarla tan pastosa y atontada. Al principio pensó que probablemente Ruth se acababa de despertar, pero, a medida que avanzaba la conversación, Ruth no parecía despabilarse, sino, muy al contrario, ir hundiéndose cada vez más en una especie de incoherente estupor. Judith pensó que su hermana habría estado de juerga la noche anterior y que, por las trazas, atravesaba una resaca muy seria. No se habría preocupado demasiado si no fuera por lo que Ruth le dijo antes de despedirse.

—Judith...

Larga pausa al otro lado de la línea.

—Sí..., ¿qué?

A Judith la estaba empezando a poner nerviosa aquella conversación absurda y, además, tenía cosas más importantes que hacer. A veces su hermana la sacaba de quicio, y no entendía cómo una mujer de su edad podía seguir haciendo semejantes chiquilladas, llevar esa vida de quinceañera —salidas nocturnas y copas y drogas y líos sentimentales varios— cuando ya había doblado de sobra los quince años. Personalmente, Judith pensaba que su hermana bebía demasiado y desaprobaba el ambiente frívolo en el que se movía, y ni siquiera la circunstancia —la excusa— de que Ruth fuera artista justificaba a sus ojos tamaño desbarajuste de existencia. Cierto era que su hermana siempre había sido bastante rarita, la pobre, pero una podía esperar que con la edad madurara un poco. Pero qué va... ¿Cómo iba a madurar Ruth si se pasaba la vida en compañía del frívolo aquel que tenía por amigo que sólo pensaba en drogarse y comprarse trapitos?

Un silencio exasperante continuaba al otro lado de la línea.

—Ruth. ¿Ruth? ¡Ruth! ¿Estás ahí?

—Sí —la voz sonaba espesa y adormilada.

—¿Qué quieres?

—Nada... Decirte que te quiero mucho. Muchísimo. Que no lo olvides. Adiós.

Y colgó.

Judith se quedó de piedra. Su hermana no le había dicho en la vida nada parecido. Ni siquiera de pequeña, porque en su familia no eran dados a las efusiones sentimentales. Ruth, por su cuenta, podía ser muy cariñosa, Judith lo sabía porque la había visto comportarse como un angelito con sus amigos, y abrazar y besar a Pedro como si fuera un novio, pero, con su padre y su hermana, Ruth se atenía al código de la casa. Su padre era un hombre muy frío, al igual que sus abuelos, y nunca había alentado las manifestaciones de afecto, ni físicas ni verbales, entre sus hijas. «Decirte que te quiero mucho». Eso no era propio de Ruth, no era propio de alguien que llevara el apellido De Siles en la sangre. Ruth estaba muy rara… Judith sintió frío. Una extraña intuición aprensiva destellaba, débil pero brillante, en la pantalla de sus pensamientos. Buena parte de la seguridad y el autocontrol de Judith se basaba en el dominio de los gestos y las formalidades rutinarias. De esta manera, sus conversaciones telefónicas se parecían mucho las unas a las otras y, en particular, las conversaciones con su hermana se atenían siempre a un guión prefijado. Una frase nunca dicha antes, introducida de pronto en el guión, la confundía y desorientaba.

«Decirte que te quiero mucho»… La verdad, Judith nunca había pensado que su hermana la quisiera mucho o poco. Y tampoco estaba muy segura de lo que ella pudiera sentir por Ruth. Una vez a Estrella se le escapó que cuando Judith era pequeña había intentado asfixiar a Ruth con una almohada. Pero nunca volvió a hablar de aquello. Sí, la verdad es que Judith había estado muy celosa de Ruth, lo recordaba perfectamente. De pequeñita su hermana había sido tan mona, tan graciosa, con los ricitos rojos y la cara llena de pecas, como una muñequita, exactamente igual que su *Raggedy Ann* [1]. Y para colmo de males, ceceaba. Era inevitable que la pequeña acaparara toda la atención de Estrella, de las profesoras, incluso de las compañeras de clase de Judith. Nunca la de su padre, porque su padre no parecía prestar atención especial a nada que no fueran sus negocios. La pubertad le proporcionó a Judith una excusa para marcar distancias, para alejarse de su hermanita pequeña, para afirmarse como persona superior y, desde entonces, empezó a ver a Ruth como una extraña, acorazándose de aquella manera contra la envidia que a veces sentía. Luego, cuando Ruth se marchó a Londres, se dio cuenta de que la echaba de menos, por extraño que a la misma Judith le resultara, y no supo cómo explicarse aquel sentimiento o de qué catalogarlo. Agradeció mucho a Ruth que volviera desde Londres para asistir a su boda, y en aquella fiesta la vio como una persona diferente, porque la vio desde los ojos de otros, los amigos de su marido, que no cesaban de preguntar que quién era la pelirroja imponente y parecían muy sorprendidos al enterarse de que se trataba de la hermana de la novia. Contra

---

[1] Una muñeca de trapo muy famosa en los países sajones. Tiene el pelo rojo y la cara pecosa, y un corazón de trapo dibujado en el pecho, en el que lleva escrito «Te quiero».

todo pronóstico, en aquella ocasión Ruth no dio la nota, no se emborrachó ni acabó perdiéndose con ninguno de los invitados, y se limitó a permanecer sentadita en su mesa con cara de aburrimiento. Quizá echara de menos a su novio, aquel tipo con el que vivía en Londres y del que su padre no quería ni oír hablar desde que se enteró de que era negro. A Judith no le importaba el color de la piel del novio de su hermana; o quizá habría que decir que no le importaba el novio de su hermana, sin más. Lo cierto es que procuraba no hablar mucho de él. Al fin y al cabo, ella no lo conocía, como tampoco su padre llegó a conocerlo nunca, así que no tenía por qué referirse a él en sus conversaciones, que, todo hay que decirlo, tampoco solían incluir a su hermana. Cuando la hermana se hizo famosa, persistió en la misma actitud, porque Judith pensaba que de lo que no se habla, no existe, y que de lo que no se puede hablar siempre es mejor callar, y de la misma manera que el novio negro no había existido del todo, ya que en la familia nadie lo había visto, y no fue más que una referencia en alguna de las escasas llamadas de Ruth, tampoco existía su promiscuidad, o su vida sexual, o sus angustias, o sus amigos mariquitas. Judith nunca le decía a nadie que aquella directora de cine era su hermana, y poca gente en su entorno la relacionaba con ella. Le agradecía en el alma a Ruth que no utilizara su primer apellido, como también se lo agradecía su padre, estaba segura. Así nadie las conectaba. No creía Judith que a los amigos del padre les hiciera mucha gracia la conducta o la carrera de la hija. Así las cosas, mejor para todos, cada uno en su sitio y un sitio para cada uno, manteniendo como fuera aquella paz fragmentaria y titubeante. Y sin embargo, una parte de Judith seguía admirando a Ruth, y casi, a veces, envidiándola. La condición mundana de Ruth suscitaba en ella una especie de eco, el deseo apenas confesado de formar parte de aquella cofradía, de aprender sus formas y rituales. Apetecía oscuramente Judith las relaciones de su hermana, las fiestas a las que iba, el hecho de que se codease con gente como Javier Bardem o Tristán Ulloa, desconocidos sonrientes para Judith, cuerpos que en la pantalla encarnaban fantasías secretas. Cuando Judith leyó en la sección de cotilleos de un diario que a su hermana se la relacionaba sentimentalmente con Guillaume Depardieu, se quedó de piedra. No quiso pensar demasiado en ello, imaginar cómo sería en la cama aquel hombre tan guapo, compararlo con su marido, con el único hombre que Judith había conocido, que ya tenía tripa y al que el pelo le clareaba en la coronilla como si fuera un monje franciscano.

«Decirte que te quiero mucho»...

Judith conocía el número de teléfono de Pedro, pero le había llamado en contadísimas ocasiones. Durante mucho tiempo le creyó el novio de Ruth, hasta que la propia Ruth se encargó de clarificarle la situación. Aun así, para Judith en cierto modo Pedro seguía siendo algo semejante a la pareja de su hermana, por muy homosexual que fuera, puesto que, al fin y al cabo, se trataba de la persona más cercana a Ruth y, en una ocasión como aquélla, de la única persona a la que Judith podía consultar. Así que le llamó y le habló de la extraña conversación, de la sensación de que a Ruth le pasaba algo raro. Esperaba que Pedro la tranquilizara, que le explicara que la noche anterior habían salido de copas y que a Ruth aún le debía durar la borrachera o algo así. Pero ocurrió exactamente lo contrario: lo que le contó Pedro le preocupó más todavía. Pedro le dijo que la mañana anterior Ruth le había llamado y que él también la había encontrado muy extraña.

—Parecía muy ansiosa, ¿sabes? La noté rara, preocupada, pero no me quiso contar nada de lo que le pasaba, si es que le pasaba algo.

—Pero últimamente estaba muy bien, ¿no? Yo la encontraba muy animada siempre que la llamaba.

—Precisamente por eso resultaba tan rara la actitud de ayer. Contrastaba mucho con la alegría que ha venido mostrando últimamente. Estaba saliendo con un chico jovencito, muy mono, pero, entre tú y yo, un poco pedante, y se la veía encantada. Ayer se me ocurrió pensar que habrían tenido una discusión o algo, pero no me atreví a preguntar. Ella me ha contado algunas cosas de él, y parece que tiene otra novia o algo así, no me sé muy bien la historia. Tú ya sabes cómo es Ruth, que siempre cuenta las cosas a medias...

Judith estuvo llamando durante toda la mañana a intervalos de media hora a la casa de su hermana, pero nadie contestaba. Eso no le sorprendió, porque era raro que Ruth cogiera el teléfono, pero lo que sí le resultó extraño fue que no respondiese a ninguno de los mensajes apremiantes que Judith dejó en el contestador, insistiendo en que la llamara. A mediodía volvió a llamar a Pedro para comunicarle su inquietud.

Pedro se atenía al famoso código de emergencia (dos timbres, pausa, dos timbres) para llamar a Ruth en caso de que necesitara contactar con ella de forma urgente. Intentó el truco, pero no funcionó. De todas formas, no se preocupó tanto como Judith. Pensó que Ruth habría salido de compras o a dar un paseo y no le dio al asunto mayor importancia, y así se lo hizo saber a Judith.

Ésta, sin embargo, seguía preocupada, aunque aparentemente no tenía razones para estarlo. Su hermana no contestaba al teléfono. ¿Y qué? Podía haber salido, eso no tenía nada de particular. Y aquello que le había dicho de que la quería tanto... Sí, era raro, pero tampoco como para inquietarse de semejante manera. Probablemente no se trataba sino de otra más de las rarezas de Ruth. Habría entrado en una crisis mística o algo así. Pero por mucho que Judith intentara razonar consigo misma, no lograba deshacerse de aquel desasosegante barrunto que llevaba royéndola la mañana entera. Por fin, a las cuatro de la tarde decidió pasarse por casa de Ruth de camino al colegio de las niñas, a las que iba a recoger. Casualidad de casualidades, encontró el portal abierto. Subió por la escalera hueca y resonante hasta el piso de Ruth, llamó al timbre y no contestó nadie. Empujó la puerta y comprobó que no estaba asegurada con ningún tipo de anclaje. Si hubiese sido más fuerte, la podría haber echado abajo, como había visto hacer en las películas. Ni pensar en eso: Judith no pesaba más que cincuenta y dos kilos, y además sólo le faltaba que la pillara algún vecino intentando forzar el piso. Obedeciendo a una corazonada, a un impulso más fuerte que ella, llamó a su casa desde el teléfono móvil para pedirle a la dominicana que se ocupaba de la casa que se encargara ella de recoger a las niñas, y acto seguido llamó a un cerrajero de urgencia. Hacía años, Judith se había dejado en una ocasión las llaves dentro de casa, y el cerrajero, avisado de inmediato, se presentó en menos de quince minutos y le abrió la puerta en menos de dos. Lo que le llamó la atención fue que aquel hombre no le exigió ninguna prueba de que ella efectivamente vivía en el piso que él acababa de abrir. Pensó entonces en lo fácil que resultaría robar el piso de alguien cuyas costumbres se conocieran bien: bastaba con llamar a un cerrajero a una hora en la que se supiera que el piso estaba vacío. ¡Qué fácil venganza para una ex amante, qué método tan simple de desvalijar una casa! Pero como ella no tenía ex amantes de ningún tipo ni intención siquiera remota de desvalijar casa alguna, no le dio más vueltas al asunto ni se acordó de la historia del cerrajero hasta que se vio frente a la silenciosa puerta de la casa de Ruth.

Si Ruth no está en casa, se dijo a sí misma, si este pálpito que yo siento no es más que una histeria mía, entonces cerraré la puerta, no le diré nada de esto a Ruth y, en lo sucesivo, no me volveré a meter en lo que no me llamen.

No pensaba Judith, sin embargo, en algo tan serio como un intento de suicidio. Más bien creía que su hermana pudiera estar enferma o seriamente drogada, y se entretuvo barajando todo tipo de posibilidades mientras esperaba la llegada del cerrajero que debería abrirle la puerta. Si encontraba a Ruth drogada, ¿qué haría?, ¿llamar al SAMUR? ¿Y no se enfadaría su hermana ante semejante invasión de su intimidad? Con un poco de suerte encontraría la casa vacía, sí, eso era lo más probable. La casa estaría vacía, e incluso, si se daba prisa, podría llegar al colegio a tiempo para recoger a las niñas ella misma y olvidar el incidente, sus estúpidas aprensiones de hermana ñoña y sobreprotectora.

Por fin llegó el cerrajero, que se limitó a introducir una tarjeta en el resquicio de la jamba de la puerta. Con tan sencillo método la abrió en menos de cinco minutos, y encima tuvo la desfachatez de pedir quince mil pesetas por tan poca cosa. Desde luego, pensó Judith, mejor que nadie se entere de esto, porque ya me vale, encima de metomentodo, prima. Pero pagó con la mejor de sus sonrisas para que aquel hombre, al que había explicado que justo al salir a la calle se había dado cuenta de que había olvidado meter el llavero en el bolso, no se oliera nada raro. Pero no parecía que a él se le hubiese pasado por la cabeza la posibilidad de que aquella señora tan fina pudiera ser una ratera o una amante despechada y, si se le pasó, desde luego no lo hizo notar: se limitó a coger los billetes y largarse, y Judith se encontró sola en aquel lóbrego piso, tan tranquilo, aparentemente, como una tumba, en el que un olor cálido, oscuro, a cerrado y a humedad, se subía a la cabeza y, dentro de aquel olor, una nota sutil a canela flotaba vagamente, como un dejo rezagado.

La casa estaba en penumbra, pero Judith no encendió la luz, y avanzó despacio por el pasillo, rígida de atención, los pasos sesgados y precisos, apoyando apenas la punta del pie para no hacer ruido, con los gestos lentos y cronometrados del intruso, acechando el silencio de la casa con la respiración acelerada, pues, por mucho que intentara convencerse de que no pasaba nada, de que el piso estaría vacío, algo dentro, una voz interna y retumbante que resonaba machacona e insistentemente, le decía que no se había equivocado.

—¿Ruth? —preguntó al aire, no tanto porque pensara que Ruth podría escucharla como para descargar de miedo aquel sepulcral silencio.

Imaginaba más que percibía —a la media luz y entre escalofríos— la disposición de muebles y objetos, las dimensiones y esquinas de aquel piso donde se sentía extraviada y desprotegida. Un cuadro con una margarita enorme se le representó como un ojo vigilante que velara el territorio de su dueña. Le parecía escuchar en el vacío de la casa el ansioso y estridente latir de su corazón.

—¿Ruth?

Seguía avanzando por el pasillo hacia el cuarto de Ruth, cuya puerta estaba entornada. Sintió la tentación de volver sobre sus pasos. Pero, ya que había llegado hasta allí, no se podía echar atrás en el último momento.

Al llegar a la habitación de Ruth distinguió el bulto en la cama. Le bastó advertir la inmovilidad y el extraño silencio de aquella figura para saber que algo andaba mal. Un escalofrío de alarma le heló el espinazo. Que no le haya pasado nada, musitó para sí, que no le haya pasado nada. Que no esté muerta. Pronunció en voz alta el nombre de Ruth y luego, alarmada, volvió a pronunciarlo en un más agudo tono de interrogación. Una delgada mano asomaba bajo la colcha, pálida como si fuera de cera y contraída como la garra de un pájaro muerto. Judith se acercó hasta la cama, apartó la sábana, desenvolvió el silencioso paquete y le dio la vuelta al cuerpo que allí yacía. Su hermana no reaccionó. Pero no parecía muerta, aunque Judith no había visto un muerto en su vida y no estaba del todo segura de si sabría reconocer alguno. No, no podía estar muerta. Estaba fría, y blanca, y tenía los labios muy pálidos, sin color, pero no azules. Judith intentó tomarle el pulso, pero, aunque se concentraba con una atención feroz, no lograba captar nada. Por fin, intuyó más que sintió un débil latido en la muñeca de su hermana. No, no había llegado aún el desastre total e irrevocable que las hubiera unido definitivamente. Su hermana respiraba, o eso parecía.

Hizo acopio de fuerzas, porque debía mantener la presencia de ánimo suficiente para llamar al SAMUR por el teléfono móvil, intentando sin éxito contener el temblor de las manos que se le desmadejaban y que apenas acertaban a dar con las teclas de los números. Le parecía que era la voz de otra persona la que pedía una ambulancia. Acto seguido empezó a llorar a sollozos desencajados. Cálmate, se dijo, los del SAMUR llegarán en seguida y no querrás que te vean así, toda histérica. Y seguro que se te ha corrido el rímel. Se dirigió al cuarto de baño para comprobar el estado de su maquillaje y lavarse la cara.

¿Y que les importará a los del SAMUR, digo yo, que se me haya corrido el rímel o no? —pensaba—. Anda que no tendrán otras cosas a que prestar atención. Aun así lo mejor será que me moje la cara, que me tranquilice.

Los hipidos ya eran automáticos, ni siquiera se daba cuenta de que estaba llorando, de que las lágrimas le resbalaban por la cara dejándosela decorada a churretones. Qué inútil empeño en ponerle diques a las emociones que inevitablemente siempre se acaban derramando.

En el cuarto de baño encontró las cajas abiertas de pastillas, borrosas a través del filtro húmedo de las lágrimas, las láminas plateadas con las celdillas vacías desparramadas por el suelo. El pasado se le precipitó mezclado con el presente. Entonces lo entendió todo.

Se lavó la cara restregándose enérgicamente con jabón y luego con la toalla hasta hacerse daño. En el espejo se vio tal como era, mayor y cansada, sin maquillaje, blanca como un sudario, Judith febril y estereotípica, los ojos olvidados de reír, las arrugas marcándose en el rostro, la escritura del tiempo en cada rasgo, cuarenta años de tierra arada. Y sin embargo, se parecía más que nunca a la niña asustada de diez años que seguía siendo, la que había estado intentando negar toda la vida.

Volvió a la habitación y se quedó apoyada en el marco de la puerta, mirando al bulto inerte que era su hermana. La cabellera roja, desparramada sobre la almohada, creaba un raro efecto pictórico.

—Ruth, Ruth —dijo en voz alta, ahogando los sollozos—. Nunca, nunca voy a poder perdonártelo.

Ruth entra y sale de la luz

El día 15, a las once de la mañana, después de pasarse la noche en blanco, Ruth se dirigió al cuarto de baño, encontró las cajas de sedantes que había dejado al lado del lavabo (las que había olvidado devolver al cajón de los medicamentos), llenó de agua el vaso en el que estaba el cepillo de dientes y, con ayuda de unos cuantos sorbos, se tragó el contenido de las dos cajas, al que añadió también el de un bote de polaramines para asegurarse de que la mezcla fuera más efectiva. Luego, se tumbó encima de la cama y se dispuso a esperar.

En aquel momento sonó el teléfono. Ruth decidió cogerlo, y ni ella misma sabría explicarse más tarde por qué. Probablemente porque la inminencia de la muerte la aterraba tanto que pensó que el sonido de una voz humana la tranquilizaría un poco, la ayudaría a olvidar el tránsito que iba a emprender, el que ella había elegido. O quizá porque el hecho de contestar aquella llamada representaba un débil gemido de su instinto de supervivencia. La voz de quien fuera, pensó, la calmaría hasta que se durmiese. Al otro lado de la línea escuchó la voz de Judith, descolorida y átona como de costumbre, y el caso es que, aunque esto diga muy poco en favor de Ruth, a ésta ni se le pasó por la cabeza pensar en el posible daño que podría causarle a su hermana. De hecho, Ruth ya ni pensaba, se limitaba a hacer un esfuerzo supremo por mantener una atención que se le escapaba por segundos, le costaba lo imposible entender lo que quiera que fuese que Judith le contaba, y la voz de su hermana le llegaba lejanísima, como filtrada por una distancia de abismo, y entonces cayó en la cuenta de que si la voz de Judith se le perdía, si se le mezclaba con otras voces apagadas, era porque ya se estaba quedando dormida. No había imaginado que las pastillas pudieran tener un efecto tan fulminante. Así que se despidió de Judith y colgó, justo cuando un dolor agudísimo empezó a extendérsele partiendo del pecho —algo así como un ahogo de los que se sufren después de correr una larga distancia— a través de los miembros, un dolor que se descomponía en una infinitud de pequeños dolores, como culebras heladas navegándole por las venas. Tampoco había imaginado que aquello doliera. En su fantasía, el paso de la vida hacia el sueño final había sido dulce, lánguido, poco consciente. Llegó hasta la cama tambaleándose, y se desplomó sobre el edredón. El dolor se estaba haciendo más y más insoportable, y lo peor era que ya ni siquiera le quedaban fuerzas para moverse, no podía cambiar de postura, controlar su cuerpo, levantar siquiera un brazo, pero sentía el dolor, agudísimo, una presión insoportable en el pecho. No quiso pensar que aquello pudiera ser la muerte, no había imaginado aquello tan difícil, no podía soportarlo… Y en algún momento le invadió una nada profunda que absorbió en un único vacío todo el dolor de Ruth.

Ningún recuerdo, horas no vividas, si fue el sueño, fue un sueño inofensivo, sin imágenes. Ambulancia, hospital, llegada al quirófano, esas horas nunca existieron en la memoria de Ruth.

Abrió los ojos a la luz. Estaba en un quirófano, había muchas personas a su alrededor. Siluetas difusas a las que se superponían voces más difusas todavía. Se sentía ausente de su cobertura; su cuerpo era solamente un paquete, un apéndice. De pronto se elevó. Su cuerpo seguía sobre la camilla, sin embargo. Pero ella, retornada a su propia estela, saliéndose de sí, propagándose como un eco, flotaba unos quince centímetros por encima de él, contemplada por la blanca mirada de la luz, más allá de la vida, más allá de la muerte, más allá de la séptima esfera de la incomprensión. Su propia conciencia colgaba del aire, indemne y eterna, brillante, instalada en su espacio exclusivo, iridiscente, reverberante, como un globo de luz perfecto en sí mismo, palpitante e ingrávido en una atmósfera de pura plenitud, cuyo instrumento humano era el cuerpo que yacía en la camilla, tranformándose en luz e incorporándose a la luz. Los doctores o enfermeros o quienes fueran aquellos desconocidos de batas verdes elevaron el tono de sus voces. Parecían inquietos. Luego, una claridad inmensa, plateada; no había ya alteración de luz y forma, sino luz total e infalible. No era un túnel, era más bien algo envolvente, una especie de útero de luz, si es que la sensación de un útero pudiera recordarse, una luz que la iba penetrando con dulce violencia irresistible, que acallaba con su presencia cualquier otra, que parecía recoger bajo su nombre todo nombre, suscitar toda forma en su ausencia de forma. Una paz absoluta, intemporal. Una columna de luz que fuera inundando de claridad todos los recovecos muertos, que recomponía los fragmentos, a salvo de la dispersión total. Y de repente sintió cómo algo la succionaba a una velocidad salvaje, cómo se hilaba en un rayo finísimo y caía envuelta en vértigo. Estaba volviendo. Se acabó la luz, se reanudaba el pacto con el silencio y la ceguera, otra vez todo negro. Negro.

Ya no era nadie. Su nombre y la ropa en manos de las enfermeras, su historial en las del anestesista, su cuerpo en las de la ciencia. Salida del quirófano y traslado a una habitación, horas no vividas, en negro.

Los ojos se fijan en el techo. Cuadrados de placas distribuidos en hileras, todo gris uniforme. No puede mover la cabeza, pero sí los ojos, aunque con esfuerzo y, al hacerlo, atisba de reojo un gotero, conectado a su brazo, y un montón de aparatos eléctricos con muchas lucecitas rojas, blancas y verdes que destellan intermitentemente. Siente el áspero contacto de las sábanas sobre la piel y comprende, sin necesidad de volver la mirada hacia su cuerpo, que está desnuda. Le asombra el silencio total de la sala. Una sensación muy incómoda y molesta en la nariz se hace notar. Intuye que está entubada y lo confirma al volver los ojos hacia el embrollo de cables y tubos al que está conectada. ¿De eso depende su vida? ¿De máquinas y tubos y sueros? Lo mejor será cerrar los ojos y seguir durmiendo, volver atrás, regresar a aquella región vaga y sin memoria de donde había venido al mundo.

Salida de la UCI, en negro.

Abrió otra vez los ojos. Estaba en una camilla, en una habitación alargada que parecía más bien un pasillo, muy lóbrega. Se había orinado encima y el olor ácido le provocaba náuseas. Estaba casi desnuda. Llevaba una especie de bata de un tejido rasposo pero fino, como si fuera papel. Se incorporó como pudo, vio a Judith cerca de ella. Bajó de la cama, que le parecía altísima, con el cuidado de una equilibrista. El contacto frío del suelo de baldosas le permitió recuperar la conciencia de su cuerpo, de sus sentidos tanto tiempo inertes. Un mareo vertiginoso la asaltó de repente. Caer, caer —¿es esto desmayarse?—, y otra vez negro.

Salida del hospital, traslado a la clínica en una ambulancia. Todo en negro, no existió.

Abre los ojos. Alguien la ha vestido. No está segura, pero diría que no son sus ropas. Camina apoyada en dos personas que la flanquean y la agarran por debajo de los hombros. Una es Judith, a la otra no la conoce. ¿Una enfermera? Pero está erguida, casi anda por propio pie. Le pesan los párpados, siente cómo la arrastran, cómo se deslizan por el suelo las puntas de los pies, cómo avanza por un pasillo. Cierra los ojos, se deja llevar. Vuelve a abrir los ojos. Se encuentra en un despacho iluminado por el resplandor amarillo y triste de la luz eléctrica. Está sentada en una silla (¿quién la ayudó a sentarse?), apoyada en el respaldo y sujeta también por Judith.

Ingreso en la clínica. Es Judith quien firma el formulario. Eso no existirá nunca en la memoria de Ruth, ella no lo ha vivido.

Abre los ojos. Está en una cama, en una habitación oscura, desnuda, inhóspita. Un ventanuco en la pared, casi rozando el techo. Tiene rejas. Por la posición de esa pequeña rendija deduce que la habitación está en un sótano. Quizá por eso el frío. Se levanta, se dirige hacia la puerta, intenta abrirla, está cerrada con llave. Empieza a gritar de tal manera que a ella misma le duelen los oídos, un lamento animal, sin palabras, un desgarrón sónico, de los que raspan la garganta y chirrían en los tímpanos. El grito es una descarga incoherente, una corriente catártica que libera sacudidas de agresión que le hacen a Ruth estremecerse, patalear y rechinar los dientes. Se siente un chirrido en la cerradura, y la puerta se abre hacia fuera. Aparece en escena una mujer con bata blanca que le ordena que se calle. Detrás de esta mujer hay una chica más joven, de rostro ratonil y asustado. «Avisa a un médico», dice la mayor. Sólo a medias, Ruth comprende lo que está pasando. Una sensación de angustia la bloquea de tal manera que le impide comunicarse. Siente terror a estar encerrada, el pánico, la rabia de la fiera enjaulada, una desesperación con garras y dientes. La mujer mayor le explica que han ido a buscar al doctor, pero que ahora Ruth se encuentra en observación y no puede moverse de donde está. Ruth se pone histérica, le aterran los espacios cerrados, la soledad, la falta de luz, siente ganas de abofetear a la enfermera, está llorando a mares, quiere salir de allí, ¿quién la ha llevado a ese sótano, a esa mazmorra, con qué derecho, dónde está Judith? Ella tiene una casa, una vida, su casa, quiere ir a su casa, no tienen derecho a retenerla en contra de su voluntad. El doctor se presenta e intenta tranquilizarla. Pacta con ella: no puede abandonar la planta, pero, si tanto miedo le da quedarse en la habitación, puede pasear por el pasillo, no pueden trasladarla, no todavía. Una chica vestida con bata avanza por el corredor, pero no es una enfermera, tiene el rostro desencajado y la expresión perdida, sin brillo, sin el menor destello en la mirada, avanza como una muerta en vida, un hilillo de baba le cae por la comisura de los labios, ausente, nada parece infiltrarse en la grotesca oscuridad de su condición. Ruth siente miedo, odio, rabia, frustración, ¿qué tipo de castigo es éste? Finalmente accede a quedarse fuera de la habitación, sentada al lado de la enfermera de guardia, que le acerca una silla. La fatiga la lleva más allá de sí misma, vuelve a precipitarse en un renovado paroxismo de llanto, vencida por un pavor cercenante, por la reapertura de una herida primaria, se está agotando, pero sigue llorando, una serie irregular de débiles quejidos, de hipos lastimosos seguidos de un lloriqueo inconsistente y mínimo, como de niña cansada. La rabieta va amainando hasta que Ruth se encuentra lagrimeando un llanto sin voz que empieza a apagarse en el silencio del cansancio total. A punto de partirse en un millón de añicos, de desintegrarse, de fundirse, Ruth cierra los ojos y vuelve a quedarse dormida sobre la silla.

Negro. ¿Cuántas horas en negro?

Lo primero que ve es una pantalla blanca, que se revela, al fijar bien la mirada, como parte de una bata blanca. La bata que lleva un hombre de unos cuarenta años, rostro agradable y ojos sorprendentemente apacibles. Ella está tumbada en la misma cama de antes, él está sentado a su lado, en una silla, y trae unos folios prensados a un cartón que apoya en las rodillas. En la mano izquierda sujeta un bolígrafo y la barbilla se apoya en la derecha. «Te voy a hacer unas preguntas que quizá te parezcan ridículas, pero es muy importante que las contestes», le dice. Tiene una voz suave, cálida, convocante, muy profesional, pero habla con monotonía, casi como olvidado de la presencia real de Ruth, limitándose a cumplir una tarea muchas veces repetida. ¿Le habrán entrenado para eso, para que resulte tranquilizador? ¿Cómo te llamas? Ruth, Ruth Swanson, Ruth de Siles Swanson. ¿Cuántos años tienes? Treinta y tres. ¿Qué día naciste, tu número de teléfono, tienes hermanos? Tres de enero, cincotreintaochentadoce, tengo una hermana. Conoce todas las respuestas hasta que le pregunta: «¿En qué día estamos?». No tiene ni idea de qué día es, de cuántas horas ha dormido. No sabe que ya es 23 de febrero, que ella ha entrado en otra dimensión, en otro tiempo, que ya ha salido de allí. Él le hace hablar, pero no de lo que ella hubiera esperado, no quiere saber por qué tomó las pastillas ni cómo se siente, sólo le pregunta obviedades, y Ruth enseguida se da cuenta de que lo que él quiere saber es si está orientada, si no delira, si no ha sufrido un daño cerebral irreversible. Ha tenido suerte —él no se lo dice en ese momento, Ruth lo sabrá más tarde—, pues ha salido del coma sin problemas de memoria ni de orientación, a pesar de que la mayoría de los que pasan por trance semejante no consiguen al principio ni recordar su nombre. Ruth comprende que debe mostrarse tranquila y colaboradora si quiere salir de allí, así que ensaya la mejor de sus sonrisas, la voz más cálida de su repertorio, y echa mano, desesperada, a sus recursos completos de actriz intentando convencer al médico de que todo ha sido un error. Adopta un tono dulce, le dice que está muy cansada, y que le da miedo la habitación. «No te preocupes —le tranquiliza él—, te cambiaremos de planta enseguida. Confía en mí y procura dormir. Tienes que estar muy cansada». Ruth cierra los ojos, obediente. Le resulta dulce perderse en aquella voz, que la arrulla hacia la región última del olvido.

Negro.

La providencia dispuso que fuera devuelta al mundo visible como una carta sin destinatario. No era su hora. Cuando volvió a abrir los ojos se encontró en una habitación aséptica, con el clásico olor a desinfectante —ese olor a lejía que tanto le recordaba el del semen— de las clínicas; y, sin embargo, extrañamente acogedora. Un raudal de luz entraba por la ventana inundando el cuarto de una claridad color crema, tranquilizadora. Ruth se incorporó de la cama sin dificultad. Nada le dolía ya y se encontraba extrañamente ligera, una exigua criatura expuesta a los pillajes del dolor y del tiempo. Se asomó a la ventana y divisó un edificio blanco, imponente, con cierto aire majestuoso y anticuado, rodeado por un jardín. Su habitación se encontraba en un ala del edificio. No recordaba cómo había llegado hasta allí ni quién la había llevado. Alguien debía de haberla vestido con unas ropas que no reconoció. ¿De Judith? Sin duda. Se miró las manos que parecían haber adquirido una complexión distinta, más... ¿espiritual? No, no se trataba de una ilusión óptica, las manos estaban más delgadas, parecían manos lunares, en lugar de las manos de Júpiter que tenía antes. Si el destino estaba marcado en la forma de las manos, ¿podía alguien cambiar su destino cambiándole la fisonomía? Venas azules se le marcaban en el dorso. Unas manos más puras, más finas. Si sus manos anteriores habían designado y pertenecido a una mujer acostumbrada a tomar decisiones, las nuevas eran manos de artista, de luna, de mujer telúrica. Sí, estaba más delgada. Los antebrazos parecían los de una niña. Entonces se fijó en la cadena de cardenales que le marcaba la cara interna del antebrazo izquierdo: un rosario de manchas verdes, amarillas, rosáceas, cárdenas. Impresionante. Debería ser repulsivo, pero resultaba hermoso, como un cuadro de Bacon o una fotografía de Cindy Sherman. Si tuviera una cámara, pensó, qué obra de arte haría... Su cuerpo ya no era un significante, no era humano ni animal, la barra simbólica que separa ambos términos se había quebrado. Aquel fragmento de su cuerpo —purificación, síntesis y reducción de la forma— tenía sentido en sí mismo. Ruth ya no se sentía individuo integrado, sino un conjunto de órganos, de partes, cada uno con sus propias e imperiosas necesidades y formas de expresarse. Porque ella no había elegido cambiar el color de su piel en ese fragmento de su cuerpo, el que iba desde el codo a la muñeca por la cara interna de su antebrazo izquierdo, no había elegido testificar el dolor mediante una criptografía pluricromática de moratones, no había impreso ella aquella escritura en el cuerpo ¿Dónde había leído que el cuerpo era el portador de las marcas del orden divino? *Infortunado de ti que pones la esperanza en la carne y en la prisión que perecerá...* Ahora que había vuelto se daba cuenta, con más lucidez que nunca, de que era una cautiva de su cuerpo, de que simplemente moraba en él, *pues quien alcanza el Tao carece de forma.* ¿Acaso no se había visto desgajada de su cuerpo cuando entró en la luz? Pero había seguido siendo ella, Ruth, o más bien la esencia de Ruth (¿quién sabe cuántos nombres había tenido antes o tendría en el futuro?), fuera de aquel cuerpo redondo y blanco. Eso era lo importante, lo que se le había revelado.

Se abrió la puerta tras ella y entró una enfermera para ponerla al día de su situación. Estaba en una clínica privada, había ingresado a petición de su familia, y debería someterse a una evaluación psiquiátrica. Pero el examen no era obligatorio, podía marcharse si lo deseaba, puesto que no había sido ella la que había solicitado el ingreso y, por tanto, no estaba la clínica legalmente autorizada a retenerla. Ruth asintió con la cabeza para indicar que comprendía, y luego le aseguró a la enfermera que no se opondría al examen, que estaba de acuerdo en todo. Preguntó a la enfermera si podía recibir visitas. La otra le dijo que no sabía nada.

Le trajeron la comida en una bandeja. A las cinco, le anunció la enfermera, vendrían a buscarla para la entrevista con la doctora. Ruth apenas probó bocado de la tortilla con verduras y se entretuvo en diseñar composiciones con los guisantes y los cuadraditos de zanahoria. Cuando la enfermera volvió a recoger la bandeja, se quedó mirando la comida prácticamente intacta con expresión de reproche, pero no dijo nada. Ruth le preguntó la hora. Las dos y media, contestó la otra, sin necesidad de consultar reloj alguno. ¿Cómo voy a aguantar dos horas y media tumbada en una cama sin hacer nada?, se preguntó a sí misma Ruth, olvidándose del hecho de que muchas mañanas se quedaba vagueando en la cama dos y tres horas sin hacer cosa mejor que disfrutar de la tibieza de su propio cuerpo y la caricia de las sábanas. Las dos horas pasaron, sin embargo, antes de que se diera cuenta, y la misma enfermera que había llevado y retirado la bandeja pasó a buscarla con una cara en la que ninguna emoción se reflejaba.

Ruth, obediente, siguió a la enfermera a través de un laberinto de escaleras y pasillos con la mansedumbre con la que había seguido a las monjas en su infancia cuando la llevaban al despacho de la directora, con la misma docilidad con la que una oveja se deja conducir al matadero. Finalmente la enfermera se detuvo al final de un pasillo, señaló una puerta y se limitó a decir: «Es aquí». Ruth tomó aire, y se esforzó en modificar su actitud, haciendo acopio de toda la dignidad que pudo recuperar. Entró, pues, con toda circunspección, y se encontró con una mujer que apoyaba los codos en el escritorio, y la barbilla sobre las puntas de los dedos, coincidentes cada uno con su gemelo, pues juntaba las manos en forma de catedral, como quien eleva una plegaria al cielo. Se trataba de una mujer joven, cosa que a Ruth le sorprendió, pues había esperado encontrarse con una persona mayor, quizá un hombre mayor, por aquello de que las figuras de autoridad suelen ser masculinas. Pero aquella mujer podía ser incluso más joven que la propia paciente. La mujer señaló una silla libre frente a ella con un ligero movimiento de cabeza. Ruth comprendió y se sentó.

La mujer le dio las buenas tardes en tono afable pero contenido. Ruth le devolvió el saludo intentando esbozar una sonrisa para estar a la altura. Luego, nadie dijo nada más, y transcurrieron algunos minutos de incómodo silencio. Finalmente la mujer se decidió a hablar y le preguntó a Ruth lo que ésta esperaba que preguntara, esto es, los motivos que le habían llevado a intentar suicidarse. Ruth, que se hallaba elaborando mentalmente una lista de posibles razones por las cuales la doctora hubiera dejado pasar tanto tiempo hasta decidirse a hablar, se vio obligada a puntualizar que aquello no había sido exactamente un intento de suicidio, no en el sentido estricto de la palabra.

—¿Quiere decir—preguntó la doctora— que cuando ingirió todas aquellas pastillas no sabía que podían matarla?

—Quiero decir que cuando lo hice era como si no fuera yo.

Resultaba difícil explicar aquello, y más cuando se cernía sobre su cabeza, cual espada de Damocles, el miedo a que aquella desconocida diagnosticase algún tipo de perturbación seria que obligase a internarla de verdad. Ruth se daba cuenta de que debía tener cuidado con lo que decía, puesto que se jugaba su libertad, pero, por otra parte, necesitaba explicarle a alguien lo que le había pasado, porque si no lo hacía, ¿cómo iba a obtener explicaciones? Es decir, si no le contaba a alguien las verdaderas razones de sus actos, ¿cómo podría recibir una respuesta, una confrontación que actuase como espejo y le permitiera verse? Alguien que le dijera si una actitud como la suya

era extravagante o no, si existían más casos documentados, cataloga-
dos, recogidos en tratados, si una actitud como la suya ya había sido
nombrada, clasificada, si se hablaba de ella en los manuales de psiquiatría. Ya que Ruth estaba loca (o eso pensaba ella, pues si no, ¿por
qué había hecho lo que había hecho?), deseaba ser al menos una loca
normal dentro de su anormalidad, padecer un tipo de locura ampliamente documentada, una locura diagnosticable, tratable, mensura-
ble…, curable. Si aquella doctora podía ayudarla, que la ayudara.

En primer lugar, estaba borracha cuando lo hizo. Ya sabía que
aquélla no era una excusa… ¿Un atenuante? ¿Un eximente? Como
fuera, todo empezó cuando le vino a la cabeza ese estribillo insidioso
que no dejaba de repetirse, unos versos de Anne Sexton que había leído hacía muchísimo tiempo y que, no sabía por qué, había recordado
precisamente aquel 14 de febrero, lo cual era absurdo, pues ella ni siquiera tenía en casa un libro de la Sexton —lo tuvo en su día, pero debió de perderse en una mudanza o quedarse en el apartamento de
Beau—, y resultaba raro que recordara los versos con tanta precisión,
casi como si los viera escritos en una pantalla:

> *What a lay me down is this*
> *With two pink, two orange*
> *Two green good nights?*
> *Fee foo fum*
> *Now I 'borrowed, now I 'm numb* [1].

Los versos hablaban de pastillas, y Anne Sexton se suicidó, y
quizá fuera inevitable que acabara haciendo una asociación, pero lo
que resultaba difícil de explicar era cómo se había sentido invadida
por el espíritu de otra persona, pues Ruth de Siles Swanson no deseaba morir, pero llevaba a otra dentro que lo ansiaba ferviente-
mente, y era aquella otra la que había ingerido las pastillas, aquella
otra la que estaba convencida de que no tenía sentido vivir sin amor,
la que creía que Ruth había fracasado porque había sido incapaz de
mantener a su lado al único hombre que le había interesado en la
vida, la que pensaba que el arte, el cine, la fama, el éxito no tenían va-

---

[1]   «¿Qué tipo de preparación para dormir es ésta? Dos buenas noches verdes,
dos rosas, dos naranjas… Ahora me toman prestada, ahora me quedo en blanco».

lor, puesto que sólo significaron algo mientras fueron fantasías, sueños sin conseguir, era la otra la que había asumido el mando aquella mañana, cuando Ruth estaba demasiado triste, demasiado borracha o demasiado cansada como para intentar impedirlo. Desde fuera resultaba absurdo que una mujer que había alcanzado el sueño de su vida —filmar una película, estrenarla, firmar un sustancioso contrato con una productora de prestigio— decidiera matarse cuando estaba, como solía decirse, «en la cúspide de la cima de su fama». Bien, Ruth había conseguido crear, y difundir lo que creaba, pero ¿de qué le había servido? ¿Acaso había recuperado el amor de su padre o de su hermana, la imagen de su madre? ¿Acaso había servido para que alguien la quisiera? ¿Acaso había encontrado su verdadera forma por más que se recontara, se recorriera y se persiguiera delante y detrás de una cámara? ¿Podía aportar algo ella a la historia del arte, decir algo que no se hubiera dicho? E incluso si pudiera, ¿le serviría de algo, se atenuaría su angustia, se rellenaría su vacío por ello? Se sentía tan frustrada como una mariposa con una sola ala, y aquella idea invasora, la de que la felicidad le estaba vedada, acabó venciendo la partida aquella mañana, no tenía otra forma de explicarlo.

La doctora atendió a toda aquella explicación incoherente, salpicada de pausas y titubeos, mas, pese a todo, fluida, sin que se interrumpiera en ningún momento la sostenida corriente de palabras, como si Ruth deseara dar rienda suelta a todo lo que la oprimía por dentro; y asentía de cuando en cuando con expresión tranquila, como si estuviera acostumbrada a escuchar discursos similares y peores. Aquella actitud de la doctora satisfizo a Ruth, pues era la que esperaba.

—Creo —dijo aquella mujer— que cuando respondiste a la llamada de teléfono estabas intentando pedir ayuda, de alguna manera debías de saber que el interlocutor se daría cuenta de que algo raro pasaba —Ruth cayó en la cuenta de que la doctora había aparcado el tratamiento formal y la tuteaba, como si su confesión hubiese establecido una repentina intimidad entre ellas, o como si (mucho peor) hubiese suscitado el desprecio de la doctora—. Y eso demuestra que de alguna manera tenías una voluntad de vivir.

—¿Está usted insinuando que hice lo que hice sólo por llamar la atención?

—Es posible. No lo sé. No te conozco. Supongo que deberías saberlo tú. Quizá con el tiempo lo averigües o lo admitas.

—Es posible —respondió Ruth, porque sabía que no le convenía enfrentarse con la doctora, y quería aparentar la mayor tranquilidad posible.

—Según los análisis de las muestras de sangre y orina que te tomamos cuando llegaste (no creo que te acuerdes, estabas prácticamente inconsciente), no hemos detectado ningún problema físico, por lo que se podría descartar en principio una enfermedad mental degenerativa grave —prosiguió la doctora en tono profesional—. Yo diría que se ha tratado de una crisis reactiva, y no creo que precises internamiento. Sería aconsejable un tratamiento a base de ansiolíticos pero, teniendo en cuenta las circunstancias de este caso, no puedo recetártelos si no contamos con alguien que supervise tus tomas, y, como vives sola, no parece que tal cosa sea posible, a no ser que te fueras a vivir a casa de alguien, un familiar o un amigo. Dice aquí, en tu ficha, que tienes una hermana…

—Imposible. No podría ir a vivir a casa de mi hermana. Tiene dos niñas y no me llevo muy bien con su marido.

Ruth era perfectamente consciente de que las excusas resultaban triviales, pero, para su alivio, la doctora no insistió sobre el particular.

—¿Y tu padre?

—Tiene más de setenta años. No podría ser.

Mentía. No podía ir a vivir a casa de su padre, pero eso nada tenía que ver con la edad de él, pues se valía perfectamente por sí mismo, tenía una casa grande, una asistenta eficiente y podría hacerse cargo de Ruth sin mayores problemas.

—Quiero que tengas claro que te puedes ir cuando quieras, que no podemos retenerte en contra de tu voluntad, aunque, estrictamente hablando, podríamos hacerlo si tus familiares lo exigieran…, pero no creo que lo necesites. El problema es que tampoco me parece muy conveniente que en estas circunstancias regreses a tu casa sola.

Ruth pensó en Pedro. Estaba segura de que la acogería en su casa si se lo pedía, pero no se creía capaz de compartir la rutina doméstica de Pedro y Julio. Julio y Ruth mantenían un tenso equilibrio de fuerzas para no dejar aflorar la intensa corriente de rivalidad subterránea que los conectaba y, de alguna manera, se las habían arreglado para mantener las formas y los modales. Pero Ruth estaba convencida de que si se trasladaba al apartamento de la pareja estaría marcando el principio del fin de la *entente cordiale*.

—Creo que puedo estar sola perfectamente. Al fin y al cabo, vivo sola.

—Quizá sea mejor que lo discutamos mañana. Por cierto, sus familiares vendrán a visitarla mañana por la mañana. A no ser que usted no quiera verles.

El retorno al tratamiento formal de usted le hizo comprender a Ruth que la entrevista, o evaluación, o examen, o como quisiera llamarse aquello, tocaba a su fin.

—Sí, claro que quiero verles.

—Entonces, hasta mañana a esta misma hora.

La doctora se levantó de su silla y extendió la mano hacia Ruth con profesional cortesía. Apenas apretó la de Ruth. Cuando Ruth salió del despacho se encontró con que la enfermera ya la esperaba para conducirla de nuevo a su habitación.

—¿Querrás cenar en tu cuarto o prefieres cenar en el comedor?

—En mi cuarto —respondió Ruth sin pensarlo un segundo.

No quería que nadie la viera, que alguien pudiera reconocerla.

Aquella noche se sumergió en el sueño como en una caverna. Llegaron entonces los recuerdos de Juan, de la inesperada diversidad que caracterizó su historia. Todo lo que había omitido en el resumen que le hizo a la doctora, es decir, la enorme importancia que la partida de Juan había tenido a la hora de tomar la decisión de tragarse las pastillas (fuera quien fuera quien lo hubiera decidido, ella o la otra), retornó como una ola para tragarse cualquier otro sentimiento, y Ruth se pasó la noche agitándose en sueños de un lado a otro de la exigua cama de noventa centímetros, acosada por angustiosas y fervientes imágenes de Juan.

Su hermana, sensata y previsora como siempre, le había llevado mudas de ropa interior. Ruth se lo agradeció, pese a que no pensaba utilizarlas, ya que había decidido decirle a la doctora que se quería marchar aquella misma tarde. Judith mantenía una actitud entre dolida, compasiva y resentida. Se tomaba como una afrenta personal el hecho de que Ruth hubiera intentado dejarles. «¿Tú te has parado a pensar, te has parado a pensar siquiera un momento, lo mal que lo pasé yo cuando te encontré, y lo mal, lo infinitamente peor, que me estaría sintiendo ahora si te hubiera encontrado demasiado tarde?», le dijo en un susurro atravesado por un tono ansioso que le daba a la pregunta una calidad teatral, de forma que el murmullo se imponía más que una recriminación a gritos. A Judith se le agolpaban las lágrimas en los ojos y tuvo que buscar un pañuelo en el bolso para secárselos, en un gesto que le quedó algo exagerado. Su padre, sin embargo, mantenía una actitud dignísima y sorprendentemente cariñosa. «Si necesitas ayuda, si quieres quedarte más tiempo en este sitio, no te preocupes por el dinero, yo me encargaré de pagarlo», decía. Pero ni Ruth quería quedarse allí un minuto más de lo necesario ni hubiese tenido problemas para pagar la clínica si hubiera querido hacerlo. Le agradeció de todas formas el gesto a su padre e intentó corresponder cogiéndole la mano, pero él, tan poco acostumbrado como estaba a las manifestaciones físicas de afecto, la retiró cuidadosamente.

RUTH DEVUELTA A LA VIDA

Cuando Ruth salió del hospital, los amigos y los no amigos (los que hablaban de ella sin conocerla) habían añadido el suceso a la lista de las impredecibles excentricidades de Ruth como un gesto que no debía ser tomado muy en serio, pues si no, ¿por qué había orquestado Ruth la escena para que la salvaran en el último momento? De esta manera se zafaban del peso de la responsabilidad. La gente decía que lo había hecho para llamar la atención, explicación absurda puesto que Ruth recibía mucha atención, una atención excesiva. Tan excesiva como para que un incidente que, en principio, no podía ser de más dominio que del de los implicados (Judith, su padre, Ruth, Pedro y Juan) pasara a serlo de dominio público, pues se ve que alguna enfermera cotilla o un doctor indiscreto reconocería a la paciente y contó lo que había visto, y después, ya se sabe, se inició la consabida cadena de interlocutores, y pronto empezaron a extenderse como la pólvora los comentarios sobre el hecho de que Ruth Swanson se había intentado suicidar. Corría el rumor de que la propia Ruth se merecía lo que le había pasado por haberse liado con semejante impresentable, ese escritorcillo trepa de tres al cuarto, diez años más joven que ella, que la acompañaba últimamente a todas partes y que estaba claro que sólo quería chupar cámara; se ve que la largó o algo así y la dejó hecha polvo, ya sabes cómo son estas cosas y esta gente...

Para entonces Ruth ya se había enterado, vía Judith, del largo peregrinaje que recorrió su cuerpo de hospital en hospital. La ambulancia la llevó al Ramón y Cajal, donde se procedió a un lavado de estómago de urgencia, pero donde después no quisieron ingresar a la paciente a causa de Judith no sabía qué problema burócrático, de manera que a Ruth la metieron en otra ambulancia y la llevaron a la Paz, donde estuvo en la Unidad de Cuidados Intensivos durante varios días, primero en un coma ligero y luego inconsciente. Cuando salió de la UCI, se volvieron a encontrar con el mismo problema, que allí Ruth no podía quedarse, esta vez no por culpa de la burocracia, sino de la falta de camas. Y entonces su padre optó por el ingreso en el Hospital San Juan de Dios.

—Si tú supieras, si tú imaginaras lo que nos has hecho sufrir... Ha sido un milagro que sobrevivieras. De hecho, hubo un momento en que al menos en términos técnicos, estuviste clínicamente muerta. Cuando nos lo dijo el médico creí que papá se desmayaba...

—Eso fue en el quirófano, ¿verdad?

—¿El qué?

—Cuando estuve clínicamente muerta. Fue en el quirófano. Supongo que mientras me hacían el lavado de estómago. Recuerdo haberlo oído, lo decían los médicos o los enfermeros o lo que fueran: La estamos perdiendo. Eso decían: La estamos perdiendo. O sea, que está claro que era yo a la que perdían.

—Pero eso no puede ser... No pudiste haberlo oído. No estabas consciente. A no ser que recuperases la conciencia en medio del quirófano, claro.

—Sí, debió de ser algo así, debí de despertarme un segundo —dijo Ruth.

No se atrevía a explicarle a su hermana lo que ya intuía o sabía antes de aquella conversación, lo que acababa de confirmar: que durante esos segundos había vislumbrado lo que era la otra vida, el más allá, la energía pura o como quiera que aquello se llamara. El Todo. El Tao.

Por supuesto, sabía que existía otra explicación para aquel fenómeno, ampliamente documentado en miles de estudios. La mayoría de las personas que han fallecido clínicamente y que luego «han vuelto a la vida» (por llamarlo de alguna manera) coinciden en relatar una experiencia similar: un túnel de luz blanca, de un blanco purísimo, radiante; una sensación de paz infinita.

—Lo que en mi caso falta —le dijo Ruth a Pedro cuando trataba de explicarle la experiencia— es la visión de los amigos muertos. Mucha gente dice que al final del túnel se encuentra con sus amigos o familiares muertos, que están allí, al final del túnel de luz, en plan comité de bienvenida. Incluso a veces hay uno de ellos, uno de entre los integrantes del comité, que le dice al muerto recién muerto que todavía no es su hora…

—… que en el departamento de tránsitos se han equivocado en la fecha de expedición y que le toca volverse por donde ha ido.

—Algo así… Claro que en los libros la gente lo describe de forma un poco más lírica, hijo, que así como tú lo cuentas parece que te lo tomes a coña.

—¿Y cómo quieres que me lo tome?

—No sé, la verdad. Todavía estoy pensando en cómo me lo tengo que tomar yo… El caso es que yo no vi nada de eso, el comité de bienvenida, los amigos muertos, ya sabes…. La luz y la paz, sí, y la sensación de haber salido de mi cuerpo. Pero de figuras familiares, nada de nada.

—Eso sólo prueba una cosa que ya sabíamos, Ruth: que tus amigos no son, o no somos, de los que van al cielo —le respondió Pedro.

Ruth estuvo a punto de decirle que, de haber esperado encontrarse con alguien en la otra vida, esa persona habría debido ser su madre, pero prefirió callarse.

En los libros que Ruth había leído se decía que una de las explicaciones a este tipo de alucinaciones podría sustentarse en el hecho de que los científicos creen que el cerebro puede sobrevivir algún tiempo después de que el corazón se haya parado. Las visiones de paz y plenitud podrían responder a un tipo de alucinación provocada por la falta de riego sanguíneo. Sería como si la naturaleza hubiera dispuesto un último mecanismo para hacer más fácil al individuo el tránsito hacia la extinción total, para evitar la angustia que conllevaría la conciencia de la propia muerte: la alucinación final como sedante, como la morfina que el veterinario inyecta al perro que va a ser sacrificado. Pero, de ser cierta esa teoría, ¿cómo se explicaba el hecho de que todas las visiones coincidieran? Inconsciente colectivo, claro. Sin embargo, el inconsciente colectivo no puede ser el mismo para diferentes latitudes; los símbolos varían según la cultura, como las representaciones del paraíso no coinciden en todas las religiones; sin embargo, las visiones de los «resucitados» sí. Siempre la misma paz, la misma luz blanca. Blanco: la síntesis de la totalidad. Cobraban sentido entonces las palabras que Ruth había recitado de memoria en el colegio, y que hasta entonces no había sabido intepretar: *El que me sigue no camina a oscuras, sino que tendrá la luz de la vida... En él estaba la vida, y la vida era la luz de los hombres...* Pero Ruth no era católica, ni siquiera cristiana, el hecho de que de pronto entendiera los evangelios de una manera distinta no le hacía creer en un Dios único reencarnado en un tal Jesús. Truco del cerebro, visión de otra realidad..., súbita y convincente, con la imposibilidad fundamental de la cosa mágica, aquella luz blanca todo podía ser, significar.

Siempre le había hecho mucha gracia a Ruth cuando la crítica, al referirse a un joven autor, ya fuera artista plástico, escritor o cineasta, decía aquella tontería de que «aún le falta camino para alcanzar a crear una obra perdurable». Al fin y al cabo, nada es perdurable, se decía ella, si el propio planeta en el que vivimos está abocado a una más o menos cercana destrucción. La fama sobrevive a la vida, pero, en la infinitud del tiempo y del espacio, tanto la fama como la vida, y como el planeta mismo, habían de desaparecer ante la mirada impasible de la eternidad: Nada escapará al olvido final. Y además, muerto el autor, ¿qué importará la relevancia futura de su obra si él no estará allí para verlo? Por otra parte, la mayoría de los nombres que perviven lo hacen por la leyenda, y no por la obra. Rasputín, Herodes, Jack el Destripador, Salomé, Calígula... no escribieron ni pintaron ni esculpieron nada, que se sepa. De la misma Safo apenas queda más que un puñado de versos dispersos, y probablemente no hubiera suscitado tal culto *post mortem* si no estuvieran las lesbianas tan necesitadas de un icono, de una legitimación histórica. Esa obsesión por la obra perdurable sólo se explicaría desde el miedo a la muerte, como una forma de garantizarse la inmortalidad a través del recuerdo de generaciones futuras. Con todo, Ruth nunca cayó en la inocente tentación de creer que con su obra —por más altas cimas que escalara, hazaña que en el fondo dudaba mucho de lograr— podría perpetuar su memoria. Para ella no existía mayor engaño que el de la posteridad. Además, a Ruth nunca le había atemorizado la muerte, ni cuando la veía como un fin total ni desde que, tras la experiencia del quirófano, empezara a sospecharla como un simple tránsito. Cuando pensaba que no había nada después de la vida, la muerte le parecía una nada apetecible, el fin del sufrimiento —*pensar que un solo sueño pone fin a todas las angustias y los males*—; y después, cuando barruntaba que podía haber algo más allá del fin de la vida terrena, lo que viniera después le seguía pareciendo el fin del sufrimiento, una vez demostrado que la sensación era tan placentera. Incluso si se había tratado de una alucinación, ¡qué dulce resultaba! *¿Acaso no era aquella meta digna de ser devotamente suplicada?* No, si al final iba a resultar que Hamlet tenía razón. E incluso que Anne Sexton tenía razón. Sí, la misma voz que había escrito esos versos a los que Ruth culpaba de su escisión, de su desdoblamiento de personalidad, había escrito un poema sobre una adicta a la muerte, que intentaba suicidarse una y otra vez. Desde luego, pensó Ruth, una vez conocida esa sensación de calma que es la muerte, ¿quién no estaría tentado de probar de nuevo? Aquello era como un orgasmo, pero multiplicado por mil. Un orgasmo, en realidad, no era más que una huida temporal del cuerpo, mientras que la Luz era el Orgasmo Final, la Huida definitiva. Pero ella no iba a probar de nuevo, ella no era una adicta a la muerte, solamente una Señora Lázaro, una resucitada. Pero el poema de la Señora Lázaro no lo había escrito Anne Sexton, sino Sylvia Plath... Y basta ya, Ruth, de pensar en poetas suicidas, se decía. Y sin embargo, no podía dejar de ver lo mismo a todas horas. Ahora que había vuelto a la vida, a la vida visible, al sorprendente don de su repetición cotidiana, se estaba obsesionando con la idea de otra vida invisible, de la muerte. Y eso que a ella nunca le había atraído, en el pasado, la noción de inmortalidad. Bastante dura era la vida como para tener que vivirla eternamente. La palabra *siempre,* referida a lo que había conocido, le habría llenado de terror. Pero, tras lo que había experimentado, la vida eterna no se le representaba como continuación sino como transformación, el paso hacia otro estado mucho más placentero.

Eso no quería decir que pensara en volver a matarse. El intento de suicidio exacerbó el sentido de culpa y la angustia de Ruth. Durante un tiempo se negó a reconocerse a sí misma lo que había hecho, y se amparaba en la excusa de la enajenación («no lo hice yo, lo hizo la

Otra») para eximirse a sí misma de responsabilidad, pero poco a poco se animó a admitirlo ante sí misma y ante los demás, y en adelante sería un tema que Ruth sacaría a menudo a relucir en las reuniones nocturnas, cuando ya había bebido mucho y se le desbordaban las emociones contenidas, a pesar de que sus amigos y conocidos no quisieran escucharla, y lo que de verdad desearan era que Ruth se fuera a su habitación a dormir la mona. Pero ella, acosada por el recuerdo, no dejaba de darle vueltas al asunto: la idea de la Luz estuvo persiguiéndola como una amante despechada durante los siguientes meses.

RUTH, QUE VIVE EN UN MUNDO DE MENTIRAS

La llegada del ramo de margaritas con la tarjeta firmada por Juan no sorprendió demasiado a Ruth, aunque ella ni siquiera sospechaba que Juan supiese algo de la intoxicación de pastillas. Pedro no le había dicho nada de la llamada de Juan ni de la conversación subsiguiente. Suponía ella que Juan quería mantener la estructura que tenía, la clásica estructura de virgen contra puta, legítima contra clandestina, esposa contra amante, que tanto gusta a ciertos hombres, así que, sin total seguridad, esperaba que él llamara a su vuelta de Bilbao. Sin embargo, reconocía que se lo había puesto algo difícil tras contarle lo que le había contado, pues sabía de sobra lo conservador que era. Pero estaba convencida de que si reanudaba su relación, las cosas seguirían como hasta entonces o peor. Juan mentiría a Biotza, y mentiría a Ruth haciéndole creer en la posibilidad de dejar a Biotza algún día, y mentiría a su madre ocultando la existencia de Ruth y fingiendo ser el hijo modelo y católico que no era, y, sobre todo, se mentiría a sí mismo. Y Ruth también mentiría a Ruth, a una Ruth y a la Otra, porque mantendría aquel estado de cosas, aquella relación sin futuro, pensando que no sufriría cuando en realidad iba a destrozarse, pensando que lo hacía por amor cuando en el fondo lo hacía por orgullo, pensando que iba a extraer placer de lo que no era sino una condena.

Aun así, sabiendo como sabía que iba a hacer una tontería como una casa, descolgó del corcho de la pared una postal que había comprado en Londres y que había viajado con ella y permanecido a su lado durante años, la foto de un inmenso campo de margaritas, blanco, amarillo y verde, y garrapateó apresuradamente en el dorso:

Margaritas en correspondencia a tus margaritas. Respecto al café, ¿qué te parece el jueves, a las siete, en el Comercial? Si no vienes, no pasa nada; yo estaré allí de todas formas.
Toujours à toi,

R.

Después escribió el nombre de Juan y la dirección de la Residencia en el ángulo inferior izquierdo y bajó corriendo a la calle a la caza del estanco y el buzón más cercanos. Se sentía como el gobernador que firma y expide la última negación de indulto para un condenado a muerte.

Ruth había crecido en un mundo de mentiras. Mentirosas habían sido sus compañeras de clase, que les repetían invariablemente a cada uno de sus amantes una fórmula ritual que aprendían unas de otras: «Tú eres el tercer hombre con el que me he acostado», porque ser el primero exigía una prueba de sangre y ser el segundo implicaba una desagradable y constante oposición con otro. Mentirosos habían sido sus amantes de adolescencia, que dejaban a sus novias formales en casa a las diez de la noche para seguir luego de juerga con Ruth hasta el alba y obtener de ella los favores que sus formalísimas novias se negaban a otorgarles. Mentiroso había sido su padre, que, empeñado en representar al papel de eterno viudo afligido, se obstinaba en no reconocer que aquellas voces femeninas que le llamaban de cuando en cuando eran de algo más que amigas, y que sus frecuentes salidas nocturnas no se debían, o no siempre, a cenas de trabajo con los colegas. Mentirosa era su hermana, que, tan empeñada en mantener las formas contra viento y marea, era incapaz de admitir lo que los demás tenían clarísimo: que su matrimonio era un aburrimiento y su vida sexual un desierto, porque Judith estaba entrenada para disimular. Ruth recordaba perfectamente cómo, cuando todavía vivían juntas, y en medio de una discusión acalorada, acaloradísima, sobre un jersey desaparecido que Ruth le habría robado a Judith —una de esas discusiones entre hermanas en las que de las bocas salen sapos y culebras y se está a un paso de llegar a las manos— sonó el teléfono, y Judith lo cogió con impecable dicción y profesional sonrisa, con la misma entonación falsa de las recepcionistas de grandes empresas, y le informó a una voz femenina de que su padre no se encontraba en aquel momento, como si no supiera que la dueña de la tal voz femenina se acostaba con su padre, o como si tal hecho no le importara, y Ruth no pudo menos de maravillarse de cuán rápidamente se había obrado la transformación de verdulera gritona a dulce señorita, casi se diría que no se trataba de la misma Judith de hacía un segundo, que se la habían cambiado en un abrir y cerrar de ojos. Aquel incidente en apariencia sin importancia se le quedó grabado a Ruth en la memoria, y ejemplificaba para ella de forma clarísima la naturaleza de su hermana, esa mujer tan cercana y a la vez tan distante, que residía en su casa pero vivía, sin embargo, en otro mundo, un mundo de convencionalismos y formalidades que había que respetar y que Ruth no entendía.

Mentirosa era la propia Ruth, que se hacía pasar por directora de cine cuando no era más que una buena guionista y una actriz más o menos expresiva que tenía la suerte de contar con el mejor director de fotografía, productor y escenógrafo, todo en uno. Dijeran lo que dijeran, los guiones y las ideas eran de Ruth, las alucinadas visiones pictóricas eran de Ruth (su obsesión con la composición y la semántica cromática traía a morir a todo el equipo), pero la forma de plasmarlos en pantalla eran de Pedro.

Hasta tal punto había odiado Ruth, durante su adolescencia y juventud, aquel mundo de mentiras, que la muerte se le había antojado como la única verdad posible. Una muerte hecha de palabras sin sonido, de todas las verdades que no se habían dicho en vida. Pero entonces pensaba que un suicidio no sería justo ni para su padre ni para su hermana. Cierto era que su hermana no parecía precisamente loca por Ruth, pero, aun así, Ruth sentía que Judith la quería a su extraña manera, aunque sólo fuera por el roce y la costumbre, y que de algún modo la necesitaba, aunque se tratara sólo de un modo de disponer de alguien con quien compararse constantemente para poder reafirmarse en lo que era. Y su padre..., bueno, la verdad, tampoco parecía quererla mucho, pero seguro que no le haría mucha ilusión tener una hija suicida en la familia. Se mire como se mire, el suicidio no es tema agradable de conversación. Al fin y al cabo, su padre estaba ya en el útimo tramo de su vida, no le quedaban demasiados años y sería muy desconsiderado arruinárselos. Incluso Estrella lo sentiría, probablemente sería la que más lo sintiese, o al menos la única que sabría cómo expresarlo. Había pensado durante años que debería esperar a la muerte de su padre para poder tomar las riendas de su propia vida: decidir si quitarse de en medio o no, si hacer una película porno o no (no podría hacerla en tanto su padre viviera sin crear un verdadero problema). Pero Ruth no deseaba la muerte de su padre; muy al contrario, la temía, y además los dos abuelos paternos de Ruth vivían aún (debían de andar por los noventa años), y gozando de una razonable buena salud para su edad, lo que auguraba una respetable y casi garantizada longevidad para el señor De Siles.

Ruth ansiaba de Juan un certificado de garantía, una promesa que sabía que no podía reclamar. Esas cosas no existían, no existen. Ni siquiera a la gente que se casa les es posible contar con el amor de otra persona toda la vida. No sólo porque hay divorcio y hay muerte, sino también el deterioro de la pareja, y algo que para Ruth resultaba más aterrador incluso que el abandono: el aburrimiento, aquella sensación de estar muriendo en vida que había conocido al lado de Beau. Ruth creía en la pareja, aquí nadie ha dicho lo contrario. Creía en la sinergia. Creía en el amor y en el sexo. Pero no creía en las restricciones y tenía pánico a los compromisos y a las responsabilidades impuestas. No permitía que nada se le exigiese desde fuera. Lo que debía dar, lo daba; sin que hubiera que pedírselo. Cuando se enamoró de Juan se entregó al ciento cincuenta por ciento, no porque sintiera que debía hacerlo, sino porque no podía evitar hacerlo. Pero la situación, a pesar de los esfuerzos de Ruth, parecía haber tomado un giro adverso. Ruth estaba convencida de que, llegado el caso, podría dedicar todos sus días a estar con Juan sin hacer otra cosa y sentirse feliz. Otra mentira, puesto que ella no habría sabido nunca renunciar a su trabajo, a su independencia, a su soledad, a aquella vida propia tan añorada en los años de Londres y tan duramente reconquistada. Su razonamiento y su creencia eran falsos. Pero no podía admitir su autoengaño y no podía comprender, por tanto, por qué Juan se resistía a dejar a Biotza. Quizá, pensaba Ruth, no quiera quedarse conmigo porque piense que no le necesito, porque parezco más fuerte de lo que realmente soy. Quizá le haga sentirse inferior, porque no digo sí a todo lo que él me dice, porque le discuto y le rebato sus afirmaciones. Pero yo no puedo simular que soy lo que no soy, no puedo callarme y fingir que apruebo lo que no apruebo, o que me gusta lo que no me gusta, o que soy como no soy. Ojalá pudiera. Además, si mintiese a Juan, que era parte de sí misma, se mentiría a sí misma, o a una de sus partes. Y prefería perderle a mentirle. Porque la confianza y el respeto no surgen espontáneamente, hace falta fundarlos.

O eso creía Ruth.

En realidad, Ruth era supersticiosa y creía a pies juntillas que el día en que hiciera de la mentira una forma de vida perdería el contacto con el inconsciente, con lo invisible. Sería como tomar somníferos: se consigue dormir, pero no se puede soñar. La complejidad y la fertilidad de los sueños, e incluso de los logros, dependían, en el esquema de Ruth, de la lucha inconsciente para satisfacer los deseos, o para adecuarse a lo que una persona es de verdad. Y eso aunque Ruth se daba perfecta cuenta de que la noción de verdad tenía algo de subjetivo, o incluso de utópico. La verdad no era una cosa, ni siquiera un sistema; sólo una complejidad en perpetuo crecimiento, pues la verdad, como el arte, habita sólo en la percepción de quien sepa entenderla. Pero, aunque la verdad pura no existiera, las mentiras teñían de imposible cualquier relación.

O eso creía Ruth.

De las mujeres se espera que mientan: que se depilen, que se tiñan las canas, que se pinten las uñas, que usen sujetadores con relleno para fingir que tienen más pecho, o fajas para simular que tienen menos barriga. Que finjan los orgasmos o que finjan no tenerlos, según les toque jugar a la puta o a la virgen. Que finjan ser más inexpertas o más tontas de lo que son. Y Ruth había crecido convencida de que su identidad como mujer se construía con mentiras y silencios. Por eso acabó convirtiéndose en una maniática de la verdad. Mantenía su sinceridad contra viento y marea, porque sentía que era lo único que le quedaba íntegro, puesto que, como mujer, había fracasado estrepitosamente: puesto que no había sabido fingir, puesto que le había tocado ser la puta y la abandonada, entonces no le quedaba más remedio que hacer de su victoria una derrota y de su honestidad brutal una bandera. Al fin y al cabo, ella era celta, no podía negarlo. Su pelo rojo, sus ojos verdes y sus pecas lo proclamaban a los cuatro vientos, aquélla era la herencia de su madre, aquélla era su sangre, su esencia, por mucho que Ruth no hablase gaélico y se hubiera criado a miles de kilómetros de las tierras de Gaal. ¿Y no era acaso «cuenta la verdad siempre» el primer precepto de los druidas? *El mayor enemigo para el honor de un rey es la falta de respeto a la verdad, la alianza con lo falso.*

Eso le habría dicho su madre. O eso creía Ruth[1].

Una relación humana honesta, una relación como la que Ruth aspiraba a mantener, esto es, una relación en la cual dos personas (sean esas dos personas amigos, amantes o familiares) tuvieran derecho a utilizar la palabra amor para referirse al lazo que las uniera, una relación así debía comportar, inevitablemente, un largo proceso de adaptación, un desarrollo a veces delicado y a veces violento, a veces gratificante y a veces doloroso para los involucrados. Ruth había aprendido, a partir de sus relaciones con su padre, con Judith, con Beau, con Pedro y con Juan, que expresarse con sinceridad en una relación de este tipo comportaba un alto grado de complejidad, y que expresarse con precisión se revelaba como una tarea casi imposible. Por ejemplo, ¿qué quiere decir exactamente «te echo de menos»? ¿Significa lo mismo para quien lo dice y para quien lo escucha, para quien lo escribe y para quien lo lee? ¿Existe la verdad en estado puro cuando resulta imposible transmitirla, pues nadie garantiza que un discurso tenga una única interpretación? La palabra es equívoca y ahí queda lanzada, por lo que valga, en su más y en su menos. Las relaciones que habían merecido la pena para Ruth habían exigido de ella que escarbara profundamente en lo que creía que sabía y que no diera nunca por sentado el sentido aparente de las cosas. ¿Qué quería decir Pedro, por ejemplo, cuando afirmaba que la quería más que a nadie? ¿Que dejaría a Julito por ella o que la necesitaba como faro, como guía, como confidente? ¿Qué quería decir Juan cuando aseguraba, tan a menudo, que no podía vivir sin ella? ¿Que no podía vivir sin follarla, que se aburría sin ella, que algún día se atrevería a dejar a Biotza por ella, o que se planteaba mantener aquel extraño *menage à trois* toda la vida? ¿Qué quiere decir, por ejemplo, «te necesito»? La

---

[1] Pero eso fue lo que le dijo, siempre según la leyenda, el druida Cathba a Cúchalainn, el Monstruo del Ulster, héroe de las sagas celtas.

comida se necesita, el agua se necesita, el oxígeno se necesita... Al amante sólo se le desea. Al menos en un sentido estricto.

O eso creía Ruth.

Si Ruth hubiera mentido sobre su vida en Londres o, al menos, no hubiera dicho toda la verdad, las cosas, quién sabe, podrían haber sido más fáciles, pero quizá Ruth le contara a Juan la verdad como una estúpida proclamación de independencia. Porque ella creía que cuando las relaciones se determinaban a partir de una necesidad de control se volvían repetitivas, y las posibilidades, las infinitas posibilidades que pudieran encerrar, se agotaban. O eso al menos era lo que había deducido tras su experiencia con Beau. No es que para tener una relación respetuosa con Juan tuviera que decirle cuanto pensaba o sentía o entender cuanto pensara o sintiera él, ni siquiera que debiera saber de antemano todo lo que necesitaba decirle. Pero al menos, la mayor parte del tiempo, añoraba la posibilidad de decirle todo lo que le pasara por la cabeza, sin tener que sopesar antes si él la valoraría más o menos por eso, si le tendría miedo, si la consideraría mejor o peor. Había tantas cosas de las que no se podía hablar con él... No se podía hablar de antiguos amantes, de fantasías eróticas que incluyeran a otras personas, de sus recelos respecto al editor de Juan o a su madre. Desde luego, no se podía hablar de Biotza. Y tampoco se podía hablar de Pedro, porque Ruth había advertido que a Juan aquel tema le incomodaba terriblemente, como si le tuviera celos y, poco a poco, había dejado de nombrar a su mejor amigo en las conversaciones con su amante. Y aun así, Ruth intentaba, como bien o mal podía, ampliar los temas, extender las posibilidades de confianza entre Juan y ella, que es lo mismo que decir las posibilidades de una vida entre ambos, de una relación de cualquier tipo: amantes, amigos, hermanos. Probablemente ésa era una de las razones por las que le había hablado de su experiencia londinense (otras razones serían los celos, el orgullo, el resentimiento...): porque se había hartado de los temas tabú, porque echaba de menos la confianza total que tenía, por ejemplo, con Pedro.

O eso creía Ruth.

La elección del Café Comercial no había sido inocente, por supuesto. Aquél era el lugar en el que por primera vez estuvieron solos frente a frente, el lugar en el que comenzó su historia, y Ruth, supersticiosa, quería convocar allí al espíritu de la reconciliación para propiciar un nuevo comienzo. Ruth, que no había vuelto a pisar el local desde entonces, se presentó allí a las siete menos cuarto, cosa rarísima en ella, pues habitualmente no era puntual; atravesó el salón con mirada ausente, indiferente a la mirada ansiosa que le dedicaba el camarero que, por cierto, era el mismo del primer encuentro y, como si no quisiera decepcionarle en cuanto, al parecer, esperaba de ella, se contoneó exageradamente, ciñendo aún más la falda a las caderas cimbreantes, y por fin fue a instalarse junto al ventanal, para tener una buena perspectiva de la calle. Cuando el camarero se presentó, Ruth pidió una tila. Se habría tomado un lexatín en casa de haberse podido hacer con una caja, pero ni tenía recetas, ni se le ocurría forma rápida de conseguirlas, ni, tal y como estaban las cosas, se le pasaría por la cabeza pedirle pastillas a Pedro, así que contuvo los nervios como pudo y se dispuso a esperar. Cuando el camarero le trajo la tila, ella le pagó sin mirarle siquiera, y prácticamente se bebió de un trago el contenido de la taza, aunque abrasaba.

Llevaba un vestido blanco que se había comprado expresamente para la ocasión. Normalmente —lo indicamos con anterioridad— no usaba vestidos blancos. En primer lugar porque casi nunca usaba vestidos, excepto en verano, ya que desde la infancia le habían parecido cursis y repolludos; y, en segundo lugar porque el blanco, además de ser un color que se ensucia fácilmente, le hacía parecer más redonda aún. Pero recordó que en su primera cita se había vestido de blanco para él y el truco había funcionado, así que se gastó un ojo de la cara en el modelito de Schelesser. La elección de Schelesser fue recomendación de Pedro, por supuesto, que incluso la acompañó a la tienda, aunque si llega a saber Pedro que Ruth estaba tan loca como para comprarse un vestido bonito sólo porque iba a quedar con Juan, ni en broma le habría recomendado ese vestido ni ningún otro. Había otra razón para elegir el blanco: el recuerdo de la luz. Blanco, compendio de todos los colores, la vibración de la pureza, el plano cósmico de la perfección, el color de la luz en el que Ruth se había sumergido, la paz. A su salida de la clínica, Ruth se había planteado muy en serio cambiar radicalmente el color de su vestuario, pero no tenía ni dinero ni cuerpo para permitírselo, amén de que sus amigos pensarían que había ingresado en una secta, y por bastante loca debían de tenerla ya como para asustarlos con nuevas rarezas.

A las siete y cinco un taxi se detuvo frente al café, y Ruth, con un súbito brinco del corazón, un trémolo de la sangre, se dio cuenta de que una figura familiar se dibujaba emergiendo de la oscuridad del vehículo. Como en una intuición, más que en una percepción, adivinó de quién se trataba, y aquella sombra suscitó con su silueta, en el fondo mismo de Ruth, una atracción inevitable, a la vez gozosa y dolorosa, a través de la cual Ruth se identificaba más que nunca consigo misma al tiempo que dejaba de pertenecerse a sí misma. Y aquella visión se deslizó en su sangre, se instaló en ella y se clavó al fin en el corazón, comunicándole entonces un sentimiento de ansiedad aguda. Su primer impulso fue escapar, salir corriendo al cuarto de baño, esconderse allí mismo y no salir hasta que, pasada media hora, o quizá más (pues él era paciente y estaba acostumbrado a esperarla, ya que Ruth, revanchista, empezó a llegar tarde desde que descubrió lo poco puntual que él era), Juan se cansara de aguardar en vano. Un poder extraño —defensa tal vez del último vestigio de cordura a punto de enajenarse— tiraba de ella hacia el cuarto de baño, mientras que una simpatía instintiva la impulsaba con una fuerza contraria hacia la calle, hacia el hombre que bajaba del taxi con presunción graciosa y altanera y quién sabe incluso si inconsciente, hacia el hombre que se acercaba peligrosamente a la puerta del café, hacia aquella criatura con la que Ruth ansiaba, más que nunca, confundirse. Y Ruth transformó el primer impulso en el contrario, así que avanzó hacia él, desandando el camino andado a través del salón y, esbozando una amplia y cálida sonrisa de bienvenida, lo interceptó no bien Juan entraba en el café.

—Hola —dijo ella.

Los nervios la traicionaron y su voz, normalmente tan grave, brotó en un tono exageradamente agudo, casi de falsete.

Él se quedó mirandola con ojos de sorpresa, y luego la recorrió con la mirada de arriba abajo, sin articular palabra. Ruth no pudo por menos que advertirlo, y pensó que quizá se debiera al cambio experimentado, pues había adelgazado casi siete kilos en el hospital y las clavículas se le marcaban en el escote.

—Hola, Juan —repitió—. ¿Te has quedado mudo?

—Algo así. Me he quedado sin palabras… —la voz, ronca y estrangulada, le temblaba como si le costase salir de su interior—. Porque no hay palabras para describir… para describir lo guapa que estás.

Ella intentó descubrir un matiz irónico subyaciente en la frase, pero no acertó a captarlo. Quizá lo esté diciendo en serio, pensó. Y sí, Juan lo estaba diciendo en serio, porque aquella nueva versión de Ruth, aquella Ruth delgada, pálida, lánguida, con ese aire de doncella, envuelta en el vaporoso vestido blanco, le había dejado atónito, tan original le parecía la cualidad de su belleza. En aquel nuevo rostro más delgado, triangular, con los pómulos marcados, los ojos brillaban con luz propia y renovada, y la densa luminosidad verde parecía metal fundido. Biotza era guapa, eso nunca lo había negado. Pero Ruth tenía un algo, un…, aura; sí, un aura del que la otra carecía.

—¿Tomamos algo? —dijo ella.

—¿Aquí?

—¿Dónde si no? —Ruth pensaba que aquel lugar resultaba precisamente el lugar idóneo para «tomar algo», o para lo que fuera, por algo lo había elegido.

—No sé, podemos ir a buscar otro sitio más… —«más íntimo», estuvo a punto de decir, pero se contuvo—, menos formal.

—Bueno… —Ruth, que había fantaseado durante horas con aquel reencuentro, que lo había imaginado todo: la mesa precisa a la que estarían sentados, al lado del ventanal, la incidencia exacta de la luz, los reflejos azulados que el sol arrancaría al pelo de Juan, el velador de mármol, los camareros con pajarita, todo…, vio cómo de pronto la imagen que había compuesto se desmoronaba—. Como quieras.

Pero él quería evitar aquel café por la misma razón por la que ella quería quedarse: porque desencadenaba un alud de recuerdos, de recuerdos que le hacían daño.

—Vamos hacia Malasaña, ¿quieres? Hay un café muy bonito enfrente de la plaza.

«¿Desde cuándo vas tú a Malasaña?», estuvo a punto de preguntar ella, pero también se contuvo, y dejó que la pregunta se formulara solamente en su cabeza. Si aquello hubiera sido una escena de una película, la pregunta la hubiera hecho una voz en off. Ya sabía que él tenía una vida ajena a la suya, pero creía que sólo en Bilbao, y la idea de que también en Madrid pudiera hacer cosas sin ella le provocaba un secreto aguijoneo de celos.

Salieron juntos al sol de la tarde y caminaron uno al lado del otro sin cogerse de la mano, hasta que él, sin detenerse, la rodeó con el brazo por encima del hombro. Entonces se volvieron el uno al otro y, casi sin darse cuenta, se fundieron en un abrazo, detenidos en medio de la acera, aferrándose como dos ahogados, sin resuello, cada uno tabla de salvación para el contrario, con tal pasión que los transeúntes empezaron a dedicarles divertidas miradas de curiosidad. Él hundió la cara en la espesa melena pelirroja, y se sumergió no en la noche de su pelo, sino más bien en el atardecer incendiado de su pelo (ella era pelirroja, no morena) y permaneció aspirando aquellos familiares efluvios a canela y feromonas que transportaban recuerdos en vaharadas. Deseaba quedarse allí, seguir escondiendo el rostro para disimular la abrumadora emoción que lo embargaba, aquellas descargas de deseo, como corrientes eléctricas, que le fluían de la yema de los dedos en cuanto la tocaba.

Al fin ella, consciente de la escena que estaban dando gratis, se apartó, y siguieron caminando cogidos de la mano, y ese contacto de la piel del otro en los dedos se convertía de pronto en memoria táctil, en recuerdo de piel acariciada donde parecía latir, secreto y profundo, el pulso mismo de la vida. Atravesaron Fuencarral sin apenas cruzar palabra, sonriéndose el uno al otro como niños tímidos, suspendidos en un embeleso confiado y mutuo. La cresta de los edificios y el borde contiguo del cielo estaban marcados de amarillo, reteniendo la luz del último sol de la tarde como si fuera un aura, aportándole a la escena un aire de irrealidad, de cosa soñada. Aunque ella no lo había propuesto, estaban encaminando los pasos hacia Echegaray, como los caballos que, por instinto, siempre vuelven a las cuadras después de haberse desbocado. Así cruzaron la Gran Vía, bajaron por Montera, atravesaron Sol y torcieron por la calle Príncipe, sin decir nada, sólo intercambiando risitas y besándose con timidez de cuando en cuando. El sentimiento que había acosado a Ruth durante tantos años, su insoportable sensación de diferencia, se callaba de pronto, dormido, cuando miraba el perfil de Juan, porque la presencia de aquel hombre convertía a aquella ciudad sucia, estruendosa, fea, inhóspita, en un lugar agradable, en un sitio al que podía llamar, al fin, suyo.

A ella le sorprendía que él se comportara con tanta docilidad, que no opusiera resistencia y se dejara llevar tan fácilmente, y no se atrevía a decir nada por si acaso el hechizo se rompía, por si la escena se desvanecía como un espejismo, por si él despertaba de pronto y se daba cuenta de lo que estaba haciendo, no fuera que saliera de esa especie de trance hipnótico en el que parecía estar absorto, y recuperara de pronto la cordura y se diera cuenta de que estaba yendo a casa de Ruth, de la misma Ruth con la que tanto se había enfadado hacía apenas dos semanas, porque lo que más deseaba Ruth en aquel momento era acostarse con él, y no imaginaba ella que mientras él le sonreía con cara de embobado, estaba pensando más o menos lo mismo.

Llegaron al edificio y subieron las escaleras cogidos del brazo. De reojo Ruth advirtió cómo la sombra conjunta que componían, negra y con alas, semejante a un murciélago alegórico, les seguía, dos pasos por detrás, subiendo las escaleras con resolución luciferina. Se sentía intimidada por la inminente conmoción del primer encuentro después de la primera ruptura. A la puerta se detuvieron para que Ruth buscara la llave en su bolso, y cuando ella alzó la vista al sentir esa sensación familiar de saberse observada, de saberse mirada fijamente, se encontró con las niñas de los ojos de Juan, tan encendidas que se diría que la estaban quemando por contacto, como si él tuviera rayos láser en el fondo de las pupilas, y Ruth se le quedó mirando a su vez. Transcurrieron algunos segundos que parecieron horas, y sólo se escuchaba el sonido de sus respiraciones sincronizadas, mientras se contemplaban con ansiedad. Al fin ella rompió el hechizo y fue la primera en apartar la mirada. Introdujo la llave en la cerradura y abrió la puerta con suavidad.

Fundido en negro.

ANATOMÍA DE UN DESASTRE ANUNCIADO

No hacía falta ninguna sibila para augurarle un siniestro futuro a la relación de Juan y Ruth. En primer lugar, porque a primera vista se parecían como un huevo a una castaña, puesto que, como ya habíamos dicho antes, Ruth era dorada y blanca, Juan azabache y zaino, un moreno de verde luna en la más pura tradición lorquiana; Juan se sentía permanentemente observado por un Dios que le pediría cuentas, y Ruth, que al principio creía, como Buñuel, que Dios era ateo, ahora creía en una diosa hecha de luz blanca que llevaba dentro de sí, como un árbol interno, creciendo en vertical; Ruth no llevaba la cuenta de sus amantes y Juan anotaba cada infidelidad a Biotza con meticulosa obsesividad culpable; etcétera, etcétera[1].

Los dos, sin embargo, se parecían mucho. Ambos eran obsesivos y egocéntricos, ambos vivían pendientes del modo en que les veían los demás, ambos se habían sentido despreciados en su adolescencia, y ambos trabajaban de firme en su incipiente carrera para demostrarle al mundo lo que valían o lo que ellos creían valer; y los dos acabaron convirtiéndose, pese a sus diferencias, o quizá precisamente a

---

[1] Vale, vale… Esto ya lo habíamos dicho.

causa de ellas, en espejos azogados dispuestos el uno frente al otro, enfrentados a una imagen distorsionada de sí mismos[2].

Muchos personajes representaron papeles más o menos relevantes en la representación de su pasión y, hay que decir, en honor de la verdad que ninguno hizo alarde de particular nobleza, presencia de espíritu o recto altruismo.

En fin, empecemos por el principio. Después de aquella tarde del reencuentro, que fue toda ella una locura de amor; después de que Juan abrazara a Ruth con todas sus fuerzas y le alborotara los cabellos; después de que le buscara los ojos que brillaban más verdes que nunca en la oscuridad de la habitación y el pensamiento, y se encontrara con aquella verde mirada, infantil e inmediata en la vehemencia de su deseo; después de que le pasara la mano por la cara como si ya supiera que un día no podría acordarse ni de cómo era; después de robarle instantes al tiempo, cuando todo parecía posible o imposible, porque en esa intensidad qué más daba ganar o perder, tomar o entregar; después de enredarse en un diálogo profundo y sin palabras, tanto más elocuente cuanto más callado; después de que parecía que los cuerpos, llenos de sí mismos, habían tocado un punto más allá del cual no hubieran llegado sin romperse…, después de aquella reconciliación —al menos en lo físico—, las cosas volvieron, más o menos, a donde antes estaban. Esto es, todos a seguir la máxima de Wittgenstein, y allí se callaba sobre aquello de lo que no se podía hablar, y no se hablaba ni del intento de suicidio de Ruth, ni de la vida de Juan en Bilbao, ni del pasado de Ruth en Londres. Y todo volvió a la antigua rutina, pero con una amargura subterránea que antes no existía, un resentimiento hueco y profundo por parte de los implicados.

Las infidelidades se notan, y con el tiempo Biotza no podría por menos que estar al cabo de la calle de lo que pasaba en Madrid. Por si no bastara con los rumores que le llegaban a través de amigos y conocidos con algún pariente o relación en la capital, los medios se encargaron de confirmar lo que hasta entonces había sido tan sólo una sospecha. Al fin y al cabo, Ruth Swanson era una persona conocida, y llegó un momento en el que hasta en los periódicos se hacían referencias al tema: si se hablaba de un estreno, siempre había unas líneas que decían algo así como que: «El estreno contó con la asistencia de nu-

---

[2]   También lo habíamos dicho.

merosas caras famosas: Menganito X, Zutanito Y, Perenganito Z [...] *y la directora de cine Ruth Swanson, acompañada de su últimamente insepa- rable amigo, el poeta Juan Ángel de Seoane».* Por fin, Biotza se enfrentó a Juan y obtuvo de él —sin demasiada dificultad, todo hay que decirlo— la esperada confesión. Por supuesto, al principio ella se lo tomó a la tre- menda, como se toman estas cosas las señoritas de Bilbao, y dijo y re- pitió que lo suyo se había terminado para siempre y poco le faltó para exigir, como en la canción, la devolución del rosario de su madre; pero, dado que Biotza no le había entregado a Juan rosario alguno, se conformó con pedirle las cartas y las fotos que testimoniaban su no- viazgo, reclamación que Juan no satisfizo; en primer lugar, porque no conservaba las cartas de Biotza, y en segundo porque semejante re- querimiento le parecía un gesto absurdamente teatral y melodramá- tico, por no decir cursi hasta la muerte.

Como hacía siempre que tenía algún problema, Biotza buscó refu- gio en las dos mujeres en las que más confiaba y que siempre la ha- bían apoyado: su propia madre y la de Juan. No necesitó contarles lo que pasaba, porque ambas veían los programas televisivos del cora- zón en la sobremesa y no se les había pasado por alto la cariñosa acti- tud que la cámara había sorprendido entre Juan y la Swanson en la fiesta del estreno de *A los que aman.* A Leire, la madre de Biotza, se la llevaban los demonios del orgullo por los pelos: era malo que a su hija le pusieran los cuernos, ya era peor que se los pusiera un vulgar maqueto, y ya era requetepeor que encima el asunto se aireara por la televisión, para que se enterara todo Bilbao, por si no estaban entera- dos para entonces. Carmen, sin embargo, se lo tomó de una manera muy distinta, e intentó tranquilizar a Biotza como pudo, pues la con- sideraba la hija que nunca quiso tener. Y decimos «quiso», y no «pudo» porque Carmen nunca había deseado un segundo embarazo, y siem- pre había pensado que cuando su hijo se casara su nuera sería como su hija, puesto que la esposa de su hijo haría lo que éste quisiera. Y como Carmen nunca había dudado de que su hijo sería el báculo de su vejez, lo lógico era pensar que su nuera la cuidaría cuando ella en- fermara, y se encargaría de llevarla del brazo a pasear por el parque y ayudarle a tragar las últimas sopitas. Cualquiera habría dicho que Biotza había nacido para el papel: tan dulce, tan buena, tan domés- tica, tan apañadita y tan buena chica... No tenía ambiciones y, por no tener vicios, ni siquiera fumaba. ¿Pero qué perra se le podía haber metido al culo inquieto de su hijo como para pensar en dejar una perla como aquélla? No, si ella siempre lo había dicho: que lo de Madrid era una locura, que a quién se le ocurre dejar al chico solo en una ciudad tan grande y a su edad, que la capital tenía más peligro que una caja de bombas, y hasta le habría aconsejado a Biotxu que se presentase allí para recuperar sus fueros de no ser porque la familia de Biotza no veía con buenos ojos las relaciones prematrimoniales (y les habría dado un pasmo si llegan a enterarse de que la niña ya no era virgen) y no les parecía bien que Biotza se fuera sola a ver al novio. Pero no había que preocuparse, pensaba Carmen, y así se lo hizo saber a Biotza, porque, como todo el mundo sabía, para los hombres existen dos clases de mujeres: las que son para casarse y las que son para divertirse. Por eso una mujer debe elegir entre ser una historia especial en la vida de un hombre o una mera mercancía, forraje, porque la disponibilidad fácil alimenta el desdén, eso es tan antiguo como el mundo, y clarísimo estaba, como el agua, que tarde o temprano Juan se cansaría del caprichito de la capital y le volvería la cordura, que todo el mundo sabe y encuentra natural que a un hombre joven le apetezca correr un poco de mundo antes de casarse, pero también se sabe que cuando quiera sentar cabeza no lo va a hacer con mercancía usada, con una golfa de tres al cuarto como aquélla y para colmo diez años mayor que él. Así que le dijo a Biotza que lo mejor que podían hacer todos era no darle demasiada importancia a la historia, porque como a Juan le presionaran pasaría como ocurre con los niños, que se encaprichan con el juguete al que no hacían caso justo el día en que la madre decide tirarlo a la basura, que ya se sabe que los críos a todo lo prohibido le encuentran gusto, y los hombres, a fin de cuentas, no son más que críos grandes. «Así que tú, niña —le aconsejó—, haz como decimos los gallegos y *finxe que non vedes*, que ya verás como acaba cansándose de ésa y vuelve contigo, que eres a la que quiere de verdad, eso está clarísimo, y si no, al tiempo».

De forma que, después de todo el escándalo que le había montado por teléfono, y tras reclamar las cartas y las fotos, y habiendo puesto a Ruth de ramera para arriba con un vocabulario que nos abstenemos de repetir aquí porque no quedaría bien en boca de una chica fina de Bilbao, Biotza volvió a llamar a Juan tres días después hecha una tacita de almíbar, y Juan, estupefacto, optó por seguirle la corriente y hablar de vaguedades y naderías como si nunca hubiera habido una bronca espectacular ni una tercera de por medio en su relación. Claro que la calma y la tranquilidad de Biotza eran más aparentes que reales y, aunque al principio se las dio de tolerante y comprensiva, no tardó en cambiar de actitud y recurrir a la acusación y al chantaje sentimental; y, según ella, Juan era un mal hombre, un egoísta incapaz de ver otra cosa que no fueran sus propios caprichos y de sentir la más mínima compasión por la gente a la que hacía sufrir; argumentos que venían a coincidir con los de Ruth, que en pocas palabras se pasaba el santo día soltándole a Juanito las mismas o parecidas, de forma que llegó un momento en el que a Juan le daba igual con qué carta quedarse, pues le parecía que sus dos mujeres, por mucho que jugaran a ser diferentes, venían a ser dos versiones —la una moderna y cosmopolita, la otra conservadora y provinciana— de su propia madre: manipuladoras, exigentes, egoístas e histéricas. Y al final resultaba que allí sufría todo el mundo. Ruth, Biotza, Juan e incluso el propio Pedro, que cada vez veía menos a Ruth porque ella sólo vivía para Juan, y si no le veía a él no quería ver a nadie, de lo deprimida que se sentía. Así que en las pocas ocasiones en las que Ruth y Pedro quedaban —normalmente con la excusa de que Pedro quería echarle un vistazo al proyecto de guión, por más que supiera de sobra que el tal proyecto no avanzaba—, él se la encontraba tan cambiada que daba pena, hecha un mar de nervios, y con unas bolsas negras bajo los ojos que le daban aspecto de oso panda.

Al pobre Juan le asediaban emociones extraordinarias y contradictorias, que se volcaban en su corazón con tal violencia que se sentía un momento feliz y al siguiente destrozado. De forma intermitente, era presa de una salvaje exaltación, como si hubiera dado comienzo una aventura tanto tiempo anhelada que le inflaba el ego de orgullo como un globo; pero pronto su ego, recién elevado, volvía a caer a las sombras del más grande autodesprecio: él había mentido a Biotza y a su madre, había traicionado su confianza, había renegado de sus propios valores, de las cosas en las que creía hacía no tanto, y Biotza, que durante años nunca le había dado un solo disgusto, no se merecía aquello, y mucho menos su madre, que se había matado a trabajar para que él fuera a la Universidad. Pero este sentimiento se mezclaba con una conciencia de que ellas no tenían derecho a exigirle que no viviera su propia vida, que se la entregara a ellas como un tributo, como si los sentimientos fueran un valor de compraventa, de «yo te he dado amor, luego tú me tienes que dar amor en compensación». Y al final su propia angustia y confusión se intensificaban con la conciencia de que él también las quería y que lamentaba seriamente el daño que les había causado. A veces renegaba seriamente de que él fuera capaz de devolver cierta coherencia al mundo que le rodeaba, el mundo que no hacía tanto respondía a unas formas de actuación nítidas y reglamentadas, aquella vida tranquila y sosegada que había vivido junto a Biotza, en la que no se rompía más que algún vaso ocasional, en la que no había habido más humo que el de los cigarrillos, ni mayor disgusto que el de perder un autobús. Pero incluso entonces, en aquellas formas que sustentaban la rutina, en aquellas creencias que parecían tan hondas y arraigadas, se insinuaba ya, si no una objeción racional, el presentimiento de una alegría ausente. Y cuando aquella alegría apareció por fin en forma de Ruth —aunque fuera alegría preñada de dolor y de angustia—, de la noche a la mañana se derrumbó el sueño de aquella existencia idílica y todo parecía caos y fragmentación.

De tal manera se lo estaba comiendo la ansiedad que le empezó a ser difícil conciliar un sueño sin interrupciones; a él, que toda su vida había dormido como un bendito sus ocho horas de cajón. Le acosaban sueños angustiosos, enredados en remolino, que se interrumpían y renovaban con insistencia, y le hacían despertar sobresaltado varias veces durante la noche para dormirse enseguida de puro agotamiento, y todo para volver a despertar —bañado en sudor, el estómago crujiéndole de angustia— a los pocos minutos, revolviendo por la memoria los episodios de aquel amor que se le antojaba sórdido y lamentable; sin calma para regresar al sueño, sin fuerza para afrontar la vigilia. Y así se le pasaba la noche agitada, a intervalos, despertándose varias veces para volver a dormir y despertar. Cuando por fin se despertaba definitivamente, ya de mañana, en la cama de Ruth, le costaba un buen rato reconocer la realidad y adquirir conciencia clara del escenario en el que se encontraba. Todo le hacía daño: la luz en las pupilas, el ruido en el interior de la cabeza, la presencia de Ruth en el corazón. Casi deseaba recobrar el mal sueño, por febril y repleto de escalofríos que fuera, pues al menos en él se hallaba libre de la nueva pesadilla, real, de la vigilia; y se levantaba de un mal humor terrible, embargado de un odio carnicero hacia sí mismo y hacia la mujer que dormía a su lado. Por lo general, invocaba la excusa de trabajo para largarse de allí lo más rápidamente posible, incluso si sabía que, inexorablemente, esa misma tarde volvería a dejarse llevar por la corriente (de tal modo arrebataba su sangre el ardor del deseo) y aquella misma noche volvería a dormir en la cama de Ruth. Ni siquiera dejó un cepillo de dientes en aquella casa, sino que se acostumbró a llevarlo en el bolsillo de la chaqueta, pues aquel gesto simbólico habría significado una voluntad de permanencia que él no quería transmitir.

Pero este mismo hombre que renegaba del lazo que le unía a aquella pelirroja y a su cama, era el mismo que perdía la cabeza haciendo el amor con ella, que pensaba en ella a todas horas cuando no la tenía cerca, que se perdía en el recuerdo de cada momento que habían pasado juntos, hechizado por la dulce mnemotecnia de la pasión que le hacía revivir cada pequeño detalle, dejándose llevar por el ardor de una carne hecha de instinto. No podía negar que estaba enamorado, no podía, pero, ¿merecía la pena pagar tanto por aquello? ¿Merecía la pena herir a las mujeres a las que quería, indignar a su editor, traicionar sus propias convicciones, y todo por una cualquiera que podría dejarlo en cualquier momento, que no le ofrecía ninguna garantía de compromiso serio, por una mujer que llevaba en su cuerpo las huellas de quién sabía cuántos hombres diferentes? Pobre cuerpo de Ruth, concebido sólo como recipiente, inocente animal atravesado. Esa idea —el rastro de otros hombres en el cuerpo de su amante— le resultaba repulsiva, no podía con ella. Se le instalaba en la cabeza como un dolor agudo, se le hacía prácticamente física, y comprendía entonces que nunca podría vivir con Ruth, porque no superaría aquello celos retroactivos que lo consumían. Sabía que podría volver a querer a Biotza, que podría vivir tranquilo con ella, pero para eso hacía falta librarse de aquella carga, de aquella obsesión devoradora, dejar de pensar en Ruth a todas horas, como fuera. Un miedo súbito le prevenía contra aquel amor nocturno a cuerpo abierto, el miedo frente a lo extraño y lo desconocido, frente a lo incontrolable, aquel despertar de un terror primario y ancestral en un alma condenada a sentirlo siempre, que se traducía en su conciencia —con prisa, con afán, con premura, con angustia— en una imperiosa huida hacia delante.

Porque hay que tener en cuenta que Juan nunca había sido un hombre seguro de sí mismo, por mucho que lo aparentara, que toda su vida había vivido sometido a la tiranía del amor de su madre, un amor que no era generoso y absoluto como ella aparentaba, sino condicionado al comportamiento de Juan. Ella lo quería cuando él era bueno, cuando se adaptaba a la idea de persona que ella había construido para él y, por lo tanto, él nunca se había visto a sí mismo como un ser perfecto y acabado, sino como un impostor que jugaba un papel, que vestía un disfraz bajo el que se escondía la verdadera criatura repugnante que él creía ser, el hombre mentiroso e infiel que dormía en casa de Ruth. No era, desde luego, tan tonto que no entendiera cómo funcionaba este mecanismo de pensamiento, incluso de cómo se había construido. A veces reflexionaba sobre su complejo de culpa con una implacable lucidez, y se daba perfecta cuenta de que nadie sino él mismo constituía el mayor impedimento para el avance de su vida; de que llevaba, como quien dice, la culpa impresa en las neuronas, como un látigo interno, un mecanismo de control. Se daba perfecta cuenta de que se había acostumbrado a vivir según ciertas reglas, reglas que le importaban, o que le importaban a las personas que le importaban (lo que venía a ser lo mismo). Cuando sentía que estaba rompiendo aquellas formas en las que le educaron, sufría muchísimo, aunque en el fondo supiera muy bien que se trataba de concepciones equivocadas y obsoletas, tan arbitrarias como las reglas del parchís.

Pero le dominaba el corazón, y no la cabeza, y a veces pensaba que prefería vivir como antes, de una forma anticuada y absurda pero tranquila, a enredarse en esa espiral de traiciones y culpas; que prefería seguir caminos trillados y señalizados, con sus normas y prohibiciones y multas establecidas, a arriesgarse a avanzar por la impredecible jungla de lo no reglamentado. Y volvía la mirada, triste y nostálgico, hacia aquella dulce vida apaciguada, aquellos días claros y aburridos, ahora irrecobrables. Y, entretanto, mantenía una situación insostenible, dividido entre la novia que ya no lo era pero que seguía actuando como si lo fuera y la amante que nunca sería novia, pero que detentaba mayor imperio sobre su corazón y sus genitales que doscientas novias juntas. Y pensaba que se volvería loco, porque no ha nacido el hombre que pueda enseñar al tiempo dos caras diferentes sin llegar a dudar de cuál es la verdadera. Juan acataba, sin saberlo, el código del Bushi-Do: un verdadero samurai no puede servir a dos señores a la vez.

Sí, podría seguir con Biotza, podría quererla, y la quería, de eso no cabía duda, con un afecto profundo macerado en tiempo y costumbre. La conocía bien y podía prever sus emociones y sus reacciones. Confiaba en ella como en un termómetro, pero el problema de Biotza es que le aburría soberanamente, y se preguntaba cuánto tiempo podría un hombre vivir al lado de una mujer buena y bonita pero sin conversación ninguna, cuánto podría avanzar cargando con su aburrimiento como si fuera una mochila. En su día había amado a Biotza, o había creído amarla, o, sobre todo, había amado una figura ideal que representaba las cosas que él ansiaba —bondad, belleza, dulzura, amor incondicional— y le había superpuesto los ojos, el pelo, las manos, el cuerpo de Biotza. El problema radicaba en que mientras la creación imaginaria venció a la real, en la visión idealizada hubo mucho más amor que en la contemplación racional, y el goce del ideal —tan entero, tan perfecto— había agotado toda posibilidad de amar a la Biotza real; porque cuando la realidad se impuso, con los años de roce y de trato diario, cuando resultó imposible seguir inventándole cualidades a una mujer que evidentemente no las tenía, la Biotza diaria —ojos apagados como agua estancada, voz inexpresiva sin modulación ni caricia— se reveló tan diferente de la Biotza soñada que el batacazo interior de Juan resultó monumental. Y la aparición de Ruth no hizo sino confirmar algo que Juan ya sabía: que hacía tiempo que Biotza había dejado de gustarle, que su enamoramiento pasado era un autoengaño de adolescente, y que después lo había mantenido vivo un poco por costumbre, un poco por rutina y un poco por cobardía, pues no tenía valor ni razones aparentes para dejarla.

No se trataba tan sólo de que Ruth fuese infinitamente más culta que Biotza, que lo era, sino que hacía gala de un ingenio y una rapidez para establecer asociaciones verdaderamente fascinantes, de una extraña capacidad analítica a la vez errática y centrada, capaz de perderse en divagaciones o de plantarse en conclusiones según hiciera falta. Sabía darle la vuelta a cualquier cosa —una novela, un cuadro, una película, una conversación escuchada a medias en el autobús…—, y extraer de las cosas interpretaciones imprevistas, encontrar el lado cómico a la situación más solemne y el subtexto sesudo a la más frívola. Sabía apreciar las cosas y disfrutarlas, ya se tratase del vino, la comida, la música o el sexo, y sabía mostrar interés por las conversaciones de Juan, confrontarlas, exponer opiniones y aportar ideas, algo que, definitivamente, Biotza no podía hacer, pues Biotza o se limitaba a mirarle con ojos enormes y vacíos y a asentir mecánicamente o, peor aún, a no mostrar interés alguno. Y es que a la pobre Biotza, incapaz de toda trivialidad generosa y libre, la imaginación creativa le resultaba tan ajena como el agua al desierto.

Nos queda por ver cómo se enfrentó Ruth a la situación. Pues bien, probablemente desde el principio metió la pata hasta el fondo, porque, quién sabe, si se hubiera tomado la cosa con calma, si hubiera sabido esperar sin presionar, si hubiera entendido que la situación le resultaba tan angustiosa a Juan como para que se sintiera uno de aquellos condenados al despedazamiento de cuyos brazos y piernas dos caballos tiraban en sentidos opuestos, si Ruth hubiera asumido el papel de la amante paciente y en la sombra, si se hubiera comportado como otra que no podía ser, entonces es posible que con el tiempo hubiera ganado la batalla contra Biotza. Porque era de lo más evidente para todo el mundo (para ella, para Pedro e incluso para el propio Juan) que él bebía los vientos por Ruth, que estaba totalmente loco por ella. Pero Ruth no era una persona acostumbrada a esperar ni a mostrarse paciente, y sí muy insegura, y no confiaba tanto en su atractivo o su encanto como para pensar que si ella permitía que la relación con Biotza se acabara de muerte natural, las cosas irían fluyendo hacia su cauce, y poco a poco Juan dejaría de ver a Biotza a la par que afianzaba su incipiente relación con Ruth.

Durante los tres meses siguientes, cada vez que Juan hacía un viaje de fin de semana a Bilbao (unas dos veces al mes), Ruth entraba en una crisis de ansiedad aguda, convulsiva y forzada, tan extrema que parecía locura, tan fuerte que le cortaba la respiración y le impedía probar bocado. Se fue quedando cada vez más flaca y consumida, con la mirada del animal acosado, con la tonalidad marchita del cansancio en la piel, flácida como una muñeca cuyo relleno se desinfla, porque aunque Juan le juraba y perjuraba que ya no se acostaba con Biotza y que apenas quedaba con ella a tomar un café de cuando en cuando por mor de los viejos tiempos, Ruth sabía que Biotza seguía en contacto con Carmen, a la que llamaba casi a diario y a la que visitaba en Bermeo, mientras que Juan nunca le había propuesto a Ruth llevarla a conocer Bilbao, o Bermeo, ni muchísimo menos a su madre, aunque admitía que Biotza había entrado en su casa prácticamente desde el principio de su

relación. Y este agravio comparativo —el hecho de que a Biotza se la
aceptara y a ella prácticamente se la excluyera— enfermaba a Ruth de
celos, unos celos que le envenenaban la sangre con una intensidad sólo
comparable a la que le devoraba a Juan por dentro cada vez que pensaba en el pasado de Ruth. Ruth exploraba el mundo con antenas invisibles, recogía las experiencias de los otros y las contrastaba con las suyas propias para volver a definirse. Y de esa manera estableció su
autodefinición a partir de la comparación con el fantasma de Biotza, un
fantasma que condensaba las cien mil humillaciones que Ruth había
vivido o creído vivir por parte de un entorno que despreciaba a las mujeres como ella, las opuestas a las mil Biotzas del mundo entero. A veces incluso llegó a pensar que quizá Juan no le habría atraído tanto si
no representara semejante desafío, si no simbolizara la posibilidad de
vencer, por una vez, al batallón de *las buenas chicas,* si no lo viera en
cierto modo como un botín, un trofeo arrebatado al bando de la moral
y las buenas costumbres. Y hay que reconocer que, si bien era induda-
ble que el orgullo influía en la obsesión y en el empeño por conseguirlo, había otras muchas cosas que les unían: no sólo el sexo, pese a
que el sexo pareciera un vínculo tan sólido como unas cadenas de hierro, también las lecturas comunes, el gusto por las mismas películas,
pero sobre todo, sobre todo, la pasión por la vida, el deseo de llegar a
ser algo más de lo que los demás habían decidido que fueran.

Cada vez que Juan se marchaba Ruth, en lugar de quedar con Pedro o con cualquiera, de salir por su cuenta, se encerraba en casa y
pasaba esos tres o cuatro días consumida por la ansiedad. Y así de-
vino en una Penélope silente y ermitaña, víctima de su Itaca privada.
A Ruth la pasión la abrasaba por dentro, le desgastaba los días y le
consumía la existencia. Cómo deseaba entonces, incluso al precio de
cuanto poseía, incluso al precio de su sangre si fuera preciso, poder
tener a Juan siempre a su lado, venderlo todo, negarlo todo, abando-
narlo todo por él, pues le deseaba suyo con una necesidad desgarradora, entera y satánica, que le estaba devorando las horas. Unas horas que, cuando no le tenía, se alargaban hasta lo interminable, lentas
y desiguales; unas horas que parecían no pasar nunca, difíciles de tragar y digerir; unas horas que se convertían en la cifra de la eternidad,
que contenían siglos en sus sesenta minutos; unas horas que, más
tarde, se deslizarían con rapidez en el recuerdo hasta hacerse prácticamente inexistentes. Pero entonces no podía ella imaginar que algún

día aquel dolor se pasaría, que la herida acabaría por cerrarse dejando sólo una cicatriz en la memoria.

En el futuro aquella cicatriz dolería, como duelen las cicatrices con los cambios de tiempo, cada vez que algo —una conversación, un perfume familiar, una canción, una película que vieron juntos...— conjurara la imagen de Juan, pero ya no sería como una herida abierta que hacía notar su presencia de forma constante, sería sólo una emoción retardada que desbordase sobre la actual, trayendo consigo, visibles sólo para la memoria anterior, fragmentos de antiguos espacios y tiempos. ¿Pero quién es el valiente que, en plena crisis de angustia amorosa, se atreve a decirse a sí mismo aquello de «no te preocupes, esto pasará, en unos años ni te acordarás de este momento, te reirás incluso, te descojonarás de lo idiota que fuiste»? No, Ruth, desde luego. Ruth no.

En resumen, que los siguientes meses fueron un infierno para todos los implicados. Para Biotza, porque le tocó ser la abandonada, y aparcar los planes de boda, aunque, al menos, estuvo muy protegida por sus dos madres y no tuvo que apechugar con los arranques de mal humor de Juan, ya que prácticamente no lo veía. Para Juan, porque el complejo de culpa, la indecisión y los celos se lo estaban comiendo vivo. Para Ruth, porque con Juan sentía como si intentara alcanzar el horizonte, que se iba alejando más cuanto más hacía por alcanzarlo; siempre cercano, siempre distante. Para Pedro porque se sentía impotente, incapaz de hacer nada por aliviar a una amiga cada vez más arisca y más ida, por no decir más dejada físicamente.

Para colmo, Juan empezó a beber más de la cuenta, cosa que, de todas formas, siempre había hecho, pero que nunca se había notado demasiado. Al fin y al cabo, su padre también bebía mucho y a diario, y en Bermeo la afición al alcohol es cosa tan corriente que a nadie le parece extraño que alguien vaya a tomar chiquitos cada tarde a la salida del trabajo, que coma y que cene con vino o que culmine las comidas con pacharán. Pero el alcoholismo del padre era casi una ventaja, porque se trataba de un vicio callado y amodorrante, que le dejaba frito los sábados por la noche, incapaz de protestar o de emitir una opinión propia, y a Carmen lo de que bebiera no le molestaba demasiado, ni le dejaba de molestar, ni le parecía que hubiera que hacer algo por remediarlo. En cuanto a Juan, Ruth había notado cada vez que salían que se bebía los *gin tonics* como si fueran coca-colas, y que era capaz de tomarse seis seguidos en una noche, pero como al principio parecía que le sentaban bien, que la timidez se le diluía en las copas que lo volvían locuaz y dicharachero y, sobre todo, cariñoso con ella, no le dio al asunto mayor importancia. Es más, al principio, en aquel primer mes idílico de su relación, Ruth casi había agradecido que él bebiera, porque cuando se emborrachaba se volvía tan apasionado y ardoroso, y le dedicaba tales lindezas en la cama y fuera de ella, que la ginebra le resultaba a Ruth casi, casi una bendición, un néctar afrodísiaco, maná caído del cielo. Pero la situación había cambiado, y ahora Juan odiaba a Ruth porque se lo comían los celos, y la odiaba por desestabilizar su vida y, como el alcohol hacía aflorar a la superficie lo más profundo de sus sentimientos, cada vez que bebía se ponía insoportable, porque si al principio, al beber, se volvía cariñoso, pues nada sabía del pasado de Ruth y nada amenazaba su estabilidad con Biotza, con el tiempo el alcohol empezó a transformarlo en un ser desagradable y colérico, en un río crecido, una turbulenta corriente de celos y rencores.

Una situación típica sería más o menos la siguiente: llegaban a una fiesta e, inevitablemente algún elemento masculino se acercaba a saludar a Ruth. Podía tratarse de simples admiradores, de actores en busca de un papel, de antiguos conocidos remanentes de las noches de juerga con Pedro por Chueca en otros tiempos, de amantes pretéritos, compañeros de una sola noche, o incluso de totales desconocidos a los que Ruth procuraba saludar con educación y cortesía, por si las moscas. En una cosa coincidían todos ellos: se quedaban mirando a Ruth con ojos ávidos, demorándose en la sima de su escote, o, al menos, eso era lo que Juan creía percibir, y entonces se lanzaba a una absurda espiral de alcohol y resentimiento. Bebía para superar su desazón, pero el alcohol sólo conseguía exagerarla más aún. Para colmo, él nunca reconocía la verdadera razón de sus enfados, así que a la salida de la fiesta en cuestión lo que hacía era calificar a Ruth de aburrida si no había hablado demasiado, o de niñata frívola si lo había hecho, para luego seguir atacando, inevitablemente, por donde sabía que a Ruth más le dolía: su trabajo. Porque uno de los argumentos recurrentes de Juan cuando bebía era el de que ella era tan frívola en su vida como en su arte, tan inmadura en sus apariciones públicas como detrás de una cámara, y que todo el mundo sabía, según él, que Ruth no era más que una oportunista con suerte, una niñata que había abusado de su físico espléndido para vender lo invendible, una chica mona que había conseguido la fama sólo a base de salir en los medios, y que había salido en los medios sólo por su cara bonita, porque quedaba decorativa.

De todas formas, aquel argumento de la función ornamental de Ruth no se sostenía, porque por aquella época él se empeñó en denigrar el físico de Ruth, y no perdía oportunidad de recordarle a todas horas sus kilos de más. Cuando iban a salir le decía que se cambiara de traje, que el que llevaba le marcaba demasiado los michelines o las pistoleras, y acto seguido le sugería que se pusiese a régimen. Llegó incluso a criticar su celulitis una mañana, cuando Ruth, recién levantada, se dirigía al baño, y Juan, con estudiada crueldad, se fijó desde la privilegiada atalaya de la cama en la piel de naranja que estriaba los muslos de su amante, esa pared rugosa por la que él mismo había escalado horas antes, surcos en los que habían arado y cosechado tantos otros, surcos en los que hasta entonces no había reparado, y le preguntó, para mayúsculo pasmo de Ruth, si no había pensado nunca en hacerse una liposucción. Por otra parte no perdía ocasión de halagar, cuando estaba con Ruth, el físico de otras mujeres que en nada se parecían a ella, marcando las palabras como quien no dice ni deja de decir las cosas. Se habría dicho que Juan repentinamente había desarrollado un súbito interés por las mujeres esqueléticas. Y, sin embargo, este interés también se desmentía pronto, no sólo porque seguía acostándose con Ruth, sino porque se ponía de los nervios en cuanto otro hombre se acercaba a ella, y, ¿cómo puede alguien sentir celos de quien ya no considera deseable?

Por supuesto, cualquiera habría podido argumentar que si él la atacaba de tan despiadada manera no era por otra razón que porque estaba celoso de su talento y de su fama, porque envidiaba el éxito de ella, un éxito que le obligaba a afrontar su propia sensación de fracaso, y se habría podido añadir a éste otro argumento: por mucho que la crítica no reconociera a Ruth, tan mala no podía ser una directora cuyo primer corto había cosechado tantos premios y cuyo debut en el largo había sido seleccionado por el Festival de Cannes. Y se podrían añadir más argumentos aún, como que, en general, los grandes creadores *avant garde* nunca habían recibido buenas críticas en sus comienzos o que las críticas nefastas sólo las tuvo Ruth en España, porque en Francia la pusieron por las nubes. Y lo cierto era que cualquier mujer un poco menos neurótica, un poco, sólo un poco, más segura de sí misma que Ruth, se le habría reído de Juan en las narices. Pero a Juan el truco le funcionaba, porque una parte de Ruth, en el fondo, creía lo mismo que él[3]. Del mismo modo en que un alpinista se aferra a los salientes de la pared rocosa para escalar, Juan utilizaba la inseguridad de Ruth para avanzar en su ataque, y demostraba una intuición extraordinaria para identificar los puntos débiles de la pelirroja y usarlos en su propio beneficio.

Cuando Ruth se quejaba de aquel drástico cambio en su actitud, Juan negaba que hubiese habido cambio o alteración alguna en su comportamiento. Y Ruth, que hubiese hecho lo que fuera por mantenerse a su lado, se esforzaba por no seguir la discusión y acababa admitiendo lo que él dijera, por mucho que, en su interior, ella supiese muy bien que las cosas ya no eran las mismas. Finalmente, él reconoció que había cambiado, pero aseguraba que la culpa la tenía ella por presionarle tanto con el tema de Biotza, y por mostrarse siempre tan triste y amargada. «No pienso salir contigo si no cambias esa cara de funeral», le decía muchas veces Juan en la misma puerta de casa, justo antes de que se dispusiesen a salir, y si, más adelante, él soprendía, en cualquier momento de la noche, una expresión abatida o cansada de su amante, enseguida se ponía a despotricar contra lo que él llamaba «la cara de perro de Ruth» y a quejarse de lo harto que estaba de salir con una plañidera. En ningún momento parecía importarle el sufrimiento de Ruth, y además la culpaba de no esforzarse por tenerle contento, por retenerlo a su lado. Ahora bien, si, por el contrario, ella se mostraba alegre y expansiva, esto parecía sentarle peor aún, pues entonces le parecía que Ruth flirteaba con todo el mundo o que se comportaba como una niñata frívola y petulante.

El tema de su relación de pareja se había convertido en un tabú. Si Ruth insistía en que, al menos, dejara el cepillo de dientes en casa, él se exaltaba; si le pedía que la llevara a visitar el País Vasco, se ponía peor aún; si ella le proponía planes de futuro, se lo llevaban los demonios, y ¡ay de Ruth si se le ocurría mentar a Biotza o quejarse del trato de favor que Juan todavía le guardaba! Entonces Juan la acusaba de histérica, de celotímica aguda, de inmadura, y le decía que

---

[3]   Nuestro psicoanalista asesor hablaría de «Síndrome de la Impostora», el cual designa a la reacción de complejo de culpa frente al éxito por parte de mujeres que interiorizan el tradicional desprecio social a la mujer independiente o que trabaja.

por su culpa, por la presión que ella ejercía sobre él, su relación nunca se afianzaría.

—No intentes hacerme sentir culpable, te lo advierto —le decía él—, porque de esa manera no vas a conseguir nada, o en todo caso vas a conseguir que acabe harto de ti.

—¿Que acabes harto de mí? ¡Si ya pareces harto de mí! ¡Si ya no tengo nada que perder! En cualquier caso, que quede claro que lo último que prentendo es hacerte sentir culpable. Sólo creo que si no hablamos de las cosas, nunca les encontraremos una solución.

—No hay nada de lo que hablar. Me estás agobiando, Ruth. Y así no se llega a ninguna parte. Tú, precisamente, deberías ser la primera en saberlo.

—¿Yo precisamente? ¿Qué quieres decir con eso? ¿Qué coño intentas insinuar? No entiendo una palabra, de verdad.

—El que no te entiende soy yo a ti.

—Pues no será porque yo no intente explicarme. Pero nunca me dejas. Últimamente, en cuanto intento hablar de nosotros, o mejor dicho, en cuanto intento hablar de cualquier cosa, empiezas a ponerme a caldo. No sé qué te he hecho, de verdad, para que hayas empezado a tratarme de esa manera.

—¿Que no sabes qué me has hecho? ¿De verdad no sabes qué me has hecho?

—No, querido, no lo sé.

—Pues si no lo sabes, piensa.

Y de esta manera, él zanjaba la conversación en tono dogmático. Su actitud, tirante en todos los niveles de expresión, refrendaba lo que decía: el cuerpo tenso, la mirada esquiva, rígido en cuerpo y mente.

Esta manía de no nombrar nada, de limitarse a insinuar, sacaba de quicio a Ruth, porque, por más que se exprimiera la cabeza, no alcanzaba a entender qué era exactamente lo que Juan le estaba reprochando, ya que el discurso de Juan había empezado a estructurarse a partir de una maraña de malentendidos e insinuaciones veladas que hacían imposible profundizar en las motivaciones últimas de sus actos. Además, esta estrategia verbal evasiva de Juan, basada en sugerir antes que nombrar, en insinuar antes que acusar, le impedía a Ruth defenderse, contraatacar, pues, ¿cómo defenderse de una acusación que ni siquiera se puede identificar claramente? Ruth siempre acababa preguntándose a sí misma: ¿Qué he hecho? ¿Le habré herido de alguna manera, sin darme yo cuenta? No conseguía entender por qué Juan la ponía por las nubes un día y la destrozaba al siguiente, sin que cambio aparente mediara entre ambas actitudes, ni provocación por parte de Ruth ni queja u observación por parte de Juan. Incluso cuando estaba segura de que no tenía nada que reprocharse, intentaba, no obstante, bucear en la memoria a la búsqueda de algún detalle relevante que ella pudiera no haber notado, que pudiera haberle ofendido a él. Al principio se justificaba, pero sus explicaciones se quedaban en patéticos esfuerzos de conciliación, puesto que cuanto más se justificaba («Juan, no sé lo que te pasa, si he sido un poco dura últimamente, si no he sido todo lo amable que tú querías, si te he presionado…»), más culpable parecía.

Ruth interpretaba como una agresión el mismo hecho de que Juan se negara a nombrar lo que ocurría, a discutir, a buscar soluciones, porque para ella el rechazo del diálogo no conseguía aparcar o esconder el conflicto, sino exacerbarlo más aún, pues le parecía que lo que Juan intentaba transmitirle no era sino desprecio, como decirle, sin decirlo, «no me interesan tus opiniones, ni tus sentimientos ni tus conflictos… No me interesas tú». A ese respecto Ruth no creía que lo que no se nombra no existe, sino que lo que no se nombraba, al convertirse en Lo Innombrable, adquiría un carácter mucho más siniestro y amenazante, igual que sucede en las buenas películas de terror, en las que el miedo surge precisamente de lo imaginado, cuando la intuición de una presencia aterra más que la confrontación con ella, porque nuestra fantasía es mucho más poderosa que las realidades, y lo que imaginamos es siempre peor que lo que vemos, dejando aparte que de la realidad podemos defendernos y de la fantasía no. Por eso a Ruth le había gustado tanto, en su día, *The Blair Witch Project* (además de que le había inspirado para decidirse a rodar su primera película sin un duro), porque a la bruja nunca se la veía, sólo se la intuía, y eso resultaba mucho más terrorífico que el más logrado de los efectos especiales. Por eso, precisamente, una adaptación cinematográfica siempre queda por debajo de la novela, excepto cuando la novela es muy mala, puesto que la descripción verbal cede más espacio a la imaginación que la visual. Y de pronto Ruth se sentía perdida en un bosque de ambigüedades y dobleces, de intrigas y rodeos, de pensar y no decir, de sospecha e intuición, sin saber de dónde ni cuándo llegaría el próximo ataque de Juan. Era peor imaginar lo que él estuviera pensando que lo que hubiera sido una confrontación directa. Si él, sencillamente, se hubiese sentado frente a ella y le hubiese dicho: «Mira, ya no te quiero, o quizá sí, desde luego te deseo, pero quiero volver a mi casa, a mi antigua novia, y no quiero compartir una vida contigo», ella habría sufrido, pero seguramente hubiera aceptado lo inevitable y habría sobrevivido a la confesión de Juan. Pero él no decía nunca nada concreto, sólo se quejaba y se quejaba, no parecía encontrar nada bueno en Ruth, ni interés en sus conversaciones, ni belleza en su cuerpo, ni profundidad en su trabajo, ni razones aparentes para seguir a su lado y, sin embargo, no la dejaba, seguía quedando con ella todas las tardes, acostándose con ella todas las noches, martirizándola a todas horas; seguía empeñado en aparecer siempre a su lado y, no obstante, parecía que se avergonzaba de estar con ella. Si antaño había elogiado en todo momento la claridad de ideas de Ruth y su acertado criterio en literatura, de la noche a la mañana empezó a censurar todo lo que ella decía, las opiniones que antes tanto valoraba. Eso no le fue muy difícil, porque Ruth mantenía una postura literaria diametralmente opuesta a la de Indalecio, el faro guía de Juan en lo que a opiniones literarias se refiriese. A ella le encantaba Galdós, autor al que Indalecio despreciaba; y prefería Onetti a Borges, cuando Indalecio insistía cada diez minutos en repetir a quien quisiera escucharle que consideraba a Borges *el mejor escritor del siglo* (cada vez que Juan repetía a su vez la afirmación de Indalecio Ruth afirmaba, irónicamente, que resultaba muy triste que *el mejor escritor del siglo* hubiera recibido la Cruz del Mérito Civil de las mismas manos de *el mejor dictador del siglo*, Augusto Pinochet) y *Dublineses* a *Ulysses*, afirmación que Indalecio consideraba poco menos que una herejía.

—¿Pero cómo puede atreverse a sentar cátedra sobre Joyce un tío que ni siquiera habla inglés? —decía Ruth.

—Sí habla, Ruth —aseguraba Juan, empeñado, cual caballero español, en defender a capa y espada el buen nombre y el honor de su editor.

Se tenía por el mejor amigo de sus amigos, y con él podía ser amable hasta la adulación, servicial hasta el heroísmo. De hecho, Juan era encantador y de trato exquisito para con todo el mundo (aquel temperamento sociable, aquella conversación amena, aquella voluntariedad obsequiosa, aquella cortesía de manual...). Con todo el mundo, excepto con Ruth.

—No, no lo habla, que yo le he visto en el programa de Sánchez Dragó, y él mismo admitió que no había podido hablar con no sé qué autor que había venido de promoción porque su inglés no le daba para tanto, y lo poco que hable no es suficiente como para entender un libro que está construido casi en su totalidad sobre juegos de palabras, y encima referidas a jerga irlandesa. Ése, como mucho, se habrá leído la traducción de Valverde, que no tiene nada que ver.

—Pero me admitirás que el monólogo de Molly Bloom es bueno.

—No, si yo te lo admito, y hasta te lo reitero, no le discuto la calidad en ningún momento, pero no entiendo cómo puede gustarle el monólogo ése si luego no le gustan los monólogos de Villaamil en *Miau*.

—Lo que yo no entiendo, Ruth, es que una persona como tú, que ni siquiera posee un título universitario, tenga la soberbia de intentar enmendarle la plana a un crítico de prestigio, que sabe bastante más que tú.

—El que yo no acabara la carrera no quiere decir nada…

—Sí quiere decir, perdona que te contradiga. Y, además, no tiene sentido mantener este tipo de discusión con una persona que no ha probado en ningún momento la validez de su criterio, ¿eh, niña?, porque ¿qué publicaciones, qué artículos, qué libros de crítica has escrito tú? Así que, si no te importa, prefiero hablar de otra cosa.

Nunca había escuchado Ruth a nadie despreciar su criterio de forma tan abierta, y tampoco entendía cómo alguien podía ser tan cruel a la hora de menospreciar a su pareja (si es que él la veía como tal, cosa que Ruth empezaba a dudar seriamente). A Ruth le asombraban las cosas que Juan no tenía el menor reparo en soltarle a la cara. No se trataba de que fuera demasiado impulsivo al expresar sus opiniones: era que cualquiera de sus observaciones tenía el efecto de una bala de cañón. Cuando Ruth vivía con Beau, por ejemplo, no se le había ocurrido nunca reprocharle el hecho de que prácticamente no leyera, pues daba por sentado que aquél era problema de Beau y no suyo, amén de que ella entendía muy bien que hay muchos tipos de cultura, y que no toda se encuentra en los libros. Incluso a veces, creía Ruth, una excesiva, mal interpretada vocación hacia los libros empobrecía otro tipo de cultura vital, directa. Si uno sólo se centraba en la lectura y renunciaba por ella a la vida misma, cometía una herejía contra la propia esencia de la lectura: ya no leía para comprender la vida, sino que por los libros renunciaba a la vida misma y al final hacía de su propia biblioteca un vasto cementerio del pensamiento, del corazón. Porque un libro, para Ruth, debía ser en esencia una cosa viva, una revelación tras la cual quien lo leyera no volviera a ser el mismo. De no ser así, ¿para qué servía un mero conocimiento enciclopédico? Al fin y al cabo, había cuerpos mucho más instructivos que cien libros, cuerpos que contenían un libro en sí mismos, y eso era algo que ni Juan ni Indalecio comprendían. Además, en el caso de Beau, su forma de entender y de expresar el mundo se basaba en notas y no en palabras, y ¿quién era ella, o Juan o Indalecio, aquel pelele acartonado que se creía por encima del bien y del mal, siempre mirando a todo el mundo por encima del hombro, con aquel rígido empaque de alto dignatario, quién era nadie para atreverse a considerar inculto a Beau, a una de las personas con la más aguda sensibilidad que Ruth hubiera conocido? La propia intolerancia de Juan debería bastar para descalificarle, pues ¿cómo podría atreverse a pontificar sobre cultura alguien que no respetaba las más elementales normas de la cortesía y el tacto? Pero como Ruth era una persona insegura, en constante conflicto consigo misma, resultaba fácil abonar en ella la duda —sembrada tiempo atrás— sobre sus capacidades, regarla y hacerla crecer lozana. Y, poco a poco, la duda, crecida en el interior de Ruth y bien abonada por sus miedos y traumas, se había hecho sitio, había empezado a invadirlo todo, a ocupar rincones, a rellenar resquicios con sus ramas, y Ruth empezó a censurarse a sí misma y a abstenerse de formular opinión ninguna, no fuese que Juan volviera a atacarla de nuevo. Manejando hábiles resortes de vergüenza y terror, él conseguía de ella la sumisión que quería. Como Ruth temía que el conflicto conllevara la tan temida separación, prefería ceder antes que perderle, y entre ambos se mantenía una especie de alianza táctica: él decía cosas que sabía que no eran ciertas, ella las aceptaba sabiendo que no lo eran, consciente de que los argumentos de Juan eran falsos, pero sintiéndose sin talento ni elocuencia para combatirlos; porque, cuando intentaba contraargumentar, todo, ideas y palabras, parecía evaporarse, dejando tan sólo un poso de frustración profunda y el sentimiento tristísimo de su propio silencio. A Ruth no le quedaba otra opción que esperar a que algún día Juan cambiara, que volviera a ser el que había sido, convencida de que en el fondo la culpa de todo la tenía ella, aunque no sabía muy bien qué era exactamente lo que había hecho para provocar semejante situación. Pero la actitud de Juan la condenaba a la impotencia, puesto que hiciese Ruth lo que hiciese, adoptase Ruth la postura que adoptase —activa o pasiva, sumisa o dominante, servil o belicosa— siempre acababa por desencadenarse una bronca. Cuando Juan rechazaba el diálogo, Ruth asumía ella sola la responsabilidad del conflicto, y de esta forma, sin darse cuenta, lo agravaba más aún.

Por ejemplo, aquella noche tan viva en la memoria, en la fiesta de cumpleaños de Shangay Lily [4], que culminó con una de las trifulcas más sonadas de la temporada, Ruth intentó por todos los medios no propiciar un desencuentro, hacer lo que él dijera y comportarse como una santa…Y sin embargo, todo salió mal, peor, peor que peor, peor imposible. En cuanto entraron en la sala de fiestas en la que el evento se celebraba Juan dejó a Ruth sola, se sumergió bar adentro y, nadando en las animadas aguas de las convenciones sociales, se fue a mariposear por su cuenta, saludando con grandes alharacas a gente que parecía no conocer de nada y comportándose como si hubiera llegado solo y no acompañado. Como era muy guapo, y como en ese tipo de fiestas la gente llega con el ánimo alto y propicio a establecer nuevas relaciones (y lo elevan un poco más si cabe con ayuda de la barra libre), a los pocos minutos ya estaba inmerso en una animada charla con dos modelos espectaculares (de las de melenón teñido y alisado, falda exigua, escote generoso y no menos generosos implantes de silicona) a las que Ruth creía haber visto en alguna portada de esas revistas del corazón con las que el quiosquero de su barrio prácticamente empapelaba las paredes de su chiscón. A Ruth le molestaba semejante actitud, pero prefirió tomarse el asunto con calma porque esa tarde habían tenido una discusión sonada después de que Ruth insistiera por enésima vez en que Juan se fuera a vivir con ella, una bronca que Juan remató a gritos con un ultimátum: «Si vuelves a insistir sobre ese tema, te juro por Dios que no me vuelves a ver en la vida». Le estoy presionando, pensó Ruth, y si le presiono se marchará. Y ahora me está dando de lado porque está harto de que insista siempre con el mismo tema, así que lo mejor que puedo hacer es no darme por enterada. De todas formas, a Ruth no le tocó hacer el papel de mu-

---

[4]   Polifacético y subyugador personaje muy conocido en el ambiente artístico de Madrid. Actor, escritor, tertuliano de radio, presentador de televisión y unas cuantas cosas más, amén de feminista convencido.

jer abandonada, porque no estuvo sola ni siquiera un minuto. Actores y actorcillos varios, presentadores de televisión, un productor de radio, un artista conceptual, una actriz en ciernes que se confesaba una gran admiradora…, un montón de variopintos personajes fueron desfilando frente a ella, presentándose sin que nadie se lo hubiera pedido («hola, no me conoces, pero vengo a decirte que he visto tu película y me ha encantado, de verdad, o sea, como que no sabes la ilusión que me hace encontrarte aquí…»), y así fue pasando la noche, cada uno hablando con otros y ambos lanzándose miraditas de reojo de cuando en cuando. Ese tipo de fiestas a las que acudían, en las que todo el mundo chocaba contra todo el mundo, en las que la gente se abigarraba en los locales, a empellones y codazos, cada uno respirando el aliento de los otros; en las que la gente gozaba, más que de la música o de la compañía, de ver quién entraba o quién salía, si había pocos o muchos famosos, si había venido Fulanita o Menganito, qué trajes, qué joyas, qué zapatos llevaban; esas ferias de vanidades en las que el contacto físico llegaba a ser tan estrecho cuando el espiritual era tan superfluo, se le antojaban a Ruth una réplica agrandada de su relación con Juan.

A las cuatro de la mañana, Ruth decidió por fin acercarse a Juan, pero cuando se aproximó a su corrillo él le dio la espalda y, como para subrayar que no quería nada con ella, abrazó por la cintura a una de las rubias estupendas que lo flanqueaban. Convencida de que a Juan todavía le duraba la resaca de la bronca de la tarde, Ruth decidió no añadir más leña al fuego y, haciendo gala del más amable de los muchos registros que su voz podía adoptar (no olvidemos que Ruth era una buena actriz) le anunció que se le hacía tarde, que estaba cansada y que prefería marcharse. Juan hizo caso omiso de la noticia. No sólo no se ofreció a acompañarla, aunque sólo fuera hasta la puerta, aunque sólo fuese para escoltarla hasta el taxi —que hubiera sido lo más normal, dado que había llegado a la fiesta con ella—, sino que actuó como si ni siquiera reparara en su presencia, como si donde estaba Ruth no hubiera otra cosa que aire, como si ella fuera invisible. Así que Ruth se despidió de todo el mundo, salió a la calle y cogió un taxi con lágrimas en los ojos y un sentimiento amargo —mitad humillación, mitad angustia de abandono— oprimiéndole el pecho.

Nada más llegar a su casa sonó el teléfono. Lo cogió porque sabía perfectamente que se trataba de Juan, ¿qué otra persona la llamaría a las cuatro y media de la mañana?

—¿Diga?

—¡ERES UNA HIJA DE PUTA! ¿Por qué coño me dejas tirado en una fiesta y te vas sin decir nada? —por la lengua de trapo se adivinaba que Juan llevaba unas cuantas, unas muchas, copas de más.

—¿Cómo que me he ido sin decir nada? Te he dicho perfectamente que me iba, y tú has pasado de mí.

—¡No me montes otra vez el numerito del victimismo, que no te lo consiento! ¿Sabes lo que te digo? ¡Que estoy harto de ti y de tus chantajes sentimentales! ¡Que hemos terminado para siempre!

—Pero, Juan…

No pudo acabar la frase porque él había cortado la comunicación. Inmediatamente ella marcó el número del móvil de Juan y se encontró con el contestador automático: era obvio que había desconectado el teléfono. Esto era muy típico de él, el empeño en decir la última palabra. Cada vez que tenían una discusión telefónica él colgaba el teléfono abruptamente y acto seguido desconectaba el móvil para no darle a ella derecho a réplica. Al principio ella seguía llamándole cada cinco minutos y dejándole mensajes hasta que por fin él se dignaba retomar la conversación y, para colmo, cuando Ruth recuperaba su voz y su contacto, no sólo él no se disculpaba por su mala educación, sino que la acusaba de agobiante y acosadora («si sigues así, voy a acabar más que harto de ti, te lo advierto»). Al final Ruth había aprendido la lección, así que aquella noche ni siquiera volvió a intentar llamarle y en lugar de marcar el número de Juan marcó el de Pedro.

—¿Diga? —la voz de Pedro también sonaba pastosa, pero no porque pareciera borracho, sino porque evidentemente Ruth le había despertado.

—Pedro, soy yo, lamento llamar tan tarde…

—No te preocupes, bonita. ¿Qué te pasa?

La actitud amable de Pedro, que sí hubiera tenido razón para enfadarse por la llamada intempestiva, aquel tono tan dulce en comparación con el de Juan, le hizo sentirse a Ruth peor de lo que ya se sentía. Le hizo sentirse una agobiante, una histérica, le hizo sentirse como Juan decía que era.

—Mira, he tenido una bronca con Juan…

—Acabáramos… Menuda novedad…

—Y el caso es que me siento fatal, se me cae la casa encima, y ya sé que es una barbaridad lo de llamar a estas horas, pero es que me siento tan mal que pensé que si me quedaba sola en casa con este peso encima, no sé...

Tuvo que interrumpir el discurso porque ya no podía contener los sollozos. Le daba una vergüenza terrible llorar de esa manera, perder la compostura, sobre todo con Pedro, que siempre la había visto en una posición de fuerza y control.

—Anda, Ruth, llama a un taxi y vente inmediatamente para acá.

—¿Para dónde?

—Ven a mi casa.

—¿Y qué va a decir Julio?

—Nada, Julio no va a decir nada, va a estar encantado de acoger a una amiga que lo necesita. Anda, por favor, ven, no me hagas ir a buscarte. Si quieres, llamo al taxi yo mismo.

—Deja, ya lo llamo yo.

Cuando Ruth llegó a casa de Pedro se encontró con que ya tenía la cama hecha y preparada en el cuarto de los huéspedes. Julio dormía.

—No sé cómo agradecerte...

—Deja, deja, Ruth... ¿Qué me vas a agradecer, imbécil? Al fin y al cabo, yo he estado viviendo en tu casa, y aunque no hubiera sido así... Para mí es un honor que duermas aquí. Es más, estoy por pedirte que te quedes a pasar unos días aquí. Así tú te sentirías mejor y podríamos trabajar juntos en el guión, que bastante retrasado lo llevamos, y mataríamos dos pájaros de un tiro.

—No estoy muy segura de que sea buena idea. No quiero estorbar —Ruth pensaba, sobre todo, en Julio—. Mejor lo hablamos mañana, ¿vale?

—Vale —Pedro se acercó a darle un beso en la mejilla, y luego la estrechó en un fortísimo abrazo. Ruth, un tanto cohibida, se apartó, a pesar de que agradecía en el alma la muestra de apoyo y cariño, o quizá precisamente por ello.

Lo que Ruth no podía imaginar es que Juan estuvo llamándola toda la noche y que, como ella no cogía el teléfono, se presentó en casa a buscarla. Al no encontrarla (estuvo pulsando el timbre del portero automático hasta que despertó al vecino de Ruth) dio por hecho que ella se había ido a dormir con cualquiera de sus admiradores (pues, en la imaginación de Juan, medio Madrid estaba disponible y a la espera de una llamada de Ruth), lo cual le puso fuera de sí. En el fondo no eran tanto los celos los que le enervaban de semejante manera, sino el hecho de que Ruth había demostrado tener vida propia, independiente de la de él, y no se había quedado en casa llorando, a disposición de una nueva llamada, de un nuevo ataque verbal de Juan, como él hubiera esperado. Ruth permaneció en casa de Pedro tres días y, para su sorpresa, Julio se mostró encantador con ella y no hubo un solo ceño fruncido o una ceja enarcada.

Sin embargo, toda la presencia de ánimo que Ruth había mostrado mientras estuvo asilada en casa de Pedro se le vino abajo en cuanto llegó a la suya propia. Y entonces, llevada por una fuerza más grande que ella misma, marcó el número de la Residencia y preguntó por Juan. Para su sorpresa, él respondió con la mayor naturalidad, comportándose como si allí no hubiera pasado nada, y sin hacer la menor alusión al último incidente. En el fondo Ruth se moría de ganas de hablar del asunto, porque no le parecía normal que Juan le hubiera perdido el respeto de tal manera y sin razón aparente y que luego ni siquiera se disculpase. Pero estaba tan contenta al ver que él no había cumplido su amenaza de dejarla, que decidió olvidarse del asunto, e intentó disculpar a Juan diciéndose a sí misma que aquella noche estaba tan borracho que probablemente ni sabía lo que hacía o decía, y de hecho era más probable aún que ni lo recordara, y que además el pobre estaba atravesando tantas tensiones por lo de la separación de Biotza, y por lo de las presiones de la madre (él le había dicho que Carmen se refería a la ruptura con Biotza como «el mayor disgusto que nos has dado en la vida»), y, para colmo, Ruth, en lugar de mostrase comprensiva, le presionaba, pobre chico...

—Pero... ¡alto ahí! —se dijo Ruth de pronto—. Yo no le presionaba; aquella noche no le presioné en absoluto.

—Pero olvidas —le respondió una voz interna, la otra Ruth— la discusión que habíais tenido por la tarde...

—Aquello ni siquiera fue una discusión. Se saldó con un grito de Juan, tan contundente que no me dio derecho a réplica...

—Sí, pero eso es tu culpa por darle tanta brasa con el tema de la convivencia.

—Pero es que resulta absurdo eso de que siga viviendo en la Residencia si duerme todas las noches en mi casa. ¿Qué más le daría instalarse definitivamente, o al menos dejar su cepillo de dientes?

—Eso es ir demasiado deprisa, y tú lo sabes.

—Bueno, pues bastaría con que me lo dijera con esas palabras y no gritándome.

—Pero está harto de que le saques el tema cada dos por tres y no se atreve a decírtelo de otra manera. Le estás agobiando.

Este tipo de discusiones entre Ruth y Ruth habían sido muy comunes durante toda su vida, y de hecho, cada vez que tenía que tomar una decisión seria, la Ruth primaria ponía a sus dos Ruths secundarias a dialogar frente a frente y luego escribía en un papel los argumentos de cada una bajo respectivas columnas encabezadas como «Pro» y «Contra»; pero desde que empezó a tener problemas con Juan su división interna se había ido agudizando hasta niveles escalofriantes, y a veces tenía la impresión de que estaba viviendo una verdadera escisión mental, porque casi llegaba a oír claramente las voces de cada una de sus inquilinas, la una pugnando contra la otra, las dos condenadas a vivir con la otra, un ni contigo ni sin ti interior que la estaba volviendo loca. La verdadera Otra, la Otra más aguda, la Otra más profunda, la Otra esencial y descarnada, era mucho más cara de ver, y no llegaba a mediar en esas discusiones, pues sólo se presentaba en circunstancias extremas.

Unos días después, de visita en casa de Pedro, Ruth se encontró con Jorge, un amigo de Julito que tenía más pluma que un almohadón de pato. Trabajaba en el guardarropa del Alien y, merced a tal ocupación, tan propicia a la charla con unos y con otros, y a las sobradas simpatía y labia del chaval, estaba al día de los cotilleos más calientes de entre el petardeo del Madrid nocturno. Había ido a tomar café con Julio y Pedro y, de paso, a hacerse ver, pues Jorge quería ser actor, sueño que compartía, por otra parte, con la gran mayoría de los camareros, relaciones públicas o chicos de guardarropa de los locales de moda de Madrid. Cuando vio entrar a Ruth por la puerta la saludó con grandes alharacas y exageradísimos ademanes. A ella le caía bien Jorge y no le importó quedarse de tertulia un rato, en lugar de hacer lo que tenía previsto y lo que tenía que haber hecho, esto es, retirarse inmediatamente con Pedro para trabajar en el estudio de su amigo.

—Ay, Ruth —le dijo Jorge, aparentemente excitadísimo—, te tengo que contar una muy buena: ¡a-di-vi-na quién vino a verme la otra noche al Alien puesta perdida de coca!

—No sé, el cuerpo astral de Cher.

—Pues no, bonita. Vino Susi Gracia.

—Estupendo. ¿Y quién es Susi Gracia?

—Ah, ¿que no lo sabes?

—Una que va de actriz —aclaró Julio—. Suele salir en *Tómbola* y cosas así.... Alta, rubia teñida, boca pato, silicona por todas partes, pinta putón... Que sí, hija, que la tienes que conocer... —Julio se exasperaba ante la cara de absoluta ignorancia que ponía Ruth, como si fuese poco menos que un pecado mortal no estar al día de todos los dimes y diretes de la prensa del corazón—. Precisamente el otro día estaba en la fiesta de la Shangay.

—Allí había más rubias teñidas que en un desfile de L´Oreal... Además, ya sabes que yo de esas cosas del corazón no me entero.

—Pues deberías enterarte más, bonita —dijo Jorge—, que si no te vas a ver compuesta y sin novio cualquier día de éstos.

—¿Qué quieres decir? —preguntó Ruth. Pregunta casi retórica porque ya se veía venir la respuesta.

—Que la Susi va diciendo a quien quiera escucharla que está saliendo con Juan, *tu* Juan. Que se lo enrolló precisamente la noche de la fiesta de la Shangay.

Juan sólo zanjaba las discusiones con gritos cuando era ella la que sacaba a relucir un tema espinoso. Gritaba mucho y nunca miraba a Ruth con comprensión o reconocimiento, como si lo que Ruth dijera pudiese contener un algo, un poco, un uno por ciento de verdad, o pudiera tener al menos el mínimo de interés como para que Juan dejase de chillar y se parase un minuto a escucharla. Nunca daba un paso atrás. Nunca reconocía que su reacción pudiera ser desproporcionada, o, peor aún, improductiva. Ruth se preguntaba qué podía hacer para que cesara ese ruido, qué estado de desesperación llegaría a alcanzar ella antes de que él se diera cuenta de que Ruth estaba ahí, delante de él, intentando razonar. Por si acaso ella tuviera un poco de razón, impedía cualquier avance de la conversación por un sencillo método: cortarla de plano. Bien fuera pegando tales gritos como para que Ruth se abstuviera de continuar por aquel camino o bien fuera, si la cosa era por teléfono, colgando y desconectando el teléfono. Pero la estrategia de actuación se tornaba muy distinta cuando era él el que provocaba las discusiones. Entonces su tono de voz variaba: en lugar de elevarlo hasta niveles insospechados de saturación decibélica lo mantenía estable, inalterado, y se expresaba en una voz fría, insulsa y monocorde, endilgándole a Ruth una filípica rematada con un marcado tono de ironía y harto impertinente toda ella, en la que una fría hostilidad, el desprecio, incluso el odio, se traslucían bajo palabras aparentemente neutras. Y, sobre todo, mantenía el discurso sin interrupciones, ajeno a cualquier cosa que Ruth replicara, sin que pareciera siquiera escucharla, manteniendo una expresión afectadamente seria e inamovible, como si tuviera por cara una máscara de cartón. Entonces, incapaz de dialogar, Ruth se exasperaba y gritaba. Él no correpondía a los gritos de Ruth, nunca se alteraba, nunca alzaba la voz, incluso en los intercambios más violentos, para poder mantener una superioridad sobre ella. Exarcerbada, Ruth, inevitablemente, acababa por recurrir a la violencia física, una forma extrema de desahogar su frustración. Este tipo de episodios siempre tenían lugar en la intimidad, sin testigos.

Un ejemplo cualquiera: Aquella noche se habían quedado viendo una película en casa de Ruth. Todo parecía ir bien y él parecía absolutamente encantador, de forma que Ruth pensó que aquel era probablemente el momento más propicio para plantear el tema que le rondaba desde hacía unos cuantos meses.

—Juan —le dijo—, he estado pensando...

—¿Sí?

—Bueno, he estado pensando en lo nuestro. Ya sabes, tú siempre repites eso de que no estás seguro de que te quieras comprometer y de que acabas de salir de una relación y no te apetece meterte en otra tan pronto, y que yo te presiono y te agobio y..., bueno, que he estado pensando y creo que en cierto modo tienes razón.

—Vaya, me alegro de que te hayas dado cuenta.

—Lo que pasa es que nos estamos viendo prácticamente a diario excepto cuando tú te marchas a Bilbao, claro, y no sé..., me parece que por una parte estamos de lo más comprometidos y, por otra parte, no lo estamos para nada... Quiero decir que no tenemos nada serio, pero tampoco nos damos tiempo para ver a otra gente, a otros amigos...

—¿Cómo que no, si nos pasamos el día saliendo a fiestas?

—Bueno, no me refiero a eso, me refiero al tipo de amigos a los que quieres ver a solas, para tomar un café, para cenar, para hablar. No sé cuánto tiempo hace que no quedo a solas con Pedro, con Sara o no voy a Barcelona a visitar a la Coixet...

El argumento, en verdad, era algo tramposo. Ruth no veía a sus amigos porque no quería, porque estaba tan obsesionada con Juan que no pensaba en otra cosa, y además, ya se había distanciado de ellos cuando tomó la decisión de atrincherarse en casa y limitar visitas. Y Juan no veía a sus amigos porque carecía de ellos. Los amigos de Bilbao habían sido más bien conocidos, y ahora que la relación con Biotza estaba en la cuerda floja, casi todos evitaban quedar a solas con Juan para no ofenderla a ella. Y en Madrid la única relación personal un poco profunda que mantenía era la de Indalecio, pero a éste casi siempre le veía en la editorial, en horas de trabajo, y en poquísimas ocasiones fuera de la oficina, normalmente coincidiendo con presentaciones de libros. De hecho, las pocas personas con las que Juan había intimado un poco en la capital eran amigos de Ruth. A todos ellos los había conocido en fiestas o estrenos y había manifestado un vivísimo interés por estrechar lazos con ellos, a excepción de Pedro, por supuesto. Mantenía cierta relación con Sara y con Paco Ramos, a los que enviaba e-mails desde la oficina y a los que llamaba de cuando en cuando. A Ruth este acercamiento de Juan a sus amigos le provocaba reacciones ambivalentes. Por una parte le gustaba que él intentara integrarse en su ambiente, y por otra le resultaba un poco raro aquel empeño, pues le daba la impresión de que Juan la estaba vampirizando. Además, sospechaba que Juan les contaba cosas privadas sobre ella.

—Si no quedas con Pedro y con Sara es porque no quieres. Sara estaría más que encantada de quedar contigo, pero eres tú la que la desprecias. La señorita Swanson se ha vuelto tan famosa que ya no quiere ni tratar con sus amigos.

—Eso no es cierto, y tú lo sabes. Además, que las razones o las circunstancias por las que yo me haya distanciado de Sara tú ni las conoces ni te conciernen.

—Te has distanciado de Sara porque eres una egoísta, Ruth. Ella misma lo dice.

Fue la propia Sara la que le dijo que Juan había quedado con ella una tarde, para hablar de Ruth. Ésta opinó que resultaba un poco raro que Juan llamase a una chica a la que prácticamente no conocía de nada, pero Sara aseguraba que él se encontraba muy deprimido ante la mala marcha de su relación con Ruth y muy necesitado de hablar con una tercera que la conociera. Ruth se sintió traicionada por muchas razones: la primera, porque Sara había quedado con Juan sin consultarle antes a ella; la segunda, porque Juan la trataba como si fuese una enferma mental, sobre la que hay que deliberar a sus espaldas sin que llegue a enterarse; la tercera, porque Juan se infiltraba en la vida de Ruth sin permitirle a ella acceder a ningún resquicio de la suya, ya que Ruth no conocía ni a su familia ni a ninguno de sus amigos, apenas a un Indalecio entrevisto en aquella presentación del libro. Pero no creía a Sara capaz de llamarla egoísta, o de criticar a Ruth delante de un tercero. Aunque tal vez sí, quién podía saberlo... Era lógico, en cierto modo, que estuviera resentida. Era lógico que pensara que Ruth había sido una egoísta. Pero también resultaba egoísta por parte de Sara el no entender que su amistad no podía mantenerse como en los tiempos de la universidad, que *ellas, las de entonces, ya no eran las mismas,* y que, a la vuelta de Londres, Ruth ya no disponía de tiempo ni de temas comunes como para volver a reanudar un lazo basado en el contacto diario. De todas formas, se habían seguido viendo, y habían mantenido una relación firme y de alguna manera estable, y Ruth no hubiese creído capaz a Sara de traicionarla de semejante manera, de poner verde a su amiga Ruth delante de un casi desconocido... Si es que de verdad lo había hecho.

—Te lo estás inventando. Sara nunca diría eso.

—¿Que no? Anda, piensa, Ruth.

Piensa Ruth: otra vez las alusiones, las insinuaciones veladas. El insinuar sin acusar. Ocultar para mostrar sin señalar. Juan no le decía qué era lo que Sara había dicho exactamente, la acusación que vertiera contra Ruth, el tipo de resentimiento que albergara. Dejaba que Ruth imaginara lo peor.

—Pues lo estarás sacando de contexto.

—No lo estoy sacando de contexto. Sara cree que eres una egoísta y lo mismo dice Paco Ramos. ¿Pero qué te esperabas, Ruth? Hoy me apetece quedar, hoy no, ahora cancelo una cita justo cinco minutos antes de la hora... Siempre hay que hacer lo que la niña mimada dice. Deberías oír lo que Paco cuenta de tus numeritos histéricos en Cannes. Desaparecías cada noche, nadie sabía dónde pillarte, casi ni te presentas en la rueda de prensa de tu propia película... Harto le tenías.

Ruth se quedó de piedra. Todo lo que Juan estaba contando era cierto: en Cannes se había emborrachado cada noche y era verdad que había dejado a Paco tirado algunas veces, pero tampoco parecía que a Paco, que iba tan borracho como ella, le importara mucho.

Y era cierto asimismo que llegó tarde a su propia rueda de prensa, pero aquello apenas fueron cinco minutos de retraso. Por otra parte, todo el mundo entendió que Ruth sufría de un estrés agudo y, además, en Cannes nadie hacía mucho alarde de formalidad, precisamente. No, Paco no podía haberla tracionado de aquella manera. ¿Quizá le había hecho a Juan una reconstrucción humorística de los hechos, sin ninguna intención de criticarla, y ahora Juan estaba dándole la vuelta al asunto con la peor de las intenciones?

—No te engañes, Ruth. Tú no quieres sacar tiempo para ver a tus amigos, porque ya no tienes amigos, porque están todos hartos de ti. Pedro es el único que te aguanta y eso es porque trabaja contigo y te necesita —lo decía con una voz plana y descolorida como quien recitara una letanía, sin entonación—. No te engañes y no me engañes a mí. Tú no quieres tiempo para ver a tus amigos, tú lo que quieres es empezar a ver a otro tipo de *amigos*…

—Y si así fuera, ¿qué? ¿Acaso no tendría derecho? No somos novios, ni siquiera somos amigos, no somos nada, no somos más que dos personas que comparten cama de cuando en cuando, tú te vas a Bilbao cada dos por tres a ver a tu ex que nadie sabe si es ex o deja de serlo… ¿Dónde se ha visto que una ex novia quede cada dos por tres con la madre de su supuesto ex novio? Y peor aún, ¿que siga quedando con su supuesto ex novio cada vez que tiene ocasión?

—¿A mí qué me cuentas? Si ellas dos quedan, eso no es asunto mío. Y no pretenderás que yo deje de ver a Biotza de la noche a la mañana. Si lo que estás buscando es una excusa para follarte a otros, por favor, no cuentes conmigo para proporcionártela.

Tan cierto era que ella había empezado a pensar en otros como que lo hacía convencida de que ésa sería la única manera de olvidarse de Juan. El propio Pedro la alentaba constantemente a que se abriera más, a que buscara otras relaciones. Tienes un montón de gente que estaría encantada de salir contigo, le decía, ¿por qué no lo intentas? Está claro que tu Juanito no quiere nada contigo, nada más allá de sus cuatro polvos. Nunca pensó en dejar a su novia, y desde luego no la habría dejado si ella no se llega a enterar de lo vuestro, y por eso no quiere empezar en serio contigo, porque está al quite a ver cuándo la novia de toda la vida lo readmite. Hazme caso, Ruth, le decía, tienes que olvidarte de él. Pero, por otra parte, Ruth entendía a Juan, comprendía que una persona pudiera tener cierta prevención a iniciar una relación justo recién salida de otra. Ella lo único que quería era facilitar las cosas; facilitárselas a él, pero, sobre todo, facilitárselas a sí misma.

—No me entiendes, Juan. No es que me quiera follar a otros ni me los quiera dejar de follar. Simplemente quiero abrir un poco esta relación, darnos un poco de aire, de espacio, tanto a ti como a mí. Las cosas nos van fatal, nos pasamos el día peleándonos. Estamos ahogándonos el uno al otro...

—Mira, Ruth, no tengo tiempo para perderlo en este tipo de discusiones que parecen sacadas del guión de Al salir de clase. Mañana tengo un montón de manuscritos que leerme y tengo que dormir, así que eso es lo que voy a hacer.

—Sí, pero si no hablamos de lo que nos pasa, ¿cómo vamos a arreglarlo? Además, tú deberías ser el primer interesado en la solución que te propongo, al fin y al cabo el agobiado, el agonías, el que se siente presionado, eres tú...

—Te he dicho que necesito dormir y que no tengo tiempo para discusiones absurdas, en las que, además, no vamos a llegar a nada.

—Nunca llegamos a nada porque tú te niegas de plano a hablar.

—Desde luego, te aseguro que me niego a hablar de tonterías, y más a estas horas. Ya te he dicho que tengo que trabajar mañana. Cualquiera diría que quieres hundir mi trabajo.

—Bueno, pues, entonces, vete a dormir, si tanto lo necesitas. Yo me quedo aquí a leer un rato —dijo Ruth, que siempre se iba a dormir a la misma hora que Juan.

—Perfecto —le respondió Juan en un tono varios grados bajo cero y desapareció por el pasillo tan digno como un alto personaje en destierro.

Ruth se quedó aovillada en el sillón dándole vueltas al asunto. Lo que más daño le había hecho era la referencia a sus amigos. Le parecía terriblemente cruel por parte de Juan el haber utilizado semejante golpe bajo, y, por otro lado, le aterraba la parte de verdad que pudiera haber en el asunto. Sara, por ejemplo, ¿hasta qué punto se podía confiar en ella? ¿Hasta qué punto Sara quería a Ruth o la envidiaba? Por supuesto, ella había notado el cambio de actitud operado en su amiga a partir de la repentina fama. La tópica frase: «desde que te has hecho famosa eres tan cara de ver» se suponía que era una broma, pero siempre había un poso de resentimiento en el tonillo con el que Sara la pronunciaba, y en la excesiva reiteración de la cantinela guasona que había casi llegado a adquirir el carácter de una especie de saludo. Sí, era más cara de ver, pero lo cierto es que también tenía muchas más cosas que hacer, y tampoco Sara se esforzaba mucho por verla, precisamente. Y era posible que Sara estuviera celosa de su fama, al fin y al cabo siempre estuvo un poco celosa de Ruth, y la verdad era —qué bien lo sabía ella— que la fama siempre altera el comportamiento y la actitud de los que rodean al famoso. Pero Ruth no creía a Sara capaz de criticarla a sus espaldas, o, mejor dicho, no quería creer a Sara capaz de criticarla a sus espaldas. En cuanto a Paco, siempre le había demostrado un afecto a prueba de bombas. No sólo había apoyado su película en los comienzos, cuando nadie habría dado un duro por ella, sino que estuvo a su lado en la promoción como una presencia sólida y constante, testimoniándole su apoyo en todo momento, llamándola, enviándole notas, escuchando paciente las quejas y las dudas de Ruth. Claro que no tenía otro remedio, al fin y al cabo había invertido mucho en aquella película, y después de que la cinta resultara tan rentable no podía arriesgarse a perder a Ruth, no podía desavenirse con ella, hubiera sido como matar la gallina de los huevos de oro. Pero, ¿podría ser Paco tan hipócrita como para enseñarle a ella una cara y otra a los demás, como para ser un encanto con ella y luego ponerla verde a sus espaldas? No, no podía pensar así. Se estaba volviendo paranoica. O mejor dicho, era Juan el que la estaba volviendo paranoica. Y no tenía ningún sentido seguir empeñándose en permanecer a su lado cuando era evidente que él no la quería lo más mínimo. ¿O sí? Por una parte él le repetía a diario lo mucho que la quería, lo loco que estaba por ella. «Ruth, te quiero, nunca he querido tanto a nadie, y nunca volveré a querer tanto a nadie porque estas cosas sólo pasan una vez en la vida…» Sí, le decía unas ternezas preciosas, y le enviaba unas cartas más bonitas aún, pero, por otro lado ¿de qué valía tanta linda palabra si luego la trataba como un trapo? Quizá no quería que ella le dejara. Pero, ¿para qué querría conservarla?, ¿para mantenerla perpetuamente sometida, frustrada?

Lo peor llegó cuando Ruth hojeó su libreta de notas negra, uno de sus cuadernos de bitácora o diarios de navegación o como coño los llamara él, que Juan se había olvidado en casa de Ruth. ¿Un olvido consciente o inconsciente? Porque por momentos pensaba Ruth que él había dejado allí la libreta, aparentemente olvidada en un descuido, para que ella la leyera, para que leyera aquella frase que se le clavó en el alma: *Estoy rodeado de tarados: mi novia es una tarada, mi amante es una tarada, mis padres son unos tarados y cuando tenga hijos seguro que también salen tarados.* Podía haber una explicación para aquella frase, por supuesto. Podía tratarse de apuntes para su novela, o de una especie de desahogo simbólico en un momento de ofuscación, o incluso de una letra para una canción, cualquier cosa, pero algo desde el fondo de sí misma le gritaba a Ruth que aquella frase no era sino la expresión sincerísima de los sentimientos de Juan, y no entendía cómo el mismo Juan que decía quererla tanto era el mismo que la llamaba tarada. ¡Si al menos se hubiera incluido a sí mismo en el grupo de tarados…! Pero no. Y a Ruth le parecía tan prepotente, tan intolerante aquella exclusión, esa soberbia de pensar, de escribir, que él era el único normal entre todos los que le rodeaban, esa manía de considerarse la víctima de una enorme conspiración, de una especie de conjura judeo-masónica, que casi estuvo a punto de admitir que había leído aquello, y sólo se contuvo porque pensó que quizá fuera esa precisamente la reacción que él quería provocar: otra bronca, otra ocasión para llamar a Ruth histérica. Porque esa era otra de las cosas que a Ruth la sacaban de quicio: la insistencia de Juan en no asumir nunca responsabilidades. Todo era siempre culpa de Ruth, era ella la que presionaba, ella la que insistía, ella la que le sacaba de quicio, pero él nunca admitía lo desagradable que llegaba a ponerse, lo insultante, lo cruel que podía llegar a ser.

Finalmente Ruth se hartó de permanecer tirada en el sillón sin hacer otra cosa que darle vueltas y más vueltas a la cabeza y decidió irse a dormir. Cuando llegó a su habitación distinguió en la semipenumbra el bulto de Juan entre las sábanas, pues no había querido encender la luz para no despertarle, y se contentó con orientarse como buenamente pudo a partir de la claridad que entraba por la ventana. Cuando por fin se acomodó a su lado e intentó acoplarse al hueco de su cuerpo, como si él estuviera embarazado de ella, que era la postura en la que normalmente dormían —él abrazándola a ella, cubriéndola con su pecho— Juan se dio la vuelta y se quedó dándole la espalda, y ella no pudo precisar si se había tratado de un acto reflejo, porque estuviera dormido, o si estaba despierto y aquél había sido un gesto consciente de rechazo, o, peor aún, si incluso dormido él la rechazaba, si era capaz de percibir más allá de los confines del sueño la presencia de ella y entenderla como algo molesto. Ruth aguzó el oído para intentar interpretar el sonido de su respiración, pero se consideraba incapaz de decidir si Juan dormía o no. Por si acaso, le abrazó por la espalda, pegándose a él. Él se apartó de un salto —si es que alguien puede saltar tumbado—, como accionado por un resorte, y aquel respingo impresionó tanto a Ruth que se quedó incapaz de reaccionar. Antes de que ella hubiera podido darse cuenta, él ya había encendido la luz, se había incorporado en la cama, apoyando la espalda sobre las almohadas, y la estaba mirando con ojos de odio sarraceno.

—Esto lo haces adrede, ¿verdad? —apareció aquel tono que Ruth tanto temía, sin tonalidad afectiva, helador e inquietante—. Te he dicho que tengo que trabajar mañana, pero tú te empeñas en despertarme.

—Yo no intentaba despertarte, sólo te estaba abrazando, y además yo no te he despertado, nadie se despierta con tanta facilidad por tan poca cosa, tú ya estabas despierto.

—Intentabas despertarme para que mañana no pueda trabajar —él proseguía en el mismo tono glacial y áspero, como si ni siquiera la hubiera escuchado—. Tú no quieres que yo trabaje, no quieres que yo haga nada, porque no te importa mi trabajo, sólo te importas tú misma, ya lo dicen tus amigos, eres una egoísta...

—Eso no es cierto. No soy una egoísta ni creo que mis amigos lo digan —Ruth estaba harta de aquello—. Además, si quieres dormir, no entiendo por qué me montas esto ahora. Ponte a dormir y deja de soltarme rollos.

—No, no pienso dejarlo. Tú me has desvelado con toda tu mala intención ¿no?, pues ahora vas a escuchar lo que tengo que decirte. Eres una egoísta incapaz de apreciar la valía de los demás. Nadie te importa. Utilizas a todo el mundo para tus propios fines.

—Cállate —le decía Ruth, pero él continuaba, impasible, como si no la oyera.

Cállate ya. Pero el discurso seguía fluyendo imparable como música de fondo. ¡Cállate!, pero el sonsonete seguía, eres una egoísta y estás celosa de todos los que te rodean, celosa de mi novia, celosa de mi madre, celosa de Julio. ¡CÁLLATE!, celosa de todo el mundo porque a ti lo que te gustaría es tenernos a todos controlados y bailando al son de tus caprichos. Y Ruth se levantó de la cama para dejar de oír aquello, pero él la siguió pasillo adelante sin dejar de repetir lo mismo, no quieres que los demás te hagamos sombra, no quieres que Pedro figure en los créditos como codirector, aunque todo el mundo sabe que tú no tienes ni idea de cómo se maneja una cámara, y Ruth se encerró en el cuarto de baño, pero él se apostó en la puerta y seguía perorando en el mismo tono monocorde, inmisericorde. Todo el mundo está harto de ti, Ruth, tu propia familia no te aguanta, prefieren no verte, y por eso te opones a que vaya a ver a los míos, porque sabes que me quieren, que a mí mi familia me quiere y me acepta, no como los tuyos, que preferirían que no existieras, que no les avergonzaras, y eso no lo soportas. Y Ruth, sentada en el váter, se tapó los oídos con las manos, como si fuera una niña pequeña, pero aquel runrún se le infiltraba en la cabeza, aquel rosario de medias verdades enlazadas con verdades y con mentiras, todo enredado y liado, formando un revoltijo inextricable en el que ya no era posible diferenciar lo cierto de lo falso, y aquello se le estaba metiendo en la cabeza y dolía y dolía y dolía, y aquel pensamiento de que Ruth no valía nada se hizo tan enérgico, tan vivo, que Ruth creía verlo, como si hubiera tomado forma y consistencia, revoloteando por lo alto del cuarto, chocando con las paredes y el techo como un murciélago aturdido, hasta que por fin la Otra, conjurada por aquel repetido estribillo de acusaciones, surgió de las profundidades y abrió la puerta del baño.

Allí estaba Juan, el rostro rígido, las mandíbulas contraídas por la ira, los ojos llameantes, devanando los mismos, los mismos argumentos repetidos una y otra y otra vez, la misma, la misma implacable retahíla de verdades que se clavaban como puñales al rojo y siempre con la misma, la misma, la misma, voz uniforme, impasible. Y entonces Ruth le arañó la cara, y él, que era más alto y más fuerte que ella, se limitó a torcerle el brazo y pegárselo a la espalda mientras le susurraba al oído: estás loca, estás completamente loca, no eres más que una histérica.

Aquello se convirtió en un patrón. Él provocaba, ella respondía. Todo de acuerdo con la Primera Ley de Termodinámica de Newton: a toda acción sucede una reacción de fuerza idéntica y sentido contrario. Obstaculizada por el dominio verbal al que Juan la sometía, Ruth se sentía acorralada, desesperada por escapar de aquel acoso, de aquella implacable verbosidad agresiva, pero sólo lograba salir de la situación mediante un ataque violento. Él la sacaba de quicio y ella acababa por pegarle, y así era ella la que parecía agresiva, y él quien asumía la posición de víctima. Era simple: bastaba con cargar las tintas en la humillación o el desprecio para obtener la reacción negativa que luego se podría reprochar. La violencia se redistribuía como por vasos comunicantes. Se trataba de una situación sin salida. Si Ruth reaccionaba, aparecía como la problemática, la loca, la histérica. Si no reaccionaba, permitía que la humillación continuara. Si se deprimía, si optaba por aguantar como podía aplanada por una tristeza que la consumía como una fiebre, entonces era una aburrida que sólo sabía poner cara de perro. Cualquiera habría argumentado que lo más simple habría sido responder con las mismas armas, devolver el ataque verbal, pero ella no sabía hacerlo. En primer lugar no era capaz de mantener la sangre fría, el tono impasible, la verborrea monótona y eficaz como él, no disponía de aquella llave que él guardaba para abrir heridas. Y en segundo lugar no conocía los puntos débiles de él, y aunque los hubiera conocido, no estaba entrenada para los golpes bajos, nunca había visto esa táctica, y por tanto no sabía imitarla. En su casa eran desapegados, pero nunca verbalmente violentos (a excepción de su abuelo, al que, gracias a dios, Ruth no veía mucho), y un tipo de agresión similar resultaba imposible de practicar para Ruth, tan imposible como le hubiese resultado levantar unas pesas de cien kilos, sencillamente porque no había hecho ejercicios, no estaba entrenada, nadie le había enseñado ni preparado para táctica semejante. Tampoco podía huir cuando él se ponía a decirle aquellas cosas, a hurgar en sus heridas, a recordarle lo que ella no quería recordar, las cosas enterradas durante tanto tiempo bajo una piadosa capa de olvido y silencio, porque si ella intentaba huir, si salía de la habitación, si se encerraba en el cuarto de baño, él la perseguía y la acosaba. A veces, si ella zanjaba la discusión en la calle y optaba por marcharse a casa, la llamaba en plena noche y le dejaba recados en el contestador (Ruth había instalando uno porque él se lo había pedido por favor, aduciendo que si no resultaba muy difícil anular citas, aunque él nunca avisaba de cuándo iba a llegar tarde o de cuándo no iba a llegar), recados que ella borraba al día siguiente. Y repetía los mismos argumentos (eres una impostora, una nulidad como artista, tu familia no te quiere, tus amigos no te soportan), acompañando sus afirmaciones con una serie de vocablos de los que levantan ampollas, hasta que la cinta saltaba.

En otras ocasiones la estrategia se sofisticaba y ya no funcionaba por el sencillo sistema de estímulo-respuesta. Ella aguantaba los ataques con una calma estoica, y fingía no haber escuchado las llamadas a las tantas de la noche (él solía llamarla cuando ella no quería quedar, y Ruth suponía que lo hacía por celos, para ver si estaba con otro), o no haber leído el e-mail en la que le ponía a caldo, o pretendía que no le había importado el hecho de que Juan no había acudido a una cita y que luego se había vuelto ilocalizable, el contestador del móvil activado, nadie que supiera nada de él en la Residencia. Ella no preguntaba —¿por qué no viniste ayer a nuestra cita?, ¿dónde estuviste toda la tarde?, o ¿por qué no me avisaste?— porque temía que entonces él la acusara de posesiva o controladora y se desencadenase otra de esas discusiones en las que ella no podía vencer, porque él nunca aceptaba los argumentos de Ruth. Algunas veces él salía corriendo en mitad de la calle, literalmente corriendo, dejándola a ella plantada sobre la acera, a mitad de una frase.

En una ocasión, por ejemplo, le dejó leer a Ruth las correcciones y las notas para un manuscrito cuyo informe estaba redactando. Ruth se lo tomó como una prueba de confianza, y pensó que él esperaba que ella aportara su opinión. Al día siguiente, en la cafetería de la Fnac, a ella no se le ocurrió mejor idea que expresarla.

—¿Sabes? A mí me parece que la novela esa que me has dejado no se merece un informe tan malo como el que le has hecho. En realidad es muy buena.

—No es buena, no es nada buena. La trama es inverosímil, los diálogos no fluyen, el personaje no tiene profundidad.

—Inverosímiles también son los argumentos de tu amado Borges, ¿no? Una trama no tiene por qué ser verosímil para que resulte eficaz. Yo creo que los diálogos están bien. Y el personaje no tiene profundidad porque el pobre es un simple del trece, pero en eso se basa toda la historia, en que al tío le pasa todo sin que él se entere.

—Vaya, la señorita Swanson se ha hecho crítica literaria de la noche a la mañana —Ruth empezó a temer lo peor, porque cuando él la descalificaba nunca la llamaba por su nombre de pila—. Y dime, ¿desde cuándo escribes tú novelas?

—No tengo por qué haber escrito una novela para saber apreciar un buen texto. Puestos a ello, tú tampoco has escrito ninguna novela todavía.

—¿Insinúas que le he hecho un mal informe por envidia? ¿Cómo te atreves?

—Yo no he dicho eso…

Pero no pudo acabar la frase porque él ya se había marchado, dejándola con la palabra en la boca. Ruth se quedó atónita. Dejó un billete de mil en la barra para pagar los dos cafés y salió tras él. Lo vislumbró casi en la esquina con Callao. Cuando él se dio cuanta de que ella le seguía se puso a correr como un maratonista urbano y desapareció acera abajo. En lugar de pensar que Juan era un maleducado, lo primero que a Ruth se le vino a la cabeza fue: no habría debido cuestionar su trabajo. Y acto seguido pensó: menos mal que no le he dicho nada de esto en casa. Si no, habríamos tenido otra noche de bronca.

Una situación casi idéntica tuvo lugar tres días después. Precisamente en el bar de García. Se trataba de un sitio al que Ruth ya no solía ir, porque sabía que a Juan le sacaba de quicio la familiaridad con la que el camarero trataba a la pelirroja, pero a la vuelta del cine, antes de subir a casa, Juan se empeñó en tomarse la última cerveza. A Ruth no le quedó más remedio que decir que sí, pues suponía que si se negaba Juan creería que intentaba ocultar algo, algo que tenía que ver con el camarero. Así que entraron al bar, se acodaron en la barra y Ruth pidió dos cañas, rogándole a la providencia que García cambiase la cara de cordero degollado que le dedicaba inevitablemente desde que se separaron y/o que Juan no reparara en ella.

—Ruth… ¿Tú has pensado en tener hijos? —le preguntó Juan sin venir a cuento.

—Sí, sí, claro que sí.

—Pero ya tienes treinta y tres años, eres demasiado mayor, ¿no?

—No veo por qué. Mi madre me tuvo a mí con treinta y ocho, y Madonna tuvo a su primer hijo con cuarenta.

—Entonces…, ¿tú te has planteado tener un hijo conmigo?

—Hombre, si tú quisieras…, sí.

—Pero ¿conmigo o con cualquiera? Es decir, si no estuvieras conmigo, ¿tendrías un hijo de otro hombre?

—No sé… Supongo que llegado el caso, si me enamorara…, pues supongo que sí.

—Es decir, que te daría igual de quién fuera.

—No te estoy diciendo eso. He dicho si no estuviera contigo.

—Lo que implica que piensas en la posibilidad de no estar conmigo...

—No me líes con trucos retóricos, Juan, por favor. Aquí el único que no piensa en estar conmigo eres tú.

—Y si tuviéramos un hijo, ¿dónde viviríamos?

—Pues en Madrid, ¿dónde vamos a vivir?

—¿Y mi madre? ¿Cómo vería al niño?

—Iríamos a visitarla.

—Pero ella no se conformaría con ver a su único nieto de cuando en cuando.

—Pues qué quieres que te diga... Se podría venir a vivir con nosotros. Así tendríamos canguro gratis...

—¿Cómo te atreves a decir eso? ¿Quién te crees que eres? ¡Mi madre no es tu criada!

Y salió del bar a paso precipitado. Ruth ni siquiera se molestó en pagar, porque sabía que podría arreglar cuentas con García cuando quisiera, y salió tras él. Estaba realmente enfadada, dominada por el tipo de alteración de ánimo en el que la persona más prudente se sentiría dominada por un ardor violento y una fuerza ciega y brutal como para estrangular, abofetear, romper cráneos o machacar huesos. ¿Pero qué se había creído ese imbécil? Estaba harta, más que harta, de que la dejara tirada en cualquier barra a la mínima de cambio. Esta vez no pensaba que la culpa fuera suya, que no debía haberle mentado a su madre. Pensaba que Juan era un histérico, y que la había dejado plantada utilizando la absurda excusa del honor agraviado de su madre no porque de verdad pensara que Ruth quisiera utilizar a Carmen como criada, sino por celos, por celos de García, o por celos del hipotético varón que hipotéticamente pudiera preñar a Ruth caso de una hipotética separación entre Juan y ella. Por supuesto, Juan corría. Ruth le alcanzó justo en la esquina. Deseaba con todo su corazón arrearle una sonora bofetada al más puro estilo Gilda, pero en el último momento se contuvo y, aprovechando el desplazamiento de la mano agresora que ya acortaba la distancia entre el cuerpo de Ruth y la cara de Juan, se limitó a arrebatarle las gafas de un tirón (gafas de sol carísimas modelo Donna Karan, regalo, cómo no, de Biotza), las tiró al suelo y las pateó. Obvia decir que le había proporcionado a Juan un precioso argumento para futuros ataques verbales: Ruth no era sino una loca histérica que le había roto las gafas presa de un arrebato violento. Y aquella frase «eres una histérica», tanto si se expresaba verbalmente como cuando sólo se insinuaba, Ruth la integró de tal manera que acabó por convertirse en una histérica *cum laude*. Nunca criticó la frase, y se convirtió en una histérica cuando Juan decretó que lo era. Y como Ruth era una perfeccionista nata, bordó su papel: acabó siendo la mayor de las histéricas, la peor de todas.

A veces ella le perseguía y a veces no. Se cansaba de seguirle por la calle y volvía a casa, desalentada, y desconectaba el teléfono para no escuchar la llamada que sobrevendría inexorable. Sí, a veces Ruth se contenía, ignoraba las provocaciones, aguantaba con estoicismo el chaparrón de críticas, pero eso no le servía de nada porque vivía en tal situación de estrés emocional que luego sobrerreaccionaba ante la tontería más simple.

Una noche, por ejemplo, él se emborrachó como nunca y cuando volvían a casa la dejó en el portal y se negó a subir con ella. No te quiero, nunca te he querido y nunca te querré, le dijo, porque eres una hija de puta. ¿Pero qué te he hecho yo ahora?, preguntó ella, alucinada, y el seguía repitiendo *eresunahijadeputaeresunahijadeputa*, sin responder y sin atender a razones, ignorándola. Ella le vio tan sumamente borracho (la lengua se le trababa y prácticamente no se mantenía en pie) que al día siguiente fingió que nada había sucedido, porque sabía que él no querría hablar del tema. Sin embargo, y sin venir a cuento, cuando él mencionó a Biotza en medio de una conversación, ella le volcó encima de la camisa de seda (regalo de Biotza, por supuesto) el contenido del vaso de cerveza que estaba bebiendo. Aparentemente se trataba de una acción totalmente inmotivada, de la reacción de una loca, pero ella sabía muy bien por qué lo había hecho.

En otra ocasión, tras una noche particularmente movida en la que él la había ignorado como nunca, y tras de que por la mañana, al levantarse, él reiterara su rosario de insinuaciones varias —tu familia no te quiere, tus amigos no te aguantan, no eres una directora sino una impostora...—, Ruth le amenazó con un cuchillo. Y, por supuesto, como después de cada bronca, él le repetía que estaba loca, que era una histérica, que no tenía solución.

—Tú estás muy mal de la cabeza, Ruth. No puedes usar la violencia de esa manera.

—Pero tú sí la utilizas. Violencia verbal, violencia moral, terrorismo psicológico...

—No es lo mismo.

—¿Cómo que no es lo mismo? Mis reacciones no son otra cosa que violencia transmitida. Cada cual usa el tipo de violencia que sabe manejar, y se defiende como buenamente puede.

Sin embargo, ella se sentía desarmada e intentaba justificarse como si fuera realmente culpable, porque su violencia era visible, rompía cosas, dejaba huellas, mientras que la de Juan era limpia, sin rastros, invisible. Además, él disponía ahora del argumento perfecto para no comprometerse, que venía a ser: A mí me encantaría vivir contigo, pero no podré hacerlo en tanto tú no cambies de actitud. Pero, por supuesto, ella no podría cambiar de actitud en tanto él no cambiara la suya, pues una cosa llevaba a la otra.

La situación era como una ruleta rusa. Cada vez que quedaban sabían que aquella tarde acabaría derivando inevitablemente hacia una de dos situaciones posibles: o bien estallaría una bronca monumental o bien todo sería idílico y la noche culminaría en una sesión de sexo realmente espectacular. Y es que en aquella relación no había lugar para las medias tintas. Juan se comportaba como un ángel o un demonio, sin que pareciese capaz de mostrar otro matiz. A veces Ruth pensaba que lo hacía adrede, que alternaba comportamientos extremos porque en el fondo él mismo sabía que si se comportaba siempre como un tirano la perdería, de forma que para que Ruth siguiera aguantando al demonio el ángel debía ser realmente maravilloso, no sólo para que la situación en el fondo le compensara, sino también para instalarle la duda en la cabeza, que ella pensara que él no era mala persona —¿cómo podía serlo un hombre que le decía esas cosas, que la trataba como una reina?—, que sólo actuaba así porque estaba desesperado, y si estaba desesperado la culpa era de Ruth, que le presionaba, que le daba celos, que no sabía estar a la altura de las circunstancias[5].

A estas alturas todos ustedes se preguntarán por qué diablos seguía aguantando a aquel tipo. Y esto era lo que se preguntaban tam-

---

[5]   ¿Diagnóstico de nuestro psicoanalista? Juan es un perverso narcisista (un individuo que proyecta en otro que depende de él emocional o económicamente —habitualmente su pareja o un subordinado laboral— su sensación de fracaso y su complejo de culpa, para evitar enfrentarse a ellos). Por otra parte, el comportamiento de Ruth muestra marcadas tendencias masoquistas.

bién los conocidos de Ruth. La explicación es muy simple o muy complicada, según se mire: Ruth creía tener la culpa de todo. Era ella la que había forzado la separación y ahora él estaba atravesando una crisis. Era ella la que había presionado con la idea de que vivieran juntos y ahora él estaba agobiado. Era ella la que le había pegado, la que le había derramado el contenido de un vaso en la camisa, la que le había amenazado con un cuchillo, y ahora él estaba asustado. Cada vez que Ruth cometía un acto violento sabía que perdía valor ante Juan, pero sobre todo, lo perdía ante sí misma. De esta manera se angustiaba cada vez más, sentía que valía tan poco que merecía cuanto él le dijera o hiciera. Además, si él hubiera sido un monstruo absoluto, todo sería más sencillo, pero él seguía siendo, a ratos, un compañero excepcional, el prodigio de amabilidad y dulzura que había sido cuando ella le conoció, y esto reafirmaba a Ruth en la idea de que todo el cambio operado no era más que una crisis transitoria, que volvería a ser quien había sido, que todo volvería a ser como antes, que ella podría cambiarle con amor y con paciencia. Sí, él volvería a ser quien había sido, la persona a la que ella había amado, la persona a la que la unían unos lazos tan sólidos que a veces costaba desligarlos de los del sufrimiento, pues se habían amarrado con un nudo fortísimo. Le parecía imposible desligarse de Juan sin desligarse a la vez de sí misma, de lo que la conformaba como persona, del único sentimiento del que podía sentirse orgullosa. A veces, sentía como si tuviera una Misión que cumplir. Se creía capaz de comprenderlo todo, de perdonarlo todo, de justificarlo todo. Creía que para salvar una pareja hacía falta tesón y esfuerzo, no tirar la toalla antes de tiempo, no desanimarse a la primera crisis. Ruth estaba tan pendiente de Juan que al menor síntoma de acercamiento le renacían viejas esperanzas, como ascuas aventadas que reanimaban un fuego. Confiaba en que mediante el diálogo todos los malentendidos acabarían desapareciendo, y se negaba a aceptar el hecho de que ella no había nacido para santa ni para mártir (lo de virgen, por supuesto, ya no había a aquellas alturas quien lo arreglara). Al final, atrapada en su idea del amor como en una telaraña, no estaba segura de nada, no sabía si ella estaba loca, o lo estaba él, o lo estaban los dos; si ella tenía la razón, si la tenía él o si no la tenía nadie, sólo sabía que se odiaba a sí misma por no saber retenerlo. Ruth se sentía culpable, y pensaba que si algún día Juan la aceptaba, si aceptaba vivir con ella, iniciar una relación con ella, entonces sería como si Juan la absolviese. Como si la absolviese de una culpa indefinida relacionada con un pecado cometido mucho tiempo atrás. Juan era su penitencia, y las lágrimas por él vertidas eran lágrimas antiguas, mucho tiempo almacenadas, que no habían brotado en el momento oportuno. Además, si Juan la aceptaba, si ella lograba sustituir a Biotza en el lugar de sus afectos, dejaría de ser una Puta y pasaría a ser una Buena Chica, una mujer legitimada, integrada, completa. Por supuesto, se trataba de argumentos inconscientes, pero no lo eran tanto como para que Ruth no los sospechara en algunos momentos de lucidez. Pero, al contrario de lo que habría dicho Freud, el conocer o sospechar la razón profunda de sus actos no impedía que siguiera cometiéndolos.

No podía recurrir a sus amigos porque la mayoría se ponían de parte de él. Juan le había contado a Sara que estaba locamente enamorado de Ruth y Sara, sentimental y conservadora como era, entendía que debía de ser muy difícil para un hombre aguantar a una mujer con el carácter y el pasado de su amiga; así que Sara le aconsejó a Ruth que aguantara, convencida de que si la pelirroja esperaba el tiempo suficiente las aguas volverían a su cauce, y Juan, a ser el chico tímido y encantador que la había seducido. El propio Paco Ramos abogaba por Juan, y no se creía nada de lo que Ruth le contaba. Daba por hecho que todas las historias que Ruth contaba no serían otra cosa que exageraciones de artista, pues Paco interpretaba las quejas de Ruth como simples aspectos de una relación conflictiva y apasionada entre dos personas de carácter, y además prefería, por principio, no interferir en desavenencias entre parejas. El único que se ponía a favor de Ruth era Pedro, que tenía a Juan atravesado desde que lo conoció, pero esta parcialidad que había demostrado desde el principio hacía que Ruth no se fiara demasiado de los consejos u opiniones de Pedro, puesto que, al fin y al cabo, Pedro no podía ser objetivo, ya que adoraba a Ruth y se hubiese puesto en contra de cualquiera que distrajese demasiado la atención de su amiga. En resumidas cuentas, Ruth no tenía a nadie que le dijera esto no es culpa tuya, deja de mortificarte, olvídate del asunto y vuelve a ser la que eras. La mayoría de la gente, por el contrario, creía que Juan era un encanto, tan amable, tan simpático, tan considerado… ¡y tan guapo! Sí, habían notado que últimamente bebía un poco más de la cuenta, pero eso no era como para separarse, también Ruth bebía, al fin y al cabo todo el mundo bebe en Madrid, y más en según qué ambientes, ¿no? No hacía falta sacar las cosas de quicio. Cuando Ruth se quejaba de la tortura a la que Juan la estaba sometiendo tenía la sensación de describirlo mal, de que los demás no la comprendían. ¿Cómo explicar el itinerario de aquel laberinto a personas que no tenían una idea aproximada de su trazado, ni siquiera una miserable vista aérea? ¿Cómo describir la violencia de Juan, enmascarada, íntima y cerrada, que sólo se intuía a través de sobreentendidos, insinuaciones y silencios? Confusa y perdida en la maraña de su situación, la incredulidad de sus amigos se le antojaba una carga suplementaria. Y acababa por pensar si no tendrían razón ellos, si quizá no estaría exagerando las cosas. A su alrededor, nadie veía nada. Las opiniones de Paco y Sara servían de espejo para las inseguridades de Ruth. Como Ruth vivía en la duda permanente, el espejo, al reflejarla, multiplicaba la duda y la enormizaba. Al no estar segura de sí misma Ruth no se atrevía a juzgar a los demás. Hiciera lo que hiciera Juan, dijeran lo que dijeran sus amigos, Ruth siempre encontraba circunstancias atenuantes: Juan estaba atravesando una crisis. Paco se comportaba como un hombre sensato. Sara no podía evitar ser coherente con su postura conservadora. Todo el mundo creía que Ruth era muy fuerte, y, sin embargo, era más débil que un flan.

Para colmo, Ruth, harta de peleas y discusiones, empezó a citarse con otros hombres. Sabía que siempre volvería con Juan en cuanto él la llamara, pero por si acaso quería ver a sus admiradores para reafirmarse de alguna manera en la idea de que ella no era una histérica demente, o que no lo era al ciento por ciento, que conservaba algo de su antiguo aplomo y autocontrol, de la valentía que le había llevado a dirigir y estrenar una película prácticamente sin medios. No debo de estar tan loca, pensaba, si con otros hombres nunca grito ni pierdo los nervios ni lloro. Así que acababa necesitando a otros hombres como espejo, como prueba de que era capaz de mantener la cordura, al menos, si no de forma constante, sí en algunas ocasiones. Y esto sólo consiguió exarcerbar la actitud de Juan, que se sentía más impotente y más celoso cada día, harto de que Indalecio le repitiera que alguien había visto a Ruth en el estreno de una película, o paseando por la Castellana, o tomando mojitos en el Chicote, acompañada de un hombre, siempre acompañada de otro hombre, como si cientos de espías anónimos, miles de pupilas vigilantes, estuvieran pendientes de

Ruth, al acecho de cualquier movimiento de la pelirroja para ir a contárselo al editor. ¿Cómo iba a saber ella que en la mesa de enfrente se sentaba un hombre al que ella no conocía, al que no había visto en la vida, pero que la reconocía inmediatamente y no perdía un segundo en ir a contarle lo que había visto a otra persona que se lo contaría a otra persona que se lo contaría a otra y así sucesivamente hasta que la noticia llegara a oídos de Juan?

Cabe preguntarse también por qué Juan no la dejaba del todo, por qué siempre volvía a Ruth como barco que regresa a puerto conocido, a pesar de que estuviera harto de ella, a pesar de que la despreciara, la odiara y la temiera. El caso es que la quería, de hecho la quería demasiado, y la cercanía emocional del objeto de su amor —Ruth— se le antojaba agobiante y excesiva. A veces temía que Ruth se aproximara demasiado y le despojara de su propio espacio. Por eso precisamente Ruth, el contacto más íntimo que había sentido en su vida, le provocaba a veces tamaño odio. Si Ruth se mostraba amable y benévola, la veía como peligrosa, pegajosa, invasora, amenazante. Cuando reaccionaba, cuando le agredía o cuando salía con otros hombres, entonces era hostil y rechazadora. Ruth nunca era inocente. No podía dejarla por la misma razón por la que no podía quedarse con ella, porque lo mismo que le tenía fascinado le parecía tan grande y tan intenso que pensaba que no sabría cómo manejarlo. Ruth le atraía porque la encontraba simplemente arrebatadora, en el mejor y el peor sentido de la palabra, pues pensaba que ella podría arrebatárselo todo, empezando por la tranquilidad de espíritu, que le había arrancado ya. No creía haber conocido otra mujer que condensara tantas cualidades: belleza, inteligencia, sensualidad, gusto, cultura, talento. Pero pensaba que mucha más gente habría advertido ese milagro, y que cualquier día ella se hartaría de él y le dejaría por cualquiera de sus muchos pretendientes, por uno que tuviera más dinero que Juan y menos complicaciones personales. Al fin y al cabo, ella no tenía sentido moral, no era mujer de un solo hombre, eso había quedado demostrado, y no le costaría nada deshacerse de él en cuanto se hartara. Pero Ruth no se hartaba, parecía loca por él, aunque quizá sólo fuera porque no había podido conseguirle, porque Juan era el único hombre al que no había tenido a sus pies. De Ruth se hablaba mucho y él había oído comentar muchas cosas. Que si en su casa, en otros tiempos, se organizaban orgías, que si había estado liada con Pedro, que si lo estuvo con Guillaume Depardieu, que si tal director con el que Ruth había salido unos meses se había quedado tan obsesionado con ella que por eso había titulado su siguiente película *Ruth y el eterno retorno* (protagonizada, para colmo, por una pelirroja casi idéntica a Ruth pero en versión joven y estilizada), que si Ruth volvía locos a los hombres, que si se había acostado con todo Madrid, que si era una zorra, que si tal, que si cual... Sí, podían ser sólo habladurías, exageraciones, dimes y diretes, pero cuando el río suena agua lleva, y además a Juan no se le escapaba la manera en la que los hombres la miraban, y, peor aún, la forma en que ella les devolvía las miradas, y sabía que se estaba volviendo loco, y que si seguía con Ruth se volvería más loco todavía, porque nunca podría controlarla, saber a dónde iba o de dónde venía, y además estaba harto de sus escenitas, estaba harto de todo, estaba harto de que ella le hiciera sentir inseguro, siempre haciendo bromas sobre su forma de vestir («vistes como un abuelo», le decía), sobre su forma de hablar («hablas como un catedrático», le decía), sobre su provincianismo («deberías ir a Londres», le decía). Ella siempre tan esnob, tan a la última en moda, y en música, y en nuevas tecnologías, tan insultantemente pija y enteradilla. Estaba harto de que ella se riera tanto de Indalecio, y de que despreciara así, por referencia vicaria, la escritura de Juan, pues si despreciaba a su mentor, ¿acaso no le estaba despreciando, indirectamente, a él mismo? Estaba harto de no ser el mismo de antes y a veces maldecía el día en que la conoció. Ay, si hubiera seguido con Biotza, si se hubiera casado con ella, si hubiera hecho caso a su madre... No habría conocido tantas cosas, pero no las habría echado de menos, puesto que no se puede añorar lo que no se ha conocido, y no habría perdido la cabeza como la estaba perdiendo.

Consumido por tamaña sensación de impotencia, ante la dualidad de desear de forma semejante a una persona que no concordaba con su ideal moral, una mujer en la que ni siquiera confiaba, que le hacía sentir tan poca cosa, recurría al alcohol como única *ayuda* a la hora de expresar su rabia y su frustración. Así, sin más, sin que Ruth le provocase, ardía en cólera y desaparecía de los bares porque necesitaba caminar, huir, olvidar, descargar en soledad toda su inquina.

Juan no podía dejar a Ruth, sino que esperaba a que ella le dejara. Por una parte, así conseguiría adelantarse a sus peores temores. Ella le dejaría de todas formas, antes o después. No iba a permanecer con él toda la vida, eso seguro, ella no era mujer estable ni de relaciones sólidas, ella estaba completamente loca, desequilibrada, como había quedado demostrado con lo de las pastillas y el internamiento; así que prefería provocar los acontecimientos para que el abandono no le cogiera desprevenido. Pero tenía que ser ella la que le dejara, tenía que ser ella la culpable. Necesitaba descargar la culpa de la decisión en Ruth, pues sin culpa no habría sufrimiento para Juan. Los ataques de Juan constituían, en realidad, mecanismos de defensa. Juan quería que Ruth fuese la culpable de todo, y para esto contaba con la complicidad de Ruth, siempre dispuesta a atribuirse a sí misma la responsabilidad del fracaso de la relación. Cuando Juan acusaba a Ruth no denunciaba, comprobaba: puesto que él mismo no se sentía responsable, por fuerza debía de serlo ella. Dominado por un punzante e insidioso sentimiento de odio a Ruth, no resistía el deseo de acusarla, de azuzarla, de mortificarla. Así no sólo desahogaba su frustración, sino que también se autoabsolvía.

Era como el choque anunciado de dos trenes que se dirigen el uno contra el otro a toda velocidad: Cualquiera podría haber anticipado la catástrofe inminente, pero nadie se veía capaz de evitarla. Lo que estaba claro es que cada uno había sido capaz, por su cuenta, de mantener relaciones sólidas y más o menos estables, sin altercados. Ruth nunca había agredido a Beau y Juan nunca bebió estando con Biotza ni tampoco la maltrató ni la humilló psicológicamente, lo que parecía probar que allí la culpa no era de nadie, o era de los dos, o era una cuestión de circunstancias, pero la cuestión es que Ruth estaba cada día más cansada y deprimida. Estaba adelgazando a ojos vista, haciéndose poca cosa, una mujer sin sustancia, sin espacio, invisible, y se le estaba secando la mirada, que parecía haber perdido brillo y profundidad; y Juan, por su parte, bebía mucho, trabajaba poco, disfrutaba menos y no razonaba nunca. Y, por supuesto, ninguno de los dos avanzaba en sus proyectos ni en sus trabajos, como si estuvieran despojados de voluntad propia y condenados a vivir una historia de la que renegaban, cada uno consumido por la idea del otro, por la ausencia del otro, por la presencia del otro: inminencia de despeñe, acoso de precipicio, ventana abierta al vacío.

Mensaje en una botella

arzo, abril, mayo y junio se sucedieron en un clima de tortura. Las discusiones y los malentendidos se habían convertido en el pan de cada día, y para colmo la inminencia del verano les había puesto a los dos de pésimo humor.

A 15 de julio, Juan tenía que dejar la Residencia: la beca tocaba a su fin y él apenas tenía escrito un borrador de cien páginas. Se había comprometido a entregarle a Indalecio la novela a primeros de septiembre y no sabía cómo lograría terminarla, ni siquiera si lo lograría. A la amenaza de defraudar a su editor había que sumar una peor, más grave, que representaba el fin de sus sueños: si no lograba publicar debería volver a Bilbao, puesto que era evidente que no lograría subsistir en Madrid por sus propios medios, ya que sin beca no podría mantenerse. Quedaba la opción de irse a vivir a casa de Ruth, lo que le relevaría de la carga de un alquiler y le permitiría vivir, si no con cierto desahogo, al menos con un mínimo de dignidad. Pero Juan ni se planteaba semejante posibilidad. Según él, porque su orgullo no le permitía vivir como un mantenido. En el fondo, porque la convivencia significaría acentuar la dependencia de Ruth, tanto a nivel económico como emocional.

Ruth, por su parte, no estaba de mejor talante. Tampoco ella había escrito gran cosa del guión y también le había prometido a Paco que

331

se lo entregaría el uno de septiembre, pero el tema del guión, en el fondo, muy poco le importaba. Lo que la traía por la calle de la amargura era la noticia de que Juan pasaría el verano en Bermeo, lo que venía a significar que Juan no vería a Ruth en dos meses, pero que sí vería a Biotza, con la amenaza de reconciliación con la ex novia que tal perspectiva conllevaba. Ruth había rogado y suplicado a Juan que se fuera de vacaciones con ella. Elige destino, le dijo, que yo me ocupo del resto: Estaba más que dispuesta a agotar el adelanto del guión en unas vacaciones con Juan, y luego ya se sacaría dinero de donde fuera, de debajo de las piedras si hiciera falta. Pero Juan se había mostrado inflexible. No tenía dinero, decía, como para pasar un verano con Ruth, ni siquiera para quedarse en Madrid con ella, puesto que no contaría con el dinero de la beca y la editorial cerraba, y desde luego, no pensaba permitir que Ruth se hiciera cargo de sus gastos.

—Bueno, pues iré a visitarte.

—¿A Bermeo? ¡Tú estás loca!

—Habrá hoteles, digo yo.

—Pues no, no hay. Ni siquiera pensiones. Que es un pueblo de treinta mil habitantes, Ruth…

—¿Y no hay una miserable pensión? ¡No me jodas! Y cuando alguien, digamos, tiene que ir a un entierro o a una boda, ¿qué hace?

A punto estuvo Juan de mencionar el hotel de Mundaka, pero se calló a tiempo. Si llegaba a oídos de Biotza que la mujer a la que más odiaba en el mundo se alojaba en *su* hotel, la iba a tener gorda.

—Pues se quedan en casa de los familiares, o duermen en Bilbao, como todo el mundo. Y por favor, Ruth, deja ya de machacar con el mismo tema, que me tienes harto.

La mirada con la que remató la afirmación le dio a entender a Ruth que no convenía insistir en el tema.

En la última semana de junio Juan había recibido una invitación para participar en un congreso literario que tendría lugar en Gijón y en el que participarían poetas, novelistas y críticos. Cada uno tenía que llevar preparada una ponencia sobre «Las fábricas de la literatura», un texto de cinco a diez folios de extensión (requisito requerido de antemano) que habrían de leer en público. A Ruth le parecía que como tema de debate o intercambio aquél resultaba bastante soso, pero reprimió los comentarios por la cuenta que le traía.

—¿De verdad nunca has estado en Gijón? —a Juan le sacaba de quicio la manía de Ruth por quedar-por encima de él, por delante de él, de demostrarle que allá donde fuera, ella ya había estado—. Pues es precioso. ¿En qué día has dicho que cae la lectura poética esa?

—En martes. ¿Por qué?

—Bueno, estaba pensando... Sara tiene una casa allí, en la montaña, apenas a diez minutos de Gijón. Si me presta las llaves, podríamos ir el fin de semana y quedarnos hasta el martes. Yo te acompañaría al seminario y volveríamos juntos. Como de todas formas los del Congreso te pagan el viaje de avión no te costaría nada el viaje, ni el desplazamiento ni el alojamiento. Basta con que les digas a los organizadores que te adelanten la fecha del billete de avión.

Para sorpresa de Ruth, Juan encontró estupenda la idea. La proximidad de las vacaciones le había hecho temer, más que nunca, perderla. Por una parte, no quería que ella fuera a Bilbao ni a Bermeo, ya que estaba seguro de que la presencia de una persona tan conocida como Ruth no pasaría inadvertida y, antes o después, Carmen y Biotza se enterarían de que la pelirroja andaba por allí, lo que sin duda generaría conflictos que él prefería evitar. Pero, por otra parte, ahora que empezaba a estar cada vez más claro que aquello no iba a durar, que si él no conseguía arreglárselas para volver a Madrid la enfermedad de la distancia supondría la muerte natural de aquella relación, empezaba a sentir cierta pena, pena por Ruth, pena también por sí mismo. Cuando admitió la propuesta de Ruth se sentía como el funcionario de prisiones que le concede su último deseo a un condenado a muerte.

Se trataba de una situación paradójica. Al lado de Ruth se había sentido como si los bárbaros hubieran invadido su imperio implícito y, a aquellas alturas, cuando estaba tan claro que lo suyo nunca llegaría a buen puerto, Juan se sentía como un extenuado caminante que sólo aspira a encontrar un lugar lleno de quietud y silencio en el que echarse a descansar. Quería volver a la calma y la rutina de su pueblo, lejos de voces desafinadas, de discordias y violencias. Volver a una grata estabilidad, a una vida fuera de aquella sinusoide de altos y bajos: reconciliaciones/broncas, éxtasis/desesperación, amor/odio. Cómo ansiaba una vida en la que los extremos estuvieran bajo control. En la que él mismo estuviera bajo control. Cuando por fin creía ver una luz al final del túnel, cuando pensaba que el verano traería el principio del fin de aquella historia, una posible reconciliación con

Biotza, la reinserción en su antigua vida monótona y necesaria, la tan anhelada paz en definitiva, experimentaba una angustia extraña, un miedo infantil a perder a Ruth, un deseo animal de conservarla como fuera. Además, por mucho que una parte de sí mismo anhelase tan dolorosamente el merecido sosiego, otra parte renegaba de volver a la vida en Bilbao, pues aquello, ¿cómo podía interpretarse sino como un fracaso, como una derrota en el combate capitalino, como el provinciano que regresa a su pueblo con las orejas gachas después de haber sido vencido en la gran ciudad? En cuanto a la reconciliación con Biotza, ¿acaso era posible? Cuando pensaba en ella la imaginación se le enturbiaba de una manera extraña, y tenía que hacer un esfuerzo soberano para reconstruirla en la memoria. Evidentemente, no podía quererla tanto si apenas la recordaba, si prácticamente no la echaba, no la había echado nunca de menos.

—Tengo una idea mejor —propuso Juan—. Les llamaré y les diré que, en lugar de enviarme los billetes de avión, me paguen la gasolina. Indalecio me ha ofrecido mil veces el coche de su mujer para subir a Bilbao. Parece que ellos no lo usan nunca. Se lo pediré, nos vamos a Gijón en coche y así podríamos hacer excursiones por la zona.

—¿Tú crees que aceptarán?

—Por probar… Les diré que tengo pánico al avión. Por lo visto Manuel Hidalgo también lo tiene y siempre que puede viaja en coche o en tren, aunque tarde más.

Ante la perspectiva del viaje, Ruth no cabía en sí de gozo. No sólo porque le permitiría estar a solas con Juan, sin terceros que interfirieran en su historia, que pudieran envenenar la imaginación de Ruth, esos hombres que le sonreían en los bares, que parecían ignorar a su acompañante, sino porque el hecho de que Juan quisiera que ella le acompañara a la lectura poética cobraba una significación ulterior: venía a decir que no se avergonzaba de ella, que no le importaba lucirla en público en su propio terreno, en un ambiente que probablemente consideraba a Ruth demasiado vistosa o frívola o llamativa. Acostumbrada a que él menospreciara su obra y su talento, ella misma había llegado a creer que en realidad no era buena, que su trabajo carecía de profundidad, de hondura, de miras, de trascendencia; que no era, en suma, lo suficientemente *intelectual*.

Para sorpresa y alegría de Ruth, el viaje resultó un prodigio de paz. Juan estaba tan encantador como en sus mejores tiempos, todo amabilidad y mimos, y quieres que te lleve esto y quieres que te ayude a cargar lo otro y mi vida por aquí y preciosidad por allá, y Ruth sentía renacer esperanzas que casi había dado por muertas y enterradas. El fin de semana continuó en la misma tónica. La casa resultó ser amplia, luminosa y acogedora, con una vista espectacular, y los alrededores, tan bonitos, tan de postal, que se pasaban la mayor parte del día recorriéndolos con el coche, explorando carreteras secundarias y caminos vecinales. Ruth, que no sabía conducir, iba en el asiento del copiloto haciendo la segunda voz a las canciones de la radio. Poseía una memoria prodigiosa y le bastaba con escuchar una sola vez un estribillo para memorizar letra y música. No tenía mala voz, pero desafinaba estrepitosamente, aunque eso a Juan no parecía molestarle, sino, al contrario, hacerle bastante gracia. Cuando la emisora, especializada en grandes éxitos de décadas pasadas, radió *Sittin' on the Dock of the Bay,* Ruth ni siquiera necesitó escuchar el estribillo, pues se sabía la canción de pe a pa desde que era una niña. Lo sorprendente fue descubrir que Juan también se la sabía, porque Ruth no habría esperado un gusto por el *soul* en un chico tan joven. Cuando empezó a cantarla a coro con ella, Ruth no se atrevió a preguntarle por qué conocía tan bien la canción, cuándo y cómo la había aprendido. Le pareció en aquel preciso instante que aquel chico tan guapo que conducía y cantaba a su lado parecía reunir todas las cualidades que durante sus años solitarios Ruth había atribuido al Soñado, al Grande, al Escogido, al Único que brillaba dentro de sí por su ausencia. No quería estropear el momento perfecto, aquel instante de irrepetible complicidad única, y decidió dejarse llevar por la magia de las notas, seguir cantando sin hacer preguntas. No podía en aquel Momento Nescafé, inscrita en el Marco Incomparable de las montañas asturianas, y arrullada por la Banda Sonora Inolvidable, sospechar que aquella melodía no era otra cosa que el canto del cisne de su historia de amor.

De manera que de viernes a lunes todo transcurrió de tan agradable manera que Ruth tenía por seguro que todas las discusiones de los últimos meses no habían sido más que una crisis que ya estaban superando, que todos sus esfuerzos habían hallado su recompensa y que a partir de ese viaje su relación se afianzaría. El Juan que conducía el coche, el que bebía sidra con ella, el que la abrazaba por las noches, era el mismo Juan que la intrigó en el Café Comercial, que la sedujo frente a un escaparate, que la enamoró en el invierno madrileño. Ella estaba segura de que todos los problemas que habían tenido se debían a una cuestión de circunstancias. La tensión los había vuelto locos: la tensión de Juan frente a su separación de Biotza y frente a su complejo de culpa, la tensión reactiva de Ruth frente al acoso de Juan, la tensión de ambos en una ciudad en la que bebían demasiado, salían demasiado y escuchaban a demasiada gente que opinaba demasiado, y de lo que no debía. Pero allí, en aquellas montañas verdes, sin más compañía que la del uno para el otro, todo era otra cosa. Incluso Juan empezó a albergar esperanzas en relación con Ruth. Al verla tan calmada, tan dócil, pensó que quizá las cosa podrían funcionar. Al fin y al cabo Ruth era a todas luces tan buen partido como Biotza o incluso mejor. Porque si la familia de Biotza tenía dinero y apellido, la familia de Ruth tenía más capital y más ilustre patronímico (de frondosísimo árbol genealógico, por cierto), con la diferencia de que Ruth contaba además con su propio dinero, y con una carrera que prometía proporcionarle mucho, mucho más, mientras Biotza dependía de la voluntad de su familia para administrarse económicamente. Sí, su madre acabaría por ceder, y Biotza, que había nacido para el matrimonio, no tardaría mucho en encontrar otro pretendiente, y con el apoyo de Ruth y sus contactos no le resultaría difícil a Juan hacerse un hueco en el panorama literario. Sí, serían una pareja sinérgica, una alianza en la que la conjunción de las dos fuerzas resultase más efectiva que la suma de las dos fuerzas por separado, y todo Madrid les envidiaría... Y así los dos edificaban castillos en el aire, fingiendo que el pasado no existía, que el olvido era posible, que aún podían abrigarse con los jirones del respeto hecho pedazos.

Y tras cuatro días de mutuo embeleso amaneció el martes tan radiante y claro como un anuncio de suavizante para la ropa, y el ánimo de Ruth tan limpio como el cielo. Dejaron la casa de Sara y se trasladaron a un hotel en el centro de la ciudad, un hotel elegido y pagado por los organizadores del Congreso. Desde allí se trasladaron a la sede del mismo, una amplia sala proporcionada por alguna institución bancaria. Eligió ella para la ocasión un conjunto de chaqueta y pantalón, sobrio como un monasterio, que le había regalado Judith y que casi nunca se ponía, e incluso se recogió el pelo en un moño severo esforzándose por hacerse notar lo menos posible, de tal forma que más tarde mucha gente ni siquiera la reconoció. Durante la conferencia permaneció formal y modosita en su sitio en primera fila, más callada que si estuviera en misa, con el semblante serio y la expresión concentrada, sin tener que fingir la atención porque verdaderamente se sentía orgullosa de su Juan y hechizada por sus palabras. De entre todos los reunidos en aquella sala, era Ruth, sin dudarlo, su admiradora más ferviente, su más tenaz defensora, y se habría estado mirándole y escuchándole sin pestañear tres semanas seguidas.

Más tarde, en la comida que tuvo lugar después de las conferencias, rodeados de poetas, catedráticos, funcionarios de entidades bancarias subvencionadoras, representantes del Patronato de Cultura, y demás personajes que uno puede esperar encontrar en ágapes semejantes, Ruth se esforzó en asentir a todo lo que le decían y procurar poner cara de interés incluso cuando la mandíbula casi se le desencajaba en amenaza de inminente bostezo. En fin, se comportó como la *pareja de*, que era el rol que asumían todas las mujeres que allí la rodeaban, mujeres que habían viajado gracias a sus maridos, que a ellos les debían el haber conocido gente interesante y el haber adquirido cierta epidérmica cultura por el obligado contacto con ella, mujeres que parecían agradecídisimas por tan grandes privilegios, que sabían serlo todo para sus compañeros: secretarias, enfermeras, abnegadas amigas, apasionadas amantes, sus más fieles admiradoras. Ninguna de las allí presentes parecía existir más que en función subordinada. Algunas trabajaban, por supuesto, pero quedaba claro que su labor resultaba sensiblemente menos importante para la sociedad que las de sus maridos, de los que contaron excelencias a Ruth, derrochando sin pudor la vanidad delegada de una vida delegada, cada una compitiendo en orgullo con las otras, a ver cuál soltaba el más florido discurso apologético, nunca saciadas de alabar las muchas virtudes de sus maridos y de felicitarse a sí mismas por su elección. Por mucho que a Ruth aquel espectáculo de vida entregada le revolviera secretamente las entrañas se abstuvo de manifestar el más mínimo disgusto o extrañeza, obsesionada como estaba por complacer a Juan, e hizo alarde de sus más profundos registros interpretativos, de sus mejores facultades dramáticas, para dar vida a la feliz novia subalterna del poeta laureado. Quién sabe, pensó, quizá esa delegación de la vida propia en otro resulte satisfactoria cuando uno es débil, o cobarde, o perezoso. Al fin y al cabo, así se evita cargar con la responsabilidad de los propios actos, con la desolación de dejarse vivir sin ayuda. En definitiva, sin darse ella misma cuenta, cometió la estupidez de intentar suplantar a Biotza, de cruzar una línea divisoria de la que siempre se había mantenido apartada, y de pasarse a territorio enemigo traicionando su propia causa. Y todo lo hizo por amor.

Aquella noche se había convocado una reunión informal entre los más jóvenes de los participantes en un bar de la ciudad, un antro lóbrego y estruendoso que se suponía acogía a lo más granado de lo que se había dado en llamar el sonido Gijón, es decir, a una patulea de jovencitos con camisetas de diseño y pelos peroxidados. Algunos de los críticos y profesores que se habían adherido a la informal convocatoria desentonaban tanto como un cubo de fregar en una recepción de gala, pero parecían no darse por enterados y apuraban copas y más copas festivamente. La mayoría habían aparcado a sus legítimas dios sabría dónde y hacían gala de una actitud mucho más relajada que la que habían exhibido durante la comida, y muchos de ellos parecieron reparar por primera vez en la presencia de Ruth, que se había cambiado de ropa y había vuelto a adoptar su atuendo de costumbre, unos vaqueros y una camiseta que sugerían a las claras que, en las postrimerías de su juventud, a su poseedora aún le quedaba mucha lozanía por agotar. Pero Ruth fingió no advertir ninguno de los avances más o menos descarados de los que fue objeto, no ya tanto porque no quisiera que Juan se ofendiera como porque desde Beau había desarrollado una extraña aversión hacia los hombres mayores, un paradójico síndrome de Peter Pan femenino. Aunque sabía de sobra que no le convenía beber, pues el alcohol tenía la facultad de volverla más impulsiva e irascible de lo que ya era de por sí, no pudo resistir la tentación: la tensión derivada de tener que haber fingido en la comida, añadida a la tensión suplementaria de verse obligada a esquivar miradas húmedas en aquel bar, aquel suplicio carnicero de ojos y sandeces, le habían despertado una sed de cosaco.

Sin embargo, sí reparó en las atenciones de uno de los poetas que habían sido invitados al simposio, un catalán ni guapo ni feo, pero con una frente ancha y simpática, una expresión irónica y un perfil romano que le conferían cierto innegable atractivo. Aquel treintañero parecía bastante sensato y el menos pedante, con mucho, de los allí reunidos, y por lo menos mostraba la deferencia de mirarla a los ojos cuando le hablaba en lugar de a las tetas. Mientras Juan se abismaba en una conversación con el crítico de turno, que le glosaba al embelesado artista las muchas excelencias de su poemario, el catalán acortó sospechosamente distancias hacia Ruth, colocándose codo con codo. Ruth ya pensaba que el poeta estaba a punto de dar al traste con la exquisita corrección de la que llevaba haciendo gala hasta entonces, y ensayaba mentalmente fórmulas de rechazo más o menos corteses, cuando el tipo le susurró al oído:

—Oye, ¿ te apetece una raya de coca?

A Ruth la oferta le pareció que ni caída del cielo. La noche anterior prácticamente no había dormido porque se habían acostado bastante tarde y luego había tenido que levantarse a las ocho para asistir a la primera conferencia del Congreso (quedaba mal que unos ponentes no asistieran a las intervenciones de los otros), un muermo sobre Literatura y Norma, un desordenado fárrago de conceptos, un triste intento de convertir la literatura en ciencia —como si tal absurdo fuera remotamente posible— del que Ruth —y probablemente el resto de los asistentes— no pilló de la misa la mitad. Después había venido la comida de marras, agotadora por la tensión que tanto fingimiento le exigía a una persona tan tímida como Ruth, y más tarde otra maratoniana sesión de conferencias y lecturas, en las que Ruth había tenido que hacer acopio de toda su fuerza de voluntad para no quedarse dormida en el asiento. Si por ella hubiera sido, se habría quedado en el hotel de buena gana, pero Juan estaba muy interesado en salir, pues había quedado en el bar con el crítico con el que tan acaramelado se le veía, y le pidió por favor a una Ruth dispuesta a seguirle al fin del mundo que le acompañara.

Sí, estaba agotada, y no le vendría mal una raya de coca.

—Vale —le dijo al catalán.

—Bueno, pues te espero a la salida.

Desapareció por la puerta del local y Ruth le siguió a los pocos minutos. Aprovechando que la calle estaba poco concurrida y menos iluminada cortaron, apoyados en el capó de un coche, dos rayas de cocaína sobre la cartera del catalán, que debía de estar muy acostumbrado a drogarse en condiciones difíciles, porque mantuvo un pulso de hierro sujetando la cartera con una mano y esnifando la línea con la otra sin que en ningún momento peligrase el material. Cuando cada uno hubo apurado la suya, se quedaron charlando un rato apoyados en el capó.

—Si quieres que te diga la verdad —decía él—, yo ya ni sé por qué sigo viniendo a estas cosas. Me aburro como una ostra y en muy pocas ocasiones conozco a alguien interesante, pero, como la publicación de poesía es tan difícil y se rige por criterios tan arbitrarios, si no cuentas con ciertas relaciones no publicas, y si no acudes a este tipo de congresos no haces relaciones. Pero yo ahora mismo estaría mejor en mi casa, escribiendo.

—Me alegra que me lo hayas dicho, porque creía ser la única que encontraba acartonado este ambiente.

—Bueno, hay que reconocer que este seminario ha sido particularmente árido. No han escogido los mejores participantes. Pero yo he asistido a encuentros mucho más animados, sobre todo en Cataluña. Aunque te resulte difícil de creer, en algunos incluso he presenciado auténticos intercambios de ideas. El problema de éste ha sido la media de edad. La mayoría de los ponentes eran demasiado académicos, y se han limitado a repetir ideas ya muy manidas.

—Pues tú al menos las captabas, por manidas que estuviesen. Yo te tengo que confesar que no me he enterado de qué hablaba casi nadie. Enseguida perdía el hilo de lo que me estaban contando y me ponía a divagar, a pensar en otras cosas. Era todo tan farragoso... Digo yo que podrían decir las cosas de una manera más accesible...

—Pero así es la jerga académica, hija mía. ¿Para qué decir *personaje* cuando puedes decir *actante de la representación pulsional*? De todas formas no te preocupes, que no eras la única que estaba en Babia, aunque los demás, por la cuenta que les trae, no se van a atrever a anunciarlo con tanto desparpajo. Y además, como tú no trabajas en esto, no te va a tocar tener que aguantar más seminarios si no quieres.

—Oye, ¿no nos estaremos alargando demasiado? Ahí dentro nos van a echar de menos.

—¿Qué pasa? ¿Tienes miedo de que tu novio se ponga celoso?

—No, por favor —negó Ruth, aunque el catalán le había adivinado el pensamiento—. ¿Por qué lo dices?

—Por la forma en que te miraba. No ha apartado la vista de ti en todo el rato.

—No digas tonterías. ¡Si no me ha hecho ningún caso! Prácticamente ha hecho como si yo no existiera. Sólo parecía tener ojos y oídos para el crítico ese.

—No, créeme. No te quitaba ojo de encima.

—Bah, serán imaginaciones tuyas. Anda, vámonos.

Cuando intentó incorporarse se tambaleó como si pretendiera andar en un bote de remos. No se había dado cuenta hasta entonces de lo borracha que estaba. La cocaína no sólo no la había despejado, sino que se sentía aún peor que antes. Si es que aquello era cocaína, claro. Quién sabe con qué estaría cortado aquel polvo. Se sujetó a la pared más cercana e intentó serenarse.

—¿Te encuentras bien? —preguntó el catalán.

—Sí, sí, no te preocupes —Ruth veía un rostro borroso, como una imagen debajo del agua. Estaba verdaderamente mal, de pronto era como si todo el cansancio acumulado se le hubiese subido a la cabeza de repente—. Anda, vamos dentro.

Al entrar en el bar buscó con los ojos a Juan, que seguía en la barra, mano a mano con el crítico, en el mismo lugar y en la misma actitud en la que lo había dejado. De pronto Ruth se sentía como flotando, desconectada de sí misma, y le resultaba difícil caminar porque sentía que sus miembros no respondían, como si hubiese habido un cortocircuito en el cableado que conectaba las órdenes del cerebro y su ejecución. Avanzó con cuidado para que no se le notara lo mal que estaba. Pero no se trataba sólo de la borrachera, también era la falta de sueño, estaba segura. Se acercó a Juan flotando en una especie de nebulosa de perfiles inconexos en la que a duras penas reconocía la barra y el brillo de las botellas alineadas tras ella, y se colgó de su brazo con la misma determinación con la que un náufrago asiría un salvavidas. Se quedó allí quieta sin articular palabra y esbozando una mueca de circunstancias que pretendía ser amable, a la espera de que Juan decidiera que había llegado la hora de irse. Los demás ya lo habían decidido así, por lo visto, porque por allí fueron desfilando unos y otros, despidiéndose. A todos les correspondía Ruth con amplia sonrisa y maldiciendo en su interior la manía de Juan de ser el último en abandonar las fiestas. Por fin, Juan la agarró del brazo y le anunció que ya se iban.

A la salida del bar le sorprendió la actitud de Juan. No hablaba con ella, prácticamente no la miraba, y de repente, sin venir a cuento, le empezó a gritar:

—¡PARA UN TAXI, JODER, QUE NO VAMOS A LLEGAR NUNCA!

341

En aquel momento, como caído del cielo, apareció un taxi por la esquina y Ruth lo detuvo con un gesto. En el camino Juan seguía rumiando su mal humor, mascullando cosas que ella no entendía, y que le daban igual, porque se encontraba tan mal que lo único que le apetecía era llegar al hotel y dormir, sin detenerse a interpretar las razones del cambio de actitud de él. Pero estaba verdaderamente harta de los arrebatos de aquel niñato y la borrachera que llevaba le multiplicaba el enfado por quince. Cuando bajaron del taxi Ruth se le quedó mirando a los ojos negros (a los cuatro ojos negros que veía) y le dijo en el tono más desagradable que pudo impostar, intentando que estuviera a la altura del de Juan:

—A veces no te aguanto.

Y cuando llegó a la habitación se dejó caer en la cama y se quedó dormida con la ropa puesta.

Cuando abrió los ojos no fue capaz de precisar el tiempo que había transcurrido. De repente se encontró sola. Allí no había nadie. Le entró un ataque de pánico absolutamente infantil, como el niño que se despierta a media noche y lo primero que hace es llamar a gritos a su madre. Pero cuando ella se despertaba de pequeña y gritaba nadie acudía a consolarla. Nunca su padre, desde luego. Algunas veces Estrella con cara de mal humor. No había madre que pudiese ir a acunarla, a apretarla contra su pecho hasta que volviese a conciliar el sueño. Y al final aprendió a no gritar y no llamar a nadie y a sorberse sus lágrimas en silencio, pero desde entonces la palabra abandono era la que más miedo le daba en el mundo. Abandonada como se sentía, aterrada, se abalanzó sobre el teléfono de la habitación y marcó el número del teléfono móvil de Juan. Le costó hacerlo porque estaba medio dormida, y además los dedos no le respondían a la hora de marcar los dígitos, ya que estaba temblando de miedo, de frío o de borrachera; pero el miedo, la conciencia de que en aquel preciso instante se imponía sobre el aturdimiento o la temblequera la necesidad de recuperar a Juan como fuera, de no quedarse sola en aquella habitación fría e impersonal, dentro de una ciudad más fría e impersonal todavía, le obligó a sacar fuerzas de flaqueza. Cuando la voz de Juan respondió al otro lado de la línea, Ruth apenas fue capaz de expresarse con claridad, lo único que sabía articular con una voz enfangada era una petición desesperada de auxilio: dónde estás, por qué te has ido, no me dejes sola, vuelve, por favor, no me dejes sola.

Al rato llamaron a la puerta y se encontró otra vez con él que venía, con sus bolsas al hombro. No, no es que hubiera salido en busca de la última copa o a tomar el aire. Evidentemente había dejado la habitación con la intención de no volver, si no ¿para qué se había llevado el equipaje? Ruth no daba crédito, no podía creer que hubiera tenido la desfachatez de dejarla allí sola, tirada, sin una simple nota, sin mediar explicaciones, pero no pudo ni quiso preguntarle por qué se había marchado, porque seguía encontrándose mal, mareada y cansada, así que se dejó caer de nuevo sobre la cama.

—Eres una gilipollas aburrida —le dijo él—, y no sé por qué me tienes que humillar siempre de semejante manera, por qué tienes que ser tan borde y tan idiota con todo el mundo, de verdad, no tienes ni idea de maneras ni de buena educación...

Estaba harta. Ella no había sido maleducada, ni mucho menos. Había interpretado su papel como una santa. Había aguantado la comida, participado en conversaciones que no le interesaban mientras él ni siquiera le dirigía la palabra, ocupado como estaba en mariposear con unos críticos y otros. Había esperado en el bar hasta el final, cayéndose de sueño y de cansancio, hasta que él se quiso ir. Había sido muy amable, siempre lo era. Y él no tenía derecho a decirle semejantes cosas y en ese tono sólo a cuenta de los celos, porque eso era lo que le comía: celos. Seguramente él pensaba que cuando ella había salido a meterse la raya, había estado echando un polvo en la calle con el catalán... O a saber qué pensaba Juan, si nunca se podía saber en qué estaría pensando. Si Ruth le respondía, si replicaba al argumento, si decía lo que en la cabeza barruntaba —que él no tenía por qué hablarle así, que sus razonamientos eran absurdos, que la acusaba sin fundamento, sólo por hacerle daño...—, entonces él atacaría con fuerza renovada, le gritaría, le insultaría y tendrían una de sus broncas de costumbre. Y llegado el caso, él cogería el portante y se iría, como hacía siempre que le fallaban los argumentos. Huir, y punto: ésa era su respuesta cuando las palabras hirientes le fallaban. No, no había forma de vencerle en una lucha verbal, eso había quedado demostrado muchas veces. Pero si Ruth no le hacía ningún caso, si se ponía a dormir, entonces Juan se iría. Y no se sentía capaz de aguantar una bronca toda la noche, una bronca en la que llevaba todas las de perder, pero tampoco quería quedarse sola otra vez, porque él había viajado con ella, había planeado aquel viaje con ella y no tenía derecho a dejarla tirada en una habitación de hotel como si fuera un condón usado. Se trataba de un juego de suma cero, en el que ninguna de las posibles salidas podía considerarse una solución. Ella no tenía posibilidad alguna de ganar. Nunca conseguiría retenerle si él se iba porque él era más fuerte que ella, porque no había forma de detenerle en sus huidas. ¿Seguro? Sí, él siempre jugaba con la baza de su superioridad, pero aquella superioridad no estaba tan clara... Y de repente, herida en su propio instinto como de un látigo, se amostazó en aquella prontitud de genio que le había sido tan perjudicial en la vida, y antes de que a Juan le diera tiempo de decir «gilipollas aburrida» otra vez, Ruth ya se había hecho con una botella de Mahou vacía, el cadáver de la última cerveza que Juan se había tomado antes de salir. Hizo con el brazo derecho un raudo y enérgico movimiento y le descargó a Juan tal botellazo en la cabeza que el otro no pudo resistir el impulso, y, dando un grito, cayó al suelo. Pero no se desmayó, que era lo que ella esperaba. En las películas la gente se desmaya en cuanto les dan un botellazo. Pero en las películas son actores, y no se desmayan de verdad, sólo pretenden hacerlo. El cine es una mentira, una más de las mentiras del mundo de mentiras en el que Ruth vivía instalada. La vida real es otra cosa. Y en la vida real, quedaba claro, la gente no se desmayaba de un simple botellazo en la cabeza. El pensamiento es mucho más rápido que su expresión escrita, así que seguir este razonamiento no le había llevado a Ruth ni una fracción de segundo. Y Juan ya empezaba a levantarse, de forma que Ruth golpeó no una, sino varias veces más, pero no consiguió nada. No consiguió que él se desmayase, que cayera desplomado al suelo para que ella pudiera retenerle. Juan ya se había incorporado y salía por la puerta. Se escuchó el estrépito de un portazo, y luego de nuevo el silencio.

Todo aquello había sucedido en cuestión de segundos. Juan no había dicho prácticamente nada y ella había respondido de una forma aparentemente irracional. A primera vista la provocación había sido mínima y no justificaba tamaño arrebato violento. Pero ella sabía, por experiencia, lo que la frase que Juan había dicho y, sobre todo, el tono con que la había pronunciado, prometían: otra noche de agrias recriminaciones, otra discusión inacabable. Había actuado en una crisis de pánico, como el perro que ataca al escuchar una orden determinada, sin que medie provocación, sólo porque con el tiempo ha aprendido a asociar estímulos, y en los entrenamientos ha asociado esa orden a la inminencia de un golpe. En realidad el perro agresivo no ataca: se defiende, aunque esto parezca difícil de entender a primera vista. El comportamiento agresivo no nace, se hace. Pero explícale eso al padre del niño agredido por el perro, explícale que el perro es tan víctima como el niño al que ha mordido. Y explícate eso a ti misma, cuando no puedes entender cómo has sido capaz de hacer tal barbaridad.

Y ahora, ¿qué hacer? La situación se le escapaba a Ruth de las manos. Se suponía que era una mujer de aplomo, muy hábil a la hora de tomar decisiones y de manejar las situaciones imprevistas. Siempre había salido airosa de las situaciones más difíciles y había sido capaz de pasear con las heridas puestas, pero manteniéndolas bien ocultas, reservando sus inseguridades, sus miedos, incluso sus episodios depresivos, para la intimidad. Fue por eso por lo que Pedro había decidido que era ella la que debía asumir las funciones de directora, por más que fuera evidente que él sabía más de cine, técnicamente hablando, que ella.

A ver, Ruth —se dijo—, ya que se supone que eres tan asertiva, y tan rápida a la hora de encontrar soluciones imaginativas para los problemas imprevistos: ¿qué haces ahora, bonita?

Y en ese momento sonó el teléfono de la habitación.

Lo dejó sonar varias veces, convencida de que sería Juan, y de que el auricular chorrearía un aluvión de improperios. Pero Juan se había dejado allí sus bolsas y tenía derecho a recuperarlas, así que no le quedaba otra alternativa que coger el teléfono.

—¿Sí?

—Buenas noches. Llamo de recepción. Al parecer ha tenido usted un incidente con su compañero de habitación … —una pausa que se alarga más de lo necesario, unos segundos en los que Ruth se pregunta qué coño es lo que el recepcionista no se atreve a decirle: ¿Juan se ha abierto las venas en el vestíbulo del hotel?—. Está aquí la policía.

El recepcionista había soltado la bomba como mejor o peor había podido. Bueno, se supone que en un hotel deberían de estar acostumbrados a tener que lidiar con escenas parecidas. Ruth aún no podía creer lo qué está pasando. O bien la policía viene con Juan o bien le ha pasado algo.

—Dígales que suban —dijo tranquila, convencida de que no tenía nada que esconder.

En menos de dos minutos se escucharon de nuevo golpes en la puerta. Ruth abrió y se encontró con dos policías, uno bajito, de pelo blanco y cara de circunstancias, y otro más joven y más alto, con expresión de perro de pelea. Y al fondo, agazapado, como un niño que ha acusado a un compañero de pegarle en el recreo y que se esconde detrás del primo de un curso superior que ha acudido a vengar tamaña afrenta, estaba Juan, aparentemente entero y en su sitio, sin cortes visibles, ni un miserable rasguño. A la vista estaba que Ruth no tenía mucho futuro en el campo de las aspirantes a participar en peleas de *saloon*.

—Buenas noches —dijo el policía alto.

—Buenas noches —correspondió Ruth, indicándole que pasaran con un gesto de la cabeza

El policía más alto fue el que entró primero y se puso a inspeccionar la habitación, cuarto de baño incluido, frenético, como un perro de presa en busca de un rastro. Al principio Ruth no entendía a qué se debía semejante actitud. ¿Buscaba drogas acaso? Luego se dio cuenta de que lo que intentaba verificar era si el «escenario del crimen» mostraba indicios de que allí había habido un intercambio violento. Pero la habitación estaba ordenada. No había lámparas por el suelo, ni sillas destrozadas, ni cuadros desnivelados. Por no haber, ni siquiera había camas deshechas, porque Ruth se había tumbado en la suya sin retirar el embozo.

El policía mayor le hizo unas cuantas preguntas, que Ruth contestó con cortesía desabrida y calculada. Nombre, apellidos, número del DNI. Era muy consciente de que podía negarse a contestarlas, no hablar si no era en presencia de su abogado, como decían en las películas, pero tampoco estaba ella de humor como para poner las cosas más difíciles. Cuando acabó de tomar los datos, el policía se la quedó mirando largamente, de arriba abajo, y Ruth entendió bien que no se trataba de una mirada admirativa o lasciva, que simplemente el tipo estaba confirmando lo evidente: que una mujer tan endeble, tan aparentemente frágil —pues Ruth había adelgazado tanto durante aquellos meses que, pese a su altura, comunicaba una sensación de gatito perseguido—, no podía haber agredido a un tipo tan fibroso y atlético, obviamente fuerte a pesar de su delgadez. En cualquier caso,

Ruth estaba tan agotada, física y mentalmente, que le daba absolutamente igual lo que aquel señor pensara o dejara de pensar. Lo único que quería era que la dejaran en paz. Y en eso tuvo suerte porque el trámite no llevó más de cinco minutos. Juan recogió sus cosas prácticamente sin dignarse mirarla y se marchó de allí.

Al cabo de media hora, cuando calculó que Juan ya no estaría en compañía de la policía, Ruth volvió a llamarle al teléfono móvil. El discurso de Juan se ajustaba perfectamente a lo que ella había esperado que dijera. Si aquello fuera la escena de un guión y Ruth hubiese tenido que escribir el texto ajustándose a lo que un personaje como Juan podría decir, las palabras habrían sido idénticas casi en su totalidad.

—Estás loca, estás completamente loca, Ruth. Y luego hablan de las mujeres maltratadas —¿para qué iba a responder Ruth que las mujeres maltratadas están en una situación de desigualdad física respecto a sus maridos?—. Y tú eres reincidente, exactamente igual que los maltratadores, un animal violento por naturaleza, una loca histérica...

Quería deshacerse de las palabras de él, una especie de marea de alquitrán negro, una sustancia pegajosa que todo lo contaminaba y que se extendía por su cuerpo mientras le oía hablar. Ella sabía que aquello no era cierto del todo, pero las certezas iban desapareciendo poco a poco engullidas por la marea negra que todo lo borraba y que no dejaba nada a su paso, nada excepto la oscuridad más total.

—No es eso, no es eso. ¡NO ES ESO!

La voz le falló. Cedió del grito al sollozo. Y acabó por creerse todo lo que él decía. En aquel momento hubiese hecho cualquier cosa, mesarse los cabellos, rasgarse las vestiduras, cortarse un brazo, con tal de que él volviera.

—Que sepas que he ido al hospital y me han dicho que tenga cuidado, que tengo hematomas y chichones, y que eso puede ser peligroso...

Exactamente lo mismo que ocurre siempre cuando te has dado un golpe en la cabeza, pensó Ruth. Imaginó la escena —Juan intentando convencer a un enfermero de bata blanca de que había sido objeto de la agresión de una loca histérica— y no supo si llorar o reír.

—Yo quería volver contigo, estaba dispuesto a hacer lo que fuera, pero es imposible estar contigo, porque no hay persona capaz de aguantarte, Ruth...

Una pequeña lucecita parpadeó en la mente de Ruth. ¿Y si aquella era una estrategia calculada? Al fin y al cabo, se trataba de una escena muchas veces repetida, un patrón de conducta que ambos conocían. Él provocaba, ella reaccionaba y así él quedaba descargado de responsabilidad. La habría dejado de cualquier manera una semana después, pero ahora parecía que no era él quien la dejaba, sino ella la que había forzado la ruptura. Ahora él podría asegurar que nunca hubiese vuelto con Biotza de no ser porque Ruth se puso como se puso, que lo suyo podría haber funcionado, que él estaba dispuesto a esforzarse, pero que Ruth lo estropeó todo, ahora podría deshacerse de la carga del fracaso y volcarla en las espaldas de Ruth para que ella la llevara. El llanto histérico de Ruth se suavizó y se convirtió en un lagrimeo resignado. Él seguía hablando y ella seguía llorando, y al final él cortó la comunicación sin que ella se hubiese enterado muy bien de lo que decía. Algo de «el amor brutal que sentía». Brutal, sí. Ésa era la palabra. Por mucho que odies la violencia, por mucho que no te quieras ver involucrada, la violencia te busca. Naces con tu dosis garantizada, sólo por haber nacido mujer. El olor a podrido se infiltra en cada bocanada de aire.

El resto de la noche transcurrió en un insomnio febril. Ruth se pasó la noche en vela, asustada, temblando, llamado a ratos al teléfono de Juan sólo para volver a escuchar de nuevo el mensaje del contestador que a aquellas alturas ya se sabía de memoria, capaz de reconstruir cada pausa y cada inflexión de voz. Un escalofrío de desesperación le recorrió el espinazo al pensar que ese teléfono ya no volvería a estar operativo, que nunca más podría volver a hablar con Juan. A ratos sentía frío, a ratos un ardor intensísimo en todo el cuerpo, a ratos lloraba, a ratos lanzaba su imaginación a los mayores extravíos: pensaba en salir a la calle, buscar a Juan por donde fuera, llamar a la policía y facilitarles la matrícula del coche para que peinaran carreteras hasta encontrarle, pero no recordaba la matrícula del vehículo y además, ¿qué pensaría la policía si habían puesto una denuncia contra ella apenas unas horas antes? Las horas siguientes fueron transcurriendo en fúnebre soledad, sin que él diera señales de vida. Fuera llovía, desde la ventana del hotel apenas veía un cielo húmedo y oscuro, que parecía un lodazal, una ampliación de su mismo estado de ánimo, y no distinguía mucho más, siniestros perfiles de edificios que destacaban poco bajo un extraño brillo de luna pálida o de reflejos débiles del alumbrado público. La lluvia seguía sonando en el cristal, lúgubre pausa entre una gota y otra, marcando el tiempo que pasaba, como un segundero, como un corazón, sístole y diástole del agua, mientras la soledad se le iba haciendo más sombría y pavorosa a cada minuto que transcurría. Cada segundo, cada nanosegundo se adhería a la columna vertebral con tal fuerza que los nervios se tensaban y dolían, y se convertía en otro paso adelante por la cuesta abajo de la desesperación. Ruth no hacía más que preguntarse a qué se debía una reacción tan desmesurada, porque, si bien su conducta seguía un patrón estímulo-respuesta, las respuestas de ella a los estímulos de él nunca habían sido tan exageradas. Lo terrible del caso es que si en lugar de haber tenido una botella a mano hubiese tenido una pistola, lo habría matado, eso seguro, tan intenso había sido el odio que sintió por unos segundos. Intentaba decirse que debía de haber otra explicación para semejante reflejo ultraviolento, amén del mero hartazgo, la acumulación de provocaciones repetidas una y otra vez, la gota que desborda el vaso. ¿Una deficiencia química, un síndrome premenstrual agudo, el bajón de la coca? O ninguna de esas cosas, o todas a la vez. La angustia de Ruth se arrastraba, se ensanchaba, invadía todo lo que ella había sido o sentido o querido antes de aquel momento, antes de empezar a ser otra completamente distinta, pues aquel botellazo marcaba un límite entre lo que había sido y lo que sería a partir de entonces, ya que nunca, hasta aquel día, había sentido el impulso tan vehemente de acabar con nadie. Se sentía poco más que un vestigio, un simulacro de sí misma. Los objetos vagos de la habitación —perfiles de mesilla, lámpara, cómoda, teléfono silencioso—, participantes en la sombra del insomnio de Ruth, contribuían a hacer más sórdido, si cabe, el sórdido momento. Horrible y aborrecida frialdad de las habitaciones de hotel.

A las diez de la mañana asumió que él no volvería por ella. Así que llamó al aeropuerto para reservar un billete en el primer vuelo a Madrid. Luego pidió un taxi, hizo sus maletas, bajó a recepción, pagó la cuenta y se largó de allí.

Ruth hecha añicos

Cuando llegó al aeropuerto se sintió tan mareada que hubo de cerrar los ojos e inclinar la cabeza para no ver los mostradores revoloteando en torno suyo. Hizo acopio de todas sus fuerzas para llegar al puesto de Iberia y recoger el billete que había reservado. La voz con la que se dirigió a la señorita del mostrador sonaba tan ronca y descolorida que por poco no la reconoce como suya. Era como si se le hubiera instalado un extraño en la garganta, alguien más fuerte que ella que asumía el control de sus acciones en un momento en el que Ruth se sentía incapaz de hacerse cargo de sí misma. Después volvió a sentarse en una fila de asientos de plástico, la más apartada que encontró del tránsito de gente, escaso, de todas formas, en aquel aeropuerto y a aquella hora de la mañana. Fuera por la resaca, por el cansancio, por la falta de sueño o por la angustia, la cabeza le dolía como si se la estuvieran taladrando con un berbiquí. Intentó recordar lo que tenía que hacer al llegar. Lo primero, llamar a Sara. Habían quedado para hacer un viaje relámpago a Barcelona a ver la exposición de Rothko. Anularía el viaje, no quería ver a nadie, aunque seguro que Sara se molestaría muchísimo, pues llevaba meses planeando aquel fin de semana con tanta ilusión como si se tratase de una luna de miel y había utilizado todo su poder de persua-

350

sión para convencer a Ruth —remisa en principio a dejar Madrid mientras siguiera allí Juan— de que la acompañara. ¿Y qué más? Sabía que tenía citas concertadas, una reunión en Alquimia, otra con Pedro... Pero sentía la conciencia abotargada por una sobredosis de arrepentimiento, no acertaba a explicarse qué extraño mecanismo la había dirigido la noche anterior, no podía justificar el desvarío de una acción que le parecía aborrecible, no se reconocía en aquella fiera agresiva, no quería vivir consigo misma, le resultaba imposible hacer planes, imposible concentrarse en nada, ni siquiera en la idea de Juan (¿cómo se concentra nadie en una idea omnipresente y tentacular, que se multiplica y se ramifica a cada segundo?), en la carta de disculpas o de despedida que debería escribirle, en la vida sin él a la que tendría que acostumbrarse, en la posibilidad casi inimaginable de recuperarlo (¿cómo volver a amarse cuando el amor ha muerto tantas veces?, ¿cómo resucitar su cuerpo sepultado?). Tan confusa, cansada y asustada estaba que al principio no cayó en la cuenta de que el aviso que el altavoz estaba radiando era el de su propio vuelo, y a punto estuvo de perderlo; y cuando al fin se presentó en la puerta de embarque, la azafata le dirigió una mirada extraña que Ruth no supo interpretar. ¿Reproche, asombro? Fue la última pasajera en embarcar, y era muy consciente de lo lamentable de su aspecto: el pelo desgreñado, la ropa arrugada, ojos enrojecidos, ojeras profundas. Las cosas no podían ir peor.

Cuando atravesó el pasillo del avión en busca de su asiento sintió sobre sí el escrutinio de los ojos de los demás viajeros. Al fin encontró su sitio y se desplomó en su sillón como un fardo. Intentó concentrar la atención en el paisaje que se veía a través de la ventanilla, convencida, en el delirio de su cansancio, de que los otros pasajeros no la dejarían descansar ni un momento del martirio de sus miradas. ¿Cómo era posible —se preguntó— que se hubiera sobrevivido a sí misma, cómo era posible que pudiera estar allí, entre aquella gente, tan parecida a ellos (todos bien vestidos, todos de una misma raza, una misma extracción social, una misma cultura, la aterradora uniformidad de un pasaje de avión) y tan distinta a la vez? El avión se elevó dejando allá abajo una ciudad a la que Ruth no pensaba volver nunca más, y en aquel momento le sobrevino una arcada profunda. Cerró los ojos intentado dormir, pero la idea obsesiva se repetía una y otra vez: estaba loca, estaba completamente loca, no tenía remedio, no servía para nada..., ojalá pudiera hacerse añicos y desmoronarse. No, le resultaba imposible dormir, aunque ya llevaba setenta y tantas horas en vela. Volvió a abrir los ojos, enfrentándolos al exterior: Allí fuera, separado de ella por una barrera tan fina como un cristal de ventanilla, estaba el cielo, las nubes, la paz, dispersa fríamente en aquella inmensidad blanca. Cielo, cielo indefinido, cielo azul y blanco, cielo entre nada y nada. En aquella altura la atmósfera sería seguramente irrespirable, y sin embargo, ¡qué sensación de armonía, de calma, qué promesa de descanso transmitían aquellos jirones de nube atravesados por rayos de sol! Qué inmensa nostalgia de la nada, qué odio de sí misma, qué ganas de acabar con todo, de no seguir sufriendo.

Como guiada por un piloto automático fue capaz, pese al cansancio, de recoger su equipaje una vez aterrizaron en Barajas, de tomar un taxi y llegar a su casa sin más problemas. Al llegar allí dejó aparcada la maleta en el recibidor, sin fuerzas siquiera para arrastrarla hasta la habitación, y después de tomar dos pastillas para dormir se desplomó boca abajo, vestida, en la cama, y sintió cómo se le iban las ideas, se le iba el pensamiento, se le iba el latir de la sangre, la vida entera, la angustia y el remordimiento, el dolor y el miedo, la conciencia de sí misma, absorbidos y tragados por el sumidero del sueño.

Veinte horas más tarde le despertó el insistente timbre del teléfono. Recordaba, más o menos, haber escuchado aquel sonido en sueños, y supuso que quienquiera que llamara insistía en su intento por encontrarla. Se le vino a la cabeza la reunión a la que debía asistir y dio por hecho que las llamadas serían de Pedro o de Paco Ramos o de ambos, como más tarde le confirmó el contestador. Devolvió la llamada a Pedro, aunque no le apeteciera nada hablar, ni con él ni con nadie. La voz que le respondió era la misma de siempre: cordial, cálida, bien modulada. Al fin y al cabo, el resto del mundo no iba a cambiar porque ella se sintiera destrozada.

—¿Qué tal tu viaje? —la fatídica pregunta que Ruth se había temido y que se sentía incapaz de contestar.

—Mejor ni hablar de eso… Oye, respecto a la reunión con Paco, me parece estúpido que quedemos para hablar de la marcha de un guión cuyo argumento aún está prendido con alfileres, por decirlo de alguna manera.

—A mí la reunión con Paco me importa tan poco como a ti. La anulo ahora mismo si quieres. La que me importas eres tú. Mira,

Ruth, el guión de *Fea* te lo escribiste poco menos que en una tarde, y lo fuimos ultimando según transcurría el rodaje. Tú y yo sabemos que estamos retrasando la fecha de rodaje de la nueva película no por una cuestión de que haya o no haya un guión escrito, sino porque a ti se te está yendo la bola. Te has pasado los últimos meses prácticamente abducida por tu historia de amor con el poetastro de tres al cuarto ese y te has olvidado por completo de tu trabajo, de ti misma.

—(…) —silencio tenso al otro lado de la línea.

—Ruth, escúchame, bonita, yo quiero que tu película, *nuestra* película, salga adelante, quiero trabajar contigo, quiero que vuelvas a ser la que eras…

—Ya…

—Pero no es cosa de hablar esto por teléfono. Me gustaría hablar contigo con calma. Hace mucho que no hablo contigo… Que no hablo contigo de nuestras cosas, ya me entiendes, como antes… Nos hemos distanciado tanto últimamente…

—Sí…

—¿Por qué no quedamos a comer? ¿Tienes algo que hacer hoy?

—No, pero…

—No hay peros que valgan. Quedamos.

—Es que no me encuentro muy bien…

—Eso dices siempre. Paso a recogerte en media hora. Ponte guapa.

¿Cómo iba a ponerse guapa si se sentía hecha un guiñapo tanto por dentro como por fuera? ¿Cómo iba a reunir siquiera la energía necesaria para elegir un modelo en el armario, para ducharse, para desenredarse los nudos del pelo, para pintarse los labios cuando apenas tenía fuerzas para mantenerse de pie? Se tumbó en la cama deshecha sintiéndose infinitamente cansada y no se dio cuenta de que había dejado pasar una hora en blanco hasta que sonó el timbre del telefonillo.

—Dame un minuto —le dijo a Pedro.

Le llevó cinco ducharse, ponerse el último pantalón limpio que encontró en el fondo del armario y recogerse el pelo en un moño improvisado porque no le daba tiempo a arreglar aquella maraña. Pedro la esperaba en la acera, impecablemente vestido, como siempre.

—Hija de mi vida, estás hecha una facha —le dijo a modo de saludo.

En otras circunstancias ella hubiera protestado, pero no se sentía con fuerzas ni con argumentos para hacerlo. Él la cogió por el brazo y prácticamente la arrastró hasta meterla en un taxi. Ella se dejó llevar. Sentía que no merecía el cariño y la atención de un hombre como aquél y se preguntó si él sería capaz de seguir mostrando un interés tan vivo por su amiga, una devoción tan incondicional, caso de enterarse de que estaba llevando a comer a una loca con instintos asesinos.

Quedaría muy bonito decir aquí que Ruth tenía un nudo en el estómago y que fue incapaz de probar bocado, pero habremos de ser fieles a la verdad, por prosaica y poco romántica que ésta sea, y reconocer que Ruth, que no había comido en casi dos días, atacó los platos con hambre de lobo y un ansia tal que casi estaba reñida con los buenos modales. Entretanto Pedro se esforzaba por sacar adelante una conversación y hablaba de los spots que había rodado y de lo bien que le sentaría a las paredes de su dormitorio el amarillo albero que finalmente había escogido para pintarlas, mientras Ruth se sentía desbordada por un intenso sentimiento de culpa, la conciencia de que debía sincerarse con él, explicarle lo que le pasaba, lo mal que se sentía, lo poco qué podía importarle en ese momento un color del cual ni siquiera había oído hablar hasta entonces, y le parecía increíble que por dentro le atenazara semejante agobio, que se sintiera tan devastada, y que Pedro siguiera siendo capaz de enredarla en una conversación sobre tonos de pintura. De cuando en cuando se perdía en su propio dolor, en su miedo y en su angustia, que se obstinaban en aflorar a la superficie por mucho que ella intentara esconderlos, y se veía obligada a decirle a Pedro que lo sentía, que se había distraído, que le repitiese por favor lo que acababa de decirle.

Por fin, cuando el camarero traía los postres, le entró un deseo repentino, apremiante y avasallador, de vaciar de una vez todos los tormentos de su conciencia en el pecho de su amigo, y entre cucharada y cucharada de mousse le contó todo con sinceridad absoluta, sin omitir detalles, no ocultando nada que pudiera desfavorecerla ante los ojos de Pedro, muy al contrario, cargando las tintas en su culpabilidad. Ruth habló con sencillez, con verdad desnuda y simple, como cuando hablaba a solas consigo misma, asombrada de que, una vez hubo reunido las fuerzas para empezar a contar la historia de su última noche en Gijón, las palabras fluyeran con tanta facilidad, y las unas fueran enlazando con las otras sin esfuerzo. Pedro la escuchaba tranquilo y concentrado, con atención profunda, sin aspavientos, sin manifestar particular sorpresa ni asombro, como si se tratara de un sacerdote que tuviera por oficio escuchar y perdonar los mayores pecados. Y, por fin, después de que Ruth rematara la narración con un simple y contundente:

—Pues…, eso es todo.

Subrayando la confesión con una angustioso suspiro, Pedro le cogió la mano por encima del mantel y le respondió a su vez:

—Pues, ¿eso es todo?

—Hombre, ¿te parece poco?

—Poco no. Mucho tampoco.

—Pedro, no sé si te has dado cuenta de que tu mejor amiga tiene interpuesta una denuncia por agresión.

—Bonita, tu imaginación y tu sentido del drama están muy bien y son muy útiles a la hora de escribir guiones, pero deberías aprender a no aplicarlos a tu propia vida. Estás haciendo una montaña de un grano de arena.

—No digas tonterías. Te estoy hablando de algo muy serio.

—A ver, a ese tipo, ¿le hiciste sangre? ¿Un corte?

—No.

—Y después de que le arrearas el botellazo de marras…

—Los botellazos, le di varias veces.

—Los botellazos, rectifico: después de que le arrearas los botellazos se levantó por su propio pie, ¿no?

—Sí.

—De forma inmediata, además. En cuestión de segundos, según me has contado —él la miraba con ojos burlones—. Ni siquiera le llevó un rato recuperar la conciencia, incorporarse.

—Sí, pero…

—Limítese a contestar la pregunta.

—Sí.

—Y cuando se presentó de nuevo en la habitación acompañado por los dos policías andaba por su propio pie, ¿verdad? No le habías hecho una brecha ni nada.

—No. Hematomas y chichones, supongo. Aunque yo no los vi, claro.

—Ruth, bonita, no le debiste de dar muy fuerte. Con una botella deberías haberle dejado inconsciente por lo menos.

—A mí qué me cuentas. Vete tú a reclamar a la planta envasadora de Mahou. Probablemente en realidad no quería darle.

—Joder, Ruth, lo normal en un tío que obviamente es mucho más fuerte que tú, no sólo porque él es hombre, sino porque es más alto que tú y está bastante cuadrado según yo recuerdo..., lo normal, digo, habría sido agarrarte por los hombros y ponerte contra la pared, o placarte e inmovilizarte, o retorcerte un brazo, cosa que, según tú misma me has dicho, ya ha hecho alguna vez. Luego, si se quería ir, le bastaba con recoger sus cosas y marcharse. Lo de avisar a la policía resulta totalmente absurdo. Es como el niño chivato que va a quejarse al profesor, en el recreo del colegio, de que sus compañeros le han puesto la zancadilla jugando al fútbol. Es decir, que tú te comportaste como una loca chalada, pero acto seguido él utilizó tu debilidad contra ti de una forma auténticamente sádica. Esa denuncia tan ridícula le desacredita completamente.

—No, no estoy de acuerdo contigo...

—Entiéndeme —le interrumpió Pedro—, no me parece bien que vayas por ahí arreándole botellazos a nadie, pero si el tío es tan gilipollas como para correr a denunciarlo, lo lógico es pensar que te provocó a mala hostia, para poder denunciarte después, para poder putearte, para hacerte sentir culpable, para provocar una ruptura contundente y definitiva en la que se te pudiera atribuir a ti toda la responsabilidad.

—Eso lo dices porque eres mi amigo. Ten en cuenta que yo tenía una botella en la mano, lo que me colocaba en una posición de fuerza.

—Claro que soy tu amigo, Ruth, y porque soy tu amigo quiero que reacciones. Mira, paso de hacer una reconstrucción policial de los hechos, porque los motivos ulteriores de la conducta de tu amigo o su posibilidad o no de defenderse son lo menos relevante de esta historia. A mí la que me importa eres tú. Yo te conozco, Ruth. He vivido contigo, he trabajado contigo, he salido contigo, y nunca te he visto levantarle la mano a nadie, ni siquiera te he visto insultar a nadie en los momentos más crudos de trabajo. Te he visto de mala hostia, te he visto borde, te he visto metepatas... te he visto hecha una imbécil muchas veces, pero nunca te he visto violenta, así que si me cuentas que has llegado a semejante extremo en un arrebato, lo que pienso es que las circunstancias te han tenido que llevar a ello...

—También puedes pensar que hay una parte de mí que tú no conoces.

—También puedo pensar que lo que tienes que hacer es dejar de beber, dejar de meterte rayas de vete tú a saber qué mierda te metiste aquella noche y dejar de salir con imbéciles que no saben apreciar a la mujer que tienen al lado y se dedican a mortificarla hasta sacarla de quicio.

—Pedro, yo te agradezco infinitamente que te pongas de mi lado, pero me reconocerás que una agresión física es una cosa muy seria.

—Hombre, sí, pero tampoco el horrible y repugnante crimen, merecedor de la condenación eterna, que tú te empeñas en que sea.

—¿Qué pasa? ¿Que tú también le has pegado alguna vez a un amante, o qué?

—Yo no, pero tú tampoco lo habías hecho hasta anteayer. Y si a partir de ahora buscas otro tipo de compañías, tampoco lo volverás a hacer. Deja de torturarte, porque no puedes volver atrás para arreglarlo, e intenta concentrarte en ti misma, en salir del hoyo en el que estás metida. Escucha, querida, porque esto es muy importante: por experiencia sé que hay hombres que disfrutan hundiendo a mujeres que están en una situación de poder, a mujeres con éxito profesional, a mujeres brillantes, porque así ellos se sienten poderosos.

—Es curioso que en general no pase al revés. Las mujeres se acercan a los hombres poderosos, pero no intentan hundirlos acto seguido.

—Eso es fácil de entender, si lo piensas un poco. Nuestra cultura acepta que una mujer tenga un marido mucho más rico, importante, o mayor que ella, pero no se ve bien lo contrario. Y así, el amante de una mujer socialmente superior puede llegar a sentirse tan mal con la situación que, a la mínima que tenga unos cuantos problemas mentales larvados, y a tu Juan se le veía a la legua que le faltaban varios tornillos, acabará poniéndose agresivo con su pareja, volcando todo su resentimiento sobre ella, intentando degradarla para que la situación se «normalice», entre comillas. Y cuando digo agresivo no me refiero sólo al maltrato físico, sino también psicológico. A un verdadero acoso moral.

—El síndrome Álvaro Mesía.

—Me suena el nombre, pero ahora mismo no sé de qué.

—El amante de la Regenta. La seduce sólo por lo que ella representa, no porque ella le interese de verdad.

—Ah, claro, por supuesto... La Regenta. Ya caigo.

—Aunque no estoy muy segura de que lo de Juan se atenga a los síntomas del síndrome. Claro que no sé exactamente cuáles son dado que me lo acabo de inventar.

Pedro por poco se atraganta de risa.

—Los síntomas del síndrome... ¡Qué eufónico! Amor, tú no estás segura de nada porque ahora mismo estás tan metida dentro de la historia que eres incapaz de ver la situación con objetividad. Yo diría que a ese imbécil lo único que le pasa es que tiene un complejo de inferioridad tremendo, que se quería hacer famoso para superarlo, que se acercó a ti sólo porque tenías la fama que él ansiaba, y que luego te empezó a odiar cuando vio que ésta no se contagia por contacto, que no bastaba con estar a tu lado para hacerse famoso él también.

(No se siente la verdad cuando está dentro de una misma, pero qué grande y cómo grita cuando se pone fuera y levanta los brazos...)

—Ésa es una explicación simplista.

—Puede que no. Mira, rayito de sol, creo que hay gente que sabe sacar lo peor de otra persona. Y este hombre lo ha conseguido contigo. Pero nadie, ni tú ni yo, ninguna persona es absolutamente blanca o negra. Tú tienes un pronto difícil y debes esforzarte por controlarlo. Eso es verdad, y si no que me muera aquí mismo. Pero también tienes muchas cosas buenas que debes sacar adelante. No te reconcomas pensando en lo que has hecho. Bastante arrepentida estás y ceñirte cilicios no te va a servir de nada, créeme. Es el propósito de enmienda lo que cuenta, no la penitencia impuesta. Para lo que debería servirte esta experiencia es para darte cuenta de que tú no puedes funcionar en una relación con un hombre que es diametralmente distinto a ti, que se rige según otros valores, que espera de ti que seas lo que tú no puedes ser. Siempre tendríais los mismos problemas: que si celos, que si competencias, que si inseguridades del uno y de la otra. No te culpes. Y tampoco le culpes a él, puestos al caso, porque la cosa ahora no va de buscar culpables, sino de dejar de sufrir.

—No sé... Sí, te oigo y sé que tienes razón, pero no es tan fácil.

—Joder, Ruth, estamos hablando de una relación que estaba muerta antes de nacer, de un tío que ya tenía otra novia y otros compromisos hechos. Y además tú precisamente no eres una mujer a la que le falten ofertas, y aunque te faltaran, no eres el tipo de mujer que necesite un hombre al lado.

—¿Y tú qué sabes? Tú, por si acaso, sí tienes uno.

—Pero no lo he tenido durante mucho tiempo y tampoco se me caía el mundo encima por eso. Y además, mira lo que te digo, en el hipotético caso de que de verdad necesitaras un hombre, cosa que dudo, ese hombre no sería Juan. Y punto. Además, que sepas que hoy me he estado empollando en la peluquería el horóscopo del *Cosmopolitan.*

—El *Cosmopolitan*... Eres una petarda.

—A mucha honra. Y que sepas que siempre me empollo no sólo lo que dicen de mi signo, sino también el de todos mis amigos. Y a las capricornio les decían que van a atravesar una etapa de crisis, de profundo cambio, de la que saldrán renovadas.

—Ese tipo de lugares comunes los mencionan siempre. Además, que sepas tú que nunca me he guiado por el sistema de signos por constelaciones. En todo caso, yo creo en el horóscopo celta.

—Por supuesto, casi se me olvida, nuestra querida amiga es medio escocesa y debe honrar las tradiciones de sus antepasados. Y el horóscopo celta ese, ¿de qué va?

—Se trata de un método de adivinación a través de los árboles. Se supone que cada hombre o mujer lleva en su interior un árbol por el cual alimenta su deseo de crecer de la mejor manera. Entonces, según el mes en el que hayas nacido, te corresponde un árbol distinto. Yo nací en enero. Soy la mujer serbal: activa, inteligente y buena compañera.

—¿Ser... qué?

—Serbal: es un árbol. Llega a crecer hasta quince metros de altura. Te interesará saber que en primavera produce unas pequeñas flores en forma de margarita. Y tú eres..., espera que piense..., diciembre... Lo tengo: melocotenero. Sosegado, pasivo, abierto y romántico.

—Muy bien. Y ahora que sabemos el árbol que nos toca, ¿cómo predecimos el futuro?

—Pues vas al campo, buscas el árbol que te corresponda, un serbal en mi caso o un melocotonero en el tuyo, el primero que te salga al paso, y observas el conjunto del árbol, desde las raíces hasta la copa, y según la copa esté frondosa o seca, o las raíces más o menos asentadas en la tierra, o el árbol esté de mejor o peor aspecto, pues así te va a ir a ti.

—En primer lugar, me parece más fácil leer el *Cosmopolitan* que tener que interpretar el estado de salud de un árbol. Y además, en el Retiro no hay melocotoneros.

—Tampoco hay serbales. Creo que por eso estoy yo tan perdida. Me hace falta un árbol protector. Y para colmo, nunca he tenido raíces.

¿Dónde había oído Ruth aquello de que en las rupturas las mujeres tendían a culparse a sí mismas y los hombres tendían a culpar a las mujeres? La mayoría de los hombres que asesinan a sus parejas lo hacen cuando éstas ya han decidido separarse, o después de la separación. La mujeres, en cambio, no atacan a los hombres: se atacan a sí mismas. Dejan de comer o entran en crisis bulímicas, se hacen adictas a los tranquilizantes, a las compras, a las videntes. Las que deciden atacar agreden a la persona de la rival, la nueva amante de su ex amante, otra representación femenina que no viene a ser, a la postre, más que un espejo, una continuación de sí mismas, una figura que ha ocupado su lugar, en la que se pueden identificar. Ella, sin embargo, había atacado. Pero eso no le hacía sentirse feliz en absoluto. Decidió no cancelar el viaje con Sara, no recluirse de nuevo entre las cuatro paredes de su casa, llevar de viaje a la extraña que albergaba dentro, un fardo del que le resultaba imposible deshacerse, un equipaje más pesado y peligroso que un talibán con dos ametralladoras.

Sí, seguir adelante como si no hubiera pasado nada, no cancelar el viaje a Barcelona, dar por terminada una relación inútil, una historia en la que ella no fue ella misma, en la que una idiota esclavizada e histérica —quién sabe si aquejada de síndrome de Estocolmo— adoptó el papel de Ruth. Porque ¿fueron de verdad ellos mismos, Ruth y Juan, o fueron unos extraños, unos vulgares suplantadores, los que compartieron durante algún tiempo el espacio de aquella casa, intentando adaptarse cada uno a las esperanzas del otro, que de ningún modo podían hacer propias? Todo empezó como un juego, un pasatiempo, un hombre comprometido que se acuesta con una mujer libre: él cree que sólo busca un desahogo, y ella que el hecho de que él ya esté pillado impedirá que la presione con exigencias que ella no busca ni desea. No creían demasiado en ellos mismos o en lo que estaban haciendo, no veían vínculos firmes por ningún lado, sabían que aquello no podía durar y, a pesar de todo, sentían que resultaba obligado pasar por aquel trámite del que no se podía prescindir, repetirse que no merecía la pena reconcomerse la mollera para evitar ese trago breve, insignificante. Porque ambos sabían que se deseaban demasiado como para poder evitar lo inevitable. Al principio de su relación se sonreían al despertarse el uno junto al otro, al tropezar en el cuarto de baño, como si todo fuera un juego, pero lo cierto es que allí estaban, íntimamente desconcertados, inconscientemente atemorizados, el miedo —camuflado bajo las sonrisas forzadas y la exagerada amabilidad— a haber tomado una decisión que podría atarles a una vida que no fuese la suya por derecho, una resolución aparentemente repentina, inconsciente, que en realidad era importante y trascendente, por más que se empeñaran en negarlo.

Ruth sospechaba que fue la misma insistencia en negar que aquello era amor, que era un amor mucho más potente que la lealtad a la familia, la devoción por el trabajo, o el propio respeto que a sí mismos se debían los implicados, la que acabó matando al amor. Aquel amor que desbordaba y desgastaba, porque nadie sabía cómo contenerlo o qué hacer con él. Y Ruth se preguntaba si ahora se podrían volver a recuperar los trozos de la vasija que antaño la había contenido. Le había costado tanto mantenerse aparentemente entera por fuera y estaba en realidad por dentro tan fragmentada, que no pudo hacer nada cuando el recipiente se quebró, no le quedaban fuerzas para intentar detener la caída, y cuando se rompió aquella campana de cristal en la que Juan y ella estaban comprimidos, salieron los dos disparados, cada uno por su lado.

No quedaba nada mejor que hacer que callarse, morderse la lengua, tragarse las lágrimas e intentar salir adelante como buenamente pudiera envuelta en una impalpable pero perceptible capa de orgullo que llevaría puesta a todas partes, por porosa y resbaladiza que en el fondo fuera. Si miraba hacia atrás, la extrañeza y el miedo lo contaminaban todo. Recordó el miedo que había tenido a Juan —miedo a sus insultos, a sus arrebatos de genio, a su verbo impredecible, a su lengua afilada—, y de repente el deseo de que Juan volviera se convirtió en miedo a que volviera Juan. Porque si recuperaba aquellos pedazos, ¿podría volver a pegarlos?, ¿o ahora sería inevitable que hubiera fisuras por las que Ruth fuera derramándose, desangrándose viva?

Le resultaba muy difícil tomarse la cosa con calma. A ratos se odiaba a sí misma, a ratos le odiaba a él, a ratos intentaba mantener la postura sensata y repetirse como un mantra que nadie era culpable, que se trataba sólo de una cuestión de incompatibilidades y circunstancias. Pero le parecía que aquello era como cuando de joven iba a la psiquiatra y se quejaba de su padre, de aquel padre distante que nunca le había manifestado afecto e interés. No le culpes, decía la psiquiatra, él no sabe enfrentarse de otra manera a sus sentimientos, no sabe conectar consigo mismo, no puede hacerlo de otra manera, concéntrate en ti misma y en tu dolor, y en afrontar o solventar esa carencia sin esperar a que sea él quien lo haga. Sí, aquello quedaba muy sensato y muy bonito y muy terapéutico, pero el caso era que por mucho que una se esforzara por contener la ebullición interna, lo que de verdad le gritaba dentro el subconsciente era una queja primaria como el aullido de un niño, un odio visceral, un rencor palpable y viscoso: menudo egoísta insensible, menudo cabrón que no es capaz de preocuparse por su hija, por una hija que está desmoronándose en pedazos, una hija que le necesita, una hija que debiera ser su responsabilidad. Estaba harta de volver su cólera hacia dentro, de esconderla, de comérsela solita, de participar en aquel pacto de apariencias que exigía de ella que no llorara en público. Tenía ganas de proyectar su cólera hacia fuera, de devolver los golpes y perder las formas. Cualquier relación afectiva está preñada de violencias emocionales, de amargos resentimientos, de exigencias no cumplidas, y no resultaba tan fácil ser pragmática y realista, ser tan juiciosa, tan razonable, tan aviesa, tan siniestramente cuerda, como para intentar dominar los sentimientos, que al fin y al cabo son los que definen una personalidad. Casi sentía ganas de mantenerse tozudamente fiel a su propia, cruda y mercurial naturaleza, a su inmadurez emocional, a su radical incapacidad de enmascarar sus impulsos, como una última e inútil forma de protesta, de rebeldía contra un mundo que no entendía, un mundo que siempre había exigido de Ruth que se amoldara a unos conceptos en los que no cabía, un mundo que a fuerza de repetirle lo extraña que era había acabado por volverla extraña. ¿Qué extravagante exigencia de la vida moderna era ésa de insistir en negar el dolor y la angustia, de esperar que cada uno pase su vida de adulto saltando de relación en relación, saliendo indemne de cada catástrofe sentimental, arrinconando los pedazos de las esperanzas rotas, ocultándolos debajo de la alfombra, fingiendo que el desamor no es sino un pequeño inconveniente que nunca debe interferir con la productividad, echar por tierra las convenciones sociales o faltar al respeto por los buenos modales? Es esa tiránica insistencia en el valor de lo racional, de lo intelectual, la que hace que los críticos desprecien las novelas sentimentales, e insistan en que la Gran Literatura con mayúsculas es la que se refiere al pobre, al marginado, al muerto de hambre, la que consigue que una persona blanca, joven, sana, con recursos, se tenga que sentir culpable al comprobar que ni su salud ni su dinero le sirven para dejar de sentir esa omnipresente sensación de alienación y desvalimiento, y el íntimo convencimiento de que su catástrofe sentimental, su diferencia, le resulta tan grave como los conflictos en Serbia.

AMISTADES POCO PELIGROSAS

Sara la esperaba en el aeropuerto, frente al mostrador de información, tal y como habían quedado, impecablemente vestida, como siempre. A Ruth le asaltó de repente un relámpago de pánico al pensar que era la primera vez en la vida, por extraño que le resultase al pensarlo, que viajaban juntas. Así era, dos amigas de toda la vida y nunca habían hecho un viaje, ¿no era raro? Por enésima vez empezó a dudar de los fundamentos de su relación, del nombre que podría aplicar al lazo que las unía. Quizá su amistad sólo se mantenía a través del recuerdo de lo que una vez había sido. En tiempos de la Universidad, Sara había sido compañera de fatigas, cómplice de ciertas debilidades y secretos, apoyo moral, ocasional paño de lágrimas. Sara le había prestado sus jerseys y sus apuntes, había salido con ella de copas. Sara nunca había accedido a intimidades más profundas, ni físicas, porque Sara no quiso, ni espirituales, porque no quiso Ruth. Ruth no se había atrevido a cruzar una línea divisoria por ella misma trazada y, decidida a no revelar demasiado de sí misma, se había atenido estrictamente al protocolo exigido en una amistad de veinteañeras: salidas al cine y a conciertos, conversaciones intrascendentes sobre lo bien o lo mal que le sentaba un pantalón u otro (la verdad es que a Sara le sentaba todo bien, pero eso no impedía que se pasase su buena media hora intentando decidirse entre mil prendas posibles antes de salir), borracheras más o menos vergonzosas y/o reprochables, noches en vela en vísperas de exámenes: sin sondear mayores profundidades. ¿Por qué Ruth no se había atrevido nunca a confesarle intimidades, a ser más cariñosa, más natural, más íntima? ¿Por qué no había sabido abrirse con ella como después lo haría con Pedro? La competencia, probablemente. A Pedro se le abordaba desde la diferencia, no desde la comparación. No existía el inevitable regusto de antagonismo que una mujer joven e insegura pudiera sentir teniendo a otra por espejo, enfrentada a una imagen de sí misma que le refleja todas sus carencias y debilidades. Sara tenía mejor tipo, pero Ruth era más guapa; Sara era más dulce, Ruth más divertida; Sara más elegante, Ruth más original... Los que las conocían solían tener difícil lo de decidirse por la una o por la otra. Estúpidos más y menos de una chica estúpida como sólo pueden serlo las jovencitas, pensó Ruth. Estúpida forma de crear barreras como las que interpuse entre mi hermana y yo. Pero allí estaba Sara, exquisitamente compuesta y educada para no variar, y ya avanzaba hacia Ruth a paso ligero sobre un par de botas pulidas y brillantes, como si las acabara de estrenar, ya se plantaba frente a ella con amplia sonrisa de dicha idiotizada, ya la saludaba con los dos besos de rigor que Ruth detestaba y ya le estaba soltando un «traes mala cara, ¿te pasa algo?». Por supuesto, no se le había pasado por alto el aspecto demacrado de la pelirroja. ¿Cómo voy a arreglármelas, pensó Ruth, para aguantar un fin de semana sin soltar el trapo, sin decir lo que me pasa? «Nada, no me pasa nada, estoy un poco cansada, no te preocupes», se escuchó decir Ruth.

Llegaron al mostrador en el preciso instante en que se cerraba el pasaje del puente aéreo, lo que significaba que les tocaba esperar al menos media hora hasta el siguiente. Media hora no es nada, por supuesto, el tiempo de tomarse una caña en la cafetería, según Sara. Una coca-cola, puntualizó Ruth. La afirmación «he dejado de beber», pronunciada en voz alta y clara, tenía por propósito convencerse a sí misma antes que convencer a una Sara que nunca había llevado la cuenta del alcohol que Ruth consumiera o dejara de consumir. En la cafetería —horribles mesas de plástico, horrible luz de neón, horrible sabor a coca-cola aguada— a Ruth le dio por pensar que no había nada más pijo y más esnob que hacer un viaje de fin de semana con la excusa de visitar una exposición, por muy de Rothko que fuera, por mucho que el siamés de Sara se llamara Rothko en honor al pintor. También era pijo y esnob tener un siamés, claro, y mucho más tener un siamés con semejante nombre, y viajar con un juego de maleta y neceser conjuntados. Y fingir que una entendía de pintura cuando una no entendía de nada, ni de cine ni de hombres ni de sí misma, cuando una no era más que una niñata mimada e inmadura que se lía con un niño más inmaduro aún y acaba arreándole un botellazo en la cabeza. Y además, ¿qué se me ha perdido a mí en Barcelona, o en ningún otro sitio fuera de mi casa?

—Ruth, ¿te encuentras bien?

—Perdona, estaba distraída.

A Ruth siempre le había parecido que los cuadros de Rothko quedarían *ideales* impresos en el frontal de una camiseta. Al fin y al cabo, todo era una cuestión de escalas. Un Rothko impresionaba porque absorbía, porque se hacía tan inmenso que resultaba imposible no sentirse arrastrada por tamaña desmesura. Sentirse pequeña en presencia de lo grande. Pero bastaría con reducir la escala para dejar la composición y los colores a la altura de un *batik*. Visto el acontecimiento de la botella desde esa perspectiva, quizá Pedro tuviera razón y Ruth había dado carácter de grandeza a una historia insignificante. Descontextualiza una obra de arte y quizá deje de serlo. Cuéntales a tus amigos el más grave incidente de tu vida y no lo verán más que como otra de tus *boutades*.

A su lado, Sara contemplaba embelesada un cuadro cuyos tonos verdaderamente recordaban al pelaje de su siamés. Era inevitable preguntarse si a Juan le gustaría Rothko. Hacía no mucho Ruth hubiera afirmado rotundamente que sí, que a Juan le encantaba Rothko. Pero la verdad es que ahora caía en la cuenta de que en realidad no lo sabía, de que no podría afirmarlo con total seguridad y certeza, pues no recordaba que Juan hubiese manifestado gusto o disgusto, siquiera conocimiento del pintor o de su obra. Ruth había dado por hecho que a Juan le gustaba Rothko sólo porque a ella sí le gustaba. Le había adjudicado a Juan un gusto exquisito en arte, pero lo cierto es que nunca había acudido con Juan a exposición alguna. No había amado a Juan, sino a la idea que se había hecho de Juan. Había amado a un concepto, a una imagen por Ruth creada. En suma, se había amado a sí misma en Juan, y su amor por Juan no había sido más que un espejismo de transferencia, una ilusión. Una ilusión tercamente presente, eso sí. Incluso en el sexo le había gustado su propio placer, el que le había proporcionado su clítoris, no Juan; placer de Ruth, por Ruth creado, otorgado por intermedio del cuerpo de Juan. Pobre consuelo. Aquellas obviedades tantas veces leídas y repetidas, aquellas afirmaciones tan serias y tan manidas no iban a curarle de la ausencia que se le hacía tan dolorosa.

El arte, ¿qué placer le deparaba? Ella había iniciado los estudios de Historia del Arte convencida de que nunca sabría pintar. «Cualquiera es capaz de hacer una obra de arte porque cualquiera es capaz de amar». ¿Quién había dicho eso? ¿Octavio Paz? En primer lugar, cualquiera *no* es capaz de amar, pensó ella. No cualquiera. La capacidad de amar es un don, un talento como cualquier otro. Juan no fue capaz de amarme, o no fue capaz de amarme sin odiarme. Y yo tampoco fui capaz de amarle a él, porque nadie ataca a quien ama de verdad. Ni de amar a Beau, porque no supe, o no quise, o no pude, permanecer a su lado. De forma que cuando Ruth decidió que nunca sería pintora, ni escultora, ni ilustradora, ni instaladora, ni videoartista, ni fotógrafa, ni restauradora, ni nada de nada, cuando eligió estudiar Historia en lugar de Bellas Artes, cuando admitió que ella no sería capaz de crear una obra de arte y sólo serviría para estudiarla, estaba admitiendo también —aunque sin saberlo todavía— que nunca sería capaz de amar. Fueran los que fueran sus dones, sus talentos, las virtudes escondidas bajo su piel, tenía claro que ella nunca sería capaz de destacar en el campo de la expresión plástica. Se sentía una artista *manquée*, una personalidad llena a rebosar de energía y de ideas, pero incapaz de encontrar una forma adecuada para expresarlas. Y luego, cuando dejó la carrera a los diecinueve años, cuando entendió que tampoco le interesaba limitarse a contemplar y estudiar obras o movimientos, a rumiar la frustración de elucubrar sobre algo que quedaba fuera de sus capacidades, decidió que prefería y escogía la realidad de la vida a todas las ficciones del arte, porque pensaba, ingenua de ella —tan arrogante, tan ridículamente pura en sus certezas y exigencias—, que podría hacer de su vida lo que le diera la gana, que ella sería la artífice de su destino. A los diecinueve años los cuadros, como los sueños, le hacían experimentar sentimientos abstractos, conjugar formas que en la vida no encontraba. Pero entonces ni los sueños ni los cuadros le bastaban; pues quería, necesitaba, emociones reales, tangibles, devorables. A los treinta y tres años sospechaba, tarde, que no había nacido ella para acometer la vida, sino simplemente para tomarla como las circunstancias se la presentaran. Y aquel placer que debería estar sintiendo en aquel instante, frente a un cuadro, el arrobo de admiración que la pintura supuestamente debería provocarle, no llegaba, como un orgasmo elusivo que no se presenta en una sesión de sexo a pesar de que una haga gala de todos sus trucos, apele a todos sus recursos, ensaye todas las posturas. Cuando ansiaba recurrir a los sueños que en su día despreció, ahora eran ellos los que le daban la espalda. A los diecinueve años se hubiera extasiado viendo un Rothko de verdad, cuando sólo podía ver reproducciones en los libros. Y ahora que, a los treinta y tres, lo tenía allí mismo, frente a sus ojos —inmenso, imponente, certero— no se sentía traspasada de belleza ni nada por el estilo. Sólo podía apreciar la técnica. Y aquella incapacidad de embelesarse ante lo sublime, de corresponder a la comunicación amorosa e íntima que el cuadro le proponía —cuando su autor ya había salvado las barreras del olvido y de la muerte—, el hecho de no ser capaz de extasiarse ante la belleza en estado puro, le parecía una prueba de que se había muerto en vida. La extinción física del cuerpo de Ruth no dejaba de ser un mero trámite cuando su espíritu, su sustancia interior, su energía, como quisiera llamarse, parecía haber desaparecido dejando en su lugar un vacío enorme que se traducía en ausencia de respuestas, ausencia de interés. Su existencia —porque ya no la podía llamar vida— era un total desperdicio, porque ella no era más que un cadáver andante y hueco. El dolor no era más que el intento por llenar ese vacío de una naturaleza presa del *horror vacui* más infinito, porque era como si Ruth hubiese perdido su espíritu, toda su capacidad para la felicidad, como si lo hubiera dejado olvidado en una habitación de hotel.

—¿Y qué tal te va con Juan? Todavía no me has dicho nada del fin de semana en Gijón. ¿Te gustó la casa?

Pregunta irremediable que antes o después tendría que acabar llegando. Pregunta irremediable formulada en un restaurante. Pregunta irremediable que podría haberse perdido entre las conversaciones cruzadas, el estrépito de platos y cubiertos, la bulliciosa algarabía del local. Pregunta que Ruth podía ignorar si quería, fingir no haberla oído, intentar cambiar de tema. Pero la pregunta ineludible, como la falsa moneda, acabaría por volver antes o después. Decir que con Juan la cosa marchaba «como siempre, ya sabes», sería mentir, pero le libraría del interrogatorio que supondría un «ya no estamos juntos» tajante. Y el caso es que, sometida a una rueda de preguntas, no se sentiría capaz de inventar una excusa plausible para justificar una ruptura drástica. Sí, lo más fácil era soltar la verdad, sin más. Al fin y al cabo, ya se lo había dicho a Pedro, ¿no? Pues de perdidos al río. Después le pesaría contarlo, pensó. Seguro que Sara la miraría con expresión torcida o, a saber, quizá lo acabara largando por ahí, y ya se sabe cómo son estas cosas: la una se lo cuenta al otro, el otro a un tercero, y a la semana medio Madrid está al cabo de la calle de que Ruth Swanson intentó asesinar a Juan Ángel de Seoane, y no con una botella, sino esgrimiendo una sierra eléctrica. Tampoco es que aquello importara mucho. Al fin y al cabo su reputación era ya tan mala que no podría empeorar. O mejorar, según se viera, porque seguro que a más de uno y una tamaño acto de osadía no les provocaría sino admiración. Sara esperaba réplica a su pregunta y se había quedado mirando de hito en hito a Ruth, que permanecía callada, sopesando los pros y los contras de una respuesta sincera. Como Sara llevaba lentillas, a tan corta distancia parecía que le estaba clavando a Ruth dos pares de ojos, como un truco macabro de visión doble, y ¿cómo mentir, si Sara, su mejor amiga, la más cercana pese a la distancia que se había abierto entre ellas, la más querida pese a que Ruth se hubiera empeñado en no quererla, le introducía hasta el fondo del alma cuatro ojos que, como anzuelos, tenían gancho para sacar lo que encontraran?

No le llevó a Ruth más de diez minutos hacer un escueto recuento de los hechos acaecidos en aquel hotel de Gijón, un relato tan sucinto y directo como un atestado policial. A fuerza de repetir la historia, casi estaba dejando de dolerle. Pensaba que en el futuro sería capaz, si se esforzaba, de encontrarle el lado gracioso al asunto.

—Pobrecita Ruth, lo mal que lo has debido de pasar…

Habría esperado todo tipo de reacciones menos aquélla. ¿Qué hacía Sara, ferviente apologista de Juan, compadeciendo a Ruth? ¿Dónde había ido a parar aquella insidiosa y repetida cantinela de *pobre hombre, le agobias, deberías reprimirte, eres demasiado impulsiva?*

—Entonces, ¿me entiendes?

—Yo no sé si te entiendo o no. Creo que no. Pero no tenías por qué pensar que yo me asustaría si me contabas algo así. Si quieres que te diga la verdad, en los últimos meses te he visto tan mal que me temía cosas peores. Lo que me cuentas no es nada comparado con lo que yo podía imaginar. Y en cierto modo, hay algo bueno en la historia: que, según están las cosas, parece que lo vuestro se ha acabado para siempre.

—¿Y tú te alegras de que se acabe? Si mal no recuerdo, siempre defendías a Juan a capa y espada.

—A mí Juan me cae bien, pero Juan no es mi amigo y tú sí. Y si Juan te hace sufrir, lo mejor es que no estés con él, ¿vale? Y que te quede clara una cosa: nuestra amistad es una cosa entre tú y yo, en la que Juan no tiene nada que ver. Quiero decir que como yo no estaba en aquella habitación de hotel no puedo juzgar los hechos, ni me incumben. Lo que me has contado me parece una barbaridad, y en cualquier otra circunstancia lo mínimo que deberías hacer sería pedir disculpas. Pero creo que Pedro tiene razón, y que el hecho de que Juan pusiera una denuncia sólo prueba que se trata de una relación destructiva por ambas partes, una especie de competencia absurda a ver quién hace la mayor barbaridad.

—Pues el primer puesto me lo llevo yo, eso es evidente...

—El hecho no hace a la persona, Ruth. Lo que me has contado es bastante grave, pero no tan grave como para que resulte irreversible. Además, en algún momento del relato casi daba la impresión de que no te quedaba otra salida. De todas formas, imagina la situación a la inversa: Imagina que yo llego un día y te digo que le he clavado un cuchillo a mi amante de turno...

—No me lo creería.

—¿Por qué?

—Pues porque te conozco, Sara, joder, y sé que tú eres incapaz de levantarle la mano a nadie.

—Pues eso mismo hubiese dicho yo de ti hace cuatro meses. ¿Lo entiendes? Lo único que puedo pensar ahora es que muy tensa ha tenido que ser la relación, y muy mal has debido de pasarlo en los últimos meses como para que hayas perdido la cabeza de semejante manera. Yo no pienso juzgarte, Ruth. No quiero ni puedo. Además, sólo podría juzgarte a ti según me has tratado tú, según la Ruth que yo he conocido. Y la Ruth que yo conozco es una mujer encantadora que a mí nunca me ha levantado la mano, ni me ha gritado, ni desde luego me ha dado con una botella.

Ruth sintió que experimentaba un respirar más hondo, una amplitud de alivio, como si de pronto le hubieran crecido pulmones nuevos. De buena gana se hubiera colgado al cuello de Sara, expresando con el más apretado de los abrazos su gratitud y su cariño. Pero no se atrevió a hacerlo porque Ruth —Ruth la provocadora, la polémica, *l'enfant terrible*— no era más que una vulgar reprimida. ¿De qué valía ser capaz de atreverse a todo dentro de la cama, detrás de la pantalla o frente a la cámara, si luego una no sabía corresponder a las muestras de afecto, si casi encontraba cursi a Sara y a sí misma, si no sabía manejarse con lo que sentía, si todo lo que sabía hacer era quedarse mirando como una boba el plato casi intacto de *tagliatelle?*

—Una última cosa, Ruth —le dijo Sara—. Tienes que prometerme en firme que no volverás a beber ni a drogarte.

Decidió quedarse unos días más en Barcelona para visitar a Isabel. El sentimiento que la unía a Isabel no tenía nada que ver con los lazos que la ataban a Sara o a Pedro, porque no se trataba de una amistad forjada a través de un contacto íntimo y continuado, como en el caso de Pedro, o extendido a través del tiempo, como en el de Sara. A Isabel la veía muy de cuando en cuando y la respetaba demasiado como para tomarse excesivas familiaridades. A Isabel la admiraba. Los conceptos polisémicos como la palabra amistad dan lugar a dudas absurdas. ¿Quién era su verdadero amigo, quién era más amigo, a quién salvaría en un incendio? De repente se dio cuenta de que en un caso así no salvaría a Juan. Ni siquiera cuando no se peleaban habría elegido, en un caso extremo, a Juan antes que a Pedro. El enamoramiento es un estado obsesivo, pero de raíces menos profundas de lo que ella había pensado. Su enamoramiento había sido, entre otras mil cosas, un espejo distorsionante que le había devuelto una imagen desfigurada de sí misma. Las relaciones, todas las relaciones, contienen imágenes especulares, en eso Lacan tenía más razón que un santo. En Pedro vivía la Ruth creativa, Sara daba vida a la Ruth amable y dulce, Isabel representaba lo que Ruth quería ser, a pesar de que Ruth era muy consciente de lo peligroso que podía ser fijarse modelos. Pero es que Isabel parecía haberse fabricado la vida perfecta.

Directora de éxito que nunca había conocido una mala crítica, Isabel tenía talento probado, el compañero ideal —guapo, ocurrente, buena persona, inteligentísimo y por si esto fuera poco, siempre vestido a la última—, la hija de anuncio —monísima, graciosa, lista, tranquila—, la casa de revista —amplia, luminosa, reformada con gusto y originalidad—... Ruth a veces no podía evitar sentirse intimidada ante tamaño despliegue de poderío. Puede que Isabel tuviera mucha suerte, pero también era cierto que la suerte de nada sirve si no va acompañada de otros factores: talento, esfuerzo, nivel de exigencia. Pero por mucho que Isabel a veces la intimidara también le contagiaba su aplomo, o eso sentía Ruth cuando la tenía cerca, como si Ruth fuera mejor mujer sólo por estar cerca de una mujer así: una mujer capaz de amar y de crear.

¿Pero cómo puede una entenderse en un lenguaje de reflejos, de proyecciones y sombras? El espejo es, entre otras cosas, el espacio en el que una reconoce sus necesidades y anhelos. Pero un espejo introduce distorsiones, deforma, ilumina u oculta, agranda o empequeñece. Puede incluso, si se rompe, fragmentar y descomponer la imagen, disolverla, destruir el ideal de unidad y equilibrio. Plantear la realidad contradictoria del propio deseo.

Por supuesto, también acabó por contarle la historia a Isabel. Era como si hubiese abierto las compuertas de un dique y ya no pudiera frenar la corriente que se le desbordaba: sentía la necesidad de contar aquella historia que la torturaba, de obtener la absolución de los amigos que quería, de recuperar imágenes de sí misma que Juan había hecho añicos, añicos de espejo. Pero esta vez narró lo hechos con menos emoción, de forma mecánica, como cuando le había tocado explicar por quincuagésima vez en una entrevista el argumento de una película.

—Ese tío no te merece —sentenció Isabel, dogmática—, y lo mejor que puedes hacer es olvidarlo. Y dejar de beber y de drogarte, por supuesto. Escucha Ruth, ahora no me crees, pero dentro de dos años recordarás esta conversación y dirás: «¿Pero qué pude ver yo en ese tío?». Ahora lo que tienes que hacer es concentrarte en cosas importantes: acabar de una vez el guión que le has prometido a Paco, por ejemplo. Debe de estar desesperado.

—Descuida, mientras tenga a Menkes y Albacete no estará nunca desesperado. Creo que se está forrando con ellos.

—En cualquier caso, tú tienes que acabar el guión, volver al trabajo ya mismo...Y comprarte ropa nueva.

—¿Comprarme ropa nueva?

—Por supuesto, querida. Una mujer como tú no puede enfrentarse a una vida nueva sin un armario renovado.

Isabel era poco dada a la expresión verbal de los afectos o a los discursos sentimentales, pero sabía ser muy generosa con su tiempo y con su dinero. Así que la visita le deparó a Ruth un subidón de autoestima, un abrigo de peluche, unos cuantos jerseys de pico y una falda plateada. Por la noche, a punto de meterse en la cama del cuarto de invitados de Isabel, Ruth se sorprendió pensando que a Juan le habría encantado la falda. Y después pensó que ella no se la merecía. Ni la falda ni la suerte de contar con sus amigos. Porque, por mucho que ellos dijeran, a Ruth no se le iba de la cabeza la idea de que su arrebato no había sido una cuestión de circunstancias, ni algo tan fácilmente olvidable ni perdonable, que en su interior había un resorte perdido, un circuito desconectado, un mecanismo defectuoso. Podría vivir de una manera mínima, elemental, durante un número determinado de años, podría hacer películas y seguir teniendo amigos, pero no volvería a haber nada bueno y suficiente, nada que aliviase aquel dolor resistente a todo, nada comparable al espejismo que supuso Juan. No le apetecía vivir a merced de cualquier catástrofe que ella misma pudiera provocar el día menos pensado. En el fondo, mientras siguiera llevando a la Otra dentro, estaría mejor muerta. Si es que no estaba muerta ya.

COMO SI FUERA ESTA NOCHE LA ÚLTIMA VEZ

Cuando regresó de Barcelona, Ruth se planteó recurrir a Pedro e instalarse en su casa, porque creía que no sería capaz de soportar la soledad, que se le caería la casa encima. Lo que necesitaba era trabajar como fuera. Un trabajo que la satisficiera y la mantuviera ocupada, porque todo aquel tiempo perdido, cuando se pasaba horas intelectualizando, analizando, aventurando hipótesis, intentando explicarse, pronosticando, temiendo, dándole vueltas y más vueltas a su relación con Juan, examinándola con lupa, diseccionándola, tanto sobreanálisis, tanta elucubración estéril habían sido en realidad la fuente de todos los problemas: en el fondo se deprimía porque pensaba en deprimirse. Las cogniciones, los pensamientos —una mezcla de percepción, creencia y actitud mental—, creaban los estados de ánimo. Sus reacciones mentales no eran consecuencia tanto de los estímulos como de la interpretación de Ruth a esos estímulos. Es decir, el pensamiento generaba la emoción, y no al contrario. Pensaba que todo iba mal, entonces miraba al pasado y sólo veía lo malo que le había sucedido. Y si trataba de imaginar el futuro, únicamente veía el vacío y los infinitos problemas por venir. La impresión de impotencia era en el fondo ilógica, pero *parecía* tan real que Ruth acababa por convencerse de que su incapacidad duraría eternamente.

Su depresión no se basaba en percepciones exactas de la realidad, sino que era el producto de una distorsión, de un deslizamiento mental. Una imitación falsa, sintética.

Convencida de que si comenzaba a pensar con un poco más de objetividad experimentaría una transformación emocional, se puso en contacto con Pedro y utilizó la excusa del guión para no estar sola. Así, se pasaba la mayor parte del día en casa de su amigo, rehaciendo escenas y comentando con él cada pequeño detalle de los diálogos, lo cual era una tontería absoluta, porque Pedro no había escrito ni una línea de la historia de *Fea,* y si Ruth no había contado con él para escribir el primer guión, ¿a qué venía necesitar de su presencia constante para la redacción del segundo? Pero Pedro no se quejaba y, domado y apacible, le dejaba hacer a Ruth, la tenía en casa a mesa puesta, se ocupaba de que en la nevera no faltasen la coca-cola *light* (ahora que a ella le había dado por no probar una gota de alcohol) y los yogures con fresas (*con* fresas, no *de* fresa; los favoritos de Ruth), porque por una parte entendía que a Ruth no le convenía estar sola y, por otra, a él le gustaba encontrarse cerca mientras ella trabajaba, e ir enterándose de por dónde discurriría la acción, pues así podía planificar con más tiempo detalles de producción.

El problema llegaba por las noches. La presencia de Julio y su eterna rivalidad con Ruth, que, por mucho que se intentara ocultar bajo una capa de impecable cortesía y saludos forzados, se sentía en el aire como una corriente eléctrica, y le disuadía a Ruth a la hora de solicitar asilo. Podría haberse alojado en el cuarto de invitados, ella lo sabía, todo el tiempo que hubiera querido. Al fin y al cabo la casa era de Pedro, no de Julio, y estaba claro que a Pedro no le importaba que ella se quedara allí. Pero Ruth no quería ser ocasión de una riña entre amantes, y, además, su exagerado sentido del orgullo le frenaba el impulso de pedir cobijo: no quería reconocer el alcance de su sufrimiento, y mucho menos aceptar que ese sufrimiento a Juan y sólo a Juan se lo debía.

Pero las noches se le hacían horribles, eternas. Las pasaba en vela, amortajada entre las sábanas, cuando el silencio encendía los astros y aportaba un montón de crueles y calladas revelaciones que no se oían de día, ensordecidas por el clamor de las palabras que se pronuncian en la luz; hasta que por fin llegaba la mañana, que apagaba las estrellas y traía, con la claridad, cierto reposo a la angustia.

El miedo de Ruth habría que buscarlo, quizá, en aquellas horribles noches de infancia cuando, recién despertada de una pesadilla particularmente desagradable —los monstruos que persiguen a Ruth niña entre aullidos de perros que enseñan sus fauces—, llamaba a la madre que nunca acudía, que ya nunca podía acudir, aunque a la niña le quedara el recuerdo de una presencia que tenía su mismo color de ojos y de pelo y que le cantaba dulcemente una nana cuyas palabras aún recordaba o creía recordar: *If I had words to make a day for you, I'd sing you a morning shiny and new...* Como Ruth había sido incapaz de determinar por qué recordaba aquella nana en particular, aquella nana de la que nadie más parecía tener noticia, acabó concluyendo que probablemente se la oyera cantar a su madre en la primera infancia. Probable, pero no seguro. En la vida de Ruth no había certezas.

Necesitaba pastillas para dormir, pero le resultaba difícil hacerse con ellas. Después del intento de suicidio en febrero, ni pensar en pedirle más orfidales ni lexatines a Pedro. Podría recurrir, por supuesto, al médico de cabecera de la Seguridad Social, pero nadie le garantizaba que el médico que le correspondía no estuviese al tanto del incidente.

—¿Cómo va a estar al tanto? —le decía una Ruth a otra—. Eso es absurdo.

—¿Y por qué no? ¿Y si consulta en el ordenador y aparece tu historial?

—Ruth, por diosa, que esto es la vida real, no uno de tus guiones. Y estamos hablando de la Seguridad Social, no de la CIA.

En cualquier caso, la Ruth recipiente (la personalidad vasija que contenía dentro a una pluralidad de Ruths que discutían entre sí) resolvió no acudir al médico, no tanto porque pensara que el médico podría echar mano a los archivos delatores de un hipotético ordenador omnisciente como porque no se sentía capaz de aguantar una cola de tres horas en La Paz a la espera de que el señor de bata blanca —intermediario entre el cielo y el infierno, la tormenta y la calma, el descanso y la vigilia— le concediera la preciada receta de pastillitas rojas, el salvoconducto hacia una paz en blanco que sólo el sueño inducido puede proporcionar, cuando podía conseguir donormyles sin receta en cualquier farmacia, o comprar los orfidales —mucho más efectivos que los donormyles— en cierta botica que conocía, en la que una de las mancebas, asidua de los bares de Chueca y ferviente y declarada admiradora de la directora, no se mostraría muy escrupulosa a la hora de demandar el papelito exigible con el medicamento.

Así llenó los días con palabras y las noches con pastillas. Las palabras del día se alimentaban de memoria, de pasadas conversaciones de Juan, de pasadas imágenes de Juan, de pasadas y tristes evocaciones, añoranzas y nostalgias de Juan. Reconstrucciones de Juan. Invenciones de Juan. Mentiras de Juan y sobre Juan. Mentiras que un día fueron de Juan y ahora lo eran de Ruth. Ruth apropiándose de mentiras como única forma de salvación. Tabla de náufrago hecha de mentiras. Ciega la que no sabe ver la vida y sólo sabe mirar desde el recuerdo.

Había pasado una semana a este ritmo cuando recibió un e-mail de Sara:

A ver, querida, ¿dónde te metes? He intentado llamarte a casa y, como de costumbre, el timbre suena y suena sin que Ruth se digne coger el teléfono. Al final me he decidido a escribirte, aunque ya sabes que a mí esto de enviar emilios no me va. En fin... Me lo he pensado mucho antes de decidirme a decirte lo que te tengo que decir, porque sé que te va a hacer mucho daño, pero creo que lo mejor es que lo sepas. Ayer me llamó nuestro común amigo Juan (común en ambos sentidos) para contarme su versión de la última noche en Gijón, que, como comprenderás, difiere un tanto de la tuya. Como te dije en Barcelona, no me voy a poner a juzgar quién tiene razón en este asunto, pero después de hablar con él casi, casi, me inclino a ser parcial. A ti, en Barcelona, te encontré tranquila y capaz de elaborar un análisis inteligente de los hechos. (Lo del análisis inteligente no me extraña, porque siempre dije en la facultad que tú ibas para teórica. Me equivoqué.) Pero a Juan, ayer, por teléfono lo encontré mal. Muy mal. Te ahorro el resumen de todas las barbaridades que dijo, pero, para condensar la idea general de su media hora de conversación telefónica en una frase, te diré que, para Juan, el mundo estaría mejor sin ti. Y, como tú me decías, no se trata tanto de lo que dijese, sino de cómo lo decía. ¡Qué tono, qué agresividad! Estaba tan excitado que casi pensé que se había metido drogas o algo. No hacía más que gritar y atropellarse con las palabras.

Estoy ahora más convencida que nunca de lo que te dije en Barcelona. No os hacéis ningún bien el uno al otro. Pero yo te vi muy bien este fin de semana, y eso sólo me reafirma en mi idea de que estás mejor sola, de que no necesitas embarcarte (embaucarte) en una relación destructiva. No te comas la cabeza, que te conozco, dándole vueltas al tema y buscando razones, culpables o soluciones. El pasado, pasado está. Concéntrate en el futuro, que en tu caso es muy brillante. ¡Y no bebas! Y, por supuesto, olvídate de probar polvos (polvos en ambos sentidos) de procedencia desconocida que te ofrezca cualquier tipo de procedencia también desconocida.

Por favor, llámame o envíame un mail. Quiero saber que estás bien. Y, sobre todo, ni se te ocurra llamar a Juan, por si habías pensado en hacerlo.

Lo dicho, espero correo. Muchos besos,

Sara

P.S.: Lo pasé muy bien en Barcelona contigo. Habrá que repetir esas excursiones culturales.

Ruth pulsó la función de «responder al autor» y tecleó un nuevo mail:

¿Que dónde me meto? Pues sobre todo me meto en casa de Pedro y dentro de mi cabeza. Estoy bien, aunque muy ocupada intentando escribir un guión para nuestra nueva película («nuestra» quiere decir de Pedro y Ruth). Me paso el día en casa de mi codirector tecleando como una perra en su ordenador (vaya, una rima interna), aunque, como ya sabes, mi codirector no se atreve a salir del armario y de momento no quiere que se sepa que él codirige, y prefiere que creamos que él sólo es director de fotografía. No me preguntes si el guión es bueno o malo porque no tengo la menor idea. Sólo sé que de momento es larguísimo: diálogos y más diálogos y más diálogos. Mis personajes padecen incontinencia verbal, mi guión parece una película de Rohmer. Speaking of which, *¿querrás venir al cine conmigo esta semana? Yo también me lo pasé muy bien en Barcelona y me encantaría que, ahora que desapareció «nuestro común amigo», aprovechásemos para retomar una relación que* YO *(mea culpa) he tenido un poco descuidada en los últimos tiempos. Te conozco y sé de sobra que no pensarás que se trata del típico oportunismo de «me deja el novio, así que recurro a la amiga que he dejado aparcada». Yo te dejé aparcada antes de que apareciera el tal novio (mea culpa bis) y después del fin de semana en Barcelona me he dado cuenta de que te echaba mucho de menos sin saberlo. Me estoy poniendo sentimental, y eso no me va (vuelve la Ruth controlada de siempre, la*

que iba para teórica en la facultad). Si quieres excursiones culturales, me tienes a tu disposición para ir a Toledo, Aranjuez, Móstoles o una narcosala[1] de Parla :) Besos xxxxxxxxxx. Ruth.

Al día siguiente llegó un e-mail de Juan:

Me marcho el viernes que viene a Bilbao y me gustaría recuperar los libros que me he dejado en tu casa. Como no me fío de ti, lo mejor sería que quedásemos en un espacio neutral o que se los dieses a Sara. Tú dirás.

Ni siquiera firmaba.

Le llevó un día decidirse a contestar. Era cierto que él se había dejado unos libros en su casa. Sin embargo, nunca había dejado un cepillo de dientes. El cepillo de dientes debía de implicar para él una asociación íntima y doméstica que los libros no tenían. Cualquiera tiene libros de un amigo en casa. Muy poca gente guarda un cepillo de dientes o una maquinilla eléctrica de un amigo. También resultaba raro que, tal y como estaban las cosas, él se empeñase en recuperar los libros. Juan había dejado bastantes libros en casa de Ruth, porque él siempre andaba con un libro en el bolsillo, y, como le encantaba leer antes de dormir, a veces se los dejaba olvidados en la mesilla de noche. Pero, tal y como había acabado todo, ¿importaba tanto recuperar diez o quince libros? ¿O acaso se trataba de una excusa para verla por última vez? No quería llamar a Sara para que hiciera de mediadora. Bastante había molestado a su amiga. Además, temía lo que pudiera hacer Juan, que volviera a manipularla, a malmeter, a volver a sembrar la cizaña en un campo tanto tiempo abandonado en el que parecía que por fin volvían a crecer algunas flores. «Ni se te ocurra llamar a Juan», había escrito Sara. Bueno, Ruth no había llamado. Pero resultaba evidente que un «ni se te ocurra llamar» implica un «ni se te ocurra quedar». Lo normal habría sido no responder siquiera al mensaje, o enviarle los libros por mensajero, o no enviarlos, o quemarlos en una pira. Qué bonita *performance* sería aquélla: una quema ritual de los libros del amante, un *Fahrenheit 451* revisitado. Ruth se mintió a sí misma, como tenía por costumbre, y se dijo

---

[1] Narcosala: uno de los espacios que el Ayuntamiento de Madrid ha destinado para garantizar a los drogodependientes un sitio donde inyectarse con unas mínimas condiciones higiénicas.

que no había peligro en una última cita, que después de aquel encuentro final él se marcharía a Bilbao y aquello se acabaría para siempre. Aquello no se acabaría, probablemente nunca se acabaría, porque quedaría marcado, indeleble, en el recuerdo, e incluso admitiendo que Ruth conseguiría aparcarlo algún día en alguna región remota del recuerdo donde Juan no se hiciera notar demasiado, aún faltaba mucho tiempo para que tal cosa ocurriera, y por el momento un encuentro entre ambos no sería nunca inofensivo ni inocente, en ningún caso, porque o bien se desencadenaría una de las broncas de siempre, o bien estaría él en uno de sus días encantadores, derrochando amabilidad por los poros, condenándola a ella a guardar un último recuerdo que ni siquiera le permitiría odiarle de cuando en cuando, decirse a sí misma que no había perdido nada, que iba a estar mejor sin él.

Tecleó una respuesta breve y concisa:

Próximo jueves, 19:00, café Comercial (para variar).
You can keep me in a distance if you don´t trust my resistance,
but I swear I won´t touch you.

R.

Y la envió. Después se dio cuenta de dos cosas. Una: que la elección del Café Comercial resultaba melodramática en exceso, y que, al haber sido el café el escenario de su primer encuentro y de su reconciliación, el mensaje transmitiría la impresión de que Ruth aspiraba a un encuentro romántico más allá de a la mera devolución de unos libros (lo cual era cierto, pero Ruth se mentía, como de costumbre). Otra: Juan era demasiado joven para conocer la canción a la que ella se refería[2]. Incluso si hubiera tenido su edad, probablemente tampoco la conocería. No fue aquél un disco que se vendiera mucho en su época en España, aunque hubiese sido un éxito en el Reino Unido. Pero las palabras de la canción, igual que las de la nana, llegaban sin que nadie supiera de dónde. En qué lugar habrían estado aparcadas, en qué rincón recóndito de la memoria durante todo aquel tiempo, hasta que una situación concreta las había conjurado y las había pescado con el anzuelo de las asociaciones para traerlas de nuevo a la superficie: *All I wanna do is see you. Don´t you know that it´s true?* Sólo

---

[2]   *See you,* de Depêche Mode.

quería verle. Y por una vez, ésa era una verdad incuestionable, enorme. Ruth se moría por verlo, a qué negarlo.

Jueves, 19:00, café Comercial... Media línea impresa en la cabeza, repetida como un mantra, media línea, línea divisoria entre el triunfo y la derrota, ella quiere verme, ella todavía quiere verme, ella no puede dejar de verme, ella me quiere. Entró Juan en el bar con la cabeza alta, seguro de que encontraría a Ruth a su merced. Y así era, o parecía ser. Callada y medrosa cuando le vio entrar, palideció de pronto, y se puso tan blanca (más de lo que lo era de por sí) que la piel parecía papel de fumar. Él se sonrió y palideció también. A la suave luz del bar, el uno y el otro no se veían lo bastante como para juzgar demasiado las emociones respectivas, los sentimientos reflejados en cada uno de los rostros. Ruth no sabía qué decir, todo lo que se le venía a la cabeza le resultaba o bien demasiado trivial o bien melodramático en exceso.

—Hola...

—Qué tal.

Estas frases tan inspiradas eran lo único que se les ocurría a aquellos dos jóvenes talentos, a aquellas grandes promesas del paisaje artístico de su generación, aquellas dos conciencias ateridas de puro miedo, aquellos dos corazones en los que rebosaban los sentimientos más encontrados.

—Te he traído los libros.

—Ya...

Juan se sentó al lado de Ruth e hizo una seña con la cabeza al camarero para indicarle que se acercara a la mesa. A su lado, una Ruth ojerosa y cansada se debatía entre dos decisiones dolorosas por igual: irse del bar haciendo acopio de la poca dignidad que le quedaba, y perder así la última oportunidad de verse reflejada en aquellos ojos de dormitorio, de extasiarse en el brillo eléctrico de las suaves ondulaciones de aquel pelo negro, de admirar aquella nariz de caballete, aquellos labios que habían dado voz y saliva a su deseo..., o quedarse y sufrir el tormento de tener cerca, al alcance de la mano, tales tesoros, sabiendo que nunca más habría de verlos. Se sentía cada vez más privada de voluntad, de discernimiento, de resolución.

En cuanto a Juan, comparaba la situación con las rebajas o las liquidaciones de una tienda: uno acudía con toda clase de expectativas sólo para descubrir que lo que quedaba en el local no era más que saldos, mercancía defectuosa, prendas con taras. Porque él había pensado encontrarse con una Ruth deshecha y a sus pies. No, no quería volver con ella, eso seguro, pero al menos quería irse a Bilbao con la convicción de que la pelirroja no había dejado de amarle. Quería verla arrepentida, dolorosa, sufriente, y se había encontrado con una Ruth esencial y digna que, si bien no parecía la alegría de la huerta, tampoco daba la impresión de estar devastada. Se hubieran quedado de piedra ambos si cada uno hubiera podido leer los pensamientos del otro, si hubiesen podido cotejarlos y enterarse de lo asombrosamente coincidentes que eran, porque en el interior de su conciencia Ruth se sentía mercancía de saldo, material de rebajas: una prenda con saltos en los pespuntes del dobladillo y botones arrancados, manoseada y desechada por mil manos, usada y rota.

Las excusas que Juan había esperado no llegaban. Ruth se limitaba a estar quieta a su lado apurando a tragos nerviosos la coca-cola suya de cada día, su bebida fetiche desde que decidió hacerse radicalmente abstemia. Un casi imperceptible temblor en las manos habría revelado su nerviosismo a un observador más atento. Pero Juan, que estaba más nervioso que ella, no lo advirtió. Al entrar en el bar había creído que Ruth estaba poco menos que a punto de ponerse de rodillas y suplicar perdón, pero ella no decía nada y eso le ponía nerviosísimo.

—Y, bueno…, ¿qué tal te va?

—Bien… Bien, acabando el guión. ¿Y tu novela?

—Bien… —lo cierto es que prácticamente no había tocado el borrador desde que volvió de Gijón. Se sentaba frente al ordenador con la mejor de las voluntades, pero las palabras no acudían—. He pensado en emplear todo agosto en la reescritura del borrador. Con un poco de suerte podré entregar la novela a finales de septiembre.

—¿Dentro de dos meses? ¿Tan adelantado vas?

—Sí, ya ves.

—Ah… Me alegro por ti.

Cuando Juan dejó a Ruth en aquella habitación de hotel creyó de verdad que con su partida ponía punto y final a aquella historia desquiciada. Creía estar convencido, ab-so-lu-ta-men-te convencido de que por fin la certeza había alumbrado un camino entre la densa niebla de sus dudas: Ruth no era más que una loca histérica, lo suyo nunca llegaría a ninguna parte. Ahora sólo quedaba recomponerse y, una vez entero, actuar como un hombre y concentrarse en su obra. Creía haberse sobrepuesto. Creía haber dado por enterrado el dolor, pero o bien la tumba no era lo suficientemente profunda o alguien acababa de saquearla, porque la presencia de la pelirroja, su melena de sangre al alcance de la mano, la luz metálica de sus ojos que la tristeza no había conseguido apagar, aquel intenso aroma a canela que se le colaba por las aletas de la nariz, le traían recuerdos punzantes como alfileres, y le despertaban unas contradictorias ganas de abrazarla o de estrangularla.

—Yo me voy a tener que ir... —dijo Ruth—. Tengo un poco de prisa.

—¿Has quedado?

—Bueno, pensaba ir a un estreno.

—Claro, lo había olvidado. La señorita Swanson no renuncia a su ajetreada vida social así la maten.

Había vuelto a llamarla por su apellido, lo que quería decir que estaba enfadado.

—¿Y quién es el afortunado acompañante? —prosiguió Juan.

—Para que te enteres, no hay afortunado acompañante —replicó Ruth con intención—, a no ser que tú quieras hacer de tal... —añadió en el último momento, en un intento desesperado por recuperar el pasado, como cuando se quiere revivir un moribundo fuego y se soplan las ascuas para levantar la llama.

Juan dudó. Por un lado, después de lo sucedido en Gijón, resultaba una locura acompañar a Ruth a ninguna parte. Pero, por otro, ¿qué podía temer? Estarían rodeados de gente, así que no había que temer ningún arrebato violento de la pelirroja: ella nunca perdía los papeles en público. Además, en breve volvería a Bilbao, y quién sabe cuándo tendría la oportunidad de volver a pisar Madrid. E, incluso cuando volviera, sin Ruth ya no podría asistir a estrenos, no volvería a ver las luces ni los focos ni las cámaras de televisión, ni los escotes de las *starlettes,* ni ese despliegue de frivolidad que tanta gracia le hacía.

—Mira, quedamos en un café para que recogiera sus cosas, luego nos alargamos hablando, luego se vino conmigo al estreno de la película de Santesmases, La fuente... *no me acuerdo de cómo se llamaba. Algo de una fuente, en cualquier caso. Salían muchos chinos, pero la peli no es el tema de la historia. El caso es que después de la película nos fuimos a la consabida fiesta del estreno y no encontramos con Juanito.*

—¿Qué Juanito?

—Juanito, hombre, Juan Sin Miedo, el actor.

—Ya, ya caigo.

—Y yo había bebido, sabes que siempre acabo bebiendo cuando voy a este tipo de fiestas, y sí, ya sé que me vas a decir que no debería haber bebido, pero es que en cuanto pongo el pie en un local atestado de gente me entra un miedo irracional, agorafóbico o como quiera que se diga, y si no bebo no puedo contener la temblequera de las manos.

—Pues no vayas a estrenos, te lo tengo dicho.

—No, si yo no pensaba ir. Fue Juan el que se empeñó. Ya sabes que él se pirra por figurar entre el famoseo.

—Es que te has liado con el peor arribista que ha pisado la Villa y Corte...

—Ya no estoy liada con él.

—Por lo menos aún eres consciente de su calaña.

—Pues sí, sé cómo es, sé que le gusta ir a ese tipo de sitios y por eso le llevé, le he llevado siempre... El caso es que cuando yo ya llevaba tres copas fue cuando se presentó Juanito, que estaba encantador, y empezamos a coquetear en plan broma, y yo en realidad lo hacía, más que nada, por darle celos a Juan.

—Pero, ¿cómo le ibas a dar celos si Juanito es gay perdido?

—Sí, ya lo sé. Pero Juan no lo sabe. Y Juanito es guapísimo y no tiene ninguna pluma, así que resultaba ideal para eso.

—Pues no sé a qué vienen esos jueguecitos absurdos.

—Mira, yo tampoco sé a qué vienen, pero cuando bebo no me sale la Ruth racional, sino la Ruth más bruta, y yo he vivido enferma de celos a cuenta de la novia esa que tiene en Bilbao y, qué quieres que te diga, me apetecía pagarle con la misma moneda, que se diera cuenta de que podía vivir sin él, que podía rehacer mi vida...

—Con Juanito Sin Miedo dudo mucho que tú o cualquier mujer rehaga su vida, qué quieres que te diga...

—Y el caso es que al cabo de un rato ya estaba acarameladísima con Juanito, que, obvio es decirlo, me seguía el juego encantado, y me iba dando cuenta de cómo al otro se le salían los ojos de las órbitas, y, mira, probablemente me excedí. El caso es que luego se ofreció a acompañarme a casa y justo en el portal, empezó a organizarme una bronca descomunal, de las que hacen época, y me preguntó si yo quería follar con Juanito, a lo que yo le respondí, como comprenderás, que con qué derecho me decía él nada, y de pronto me pegó un empujón que me tiró al suelo y salió corriendo, pero así, corriendo, a zancadas largas, una tras de otra, y yo intenté seguirle como pude, pero no había manera, y entonces le vi coger un taxi y supe que iba a la Residencia...

—El resto me lo sé.

—¿Cómo que te lo sabes?

—Me lo sé porque tu querido amigo tuvo la desfachatez de presentarse en el coloquio a contar a quien quisiera escucharle cómo la noche anterior te presentaste en la Residencia a montar el escándalo a grito pelado.

—Lo cual es cierto. Le seguí hasta la Residencia y empecé a gritar bajo su ventana, a ver si bajaba. Pero no bajó, y eso que se encendieron las luces de todas las habitaciones, debí de despertar a todo el mundo, y al final salió un bedel que me echó, y me fui a casa.

—Ese tío es un hijo de puta. ¿Quién le manda tener que ir a divulgar a todo el mundo una historia privada? Encima, al muy cabrón, le rezumaba el orgullo por los poros como si fuera sudor. Se le notaba encantado de proclamar al mundo que él, un don nadie, había conseguido tener a sus pies a la mismísima Ruth Swanson. Lo que yo te diga, un cabrón y un arribista de medio pelo. Y no se te ocurra disculparle, que te conozco.

—No pensaba hacerlo. Bueno, el caso es que me vine a casa, borracha perdida todavía, y entonces empezó a sonar el teléfono. Era él, insultándome de todas las maneras habidas y por haber. Que si era una loca histérica, y una exhibicionista, que si hacía con mi vida lo mismo que con mis películas, que si era una solterona amargada, que si no tenía el más mínimo valor como artista y como persona…

—¿Y por qué no colgaste?

—No podía. Porque creía todo lo que me estaba diciendo. A veces lo creo, ya sabes. Que no sirvo para nada ni como persona ni como artista. Y era como si me hablase la voz de mi conciencia, de mi peor conciencia, de mi conciencia más negra, de ésa que menos me quiere, la parte más oscura de mí misma, y yo le dejaba hablar y no le decía nada. Y lo curioso es que él no paraba, no sé de dónde sacaba tanto carrete, era como un río de palabras, le salían a borbotones, casi atropellándose las unas a las otras, estuvo hablando así como una media hora, y lo peor no eran las palabras, era el tono, ese tono agresivo en el que hablaba, que resultaba aún más amenazador que lo que decía, y de repente me pareció clarísimo que mi vida no tenía ningún sentido, no sabes cómo me dolía todo, el corazón, la cabeza, los oídos, sentía las palpitaciones de la sangre en las sienes, me dolía pensar, o saber, que él tenía razón, y entonces escuché de nuevo la misma voz, clarísima, que me hablaba en inglés, y que me decía, suavísimo, que lo mejor que podía hacer era matarme, y me recordaba dónde estaban las pastillas, en el cajón de la mesilla, y de repente reconocí la voz, no sé cómo supe que era ella, no sé si el sonido de esa voz lo tenía archivado en algún recóndito fichero del subconsciente, pero supe que era su voz, que era su voz…

—¿La voz de quién?

—La voz de mi madre.

3

LO VISIBLE Y LO INVISIBLE

Es mi existencia fiel al eje que caduca:
La sola realidad; en lo visible vive (…)
Y vive en lo invisible que se encarna.

Francisco Brines, *La ronda del aire.*

LO QUE EL PSICOANALISTA DIJO A RUTH

Aunque el segundo intento de suicidio de Ruth no había pasado de ser, comparado con el primero, una mera sobredosis sin importancia, que se había saldado sin necesidad de lavado de estómago y que en simple susto se había quedado, Judith se lo tomó como un asunto de lo más serio que requería de su fraternal y perentoria intervención. «No te puedes quedar en esa casa sola, Ruth —insistía desde el teléfono—. De ninguna manera. Ni papá ni yo vamos a pasar un día tranquilos».

Estaban al caer las vacaciones de verano, y Judith ya había hecho planes, los mismos de todos los años. Había alquilado una casa en Zahara de los Atunes, la misma de todos los años, para el mes de agosto, igual que todos los años, y allí se iría con su marido, con su padre y con los niños, los mismos bártulos de todos los años. Pero la sobredosis de Ruth había venido a desbaratar el plan. Si Ruth se quedaba en Madrid, ¿cómo iban a estar ellos a seiscientos kilómetros de distancia?, argumentaba Judith, convencida de que antes o después Ruth volvería a darles un susto, y entonces no habría nadie cercano a ella para acompañarla al hospital.

—Por diosa, Judith, hablas como si me estuviese metiendo pastillas todos los días.

—Pues perdona que te diga, pero más o menos es así. Y deja ya de decir por diosa, que suena fatal. O dices por dios o no dices nada.

—Qué mañanita me estás dando...

—Mira, tú tienes que entender que a mí me dé miedo dejarte sola en Madrid. ¿Por qué no te vienes a Zahara con nosotros? Seguro que te sienta bien, ya lo verás. Y conocerás a un montón de gente...

El montón de gente cognoscible se limitaba a una *troupe* de cuarentones con niños que a Ruth no le llamaba mucho la atención. Esa misma invitación se repetía cada año, y cada año Ruth la rechazaba aduciendo razones de todo tipo: trabajo, compromisos previos, un viaje a Londres que Ruth se inventaba para la ocasión. A veces, por complacer a Ruth y a su padre, se descolgaba por Zahara un fin de semana, pero, poco acostumbrada como estaba a compartir su espacio y su intimidad, a los cuatro días ya estaba más que harta de tener que calcular todo lo que decía para que no se le escapase un taco delante del padre o las sobrinas, o para no sacar a colación ningún tema comprometido (política, feminismo, aborto, religión...) delante de su cuñado, que votaba al PP desde que tuvo edad para hacerlo y que se había empeñado en que las crías se educaran en un colegio de monjas. Ni siquiera podía entretenerse Ruth dando paseos por la playa porque, como buena pelirroja natural que era, se quemaba en seguida.

—Te lo he dicho veinte veces. No puedo ir a Zahara porque tengo que entregar un guión a primeros de septiembre.

—Pues te llevas un portátil y lo escribes allí. Hija, mejor marco no vas a encontrar.

—Sí, escribo con las niñas correteando por arriba y por abajo, con la tele a todo volumen, que parece que papá está sordo...

—Es que está sordo...

—Pues eso, que yo para trabajar necesito ciertas condiciones, tienes que entenderlo, y además trabajo con Pedro, le tengo que consultar muchos temas a él, necesito tenerle cerca...

—Pero, por favor, Ruth, ¿cómo te vas a quedar en Madrid en pleno agosto? ¡Te vas a derretir! ¡Si ni las cucarachas aguantan a cuarenta grados a la sombra! Las pobres salen medio muertas por las aceras a por aire porque se deben torrar en las cañerías...

—Mientras las cucarachas aguanten, yo aguanto.

Pero Judith no era de las que se dejan convencer así como así. Incluso retrasó su salida, que debiera haberse producido el 2 de agosto, para celebrar una reunión tripartita —padre y dos hijas— en la antigua casa familiar. A Ruth le pareció un poco extraña la idea de aquella cena en familia, pues siempre que se reunían era en casa de Judith, algún que otro fin de semana o en ocasión de festividades familiares del tipo aniversarios, Navidades o día del padre.

Ruth suponía que las razones que habían animado a su padre a seguir viviendo solo en la casa de Puerta de Hierro habrían sido parecidas a las que le disuadían a ella de pasar las vacaciones en Zahara: que en el fondo su padre necesitaba espacio propio, y no se sentía a gusto entre tanta patulea, y también que un hombre acostumbrado a imponerse y controlar no deseaba vivir en una situación de dependencia. Su padre era hombre de muchos recursos propios, que se desenvolvía bien en soledad, que probablemente incluso la amara. Leía, paseaba, mantenía numerosas relaciones sociales. No aparentaba su edad, y apenas presentaba achaques, y desde que se jubiló, en lugar de consumirse rápidamente y apergaminarse a ojos vistas, como le pasa a tantos, casi se diría que había rejuvenecido. Si no fuera porque Ruth conocía demasiado bien a su padre y su sobriedad, hubiera llegado a pensar que se había sometido a algún tratamiento. En fin, que su padre era feliz —todo lo feliz que un hombre tan contenido como él podía ser— solo y a su aire. En realidad, Ruth se le parecía mucho más de lo que ella había querido admitir. Un padre repetido en dos mujeres distintas, completamente distintas, al menos a primera vista. ¿O sólo a primera vista?

La casa de Puerta de Hierro seguía más o menos como estaba cuando Ruth la dejó. Una asistenta acudía a diario, y ahora que allí sólo vivía un persona, el salón exhibía un orden meticuloso. La cena la habían encargado a *Mallorca* porque su padre no sabía cocinar. En la vida había frito un huevo. Lo más fácil, por supuesto, habría sido cenar en casa de Judith, pero, fuera el que fuera el tema que la hermana de Ruth quería discutir, aparentemente se trataba de algo de lo que no quería hablar en presencia de su marido. Así que allí estaban, en aquel espacio que habían compartido durante tantos años, su padre sentado en su salón de costumbre, Judith trajinando de y hacia la cocina para poner la mesa (se había negado a aceptar la ayuda de Ruth pues decía que ella se las bastaba y se las sobraba sola) y Ruth (la Ruth a la que su propia hermana consideraba incapaz de hacer un ejercicio de coordinación y memoria tan simple como colocar unos cuantos cubiertos en su sitio) sentada en incómoda postura, la espalda en perfecto ángulo recto con el respaldo de la silla, las rodillas muy juntas, atenta y a la expectativa, preguntándose qué diablos tenían que decirle que fuera tan importante, mientras la última luz solar se retiraba melancólicamente de la habitación.

Por fin la mesa estuvo preparada, y Judith, fingiendo mal un ánimo festivo que evidentemente estaba lejos de sentir (pues Judith carecía del talento dramático de Ruth), descorchó una botella de Vega Sicilia.

—Pues... Pues por nosotros, ¿no? Por la familia —propuso tras llenar las copas.

A punto estuvo su hermana de abstenerse en el brindis, de anunciar que ya no bebía, pero no lo consideró propio ni adecuado, así que alzó la copa con cara de circunstancias y se limitó a mojar los labios en el vino. Una abstención en el brindis hubiera dado pie a malentendidos, y no estaban las cosas como para que pareciera que Ruth no quería hallarse, en todo, del lado de su familia.

Después Judith sirvió la ensalada con sus mejores maneras de antigua alumna de las Irlandesas. Ruth no pudo evitar advertir que su padre casi no la probaba.

Fue Judith la que rompió el hielo, como cabía esperar.

—Respecto a lo de tu idea de quedarte en Madrid en agosto...

—Ya hemos hablado de eso quinientas veces. Me voy a portar como una santa, te llamaré todos los días para probarte que sigo viva y coleando, no haré otra cosa que escribir, comer y dormir, y te aseguro que Pedro cuidará de mí, amén de que a mi edad no debiera ni siquiera estar diciéndote esto. Se supone que soy mayor de edad y no tengo que dar cuentas a nadie.

—Hablas como si encima nosotros tuviéramos la culpa de algo —dijo el padre. Su voz sonaba entre cavernosa y triste, ya cascada por la edad, y parecía que al hablar millones de burbujas de saliva entrechocaran allí dentro, en aquella cueva de dentadura de porcelana, un peculiar efecto sonoro de estrépito reduplicado por un micrófono oculto—. Deberías entender que es perfectamente normal que nos preocupemos por ti. Aún más, creo que tendrías que agradecérnoslo, sobre todo a tu hermana. Dejando aparte que, por muy mayor de edad que seas, si no llega a ser por mí todavía estarías ingresada en la planta de atención psiquiátrica de un hospital, y allí sí que no podrías escribir un guión.

A Ruth la escarola se le quedó atravesada en la garganta. Algo, una emoción indiscernible, se le atoró en el estómago y los lacrimales y le subió los colores a la cara. Bebió un trago de vino para evitar atragantarse y, también para superar el momento, porque un posible enfrentamiento con su padre le resultaba tan violento como para que de golpe le volviera toda la necesidad de alcohol de la que había abjurado durante las últimas semanas. En aquel preciso instante le parecía que odiaba a su padre (nadie aprecia demasiado a quien le escupe las verdades a la cara), pero no podía permitirse semejante sentimiento: al fin y al cabo, como él mismo le acababa de recordar (muy poco educadamente, por cierto), le debía no sólo la vida (pues suyo había sido —mientras nadie demostrara lo contrario— el esperma que fecundara el óvulo del que Ruth más tarde surgiría), sino también la libertad.

—En cualquier caso —Ruth sacó la voz de donde pudo, de algún fondo secreto en donde había escondido un mínimo de autocontrol de reserva destinado a ocasiones excepcionales como aquélla—, ya le he explicado a Judith mil veces que tengo comprometida la entrega de un guión para septiembre, y que en Zahara no cuento con las condiciones ni el espacio ni la tranquilidad para escribir, que aquí estará Pedro pendiente de mí… —su voz empezaba a ceder, y el tono pasó del didactismo a la súplica—. Tienes que entenderme tú a mí. Necesito trabajar para vivir.

—No necesariamente. Cuentas con mi dinero, ya lo sabes.

—Tu dinero es tuyo, no mío. Y además, cuando digo que necesito trabajar para vivir no me refiero solamente a lo económico. ¿No me entiendes? Ya sé que lo de realizarse suena muy tópico, pero el trabajo ha sido siempre mi válvula de escape, mi motor. Si no trabajo, es cuando de verdad deberíais preocuparos, cuando me deprimiría en serio.

—No te esfuerces, te entiendo. Y en ningún momento, no sé si lo has notado, hemos intentado decirte hoy que vengas a Zahara. No es eso de lo que queríamos hablar. Pero has interrumpido a tu hermana antes de darle tiempo a decirte lo que tenía que decirte.

—Lo siento. Adelante, Judith. Sigue con lo que tuvieras que decir.

—No, déjalo, lo haré yo —interrumpió el padre.

Se había ido acercando cada vez más a Judith, como si tuviera que tomar posiciones de una forma física y colocarse cerca de su aliada.

Ruth reparó en lo mucho que padre e hija se parecían: los mismos ojos negros, idénticos labios filosos, nariz aquilina, frente despejada, expresión huyente: los rasgos y los gestos del uno repetidos en la otra. Allí era Ruth la extraña, consciente de la inquieta cercanía de los dos como si fuera la de un ejército enemigo.

—Creo que tu amigo ya te puso al corriente de lo que pasó en el hospital, ¿no?

—Más o menos.

—El personal de allí insistía en tu ingreso en la planta de atención psiquiátrica. Pero al final logré contactar con un muy buen amigo mío. Probablemente has oído hablar de él: el doctor Alcázar del Pino.

—Me suena el nombre.

—Fue director del Gómez Ulla. Es catedrático de Medicina Psiquiátrica en la Complutense. Ha escrito en varios libros sobre psiquiatría e incluso alguno sobre psicoanálisis y literatura, colabora en varias revistas especializadas…

—Una eminencia, vamos.

—Tiene un gran talento, y mucha amplitud de miras, créeme. Es uno de los hombres más inteligentes que conozco. Fue él quien se encargó de hablar con el personal del hospital. Por eso no te quedaste en observación. Lo vas entendiendo, ¿no?

—Ya… ya lo sabía. Gracias. De verdad que te lo agradezco mucho. Pero los del hospital exageraban. Yo no necesitaba quedarme allí.

—De eso no podemos estar seguros, Ruth. Sobre todo cuando ha habido precedentes.

—Pero…

—Olvida los peros. Mira, Ruth, yo te propongo una cosa: Acepto que no vengas a Zahara, pero tienes que prometerme que irás a hablar con Alcázar del Pino. Él puede aconsejarte sobre el tipo de tratamiento a seguir, o sobre lo que sea que convenga hacer en tu caso, que él lo sabrá mucho mejor que nosotros, que Judith o que yo o que tú misma. Se va de vacaciones el viernes, pero está dispuesto a verte cuando tú quieras. Mañana mismo si hace falta. Hemos sido amigos mucho tiempo, y aunque no te conozca personalmente, te hará un hueco en su agenda.

—¿Y si hablo con ese señor me prometes que no insistirás más en lo de Zahara?

—No puedo prometerte nada, pero si él considera que no hay problema en que te quedes, yo no insistiré más.

—Entonces, hecho. Dame su teléfono y prometo llamarle mañana a primera hora de la mañana. ¿Te quedas más tranquilo?

—Mucho más.

El despacho o consulta o cómo diablos se llamara la oficina de aquel doctor estaba situado en la calle Zurbano. A Ruth no le hacía mucha gracia la idea de acudir allí, en parte porque sus anteriores experiencias en terapia le habían parecido bastante estériles, en parte porque siempre había desconfiado del posible acercamiento hacia un terapeuta masculino. Prejuicio, sí, seguro, pero no es fácil luchar contra los prejuicios. De una mujer podía esperarse más comprensión en ciertos temas (los orgasmos múltiples, el síndrome premenstrual, las cremas depilatorias, la baja autoestima…) sobre los que a los hombres no se les suponía, *a priori,* conocimiento alguno.

Cuando aquel señor abrió la puerta le llamó la atención la edad: el rostro arrugado como un papel desestrujado, recuperado (a la busca de un número de teléfono perdido) de la papelera en la que alguien lo arrojara hecho una bola; y el cabello completamente blanco, pero aún abundante, incluso atractivo, una mata de pelo que pudiera haber tenido cierto reclamo erótico para cualquiera de esas mujeres aquejadas de bovarismo o complejo de Edipo que se sienten atraídas hacia hombres mayores. No era el problema de Ruth, sin embargo. Cayó en la cuenta después de que, si el doctor era amigo de su padre, debía de rondar los setenta años. Pero la gente ahora se jubila a los sesenta y cinco, se dijo Ruth. Pensó que sería un poco más joven. Le calculó, pues, unos sesenta años.

—Buenas tardes. Soy Ruth Swanson —dijo ella—. Ruth de Siles, quiero decir.

—Encantado. La estaba esperando —le tendió una mano blanda y arrugada como una pasa; una mano con manchas de edad en el dorso y los nudillos, que ella estrechó con aprensión para descubrir, sorprendida, que resultaba extrañamente cálida y tierna al contacto—. Pase, por favor —e hizo un gesto a Ruth con la cabeza, invitándola a entrar.

No había en aquel lugar ni enfermera ni espacio acondicionado para una recepcionista, ni sala de espera, ni pacientes. No era, pues, un médico de los que pasan consulta. Pero tampoco era aquél un domicilio particular. Se trataba de un pequeño estudio con amplios ventanales y aire funcional, compuesto por una sola estancia. Aquella especie de *loft* exhibía una elegante funcionalidad, cierto aire neo-yorquino y *arty* que desentonaba mucho con la edad que al doctor le suponía Ruth. Quizá, pensó Ruth, tiene alquilado este estudio para trabajar tranquilo, porque dudo que un hombre así mantenga un pi-cadero. Imaginó en su casa una mujer y unos niños adolescentes, contratiempos domésticos, ruidos que le impedirían concentrarse en su investigación o en sus ensayos. En una esquina había un gran sofá de cuero negro y una mesita baja, con algunas revistas desperdi-gadas por su superficie. En la otra, una mesa de trabajo en forma de ele, con un sillón de cuero y una silla colocados uno frente a la otra, la mesa por medio. Si me siento en el sillón ésta será una conversa-ción amigable, pensó Ruth. Si nos sentamos a la mesa, se tratará de una consulta profesional. Él decidió por ella dirigiéndose hacia la mesa, y la invitó a sentarse en la silla, arrellanándose él en el sillón que le correspondía.

El estudio estaba iluminado por la luz de la tarde estival, cálida, dulce, amelocotonada. Todo parecía limpio y acogedor, pero a Ruth la luz envolvente y el ambiente minimalista no le servían de nada cuando los nervios se la estaban comiendo por dentro. Lamentó no fumar. En aquel momento un cigarro habría quedado de lo más pro-pio, habría restado tensión a la escena y habría servido de excusa para establecer una comunicación no verbal en una situación tan ex-cepcional como la que se establece entre dos extraños condenados a discutir la intimidad de uno de ellos.

—Bueno, usted dirá… —dijo Ruth.

—Lo primero que debemos dejar claro, señorita De Siles, es que no me dirijo a usted como profesional, sino como amigo de su padre.

Hacía muchos, muchos años, desde el colegio, que nadie llamaba a Ruth por su apellido paterno. Le resultó difícil reconocerse en aquel nombre.

—Esto es importante —prosiguió el doctor— porque usted no ha venido aquí para que yo emita un diagnóstico, sino porque su padre ha considerado que quizá yo, como amigo de la familia, estaría en condiciones de aconsejarle sobre los pasos a seguir en caso de que se decida a emprender una terapia, tal y como los médicos aconsejaron tras su último episodio de ingestión medicamentosa, y tal y como su padre desea… En cuanto a la terapia, creo que también es importante que quede claro que, aunque yo estoy a favor de esa solución y fui el primero que la aconsejó, debe iniciarse como respuesta a su propio deseo, y no como respuesta a los deseos de su padre.

Ruth asintió con la cabeza. No sabía qué decir.

—Pero creo que es usted la que debería hablar, no yo.

—¿Y de qué se supone que debo hablar?

—Quizá lo mejor sería que empezásemos hablando de las razones que le llevaron a intentar poner fin a su vida.

—No intenté suicidarme. Al menos no la segunda vez.

—Bien, entonces supongo que no le importará explicarme la diferencia entre una vez y otra. Supongo que se refiere a sus dos intentos de suicidio. Dos en el espacio de cuatro meses, según tengo entendido.

—Y yo supongo que cualquier cosa que le cuente no saldrá de aquí.

—Es obvio. Se trataría de un secreto profesional.

—Creí que habíamos dicho que no me tomase esto como una consulta.

—Aun así.

—Por cierto, ¿le importaría tutearme? No estoy acostumbrada a otro tratamiento.

—Lo intentaré. Ahora me gustaría que me explicaras lo que intentabas decirme. Según he creído entender, afirmabas que cuando te tomaste las pastillas no estabas intentando suicidarte. O al menos, la segunda vez, como tú dices.

—No exactamente, o sí. No sé cómo explicarlo. En realidad yo misma soy incapaz de encontrarle una explicación al asunto… En fin, como ha dicho usted que es amigo de la familia, le supongo al corriente de que mi madre murió cuando yo tenía cuatro años.

—Sí, claro. Yo la conocí.

—¿De verdad?

—Sí, pero de eso hablaremos en otro momento, si no te importa. Sigue con lo que me estabas diciendo.

—Bien, la noche en la que me tomé las pastillas, yo… Yo… En fin, no sé cómo decirlo. El caso es que yo… Yo escuché la voz de mi madre.

—¿Y cómo sabías que se trataba de la voz de tu madre? Es imposible que recuerdes el tono de su voz, ¿no?

—Supe que era ella. De hecho, estoy convencida de que era ella. Me hablaba en inglés. Y además, sí recuerdo su voz. La he recordado durante todos estos años. De pequeña me cantaba una nana. Una nana que yo he recordado, o al menos la primera estrofa, una nana que no he olvidado, como no he olvidado su voz.

If I had words to make a day for you, I´d sing you a morning shiny and new... Tentada estuvo de cantársela, pero se limitó a tararearla bajito en la cabeza. No era cuestión de faltar a las formas y que luego aquel señor llamara a su padre para confirmarle que su hija, efectivamente, estaba loca, más loca aún de lo que ellos habían pensado.

—Bien, admitamos que sea posible conservar el recuerdo de algo tan difícil de reconstruir en la memoria como el tono y el timbre de una voz, máxime cuando se trata de un recuerdo tan remoto, anterior a los cuatro años. Según usted, quiero decir, según tú, ¿qué es lo que tu madre te dijo?

—Que me estaba esperando, que me fuera con ella, a donde ella estaba, que era lo mejor que podía hacer.

—¿Y tú crees que se trataba de la verdadera voz de tu madre? ¿Estás convencida de que tu madre te llamó?

—Yo ya no creo nada. Racionalmente, la explicación apropiada sería la de una alucinación. Debería pensar que no escuché a mi madre, sino que deliré. Pero si media humanidad cree en Dios y en la vida eterna, y en cosas tales como las apariciones de la Virgen, los milagros, la infalibilidad del Papa, el carácter sagrado de las vacas, la reencarnación, la sangre de san Pantaléon que se licúa cada año en una fecha determinada..., ¿qué me impide a mí creer que mi madre me estaba llamando desde ese otro más allá en el que tanta gente cree?

—Es una buena pregunta. Una pregunta que abre la puerta a dos hipótesis posibles, y probablemente incluso a más. La primera hipótesis supondría que, tal y como tú dices, esa voz que escuchaste perteneciese al espíritu de tu madre. La segunda, que se tratase de una proyección. Es decir, que, enfrentada a una situación de crisis, a una angustia aguda e insoportable, pero incapaz de asumir la responsabilidad de un acto como el suicidio, tu propia mente creara un espejismo para atreverse a llevar a cabo una acción que parte de ti reprobaba. ¿Me sigues?

—Sí, claro. No soy tonta.

—Nadie lo ha dicho. Al contrario, soy consciente de que eres muy inteligente.

—Gracias. No veo por qué.

—No me las des. No se trata de un halago, sino del reconocimiento de una cualidad objetiva. En cualquier caso, Ruth, por el momento descartemos la hipótesis uno y atengámonos a la dos, no porque estemos seguros de que sea cierta, sino porque en estos momentos me parece que nos será más útil que la primera como hipótesis de trabajo, ¿me sigues?

—Perfectamente.

—Bien, entonces tendré que preguntarte si en el momento en el que escuchaste la voz de tu madre te encontrabas sometida a una tensión grave o a una angustia dolorosa que te resultase difícil de soportar.

—Sí, así era.

—¿Y habías bebido, o estabas bajo el efecto de alguna droga psicotrópica?

—Había bebido.

—Mucho, supongo.

—Bastante.

—Bien..., Ruth, aunque no descartemos totalmente la primera posibilidad, estarás conmigo en que parece demasiada casualidad que tu madre decida hablarte precisamente el día en que te encuentras deprimida y has bebido. Lo cual inclinaría la balanza hacia la segunda hipótesis.

—O no. Si nos atenemos a la primera hipótesis, esto es, que fuese el espíritu de mi madre el que me habló, y no una proyección de mi cabeza, no tendría nada de raro el hecho de que mi madre me ofreciera una solución justo cuando peor me encontraba yo. No iba a ofrecérmela cuando estuviese bien, feliz y contenta, y no la necesitara. En cuanto a lo de que estuviese bebida, es lo que hago cuando me deprimo.

—Pues haces mal. Cualquier terapeuta te dirá lo mismo. Por otra parte, estás hablando de la muerte como solución, no sé si te das cuenta.

—Estaba siguiéndole a usted el juego de los argumentos hipotéticos. En el fondo, yo también creo, o quiero creer, que se trató de una alucinación. Pero nunca podré estar completamente segura.

—Aquí nadie ha intentado convencerte de nada. De momento sólo estamos conversando, trabajando con hipótesis, ya te lo he dicho. Ahora quiero hacerte otra pregunta: ¿qué recuerdas de la muerte de tu madre? Me refiero a si recuerdas el día exacto del fallecimiento.

—Nada. No recuerdo nada.

—¿No recuerdas el día en que murió? ¿Las circunstancias, lo que sentiste?

—No, no recuerdo nada, ya se lo he dicho.

—Bien, háblame de la muerte de tu madre. Todo lo que se te ocurra sobre la muerte de tu madre. Lo primero que te venga a la cabeza.

—Mi madre murió en un accidente de coche. Eso me han dicho siempre. No sé más. No sé de dónde venía, ni adónde iba, ni qué coche conducía, si era suyo o de mi padre, ni el modelo, ni si alguien viajaba con ella, ni si iba por carretera o conducía por la ciudad, ni siquiera sé si de verdad conducía o si iba de copiloto. Ya puestos, le diré que la historia del accidente de coche suena inconsistente, artificial, falsa, se sostiene muy precariamente, como una casa de cartón flotando en un decorado de plató. Vamos, que parece obra de un mal guionista. No hay personajes secundarios, la trama está mal estructurada, hay disonancias en la narración...

—Es decir, entiendo que tú crees que tal vez la historia del accidente no sea cierta.

—Sí, lo he pensado muchas veces. No he podido evitarlo. Es como esa historia que hemos oído mil veces del niño al que le contaron que su padre murió y que luego, al ir creciendo, y al no encontrar ninguna foto de su padre, nadie que le haya conocido, nadie que pueda decirle siquiera dónde está la tumba paterna, empieza a dudar de la explicación que su madre le diera sobre el padre muerto, y va atando cabos, y por fin cae en la cuenta de que nunca hubo tal padre, o mejor dicho, que lo hubo, pero que nunca se casó con su madre, y que le dijeron que su papá murió por no decirle que era hijo de madre soltera.

—Ya, pero no hay padres solteros, Ruth. Tu madre estaba casada con tu padre.

—Sí, eso lo supongo. Pero todo el misterio alrededor de la muerte de mi madre también me hizo pensar a mí. Y el hecho de que nadie hablara de ella, de que no conociésemos a mis abuelos maternos... Era todo muy raro. Durante mucho tiempo pensé que mi madre vivía, que había abandonado a mi padre, que le había dejado por su mejor amigo o algo así... No puede usted imaginar la angustia de pensar que mi madre podía estar viva en alguna parte. Pero luego discurrí que si mi madre viviera habría vuelto a por mí, a por nosotras, habría intentado vernos, no habría desaparecido de una forma tan absoluta durante casi treinta años...

La voz se le contrajo en un pitido agudo. Ruth reprimió el sollozo y se tapó los ojos con las manos. No quería llorar delante de un desconocido. El doctor no dijo nada, no intentó consolarla, no hizo gesto alguno de acercamiento. Se limitó a esperar, tranquilo, el próximo movimiento de Ruth.

—Tenía entonces dieciocho años y le pedí a Estrella, a mi tata, nuestra tata, una mujer que estuvo con nosotras media vida, y que ya murió, pues le decía que le pedí que me llevara a ver la tumba de mi madre, porque nunca la había visto, nadie me había llevado a verla, nunca le habíamos llevado flores, y casi me esperaba que ella, la tata, me saliera con alguna excusa, casi lo deseaba, porque eso hubiera significado que mi madre estaba viva, que no había tumba, pero sí la había, había una lápida en el cementerio de la Almudena, una lápida que nadie había ido a cuidar en treinta años, una lápida hasta la que Estrella me condujo, casi avergonzada por no haberme llevado antes, por haber sido cómplice del abandono de la tumba de mi madre, de la señora a la que ella había servido, por más que no la hubiera servido muchos años y que no se entendiera muy bien con ella, creo... En fin, pues eso, que allí estaba la lápida, resquebrajada por la raíz de vaya usted a saber qué planta que había crecido bajo la losa, y que había acabado por atravesarla en su ascenso vertical, y a mí me dio por pensar cosas como que la raíz de la planta se había alimentado de los huesos de mi madre, y a usted le sonará tétrico, pero a mí me parecía todo lo contrario, me hacía pensar que al menos algo vivo crecía desde mi madre, que mi madre había revivido en algo... Para que la imagen fuese perfecta la planta hubiera debido dar flores, y si fueran flores blancas, mejor, ya hubiera sido casi como una señal. Pero no, no eran flores blancas; ni de otro color, puestos al caso. Allí no había flores, la planta en la que se reencarnaba el espíritu de mi madre no era más que mala hierba, pero tan tozuda y tan fuerte como para haber resquebrajado el mármol... En fin, lo que estaba claro es que mi madre había muerto, que no se encontraba en algún paraíso tropical con su amante, que no se había ido con ningún amigo de mi padre ni con ningún otro, porque allí lo ponía, bien clarito, en la lápida: Margaret Swanson. Ya podía estar segura de que mi madre estaba muerta. Y ahora... Ahora... Ahora, ¿qué quiere que le diga que pienso cuando pienso en la muerte de mi madre? —hizo un esfuerzo por continuar, pero el tema le escocía en la boca como si fuera una guindilla—. Pues que estoy casi segura de que mi madre se suicidó. Se trata de la única explicación posible para tanto silencio y tanto misterio. Pero no se trata sólo de que lo haya deducido. *Lo sé.* Lo siento dentro. De alguna manera, *sé* que se suicidó.

—Probablemente lo has sabido siempre.

—¿Qué quiere decir?

—Lo que quiero decir, Ruth, es que las imágenes de los hechos pasados están enteramente acabadas en nuestro subconsciente, como páginas impresas de un libro. Los recuerdos no desaparecen, Ruth. Se guardan allí, en el subconsciente, en lo que habita debajo del olvido. Sin duda reconstruimos, pero esa reconstrucción se opera según líneas ya marcadas y dibujadas por muchos otros recuerdos o por los recuerdos de los demás. ¿Me sigues?

—Sí, coño, claro que le sigo. ¡Le sigo! ¡Estoy harta de que me lo pregunte cada tres segundos como si fuera mema! —cayó en la cuenta de que se había pasado, de que estaba descargando sobre el doctor una agresividad que no se atrevía a descargar otra vez sobre sí misma—. Lo siento, lo siento, perdone. Estoy un poco nerviosa. La situación, ya sabe... Es un poco rara.

—No te preocupes, no debes disculparte. Tu reacción es comprensible. Volviendo a lo que estaba diciendo: Las visiones retrospectivas no son fiables, desde el momento en que no son más que reconstrucciones. Las traslaciones y cortes en el tiempo admiten numerosas combinaciones y entrecruzamientos. Cuando todo está determinado, la única libertad posible es la de la imaginación. Así que, aunque en el fondo conozcamos la verdad de los hechos, nos salva la conciencia de que pudieron haber sido de otro modo, y en la recreación de esas posibilidades incumplidas hallamos nuestra tabla de salvación. En tu caso, si eras capaz, durante todos estos años, de recordar la nana que te cantaba tu madre, también lo eras, en potencia, de recordar las circunstancias de su muerte, pero probablemente el recuerdo era tan doloroso y tan traumático que tu mente decidió enterrarlo como estrategia defensiva. En aquel momento resultaba más fácil aceptar las explicaciones de los demás que la verdad que enterraste en el fondo de la memoria.

—¿Mi hermana también lo sabe? Quiero decir, que mi madre se suicidó. ¿Mi padre y mi hermana me han mentido durante tantos años? Eso es lo que yo no quiero creer o aceptar.

—No puedo hablar por tu hermana, no sé lo que recordará o no. Tenía diez años cuando sucedió lo de tu madre, ¿no?..., pero lo más probable es que en tu casa intentaran ocultárselo. Si a ti no te dijeron la verdad, es lógico pensar que tampoco se la dijeran a tu hermana. Y es posible que ella no se enterara de la verdad, o que se autoengañara como tú. En cuanto a tu padre, tomó la decisión que le parecía más adecuada. Probablemente pensó, y probablemente piensa todavía, que era mejor para vosotras no saber lo que pasó.

—Cuando éramos unas niñas, lo entiendo. Pero siendo mayores... Nos lo debió decir en algún momento.

—¿En qué momento, Ruth? Quizá él pensó que lo mejor era olvidar. Quizá a él mismo le dolía tanto ese recuerdo, que prefirió no volver a sacarlo a la luz.

—Usted ha dicho que la conoció... A mi madre, quiero decir.

—De manera muy superficial. No la traté íntimamente y desde luego no profesionalmente, si es en eso en lo que estabas pensando.

—Pero usted podrá confirmarme que se suicidó, ¿no?

—De eso hace treinta años Ruth, y ni entonces ni ahora la familia de un suicida quiere que se sepa una cosa así. Lo único que puedo decirte es que tu madre sufría depresiones serias, y hace treinta años este tipo de enfermedad era mucho más difícil de diagnosticar y de tratar que ahora. Yo nunca la traté como especialista porque, como quizá sepas, la ética impide que un terapeuta mantenga relaciones con su paciente fuera del entorno profesional o que trate a un paciente con el que ya mantuviera relaciones previas. Es decir, yo no podía tratar a tu madre porque conocía a su marido y me encontraba con ella de cuando en cuando, en circunstancias sociales. Esa es la razón por la que yo no traté a tu madre y por la que tampoco puedo ser tu terapeuta, ya que, siendo amigo de tu padre, me sería difícil mantenerme imparcial y objetivo.

—Ya... Entiendo.

—Pero sí, yo siempre di por hecho, o más bien deduje, que tu madre se había suicidado. No puedo afirmarlo, por supuesto, con total y absoluta seguridad, pues tu padre, como sabes, nunca menciona el tema. Sugiero que deberías hablar de este tema con tu padre, pues parece haberte afectado mucho, y así podrías averiguar, o confirmar, la verdad.

—Yo prácticamente no hablo con mi padre. Y si él no ha hablado de esto en tantos años, no veo por qué va a hacerlo ahora. Además, no sé si quiero hacerlo, o si estoy preparada para hacerlo. Usted ha dicho que lo de mi madre lo he sabido siempre, pero en cierto modo no lo he sabido hasta hoy, hasta hace cinco minutos, cuando me he atrevido a decirlo, por fin, en voz alta, en esta misma consulta.

—Lo que no se nombra no existe, Ruth.

—Exactamente, eso es. Todo me pilla muy de nuevas, desprevenida. Y como comprenderá, difícilmente a una le apetecerá hablar con un padre que le ha mentido toda la vida.

—No se trata de que te haya mentido, Ruth. Te ha ocultado la verdad, que no es exactamente lo mismo. Y tenía sus razones para hacerlo. En cualquier caso, la muerte de tu madre, aun siendo un tema importante, no es la razón por la que has venido a verme. No es la muerte de tu madre, sino la vida de su hija la que nos interesa. Lo que nos interesa es que has estado a punto de matarte, por mucho que tú digas que no se puede calificar lo que hiciste de intento de suicidio. Pero creo que la mayoría de la gente no estaría de acuerdo contigo. Tu padre el primero. Tu padre pensó que yo podría recomendarte un buen terapeuta, y de eso me parece que deberíamos hablar.

—¿Pero usted cree de verdad que todos mis problemas se solucionarán con una terapia? ¿Cree que sólo por hablar de lo que me pasa recuperaría así, de pronto, el apetito por la vida? Pues qué quiere que le diga. Ojalá yo pudiese creer lo mismo.

—No puedo saberlo. Yo no soy omnisciente. Sólo dios lo es, si existe. Pero como profesional creo que es bastante posible que una terapia te ayude. Es más, si me apuras, como profesional me creo en el deber de aconsejarte que sigas una terapia. Y de recomendarte algunos nombres, no sólo porque creo que se lo debo a tu padre, sino porque, sinceramente, aunque no te conozca de nada, me parece que deberías empezar a quererte más a ti misma, y a tratarte mejor. Hazte un favor, y ve a ver un buen profesional.

—Es graciosa esa manera de hablar: Quererse a una misma, hacerse favores a una misma… Como si hubiera una yo y otra yo. ¿Sabe que es así como me siento, como si hubiera una Yo y una Otra, o incluso, a veces, como si hubiera infinidad de Ruths distintas?

—Así nos sentimos todos, Ruth. No tiene nada de raro.

Casi hora y media después una Ruth muy pálida entraba en una cafetería de la calle Zurbano y pedía una coca-cola light. A cualquier observador un poco perspicaz le habría bastado un fugaz vistazo a los ojos enrojecidos para darse cuenta de que aquella chica había estado llorando. Sin embargo, el dramático contraste de los párpados rojos con las pupilas verdes resultaba atractivo, aunque quizá un poco trágico de más. Ruth se vio reflejada en el espejo que había tras la barra y casi se asusta. Parezco recién salida del Averno, pensó. *Red and green should never be seen,* dicen los británicos. Acababa de entender por qué. Después se acercó a un teléfono público que había en la esquina del bar y marcó el teléfono de su padre. Casi se alegró encontrarse con el contestador automático, pues dejar un mensaje siempre le resultaría más fácil que hablar directamente con su padre, sobre todo en aquel momento.

—Papá —dijo—. Soy Ruth. Acabo de salir de la consulta de tu amigo. Estoy bien, de verdad, y él opina lo mismo, así que no veo ninguna razón para que no os podáis ir de vacaciones sin mí. Yo estaré con Pedro prácticamente todo el día, ya te lo dije. Incluso tu amigo me ve capaz de quedarme sola. Bueno, ya te lo explicaré más tarde, a ver si te encuentro en casa. Pues eso, que volveré a llamar. Un beso.

Después marcó el número del teléfono móvil de Judith. Cuando su hermana descolgó le vino a decir lo mismo pero con más detalles: Estaba bien, había visto al doctor aquel, seguiría una terapia, encontraría a cualquier terapeuta que trabajase en agosto, iría a visitarle a diario si hiciera falta, Pedro cuidaría de ella, y tampoco era cuestión de sobreprotegerla, así nunca sabría valerse por sí misma, ya no era ninguna niña, había vivido sola durante muchos años, no hacía falta sacar las cosas de quicio, tenía treinta y tres años, un guión que acabar, compromisos que cumplir, les llamaría todos los días… Y por fin, después de casi mil pesetas regaladas a los usureros de la compañía telefónica, logró tranquilizar a Judith. Luego, agarró la coca-cola que el camarero había dejado en la barra, se sentó a la mesa más recóndita, situada en una esquina oscura y apartada de la cafetería, que estaba prácticamente desierta a aquella hora, y decidió concederse media hora de absoluta soledad.

No, no se sentía capaz, al menos no de momento, de enfrentarse directamente a su padre y a su hermana, de dispararles a bocajarro una pregunta tan simple de enunciar pero tan difícil de formular, cinco palabras, nada más: Dime, ¿mi madre se suicidó?

Quizá se atreviera a hacerlo en el futuro, cuando encontrase el momento y el lugar adecuados, pero ahora era incapaz de añadir más leña al fuego de las tensas relaciones familiares, especialmente después de lo que ella misma había hecho. Además, no necesitaba confirmación de lo que ya sabía. De lo que había sabido durante muchos años, pero no había querido ver. Su conversación con el psiquiatra había sido la última pieza de un rompecabezas, la que faltaba para conseguir una imagen completa, pero una imagen cuyo significado era evidente, en cualquier caso, incluso cuando faltaba la pieza final. Ruth pensaba en inglés. En inglés podía encontrar nombre para semejante fenómeno: *a sudden flow of recognition*. La metáfora resultaba muy adecuada porque verdaderamente era como si, de pronto, la verdad se desbordara como una corriente tantos años contenida bajo un dique de negativas. Había habido tantas pistas evidentes que ella no había querido reconocer. Conversaciones que no debía haber escuchado. Entre Estrella y Tomasa, la chica de una casa vecina, muy amiga de la tata, que iba algunos días a tomar café. «Pero no me dirás a mí que una cosa así hay por dónde entenderla, vamos, que no se puede justificar, ni aunque me digas que tu señora estaba loca, vamos, muy loca hay que estar para hacer una cosa así cuando una vive en una casa como ésta, vamos, y sin problemas, porque el marido no le pegaba, ni bebía, ni nada por el estilo». «No, no, por dios, qué dices, si el pobre señor es un santo». «Y encima, con dos criaturas pequeñas, que eso es lo que menos entiendo, porque una cosa así hay que pensarla, vamos, pensar en lo que se deja atrás, ¿o no?» «Calla, calla, que esta niña todo lo pilla...» Y las palabras de su abuelo aquella Navidad, palabras tanto tiempo olvidadas que de repente volvían nítidas y claras: «Y no sólo te casaste con aquella loca, que mira que te lo advertimos todos, que aquello no iba a acabar bien, sino que te empeñaste en enterrarla en campo santo, que eso es un pecado, que a ella no se la podía enterrar en tierra sagrada, y ya sé que a ti la religión no te dice nada, pero podías al menos respetar las creencias de tu padre...» «¿Y qué iba a hacer? —le replicaba su hijo, que ya se había puesto de pie, y que señalaba a su padre con un tenedor, empuñándolo como si se tratase de una varita mágica o un cetro divino—. Dime, ¿qué debería haber hecho? ¿Enterrarla debajo de un poste de la carretera?» «¡Por dios! —interrumpía la abuela, lanzando una significativa mirada oblicua a las dos criaturas que asistían a la escena con los ojos muy abiertos, sin entender nada pero almacenándolo todo—. ¡Las niñas!»

Sí, había sido mejor olvidarlo todo, olvidar las noches que pasaron en casa de los abuelos después de que alguien encontrara a su madre, las conversaciones en las que se mencionaban tantas veces el valium y las pastillas, olvidar para no asumir la culpa, la culpa inevitable que estaba tentada de achacar a su padre, porque ¿qué clase de marido es aquél que tan mala vida le da a su mujer como para que ella acabe por matarse?, o sobre ella misma, una Ruth niña que no había destacado lo suficiente, que no había resultado lo suficientemente buena o mona o lista o cariñosa como para que su madre la considerara un asidero valioso a la vida. Pero resultaba absurdo pensar así, pues bien sabía Ruth que la depresión no constituye un estado de ánimo, sino una enfermedad, y que su madre probablemente no estaba en condiciones de ver, o juzgar, o valorar, o entender nada con perspectiva. Y de pronto brotó el odio primario que había sentido siempre por su padre, porque nunca pudo evitar pensar, aunque no lo admitiera, aunque ese pensamiento se encontrara en un lugar muy profundo, bajo capas y capas y más capas de olvido y de mentiras, que algo debía de haber hecho, algo debía de haber hecho ese cabrón para que ella se matara, algo que quizá no fuera obra sino omisión, algo como que él no la supo escuchar, o atender, o consolar. Pero tras ese odio le llegó a Ruth la compasión, porque cuántas veces se habría recriminado lo mismo el pobre hombre, cómo debía de haberse odiado a sí mismo durante treinta años; y luego llegó el amor, porque le había querido con locura, como sólo saben querer los niños, y más tarde había seguido queriéndole, admirándole, admirando su sobriedad y su contención, su capacidad de resistir incólume frente a las circunstancias, su suficiencia, su autonomía, su frialdad incluso, pero la paradoja que se abría entre el hecho de quererle como le quería y el culparle de la muerte de su madre le estaba desgajando a Ruth por la mitad de tal forma y manera que no se le ocurrió otro método de librase del conflicto que convertir el amor en odio, operación tan fácil, por otra parte, como convertir un huevo en una tortilla, basta con añadirle más calor a lo que ya está ahí, y luego apareció la culpa, cómo podía haberle hecho ella lo mismo, cómo había sido tan bestia como para hacerle pasar al pobre hombre, a su propio padre, dos veces, tres veces por la misma tortura, el suicidio de la madre y los dos intentos de la hija, cómo podía haber sido tan insensible como para no haberle pedido perdón de rodillas; y luego no pudo evitar que su odio resurgiera, esta vez disfrazado de odio distinto, e increpó a su madre: Hija de puta, zorra, mala pécora, ¿cómo pudiste hacerme eso? Sólo tenía cuatro años, joder, y te necesitaba. Y si de verdad eras tú la que me llamabas aquella noche, ¿sabes lo que te digo? Que yo ya no pienso seguirte. Que te quedes en el infierno, que es donde probablemente estás, o en la esfera astral o en el limbo abominable en que residas, y que no cuentes conmigo. Estaba harta de ser dos, de tener que cargar todo el día, como un fardo, con el peso de la memoria de su madre, de pedirle a ella permiso para todo, de caminar por las calles con dos sombras pisándole los talones. Después de haber vivido tanto tiempo la intimidad celosa y secreta con la muerte, Ruth ya no temía el roce fugitivo de la muerta a la que amaba.

En aquel momento flotaba ante Ruth, casi visible, la tentación de adjudicar a la madre muerta la responsabilidad de todos sus problemas. Si Ruth intentaba suicidarse, era porque estaba imitando lo que intentó olvidar sin conseguirlo, porque estaba condenada a repetir aquello. O podría decir que se había sentido tan poco valiosa, tan poco digna cuando su madre la dejó, que se imponía relaciones destructivas como una especie de penitencia. No podía querer a los que la querían porque no se quería a sí misma, y se sentía atraída por quien la maltrataba y la despreciaba porque así reafirmaba la idea que de sí misma tenía. ¿Palabrería? Probablemente. Según la teoría psicoanalítica más clásica, la Revelación del Trauma Primigenio constituye el principio de la curación, y cuando una persona alcance a desenterrar una Verdad escondida que constituía la génesis de sus angustias, la vida cambiará por completo, tal será la fuerza transformadora del descubrimiento. Visto así, el psicoanálisis no es más que alquimia. O magia, o religión. Igual que en cualquier otro culto, se predicaba la redención por la Palabra. Psicoanálisis, evangelios, poesías: diferentes aspectos de la misma verdad. Una verdad de la que Ruth participaba. Pero Ruth no creía en la existencia de un único acontecimiento que determinara conductas y dolores futuros, sino que pensaba más bien que la existencia se teje, que en la vida se avanza, a partir de una red causal, un montón de hechos imbricados, y todos determinantes. El azar, lo incomprensible, le invadía el pensamiento con su luz y con su noche, haciendo que todo fuese y no fuese al mismo tiempo comprensible. Una lógica secreta escapaba a la razón. Crecer sin madre es difícil, pero ese hecho no era el único que había definido su vida. En su vida había de todo: una madre ausente, un padre distante, una familia de dinero, un entorno de locos y, más tarde, amigos, amores, viajes, golpes de buena suerte, Beau, Pedro, Juan, Sara, Isabel, la misma Judith, uno hechos y unos nombres que llevaban a otros y remitían a otros tantos. Y probablemente había que contar, además, con algo mágico, el yo primario, la personalidad esencial, la carga genética, lo que fuera, un algo que constituía a Ruth y que hacía de ella una persona única, un algo que había resistido, asimilado o incluso disfrutado a veces infancia y juventud, y que tenía ante sí una madurez que podía ser interesante, divertida, enriquecedora, plena, vaya usted a saber.

No, no quería echarle la culpa de todo a su madre. No quería creer en el puñetero trauma primigenio. La milagrosa curación por la palabra de Anna O. nunca fue el gran éxito terapéutico del que más tarde alardearía Freud. Además, ¿no era Freud el que disfrazaba fragmentos de su autoanálisis como casos objetivos de sus pacientes? ¿El que atribuía a sus pacientes «asociaciones libres» que él mismo construía, el que exageraba sus éxitos como un físico que alterara los resultados de los experimentos, el que intentaba promover el culto a la personalidad dentro del movimiento que él mismo había creado? La mentira es el origen del psicoanálisis. Y el psicoanálisis, ¿no puede ser otro caldo de cultivo de mentiras? Sí, Freud era un mentiroso empedernido que no vacilaría un momento en reescribir la realidad si eso le permitía salir de un apuro [1]. La doctora que había tratado a Ruth en Londres, por ejemplo, se empeñó en intentar convencerla de

---

[1]   Han Israëls: *La mentira como origen del psicoanálisis.*
Mikkel Borch-Jacobsen: *Remembering Anna O.: A century of mystification.*

que sin duda había sido víctima de abusos tempranos, todo porque Ruth respondía a un patrón típico: promiscua, impulsiva, poco resistente a la frustración, dada a llorar en el momento del orgasmo… No importaba que Ruth asegurara que no recordaba ningún episodio sexual, ni con abuso ni sin él, anterior a los catorce años. El hecho de que Ruth no recordara nada sólo probaba, paradójicamente, la existencia de los abusos porque, siempre según la dialéctica del análisis, una muralla de olvido se había erigido como estrategia defensiva, aunque el recuerdo aflorara en momentos puntuales y se manifestara, cual espíritu burlón, a través de los síntomas anteriormente citados. Ruth llegó a dudar de su padre, después del jardinero, más tarde pensó que podía haberse tratado de cualquier desconocido, y por fin decidió que la psiquiatra, sencillamente, no decía más que tonterías. Y todo porque el pesado aquel de Freud proclamaba que la histeria había que atribuirla a abusos sexuales durante la infancia[2]. Pronto dejó de creer Ruth en la psiquiatra y en la existencia del trauma primigenio e incluso en la existencia de la histeria. ¿La histeria enfermedad exclusivamente femenina? Habiendo visto Ruth en los rodajes tal cantidad de actores, machos y muy machos todos ellos, que responderían, uno por uno, a todos los síntomas requeridos para tal diagnóstico, tal aseveración le resultaba difícil de creer.

Y como Ruth no creía en la existencia del trauma primigenio, se negaba, se negaba, rotunda y radicalmente, a creer que su vida estuviera determinada por el suicidio de su madre, que su existencia hubiese sido un desastre mientras el suicidio no se mencionó y que ahora fuese a ser maravillosa y divina a partir del momento en que Ruth, por fin, se había atrevido a decirse la verdad en voz alta. Porque Ruth reclamaba su derecho a construir su propia vida, de llegar cada día, como hasta entonces, a una nueva conclusión acerca de sí misma y del razonamiento que se escondiera tras su conducta. Sí, a veces sabía por qué hacía lo que hacía, pero información no era poder, no le bastaba con conocer los motivos de su conducta para dejar de practicarla. No, durante años se había aferrado a sus hábitos destructivos, a sus pulsiones limitadoras, a los desastres que la confor-

---

[2] «En 18 casos de histeria he podido descubrir esta conexión en todos y cada uno de los síntomas y, allí donde las circunstancias lo permitieron, confirmarlo por medio de éxitos terapéuticos». S. Freud, *Etiología de la histeria*, 1896.

maban, porque el lazo emocional que a ellos le ataba era demasiado fuerte, porque las estupideces que cometía la definían y la mantenían centrada y en contacto con el mundo, y había llegado a pensar que no sabría ser Ruth sin ellas, sin sus dependencias emocionales, ni sus problemas con el alcohol, ni sus arranques de mal genio, que no sería Ruth si no tenía un hombre al lado por el que sufrir, una copa en la mano en la que perderse, un espejo delante para autocompadecerse. Pensaba que no sabría salir adelante si no seguía siendo lo que los demás esperaban que fuera. Pero sí sabría. Vaya si sabría.

Soy Ruth de Siles. Tengo que repetírmelo a mí misma cada día.

Ya no me llamo Ruth Swanson. Ya recobro mi nombre.

4

La moral de cada historia

HATE dogma
LOVE freedom
LEARN by experience
BELIEVE in yourself

Ruth Swanson narra la historia de una pasión destructiva

La directora da comienzo al rodaje de su próxima película *De todo lo visible y lo invisible*

PEDRO M. VÍLLORA, Madrid

Desde el mundillo de los críticos y editores hasta el de los productores cinematográficos, Ruth Swanson pretende reflejar en su próxima película *De todo lo visible y lo invisible* «los entresijos de una pasión destructiva entre dos personas afectadas de muy distinta manera por las exigencias de la fama y la proyección pública, que no sólo afecta a quienes la viven, sino también a sus allegados».

Aunque la historia será ficticia, muchas de las cosas que contará estarán tomadas a partir de apuntes del ambiente cultural madrileño y del olfato de la cineasta, que durante el periodo de escritura del guión ha estado en contacto con los ambientes literarios descritos en la cinta. «Quiero hacer una película sencilla, sin grandes efectos, pero contundente», afirma la realizadora de treinta y tres años. «No es una película de género. Se trata de un drama, pero contado a veces en forma de comedia. Es también una película sobre las obsesiones. Lo importante son los dilemas éticos a los que se enfrentan los personajes a la hora de decidir entre el amor pasión y los compromisos sociales adquiridos de antemano».

Encabezan el cartel la actriz argentina Leticia Brédice y el español Juan Diego Botto. Producida por Alquimia, el filme cuenta con un presupuesto de cuatrocientos millones de pesetas y se rodará durante seis semanas en Madrid.

413

Una cicatriz en la memoria

Agosto, el mes en que Madrid ya no es Madrid, sino una miserable sartén solitaria…

Agosto fue el mes en que Ruth y Pedro volvieron a sus antiguos días de vino y rosas [1]. Julio se había marchado a Santa Pola, al chalé en el que su familia, por tradición, pasaba los veranos. Pedro no estaba invitado, por supuesto, pues a ojos de la parentela de Julio —los dueños del negocio de venta de mobiliario de cocina que Julio administraba y, por lo tanto, directa o indirectamente, sus patronos y mantenedores—, Pedro no era sino el compañero de piso de Julio, en la consentida fantasía de que el niño no era sino un soltero moderno, independizado del domicilio familiar a la espera del día en que por fin encontrara una chica que le gustara y decidiera sentar la cabeza, casarse y formar una familia. Por supuesto, todo el mundo sabía en el fondo que Julito jamás formaría familia alguna, pero ¿quién se atrevía a reconocer la verdad ante tíos, abuelos y parientes varios? Así

---

[1] Vale, vale, admito ante mis lectores que esta frase no me ha quedado particularmente inspirada, pero baste para eximirme de responsabilidad el hecho de que *Days of wine and roses* no sólo daba título a una de las películas favoritas de Ruth, sino también a un disco.

que allí pactaron todos —niño, novio del niño, familia cercana y lejana— un conciliábulo de silencio y vergüenza, que le permitió a Ruth contar con la presencia de Pedro en exclusiva para ella solita durante un mes entero. Por supuesto, Julito podría haberse escaqueado del compromiso familiar o al menos haber arañado unas semanas reservadas para Pedro, pero Pedro se fingió interesadísimo e implicadísimo en el guión de Ruth, y proclamó que resultaba indispensable que ambos dedicaran el mes entero a la escritura y corrección de la versión final y que no debía Julio sentirse culpable por abandonarle, pues a él le vendría muy bien la soledad necesaria para la concentración. Más mentiras admitidas, por supuesto. Tanto Julio como Pedro sabían bien que iba a ser Ruth la que escribiese el guión y que la presencia de Pedro, que apenas aportaría dos líneas y tres chistes privados a la historia, tanto daba. En cuanto a Ruth, era cierto que necesitaba a Pedro, pero no tanto para escribir guión alguno como para contar con su luz, con su presencia vigilante y guía como un faro, para que no la engullesen en la oscuridad la soledad y el miedo.

Agosto fue el mes en el que Ruth se mudó a casa de Pedro sin más impedimento que un ordenador portátil y una bolsa que contenía dos vaqueros, cuatro camisetas, un jersey negro, tres conjuntos de braga y sujetador, una crema hidratante, un cepillo de dientes y uno para el cabello. Agosto fue el mes en el que Pedro recuperó el gusto por la cocina y realizó todo tipo de experimentos culinarios dedicados a Ruth. A consecuencia de tal reverdecer de la vena gastronómico-creativa de Pedro, agosto fue también el mes en el que Ruth recuperó todos los kilos que había ido perdiendo mientras duró su historia con Juan. Perdió, pues, la dejadez elegante que el sufrimiento apareja y que, en cierto modo, también embellece, y recuperó, a cambio, la lozanía y la hermosura más clásicas, el punto carnal, gelatinoso, almibarado, que su cuerpo siempre había tenido. Volvía a estar, como quien dice, a punto de caramelo.

Agosto fue el mes en el que Ruth de Siles Swanson escribió de un tirón un guión de ciento cincuenta páginas cuyo argumento se estructuraba, como ustedes ya habrán averiguado, en torno a las inquietudes de una treintañera bastante neurótica, pero entrañable pese a todo, que mientras intentaba desentrañar el misterio de la muerte de su madre se enredaba en una relación destructiva con un jovencito, y que al final de la historia aprendía a mirar un poco menos a su ombligo y un poco más a su alrededor para redescubrir de pronto a sus amigos y a su familia. Muy conmovedor. Supongo que el título de la historia también lo habrán adivinado: *De todo lo visible y lo invisible.*

Mediante una extraña alquimia Ruth fue capaz de convertir el dolor en arte, o en algo, al menos, que al arte se parecía (o que arte era, si creemos, con Duchamp, que arte es todo lo que alguien decide presentar como tal), algo así como un cuadro de Rothko impreso en el frontal de una camiseta. Cuando el dolor de la relación ya no estaba tan entretejido con su propio yo, cuando ya no lo confundía consigo misma, entonces pudo objetivarlo, verlo desde fuera, analizarlo, hacer de aquello una historia, hallar belleza en su relación, extraer de lo pasado una lección moral. Encontrarle valor redentor al tormento vivido, hacer de su desgracia una experiencia catártica. Al fin y al cabo, Ruth se había criado en una tradición católica, y una persona no puede, por más que abjure de las creencias en las que se crió, desembarazarse de la noche a la mañana de las estructuras de pensamiento que, como puntales de obra, sostienen el edificio de su personalidad. Porque quien habitó una vez lo sagrado, dentro de lo sagrado vive ya para siempre.

Porque quien habitó una vez lo sagrado descubre el arte como lugar de lo sagrado. Y confirma que, si existe una vida que trascienda a la visible, sólo puede intuirse desde la abstracción y la reducción. Que la belleza contenida en una Cleopatra agonizante o un cuadro de Rothko es el reflejo de una belleza suprema, total, que absorbe e integra toda la belleza conocida. Ni dios ni diosa, simplemente la conciencia de saberse parte de un sistema, engranaje de un inmenso mecanismo que no se crea ni se destruye, sino que vive en permanente transformación. Quizá era aquél el significado de la luz blanca a la que Ruth se reintegraba: la devolución a la totalidad. No volvería a haber otra Ruth de Siles Swanson, pero eso poco importaba, porque la vida de Ruth se acabaría, pero no así la energía del planeta, del sistema, del universo, del que Ruth había surgido. Desaparecida Ruth, sus átomos se reintegrarían al sistema y se recombinarían, eso era todo. Tanto y tan poco. En ese sentido, la muerte no existe: el Todo está vivo. Así que mientras Ruth de Siles Swanson existiera, al menos se sentía en el deber de disfrutar lo que tenía, y si no podía hacer arte, se conformaba con su pequeña contribución, aunque la suya sólo fuera comparable a un cuadro de Rothko impreso en una camiseta. No importa tanto lo que consigues, se decía, como lo que pones.

El proceso creativo discurría en fiel insistencia sobre la misma línea matriz: Ruth se buscaba a sí misma en sí misma, no en otros. En una vida que se sabía vivida y que, sin embargo, aún no había conocido lo más importante que podía dar de sí, lanzándose al asalto desde el presente al pasado para poder imaginar un futuro. No intentaba crear personajes nuevos, ni proseguir una línea de continuo avance sobre territorios antes inexplorados. No aspiraba a ser original ni novedosa, no era la innovación o el experimentalismo lo que podía inspirarla o animarla. Frente a sus anteriores experiencias creativas, siempre de discurrir imprevisible, su nuevo guión crecía en verticalidad más que en extensión. Como un árbol: fronda y raíces.

Así que Ruth cumplió la promesa que había hecho a su padre, y se embarcó en una terapia. Pero su terapia fue muy particular: en lugar de contarle su historia a un doctor, se la contó a sí misma, para contársela después a todo aquel que quisiera verla en una pantalla. Escribió un guión ácido, aristado, de tonalidades oscuras y sombrías, pero que contenía, pese a todo, una promesa de gozo, de vida, de redención. La muerte, domesticada al fin, le tendía la patita con gracia.

No es que no pensara en Juan, muy al contrario. Pensaba en él constantemente. De hecho, más de una vez bajó a la cabina que se hallaba frente al portal de la casa de Pedro y le llamó. (No lo hizo desde el teléfono fijo de Pedro para que Juan no pudiera reconocer el número.) En aquellas ocasiones Ruth no decía nada, simplemente escuchaba la voz de Juan, y a veces pensaba que Juan sabía, que era cómplice en aquel juego, pues en lugar de colgar inmediatamente, él también permanecía un rato hablándole a nadie, a la línea callada, repitiéndole al aire un «¿Sí?» que no esperaba respuesta, como si quisiera alargar en lo posible aquella extraña comunicación hecha de silencio. Pero Ruth nunca se atrevió a decir una palabra. Si le digo quién soy, y luego él responde y me insulta, pensaba Ruth, y me dice lo harto que está de mí, o lo feliz que se encuentra lejos de mi persona, será horrible, me dolerá tanto que ni siquiera podré soportarlo. Y si lo encuentro amable será aún peor, más doloroso todavía. No quiero tener que pensar en todo lo que he perdido. Y peor aún, no quiero abrir la posibilidad a una reconciliación. Por mucho que se esforzaba en no buscar culpables, Ruth no conseguía dejar de martirizarse con viejas letanías del tipo: ¿me equivoqué?, ¿no actué como debiera?, ¿no di lo suficiente?, ¿no volveré a querer a nadie, nadie volverá a quererme, o no de aquella manera?

Pero en las enfermedades del amor el deseo de cura es ya la mitad del remedio. A partir de entonces, ya no traerá el recuerdo una nueva pena, sino el principio del alivio de las antiguas. Así que aquel agosto los días llegaron en auxilio de Ruth y fueron pasando uno tras otro sus dedos suaves y amorosos sobre su cabecita pelirroja, y cada uno le fue quitando un poco de pena, hasta que ella sintió que empezaba a cerrarse la herida. Día tras día un hoy desaparecía para convertirse en un ayer, los recuerdos se iban disolviendo en el tiempo, las teclas del ordenador rellenaban vacíos, la cercanía siempre atenta de Pedro, aquel estar allí sin estar, esa manera de ocuparse de que todo fuera cómodo, de que el aire acondicionado se mantuviera en los grados necesarios, de que Ruth no se helase, no pillase un resfriado, no dejara de tener siempre a mano la coca-cola que la mantenía activa y despierta, no se saltara su siesta en la terraza que olía a verano, a menta y hierbabuena. Seguía llevando dentro la imagen de Juan, como resuena el mar en la espiral vacía de una caracola, pero ya no pensaba en que la vida no merecía la pena si no iba a compartirla con él; muy al contrario, una repentina codicia por la vida se apoderó de Ruth, como si su angustia se hubiese disipado, como si se hubiese largado de puntillas sin hacer ruido, de la misma forma que agosto se iba desplazando con lentitud hasta septiembre, porque un día, de pronto, se dio cuenta de que la necesidad de Juan ya no estaba allí, aunque no sabría decir cuándo se fue. La necesidad había desaparecido, pero no el amor. Le había querido siempre y le seguiría queriendo, aunque de forma distinta.

Había admitido por fin una verdad evidente, pero que se había negado a sí misma mucho tiempo. Con el amor le ocurría algo parecido a lo que pasó con la verdad de la muerte de su madre. Se empeñaba en decirse a sí misma que necesitaba una relación convencional, cuando en el fondo ni la necesitaba ni la quería ni le vendría bien algo así. ¿Cómo podría ajustar Ruth su horario, sus entradas, sus salidas, su intimidad, su espacio, al de otra persona? No, ella había nacido diferente, diferente en lo externo y en lo interno, pelirroja y rotunda, tozuda e independiente. Diferente había nacido y diferente seguiría siendo el resto de su vida, para bien o para mal. Buscó un hombre convencional, hecho para el matrimonio, y aquello no funcionó porque estaba condenado a fracasar, porque ella no quería un matrimonio, sólo quería un compañero, un amante. Ya tenía un marido: su trabajo. Las cosas que muchas mujeres encuentran en un marido —dinero, posición social, lugar en el mundo, seguridad, viajes— a ella se las proporcionaba su trabajo. Y el amor también se lo daba su trabajo. Su trabajo le había enseñado a quererse a sí misma. A nivel íntimo le permitía liberarse de sus dolores, a nivel público le ofrecía la oportunidad de compartirlos. Se sentía muy feliz cuando escribía, cuando planificaba, cuando rodaba, cuando montaba. Entonces, una Ruth entretenía a la otra Ruth, le hacía reír, pensar, llorar. Había olvidado lo divertido, lo apasionante, lo intensamente satisfactorio que era hacer de demiurgo, sentir cómo brotaba la vida —otra vida distinta, otras historias— de sus dedos. Y su trabajo, a diferencia de un marido, o de un amante, no iba a dejarla nunca: iría con ella donde quiera que ella fuese.

Lo triste era que sus películas no le darían hijos. Por supuesto, sí que podrían concederle cierta ilusión de posteridad, de trascendencia, que mucha gente ve en sus descendientes. Pero no era eso lo que ella echaba de menos. Ni siquiera sabía explicar por qué, de pronto, de la noche a la mañana, le había entrado el amor por los niños. Se le iban los ojos detrás de la infancia en cualquier forma que se presentara: bebés en carritos, nanos que andan como pueden asidos a la mano de su madre, niñas de seis años con coletitas, pillos de ocho habladores y traviesos, y cuando veía una banda que esperaba al autobús del colegio, con sus carteras de los Simpson a la espalda, tan coquetos y bien puestos que parecían réplicas en pequeño de los cantantes de grupos de moda, no podía evitar comérselos con la mirada. Todos le interesaban. Antes se distraía mimando a sus sobrinas y comprándoles regalos caros, consolas de videojuegos y discos de Britney Spears, y pensaba que las sobrinas compensaban la falta de hijos propios: podía verlas crecer, jugar con ellas, reírse con ellas, y no tenía que pagar a cambio los miles de sacrificios en dinero, tiempo y esfuerzo que las niñas exigían, pero aquel sucedáneo se le quedaba corto, porque debía recordarse de continuo que no había que acercarse demasiado, que las niñas, listas como el hambre como eran, en seguida la ponían en compromisos. «Tía, ¿qué es un aborto?», le había preguntado un día la más pequeña. Ella le hubiera contado la verdad de mil amores, pero a ver quién era la valiente que luego apechugaba con el cabreo de su cuñado. Además siempre habría entre ella y las sobrinas una distancia última, insalvable. No eran suyas, no las había educado ella, no se sentía atada a las crías por ningún hilo misterioso, y además, Judith se enfadaba si les compraba demasiados regalos, si las achuchaba mucho, si les dejaba probar su coca-cola, si las mimaba. «No me las malcríes, que luego no eres tú la que las tiene que aguantar», decía su hermana. No es que Ruth quisiera verse repetida en alguien, ni que esperara garantizarse una fuente de amor y afecto permanente para el resto de su vida (idea que, por otra parte, le parecía bastante idiota, vista la cantidad de gente que aparca a sus padres en un asilo sin mayor escrúpulo o remordimiento) ni que creyese que tenía que escuchar los dictados de un reloj biológico en el que no creía. A veces pensaba que se trataba de simples desvaríos de cariño vacante, y otras que la obsesión por la maternidad habría que atribuirla a algo tan sencillo como que quería vivir una experiencia que la mayoría de la gente conoce y que a ella le había sido negada: una verdad tan obvia como que una mujer que ha crecido sin madre no puede evitar desear ser madre ella misma.

En cuanto a Juan, como era de esperar, volvió a Bermeo y, como también era de esperar, pasó su agosto, al igual que Ruth, con la nariz pegada a la pantalla del ordenador. Había prometido a Indalecio que le entregaría un primer borrador de la novela el quince de septiembre, así que se veía obligado, como fuera, a construir una historia a partir de unas cuantas notas, esquemas y frases sueltas que había ido apuntando en sus diarios de navegación. Se volcó en el trabajo por más de una razón: necesitaba trabajar para sustituir una obsesión por otra y así quitarse a Ruth de la cabeza de una vez por todas, y además, se sentía obligado a restituir de alguna manera a Indalecio y a la Residencia de Estudiantes lo mucho que les debía. No sólo el dinero, sino, sobre todo, la confianza depositada en su talento. Retomó, pues, la idea de la ciudad compuesta de muchas ciudades y en ella situó a los dos protagonistas (sería mejor decir antagonistas) de la historia: Esteban, así denominado en honor al Stephen Dedalus de *Ulysses*, y Anna Livia, que le debía su nombre a la Anna Livia Plurabelle de *Finnegan's Wake*. A la Anna Livia original la bautizó así Joyce por el río Lyffey, que atraviesa Dublín. Joyce nunca mencionó una segunda acepción del término, que Juan tampoco conocía, y es que Livia, en latín, significa «malignidad». Pero, de haberlo sabido, Juan se habría puesto muy contento, pues la Anna Livia de su novela era una criatura ciertamente malvada: frívola, irascible y casquivana, en contraposición con Esteban, que era hombre recto y torturado por la esquiva belleza de su amada, que, cual manzana del suplicio de Tántalo, se mantenía siempre cercana, pero siempre inalcanzable. Esteban y Anna Livia protagonizaron una novela densa en la forma, de mucha artificiosidad retórica (llegando incluso a veces a la opacidad verbal) y más pesada aún en el contenido, pues estaba lastrada, desde la primera letra hasta la última, de una áspera y seca pesadumbre que deprimiría al lector más optimista, si es que no lo había matado antes de aburrimiento. Y es que a Juan le estaba devorando una amarga conciencia del fracaso que emergía al contacto con la realidad, como aparece una erupción al tocar la ortiga. De la noche a la mañana se había encontrado a sí mismo más perdido que un bebé en un bosque, desasistido por todas sus antiguas fes. Primero le falló la fe en la tradición y las formas que había heredado de su madre, porque después de conocer a Ruth ya empezaba a dudar de la bondad del matrimonio tradicional o de la posibilidad de creer en la fidelidad como valor estable. Luego, le falló lo que él había creído pasión y amor verdadero, pues la mujer a la que había venerado como una diosa había resultado una loca de atar. Una vez desplomados sus valores al completo, los heredados y los otros, su angustia se manifestaba en toda su tenebrosa intensidad a través de lo que iba escribiendo, y por las ruinas de su ciudad imaginaria —una ciudad de muros altos y ventanas enrejadas, ciudad de búsquedas turbias y de citas imposibles donde millones de hombres y mujeres convivían sin conocerse ni hablarse, ciudad hosca, nocturna, agria, demacrada, inhabitable— se paseaban la frustración, la insatisfacción, el desánimo, el desencanto, reunidos para llevar a cabo mil y una tropelías en la complicidad agresiva de la noche. Tras la escisión de su mundo sentimental, Juan había sido incapaz de recomponer los pedazos rotos y se había convertido en acólito de un secreto culto a la nada: la tristeza le parecía inútil, y la alegría estéril. Se había encontrado hecho un existencialista cuando hacía décadas que el término se había pasado de moda.

Volvió con Biotza, aunque quizá «volver» no sea el término más adecuado, porque lo cierto es que no la había dejado nunca. Como mucho, se había distanciado temporalmente. Así que no hicieron falta grandes súplicas ni gestos para que la reconciliación llegara. Ni siquiera mediaron explicaciones o excusas (excusas que Juan nunca hubiera ofrecido, pues era demasiado orgulloso como para reconocer sus errores). Reanudaron relaciones de la forma más sencilla. Ella volvió a buscarle como antaño, él se dejó llevar. Cada día trabajaba sus ocho horas de reloj, como un oficinista, y a las nueve quedaba con su novia, que iba a recogerle en coche como siempre había hecho, para dar un paseo. A las doce y media ya solía estar en la cama, pues necesitaba dormir bien si quería mantener el espartano ritmo de trabajo que se había impuesto. Y además, pocas cosas se pueden hacer entre semana, en Bilbao o en Bermeo, más allá de las doce y media de la noche, al menos si uno no cuenta con domicilio propio o lugar protegido en donde llevarlas a cabo. Obvio es decir que el corazón de Carmen daba saltos de contento ahora que por fin había recuperado a su niño de antaño, al chico formalito y concentrado que para el trabajo vivía y que por fin se había quitado de la cabeza aquella locura que le entró en Madrid y se había dado cuenta de quién era la chica que de verdad le convenía. Cierto es que estaba un poco extraño, hosco y arisco, taciturno todo el día, perdido en sus pensamientos y sus papeles, pero el caso es que el niño siempre había sido un poco rarito, por qué negarlo a aquellas alturas, y ya le volvería la amabilidad cuando tuviera que volverle, que lo mejor sería dejar estar las cosas, no forzarle demasiado, no fuera que empezase a añorar Madrid de nuevo.

Al cariño que Juan sentía por Biotza no le asistía el fervor de la pasión ni el desvarío de los sentidos, sino que se fundamentaba más bien en la rutina, la costumbre y la tranquilidad. Por Biotza no había que luchar o que sufrir. Estaba ahí. Juan le agradecía enormemente que nunca le recordase su infidelidad, se lo agradecía tanto que de hecho se sentía unido a ella por una deuda de gratitud. Lo que no sabía es que ella también le agradecía que hubiese vuelto, y que por eso no se atrevía siquiera a mencionar el hecho de que había podido perderle. Biotza no quería mentar el nombre de Ruth, por si las moscas, no fuera a revivir recuerdos o a atraer la mala suerte. Y así transcurrían los días, en apacible sucesión, reintegrado Juan a las filas de la gente tranquila y bien dispuesta que prefiere lo malo conocido a lo bueno por conocer. O aparentemente apacible, porque por dentro a Juan se lo comían vivo las dudas. ¿Se casaría con una mujer a la que no amaba? ¿Y por qué no iba a ser un matrimonio así una solución a sus problemas? Sí, por qué no... Mejor un matrimonio tranquilo que una pasión tumultuosa. Juan había llegado a la conclusión de que sólo los días vividos sin amor se viven enteramente sin dolor, aunque a veces pensara que el corazón se le había vuelto de piedra, que ya se estaba cubriendo de verdín y de musgo.

Cuando por fin tuvo acabado el manuscrito, sus doscientas quince páginas impresas en cuerpo doce, encuadernado en canutillo, con su portada clarita y visible, estuvo tentado de incluir una dedicatoria, y de abrir la primera página con un *Para Ruth* que reconociera quién era la destinataria de aquel mensaje cifrado, de aquella carta en forma de novela, de quién era la voz que parecía haberle dictado las frases y los puntos y las comas, pero descartó inmediatamente la idea, pues dedicatoria semejante hubiera supuesto tal sarta de problemas con Biotza y Carmen que no podía siquiera pensar en ello. Lo mismo sucedería con cualquier otra dedicatoria. *Para R., Para la pelirroja* o *Para la coleccionista de margaritas* resultarían demasiado evidentes. Además, ¿a qué reconocerle a aquella zorra que todavía pensaba en ella? Así que zanjó la cosa con un *Para Carmen y Biotza:* una mentira más, una nueva paletada de tierra arrojada sobre la tumba de la verdad.

Ruth entregó el guión el 5 de septiembre. Paco Ramos lo leyó en una noche y la llamó en la mañana del día 6 para comunicarle que estaba encantado con la historia (a excepción de unos cuantos cambios que quería proponer y que ya discutirían en las sesiones de planificación) y decidido a que se filmase lo antes posible. El rodaje comenzó el 1 de octubre y se extendió hasta el 15 de noviembre: ni un solo día más de las seis semanas que se habían previsto en el plan de producción.

Tal y como suelen funcionar los rodajes, el de *De todo lo visible y lo invisible* fue inusitadamente civilizado y particularmente inusual. En general comenzaban a las nueve de la mañana y acababan antes de las diez de la noche. Ruth hizo todo lo posible porque no hubiera que rodar de madrugada. Los ensayos, aparte de un par de someras pruebas inconexas con la cámara, brillaban por su ausencia. Ruth indicaba a los actores lo que debían hacer y, si hacía falta, escenificaba ella misma para que luego ellos la copiaran, y después les dejaba a su aire. La directora se abstuvo de filmar las escenas desde múltiples ángulos: en lugar de plano general, primeros planos y planos tomados a la altura del hombro de cada actor, Ruth encontraba la manera de rodar una escena desde una única posición, o dos a lo sumo, con lo que a veces conseguía rodar las escenas en tiempo real: una proeza. El problema de este método de trabajo era que no dejaba margen a error: al no haber numerosos planos de los actores no quedaba el recurso a un arreglo posterior en la sala de montaje. Es decir, que la escena no podría comprimirse, no se podría prescindir de una frase que no encajara del todo, o desplazar el peso de la escena de un actor a otro si el primero había quedado flojo. Eso sí, al no haber multiplicidad de planos, el montaje resultó facilísimo. Ruth puso música a la cinta utilizando discos de su propia colección.

Montaje, sonorización y postproducción llevaron dos meses.

Paco Ramos, nada convencido de la particular interpretación que Ruth había hecho del *Protocolo Dogma*, estaba aterrado.

Juan entregó su manuscrito de novela el día 15. A Indalecio le habría encantado poder publicarla en diciembre, tal y como, en principio, había planeado. Pero, vistos los fallos del manuscrito, convenció a Juan para que corrigiera y reescribiera. Así pues, se aplazó la publicación hasta marzo, la fecha ideal para que la promoción del joven autor pudiera coincidir con Sant Jordi y la Feria del Libro de Madrid. Indalecio movió cielo y tierra para preparar el camino a la aparición del que debería ser el debut narrativo más importante del panorama literario: envió galeradas a todos los críticos que conocía y se ocupó de llamarles uno por uno para rogarles que prestaran al libro la mayor atención. En las semanas previas a la presentación de la novela alojó a Juan en su propia casa en Madrid y se ocupó de que al chico se le viera donde se le tenía que ver. Acudió con la joven promesa a toda presentación literaria de la que tuvo noticia y se encargó de presentarle a críticos, editores, periodistas, autores y jefes de prensa, e incluso organizó alguna que otra comida con directores de suplementos culturales y revistas literarias para que éstos tuvieran el privilegio de conocer en primicia a la nueva maravilla. Por fin, el 25 de febrero se presentaba, en la obligada comida de prensa en uno de los mejores restaurantes de Madrid, *Vísperas de nada*, la primera novela de Juan Ángel de Seoane, considerada, según Luis Alberto de Cuenca, quien leyó unas inspiradas cuartillas en el acto, «una de las más brillantes aperturas de la nueva novelística española, que nos permite augurar, sin ningún género de dudas, un carrera literaria de altura para este recién descubierto narrador de raza».

El 8 de marzo, día de la mujer trabajadora, *De todo lo visible y lo invisible* se estrenaba en toda España.

La trayectoria de ambas obras resulta bastante previsible. La novela de Juan recibió los más encomiásticos elogios por parte de la crítica —por una vez los suplementos culturales se mostraron unánimes, conmovidos por la fraternidad en la admiración— y cosechó la mayor indiferencia por parte del público. La película de Ruth no obtuvo una, ni una sola buena crítica. Ni por supuesto, una sola nominación a los Goya, pero arrasó en taquilla: al mes del estreno ya había superado la barrera del millón de espectadores, encantados, al parecer, con aquel «sensiblero y lacrimógeno artefacto comercial de la peor factura», en palabras del crítico de *El Espectador*.

A Ruth se la veía en todas partes. No había programa de radio, cámara de televisión o revista moderna que no quisiera hacerse con un trozo de la pelirroja. Había recuperado su verbo ácido y descarnado, su irreflexiva lengua y sus desenvueltos modales de antaño, y cada vez que se la veía en foto o en pantalla, que se la escuchaba en las ondas o se la citaba en el *couché*, parecía que Ruth lo acaparaba todo, que borraba todos los tópicos, los lugares comunes que la rodeaban en la maraña de mentiras que conforman los contenidos informativos de los medios. Volvió también a sus neurosis de siempre: se negaba a salir a ninguna parte si Pedro no iba con ella, desconectó el contestador que había instalado para acoger la voz grabada de Juan, se deshacía en improperios, a la mínima de cambio, sobre cualquiera que la hubiera puesto nerviosa (y era muy fácil poner nerviosa a Ruth), olvidaba sus gafas de sol, su bolso, su monedero en emisoras de radio, taxis y bares, por todas partes iba dejando un rastro de Ruth que luego correspondía recoger a los atribulados empleados de Alquimia. En fin, reapareció la Ruth de los mejores días, la Ruth de costumbre, adorable y aborrecible a partes iguales.

Juan no tuvo tanta suerte con los medios. En las entrevistas se expresaba en un idioma quebrado. No acertaba a encontrar las palabras adecuadas y se perdía en divagaciones obtusas dando rodeos y más rodeos alrededor de un tema que nunca llegaba a abordar. Para colmo, en cuanto le formulaban una pregunta mínimamente comprometida, del tipo «¿No cree que el recurso a una forma tan elaborada suele esconder en muchos autores jóvenes una pobreza de contenidos?» o «¿No le parece que el apoyo tan entusiasta de las editoriales a jóvenes promesas como usted, que aún no han aportado una obra consolidada, esconde una descarada maniobra comercial disfrazada de alta cultura?», se ponía a tartamudear ligeramente y su rostro parecía el de un tomate que hubiera contraído el baile de san Vito. Como no se atrevía a decir muchas verdades, como, por ejemplo, que la novela se la había inspirado una mujer mayor que él de la que se había enamorado, que su Anna Livia tenía más de copia de personaje real que de trasunto joyciano, o que la verdad pura y dura era que él no había leído entero *Finnegan´s Wake* porque su pobre inglés no le daba para entender aquellos enrevesados juegos de palabras, se veía obligado a contenerse, a refrenar la labia cuando estaba a punto de desatarla, a apretarse el paladar con la punta de la lengua, para que no se le escaparan las palabras traidoras que podrían revelar tantos secretos, desenmascarar tantas mentiras.

Se nos ha olvidado mencionar un incidente importante: Juan, aquel ferviente amante de los estrenos, asistió al de la película de Ruth. Enterado por la prensa de que el acontecimiento tendría lugar a pocos días de la presentación de su novela, llamó a Paco Ramos, que se mostró encantadísimo de hacerle llegar un par de invitaciones.

—Pero no le digas a Ruth que voy a ir —insistió Juan—. Quiero que sea una sorpresa.

—Pierde cuidado —le tranquilizó Paco—. Te aseguro que por mí no lo sabrá.

Y aunque en realidad Paco también había mentido, pues su primera intención había sido irle a Ruth con el cuento en cuanto tuviera ocasión, el caso es que entre los tejemanejes del alquiler de salas y la distribución de la película y el agobio de la promoción, se le fue el santo al cielo y se olvidó totalmente de la llamada de Juan.

La noche del 8 de marzo una turbamulta ansiosa se agolpaba a las puertas del Palacio de la Música. Bajo el brillante resplandor de los focos la masa de gente acicalada y palpitante se desplazaba como una corriente, un enorme zumbido de colmena alborotada apagaba las conversaciones: el sentimiento colectivo que inundaba aquel *foyer* parecía alimentarse a sí mismo y crecer por momentos. Por todas partes se veían sonrisas blanquirrosadas y ojos encendidos de expectación. Todo brillaba: relucían las ávidas pupilas de las *starlettes*, la lumbre emocionada en las miradas de las fans más jovencitas, los tirantes de *strass* de los vestidos, la falsa pedrería de los pendientes largos, los gemelos de plata, los alfileres de corbata, los dientes blanqueados por obra y gracia del láser hasta hacerlos refulgentes; y, de pronto, en medio de tanto fuego fatuo, de aquel infierno de entusiasmo, Juan imaginó toda aquella luz transformada en sombra, el clamoreo hecho silencio, la vida devuelta al vacío y, en lugar de todos aquellos seres de escotes profundos y pecheras almidonadas, vio esqueletos que yacerían mucho tiempo bajo la misma tierra, reunidos en otro espectáculo distinto, para seguir admirándose, para asistir a una comedia sin nombre representada por ellos mismos, actores eternos e inmóviles.

En aquel momento Ruth bajaba del coche en el que llegaba acompañada por Paco, Pedro y Leticia Brédice, su primera actriz. Traía la cara más blanca aún que de costumbre, como si la fatiga la venciera, y parecía a punto de desmayarse. Por poco el que se desmaya es Juan cuando reconoció el traje en el que la directora iba enfundada: se trataba del mismo vestido verde de terciopelo que llevaba en la fiesta de su cumpleaños. No había pensado, en principio, acercarse a saludarla, pero en cuanto la vio, centro radial en el que convergían todas las miradas, epicentro del cataclismo del estreno, se sintió atraído por ella como por un canto de sirena, y como si estuviera sonámbulo, como si le guiase un piloto automático, avanzó hacia ella sin darse siquiera cuenta de lo que hacía, sin saber lo que le diría o cómo se presentaría, y justo cuando ya la tenía a pocos metros, cuando creía posible tocarla con la punta de los dedos con sólo alargar la mano, un montón de periodistas se abalanzó sobre Ruth, y la pelirroja se perdió en un vórtice de cámaras y micrófonos que la envolvían y la arrastraban. Una marea de cuerpos, de sombras epilépticas, volúmenes informes confundidos los unos con los otros, se interpuso entre Juan y Ruth impidiéndole avanzar hacia ella y, antes de que él pudiera darse cuenta de lo que había pasado, prácticamente en un abrir y cerrar de ojos todo había acabado: Ruth había desaparecido de su vista y, estaba seguro, ni siquiera había reparado en él, ni siquiera se había dado cuenta de que su antiguo amor había claudicado, mordido el polvo por la derrota, que había regresado agotado de la campaña y había arrojado a sus pies la corona de laurel, que ansiaba reconquistar antiguos territorios, y que nada había obtenido de aquella última y cortísima batalla, apenas una impresión borrosa de una pelirroja nerviosa y carnal embutida en un traje de terciopelo verde que obviamente le quedaba un poco justo, una imagen que le había devuelto de golpe al pasado como un rebote duro de pelota.

Se quedó allí, paralizado, de pie sobre la acera, sin saber qué hacer. No sentía el menor deseo de agregarse a la confusión. Al margen de su inercia iba advirtiendo cómo amainaba el clamor, cómo la multitud desfilaba e iba desapareciendo tragada por las puertas del cine como un hormiguero en formación que regresa a su escondite bajo tierra. En el *foyer* apenas si quedaban ya rescoldos del fuego que lo había iluminado minutos antes. Dudó si entrar en el cine, pero luego pensó que no se sentía capaz, que si entraba allí se jugaría la tranquilidad y la cordura, que tener cerca a la pelirroja era acercarse al fuego en todos los sentidos, que la pelirroja prendía por contacto y que si volvía a verla ya estaría ardiendo antes de darse cuenta, y que no podía arriesgarse a poner en peligro su recién iniciada carrera, su recuperada estabilidad sentimental, su orgullo, su equilibrio, su conciencia, su vida.

Así que el Juan que nunca había querido perderse la fiesta de un estreno, la sempiterna alegría de las fiestas, el Juan al que apenas seis meses antes se le encontraba siempre copa en mano, sonrisa en boca, conversación a flor de labios, dispuesto a darle palique a cualquiera que se le acercara, decidió volver sobre sus pasos y regresar a casa de Indalecio, repentinamente envejecido tras la visión de aquella luz cansada en los ojos de Ruth. Reacción de defensa ante la brutal sorpresa, el golpe en plena nuca, que había supuesto volver a verla.

¿Que si Ruth leyó la novela de Juan? Por supuesto. No hizo una lectura objetiva, como era de esperar, y se buscó en cada descripción y cada adjetivo, reconociéndose en la segunda Anna Livia más de lo que el propio Juan habría podido profetizar cuando la creó. Entendió que el libro estaba escrito desde el resentimiento y, sin embargo, captó entre las páginas, si no amor, pasión, deseo, incendio, nostalgia de lo vivido. No se le escapó la dedicatoria a Biotza, tan incongruente en una historia que a todas luces versaba sobre Ruth, o sobre la idea que de Ruth se había hecho Juan. La segunda Anna Livia no era pelirroja, sino morena de ojos negros y, sin embargo, poseía tantos rasgos de Ruth —el genio irascible, la impulsividad, la lengua viperina, el apetito por la vida, el pasado turbio, las extrañas pasiones que a su paso despertaba— como para no dudar de la identificación. En lugar de Livia debió haberla llamado Lesbia, si tanto le importaba que ella se hubiese vendido[2]. Veinte siglos y las cosas no habían cambiado: Juan, como Catulo, odiaba y amaba. No le gustó nada la portada, una cosa muy conceptual, una especie de poste telefónico que aparentemente nada tenía que ver con la historia ni la ciudad en el libro contenidas, y le pareció una traición última que el Juan real no se ajustara al Juan ideal que ella había amado, que no hubiese elegido una imagen más hermosa, algo que a ella hubiera podido gustarle. No supo qué hacer con el libro. Si lo colocaba en los estantes de la biblioteca, antes o después Pedro repararía en su presencia, y Ruth no quería ni imaginar las bromitas que le tocaría aguantar a cuenta de aquel volumen. Además, tampoco podría ella evitar leerlo y releerlo una y otra vez, y buscarse obsesivamente en los pasajes más sórdidos y descarnados. Por fin recordó uno de los hechizos caseros de Estrella, que solía decir que para evitar el potencial daño inferido por envidiosos o por personas que, por la razón que fuera, albergaran inquina contra una, lo mejor era *congelar* sus intenciones, mediante el sencillo método de poner en el congelador algo que representara a la persona amenazante y temida, ya fuera su foto o un papel con su nombre escrito que se hubiera doblado siete veces, o una prenda que la persona hubiera llevado o un objeto al que tuviera particular aprecio. Así que Ruth introdujo el libro en el fondo del congelador de su nevera, lo tapó con varias cubiteras para no tener que verlo cuando fuera a buscar hielo, y lo dejó cubrirse de escarcha allí dentro, la ciudad hecha de trozos de ciudades condenada a un invierno perpetuo.

Madrid, sin embargo, volvía a conocer la primavera. Ruth contrató a una cuadrilla de pintores recomendados por Pedro —de eficiencia probada y legalidad dudosa— quienes, amén de aturdirla durante una semana con los grandes éxitos de la bachata y la cumbia

---

[2] Lesbia, amante de Catulo, se convirtió en cortesana.

en cinta-casette, pintaron las paredes en tonos albaricoque y salmón, de forma que la casa adquirió cierto aspecto festivo, como de niño endomingado. En el mercado compró diez macetas de margaritas y las colocó en los balcones. Las flores volvieron la cabeza, ávidas, hacia la poca luz que hasta allí llegaba y parecieron esponjarse, como encantadas —a saber por qué— con el sitio que les había caído en suerte.

—Está mucho mejor así, dónde va a parar —opinó Pedro—. Por lo menos ahora este piso parece que tenga cierta claridad, que esto parecía la mansión de la Familia Munster.

—De todas formas, te lo digo en serio, en cuanto acabe la puñetera promoción de la película me cambio de casa y me voy a una que tenga terraza.

—¡Pero si te has gastado una pasta en pintar las paredes!

—Tanto me da. Para mí que esa casa tiene mal fario. Además, con no pagarle al casero el último mes de alquiler, resuelto.

—Tú sabrás, bonita. Aunque ya sabes que, por mí, te venías a vivir a casa. Siempre he dicho que no te sentaba nada bien vivir sola en semejante agujero. No me extraña que te deprimieras. Que sepas que en Suecia le recetan a la gente rayos UVA por prescripción médica, porque tienen comprobado que el cerebro humano necesita la luz solar para sintetizar la dopamina o la fenitelamina o no sé que sustancia terminada en -ina, con lo cual la gente que no ve la luz del sol acaba por deprimirse.

—Muy científica tu exposición, di que sí. En cualquier caso dudo mucho que a Julito le apeteciese tenerme de asilada permanente.

—La casa es mía, no de Julio, te recuerdo. Y total, a saber si Julio se va a quedar allí mucho tiempo…

—¿Y eso? ¿Os va mal?

—No me hagas hablar ahora, te lo pido por favor, que no estoy de humor. Te lo contaré con más tiempo. De todas formas, está claro que a ti y a mí nos duran los novios menos que a un tonto un lápiz.

A Juan la primavera le pilló en Bilbao. Bajó a Madrid un fin de semana, por la Feria del Libro, donde quedó evidente que las buenas críticas servirán para mucho, pero no, por lo visto, para atraer lectores. Se le pasaron las horas muertas en la caseta viendo cómo los niños tiraban ansiosos de las mangas de sus madres para que les llevaran donde firmaba la señora de los libros de Manolito Gafotas, y soñando con el día en que una multitud se arracimara en torno suyo en busca de una firma, tal y como ocurría en la caseta de enfrente, donde debía de estar firmando Manuel Vázquez Montalbán o Boris Izaguirre, vaya usted a saber. El tiempo transcurrido sin hacer nada le sirvió para reflexionar sobre el futuro. No podía quedarse en Madrid. Indalecio le había ofrecido continuar con el trabajo en la editorial, pero aquello apenas le daría para pagar un alquiler. Había estado llamando a puertas en periódicos y suplementos, pero las ansiadas colaboraciones no llegaban: los periódicos ya contaban con numerosos escritores jóvenes que ofrecían su pluma, cuando lo que de verdad les hacía falta eran periodistas especializados en economía y en *software* informático, dos temas sobre los que Juan no tenía ni repajolera idea. No le quedaba otra opción que volver a Bermeo, pero allí, ¿qué iba a hacer? Desde luego no podía encerrarse en casa a escribir otra novela y vivir mientras tanto de la sopa boba. Su madre, por supuesto, no pondría reparos al hecho de mantenerle, pero ni a él le apetecía tener que mendigar la paga semanal como un adolescente, ni Biotza lo vería bien. Además, ¿cómo quedarse en casa escribiendo cuando no se le ocurría ningún tema para una segunda novela? Después de la primera, parecía que se le había secado la fuente de inspiración. Cada día barajaba argumentos posibles, pero luego se daba cuenta de que en realidad se trataba de refritos, de versiones de historias que ya había leído, y todos le sonaban a caduco y repetido. Empezaba a temerse que no bastaba con haber leído mucho para poder escribir, que también hacía falta haber vivido mucho, o al menos tener mucha imaginación, y su vida él ya la había contado y recontado, y ya no se imaginaba otra vida que contar.

Así que se veía trabajando en la empresa de su futuro suegro, haciéndose cargo de la asesoría legal que le habían ofrecido, redactando contratos de importación y exportación, y desempolvando sus viejos libros de mercantil, asignatura que en su día aprobó con un notable, pero que no le había interesado lo más mínimo. Trabajaría de nueve a siete, y llegaría a casa demasiado cansado como para ponerse a escribir. Y con el tiempo se casaría con Biotza, puede que escribiese de cuando en cuando en *El Correo* o el *Deia*, o incluso que le ofreciesen una colaboración fija, pues para algo habrían de servir las relaciones e influencias del padre de su novia, y así avanzaría su vida, apacible y ordenada, al lado de una Biotza siempre tranquila y dulce, siempre atenta a sus deseos, y después tendría hijos, y más tarde nietos, y algún día les contaría que su abuelo escribió una novela y que pudo haber sido un gran escritor. Y ésa sería su vida, su historia, escueta y mediocre como su carrera: una existencia en libertad condicional, marcada por su dócil adhesión a la moral y las buenas costumbres. ¿Sería ése su futuro? ¿Aparcaría con tanta parsimonia los sueños mimados y acariciados durante tantos años? ¿Aguantaría por inercia, malgastaría sus fuerzas en no hacer nada, en no vivir nada de veras? No, no podía resignarse tan fácilmente, admitir la derrota ante el primer revés. En alguna parte había leído que la vocación se mide en el fracaso, en la voluntad terca de seguir adelante incluso en las circunstancias más adversas. Y si a él algo le había definido alguna vez era su vocación, tan firme como la de un novicio. Sin ella no era nada. No podía renunciar a las primeras de cambio.

ÁRBOL DE RUTH

El éxito de la película no hizo feliz a Ruth. Le alegraba, por supuesto, saber que no tendría que preocuparse por el dinero en uno o dos años, que no tendría que dar clases en una academia de tercera a mil quinientas pesetas la hora, que no tendría que levantarse a las siete y media de la mañana para que la estrujaran en el metro un montón de desconocidos sudorosos, que ya no tendría que escuchar los reproches histéricos de un jefe que ejerce una autoridad de la que en el fondo se sabe desprovisto, una autoridad impuesta y no ganada, que grita a sus subordinados sólo porque sabe que ellos necesitan el sueldo para vivir y no pueden responderle, que grita porque no tiene otro sitio donde gritar y nadie con quien desahogar su frustración. Le alegraba a Ruth saber que no tendría que venderse otra vez a cambio de un contrato temporal que no le dejaba recurso a la protesta digna o al contraataque: si no te gusta esto, nena, te vas a la calle y además sin cobrar paro, que fuera hay muchos dispuestos a coger esto que tú no quieres. Le alegraba a Ruth la consecución de cierta parcela de libertad que el éxito garantizaba, pero le deprimía el hecho de que sus películas no parecieran gustar a nadie, excepto a un millón de desconocidos que a ella nada le decían. Ni Judith ni su padre opinaron nunca sobre sus películas, lo cual quería decir, veladamente, que no les gustaban nada, pero que eran demasiado educados para expresarlo. Juan, a quien Ruth había regalado una cinta del corto, no hizo nunca mención a un posible visionado, ni manifestó el menor interés por ver *Fea*. Sara tampoco hablaba nunca de las películas de Ruth. La opinión de Pedro y Paco no contaba, puesto que eran parte interesada y, así las cosas, ¿de qué podía servir que una masa anónima e indiferenciada la adorase cuando parecía que ella no había conseguido el único anhelo de toda su vida, el de que la gente más cercana la aceptase y la quisiese? Sentía que tiraban de ella en todas direcciones: una parte del mundo quería que siguiera haciendo películas, otra parte quería que dejara de hacerlas, otra parte deseaba que Ruth desapareciera, otra quería casarse con ella. A ratos Ruth pensaba que debía tomarse un tiempo de descanso, recordar algo tan simple como la sensación de respirar. Quedarse quieta y escuchar, incluso en medio del caos que era su vida.

A menudo, sobre todo por las noches, se le revolvía una angustia en el estómago cuando pensaba en la vida que llevaba. Algo faltaba. Ruth echaba de menos un poco de estabilidad, algo de predecible en su vida. La sensación de saber, sin tener que saberlo, igual que una respira sin tener que recordarse a sí misma que debe hacerlo, que cada noche se llegará a la misma cama, y que habrá una persona, siempre la misma, compartiéndola. Que será la misma casa, con la misma disposición de muebles, la misma invariable iluminación de lamparita de noche desportillada, el mismo olor a suavizante de las sábanas, la sensación de refugio que comporta lo previsible y conocido. No, eso no se lo había dado Beau, sino la infancia, sus camitas gemelas en la habitación que ella y Judith compartían, las oraciones que les rezaba Estrella antes de acostarse, el recorrido invariable del autobús del colegio, las mismas paradas cada mañana y cada tarde, una infancia apagada y desvaída, nunca excesivamente feliz, pero no sórdida, tranquila en su tristeza, que no presagiaba en absoluto el tránsito sinuoso, impronosticable, de la vida adulta, con sus avances y retrocesos, y sus desvíos que a veces desembocaban en callejones sin salida.

Llegó a pensar que sus películas eran tan malas que hasta se avergonzaba de haberlas rodado. Cuando la invitaban a cenas o a fiestas y algún despistado que no la había reconocido le preguntaba que a qué se dedicaba, ella nunca admitía ser directora de cine y se inventaba vidas distintas de mujeres cuyos días serían cada uno muy parecidos o iguales al anterior o al siguiente: soy abogada, decía, o enfermera, o secretaria, o administrativa en una agencia de viajes. Cualquier profesión que no incluyera viajes ni posibilidad de exponerse sentimentalmente, de sacar a relucir los traumas o los problemas en las sentencias, en los informes, en los balances, en las torundas impregnadas de alcohol.

Para colmo, el éxito le trajo a Ruth otra Otra más, otra exterior que hubo que añadir a las otras interiores. Los medios habían creado una Ruth Swanson que tenía sus ojos y su pelo, su sonrisa, incluso su voz, pero que no se parecía en nada a ella. Las entrevistas con los medios impresos se editaban, se cortaban frases y se solapaban con otras, de forma que el sentido final nada tenía que ver con el original, aunque, en esencia, no se podía decir que Ruth no hubiese dicho esto o aquello. A veces sí era cierto que se publicaban cosas que Ruth no había dicho nunca, pero resultaba tan difícil contraatacar con una querella (Ruth no tenía tiempo para hacerlo, ni tampoco dinero, pues los abogados y las provisiones de fondos exigidas para interponer una demanda judicial salían por un ojo de la cara), que no había manera de enfrentarse al poder de la Otra Mediática. Las entrevistas en televisión también se editaban, y de una media hora de filmación se extraían los dos minutos en los que se comprimía la frase salvaje que, sacada de su contexto, perdía el carácter irónico para convertirse en simple gilipollez. Así las cosas, una multitud de desconocidos se acercaba a Ruth en busca de una Ruth que ella no era, de forma que Ruth acababa atrayendo a gente que a ella no le gustaba en absoluto y repelía precisamente a aquellos con los que pudiera haberse sentido más afín, aquellos a los que la Ruth mediática ahuyentaba y que no podían ni imaginar que la Ruth de carne y hueso sentía, lloraba y sufría como cualquier otro mortal.

Por no hablar de la constante evaluación a la que todo el mundo, y ella misma, sometía su trabajo, su persona, y que la traía por la calle de la amargura. ¿Era buena? ¿Era mala? ¿Era lo suficientemente buena? En el colegio la cosa había sido mucho más simple. Ella hacía los exámenes y los aprobaba con buenas notas. Era lista, ya estaba: no había otra opinión. En la adolescencia y la juventud había albergado enormes dudas sobre su belleza, sobre su personalidad o sobre su capacidad de adaptación, pero nunca sobre su inteligencia o su talento.

Todos los profesores opinaban que Ruth era muy inteligente, muy capaz. De hecho, esta opinión constituía, paradójicamente, el principal argumento para las broncas o los reproches: «Tú, que eres tan inteligente, deberías saber los líos en los que te metes saltándote las clases» o «Una chica con tanto talento como tú no debería desperdiciarlo en dibujar caricaturas de los profesores, por muy ingeniosas que te salgan». Sí, hasta los diecinueve años se había sentido lista y con talento, porque los demás lo habían decidido por ella. Pero a los treinta y tres ya no contaba con una opinión ajena en la que basarse, sino con un montón de opiniones contradictorias. La crítica española opinaba que su trabajo no era sino «el absurdo regüeldo adolescente de una chica ligerilla de cascos que, para mayor inri, todavía no ha llegado ni por asomo a lo que conocemos como el a, b, c de la gramática cinematográfica» (o eso acaba de leer en *El Mundo*). Sin embargo, la carta recibida del Comité de Sundance venía a decir todo lo contrario: «Nos complace acoger su película que combina un sólido conocimiento del lenguaje cinematográfico con un mensaje tan valiente y rupturista, de los que tan necesitados estamos en estos tiempos». Ante semejante contradicción: ¿cómo iba a ser capaz de valorarse a sí misma? Lo único a lo que podía agarrarse, contra viento y marea, era su propia honestidad: yo soy así, no puedo dejar de ser así, nunca podría ser de otra manera. La mentira no servía para nada, como le había demostrado el año del infierno que había pasado, más valía atenerse a la sinceridad por mucho que a una la crucificaran por ello.

Cuando a Pedro le dijeron que el Festival de Sundance había seleccionado *De todo lo visible...* por poco se pone a bailar de contento. Se pasó un día entero colgado del teléfono, contándole la noticia a amigos, conocidos, familiares, amigos de amigos, conocidos de familiares, familiares de conocidos e incluso algún ex amigo familiar de conocido, tan excitado como si se hubiese tragado quince paquetes de anfetaminas. A Ruth, en cambio, la noticia no le daba ni frío ni calor. Por supuesto, era consciente de la importancia del asunto, pero tampoco ignoraba que a Laura Mañá la habían llevado a Sundance y en España su paso por el Festival casi no tuvo repercusión, y eso que la película era buenísima. Como si no se hubieran enterado. Además, no le apetecía gran cosa un viaje transoceánico. Desde que se estrenó la película se había pasado la mitad del tiempo en aviones, de festival en festival y de una rueda de prensa en otra. Estaba harta de entrevistas, cansada de preguntas, de fotos, de aviones, de habitaciones de hotel, de tener que explicarse y reinventarse a sí misma cada día. Levantarse a las siete para salir de casa a las ocho y estar en el aeropuerto a las nueve para poder coger el avión que saldrá a las diez y llegar a destino a las once y media para poder llegar a tiempo al hotel donde se ha convocado una rueda de prensa a las doce y media, una rueda de prensa concedida por una Ruth ya medio dormida y agotada cuando aún casi no ha empezado el día, a la que ni tiempo le ha dado de dejar el equipaje en la habitación (eso lo ha hecho un botones) y que, en semejante estado, debe enfrentarse a las preguntas y acusaciones de costumbre, eso de si el concepto del cine de autor no está escorando peligrosamente a un simple exhibicionismo desprovisto de mensaje o si el recurso al feminismo no deja de ser un gancho comercial como tantos otros, o a cuestiones mil veces repetidas y que ya aburren, como lo de querer saber su opinión sobre el resto de sus compañeros de generación, compañeros de generación a los que Ruth no conoce de nada y cuyas películas muchas veces ni siquiera ha visto —y todo porque Leticia no va a hacer promoción más allá de la semana estipulada en su contrato y cada vez que la película se estrena en provincias le toca ir a Ruth a presentarla—, y luego ir de una emisora de radio a otra, posar para las fotos de la prensa local, ir a comer con los distribuidores de turno, salir del restaurante corriendo, con la comida aún en la boca del estómago para llegar a una emisora de radio a responder con ingenio a cualquier pregunta impertinente, aunque los ojos se le estén cerrando por efecto de la pesada digestión, después un taxi hasta la otra punta de la ciudad para hablar en otra emisora, y de allí otra vez corriendo al cine donde se estrena la película, retocarse en el taxi el rímel de los ojos —los de prensa se empeñan en que haga el favor de maquillarse, aunque sea lo mínimo, para las fotos— y decir unas palabras antes de la proyección, y por fin, a las doce, después de una cena con los periodistas de rigor, llegar al hotel, borracha de vino y de cansancio, y preguntarse una y otra vez por qué hago esto, por qué me embarco en giras de promoción que no me gustan, y la respuesta de siempre, porque si esta película no funciona, no podrás hacer otra, y si no la das a conocer, si no convences a la gente de que tienes algo interesante que contar, no irán a verla, y porque tú eres el mejor gancho para promocionar tus películas, te comes la cámara, te comes el micrófono, las palabras que Paco Ramos le ha repetido mil veces, y porque, en el fondo, Ruth, eres una exhibicionista, y sin reinventarte a ti misma y preguntar por ti misma tendrías que enfrentarte al asfixiante vacío de las cuatro paredes de tu casa, a una vida gris como la de tantas otras, de la academia a casa y de casa a la academia, y los fines de semana ir al cine a ver películas que tú podrías hacer mejor, o porque lo que tú quieres es reinventar el mundo a tu antojo, crearte una realidad alternativa en la que tú seas diosa y demiurgo, en la que puedas decidir los finales, castigar a los malos y salvar a los buenos, o al menos desde la que puedas enviar un mensaje en una botella de celuloide: yo soy así, y creo que hay otra gente como yo, y quiero que se miren en mí como en un espejo para confirmarme que existo, y que tiene sentido que yo exista.

Harta de entrevistas, siempre cansada de preguntas, de fotos, de aviones, de habitaciones de hotel, de tener que explicarse y reinventarse a sí misma cada día. Cansada del propio cansancio que arrastraba. No le apetecía nada ir a Sundance.

—Te lo advierto: yo a Sundance no voy sola, ni de coña.

Ángel, el nuevo jefe de prensa de Alquimia, un jovencito bastante mono y bastante pijo, la miraba con los ojos muy abiertos.

—Pero es que Leticia está rodando con Menkes y Albacete y no puede ir.

—Pues se viene Pedro, está claro.

—No digas tonterías. ¿Cómo quieres que les explique a los del Festival que te llevas a tu director de fotografía? Si fuera un actor, aún… —replicó Paco Ramos, que también participaba en la discusión.

—Les dices la verdad: que es mi codirector. Que somos como los Cohen. O si no, les dices que es mi marido. A mí tanto me da.

—Como quieras. Supongo que podremos colarlo como acompañante o algo —prometió Ángel, conciliador—. Por intentarlo que no quede. Pero en ese caso tendréis que dormir en la misma habitación. Entiéndelo, Ruth, se trata de un vuelo transoceánico. No están dispuestos a desperdiciar billetes y habitaciones de hotel así como así.

El nuevo jefe de prensa de Alquimia, con todo, parecía razonable. Se había incorporado recientemente a la productora. Era un chico aparentemente tímido, con un aire contenido y educado. Cuando Paco Ramos presentó sus excusas, porque tenía que asistir a una reunión importantísima en Sogetel, para hablar de un posible acuerdo de producción, y les dejó solos, el gesto del joven se dulcificó.

—Yo te entiendo perfectamente, no creas. De hecho, creo que de verdad sería bueno para ti viajar con Pedro —hablaba de una forma melosa y pausada, alargando exageradamente las vocales, demorándose en cada sílaba, y enlazándola con la siguiente sin que hubiera pausas entre palabras, de forma que parecía mayor de lo que era y cualquier cosa que dijera cobraba un aire doctrinal, como de persona que sabe o cree saber mucho y quiere convencer a una niña para que tome la decisión correcta—. Y créeme que haré todo lo posible. Tienes mucha suerte, ¿sabes? De contar con él. Yo no he conocido persona más amable en la vida. Tengo tantísimo que agradecerle…

—¿Tú? ¿Qué le tienes tú que agradecer a Pedro? —preguntó Ruth, con muy poca educación, hay que reconocerlo, porque aquella mañana estaba de muy mal humor.

—Ah, ¿no lo sabías? Pues, en primer lugar, el haber entrado a trabajar aquí. Yo soy vecino de Pedro, vivo en el quinto.

—¿Ah , sí? Pues no te había visto nunca por allí.

—Sí, es raro que no hayamos coincidido.

—Ya…

—Yo vivo con mis padres, ¿sabes? Y siempre me he movido en un ambiente que no tenía nada que ver con esto. Estudiaba en el ICADE, ya puedes imaginarte, chicos que acaban todas sus frases con un, ¿sabes?, que conducen coches carísimos desde el mismísimo día en que cumplen los dieciocho años, que llevan camisas con caballitos bordados en la pechera, que votan al PP…

—Qué me vas a contar… Me crié en Puerta de Hierro.

—Entonces entenderás lo importante que fue para mí tratar a Pedro, porque yo, hasta conocerle a él, sólo había visto gays en la tele. Ya sabes, esas series para adolescentes donde todos van de muy colegas y enrollados porque admiten sin prejuicios al homosexual de turno, pero en las que, por si acaso, nunca ves al homosexual besarse con nadie, mientras los otros se pasan el día intercambiando morreos.

—No, no veo mucho la tele. Pero me hago una idea.

—Y claro, yo me sentía rarísimo, de lo más desconectado.

—O sea, que tú entiendes…

—Más o menos.

—¿Más o menos?

—Mujer, es lo que te estaba contando. Que en el ambiente en el que me movía no me atrevía a salir del armario, así que no me comía un rosco. Me he enrollado con unas cuantas chicas, eso sí.

—¿Y con chicos?

—Con chicos no. Sólo con Pedro..

—¿Cómo que con Pedro? Pero si Pedro está con Julio…

—Estaba… —las mejillas parecía que se le iban a reventar de un momento a otro de lo rojo que se había puesto—. Lo de Julio está muerto y enterrado. Creo que Julio está buscando ya una casa nueva…

—¿Y yo por qué no sé nada de eso? Se supone que soy la mejor amiga de Pedro, ¿no? Yo le cuento todas mis cosas, las más íntimas, las que no le cuento a nadie, y resulta que me tengo que enterar de que se está separando así, de repente, por un tercero, como de casualidad.

—No sé… A mí qué me cuentas. No habrá querido molestarte. Como has estado tan histérica últimamente…

—¿¿¿¿Histérica???? ¿YO?

Pero no le hizo preguntas a Pedro. Si él no le había contado nada, no sería ella la que sacase a colación el tema, faltaría más. Se estuvo mordiendo la lengua durante semanas para no preguntar, y a punto estuvo de traicionarse más de una vez, pero su orgullo la contuvo: si él no la juzgaba merecedora de su confianza, no tenía ella por qué mendigar revelaciones. Pero por dentro le subía una rabia contenida y densa, en plena ebullición, que amenazaba con desbordarse de un momento a otro. Se sentía traicionada: ¿cómo podía ser que él olvidara aquello que los dos habían sido, cómplices y amigos, sostén y apoyo el uno para el otro, sin pedir nada, pero apoyándose de alguna manera en su mutua compañía, siempre presentes aunque no estuvieran, aunque se fuesen y volvieran cada tanto? Si le fallaba Pedro, ¿qué le iba a quedar amén de la melancolía, la recurrencia a los viejos recuerdos? ¿En qué espejo se miraría, en qué hombro lloraría, a qué número llamaría cuando por las noches le asaltase el miedo, la soledad, los recuerdos, la angustia? No podía evitar preguntarse en qué había fallado, qué había hecho ella para que él hubiera decidido dejarla de lado de semejante manera. Y luego se decía a sí misma que estaba exagerando las cosas, sacándolas de quicio, haciendo de nuevo trizas la razón, que nada era para tanto, que él podría tener mil y una razones que justificasen su reserva, que quizá no quisiera hablar de la ruptura mientras ésta no fuera definitiva, o que salvaguardaba un territorio propio, recortado y preciso, en el que Ruth no tenía por qué entrar, o que bien podía Ángel haber exagerado las cosas, que no hacía falta volver a angustiarse por tonterías, dejar que la ganara la tristeza, volver a ser la Ruth que por todo se amargaba. Pero el miedo de perder a Pedro sacaba algo a la luz: el hecho de lo poco que se valora lo que se tiene por seguro, lo que no se aprecia hasta el momento en que una piensa que pueda estar a punto de perderlo.

Como Ángel había anticipado, les habían adjudicado una habitación para los dos, pues cada año, en las fechas del Festival, se agotaban en Sundance las plazas hoteleras, y si no dormían en la misma habitación Pedro habría tenido que hospedarse en un hotelito de mala muerte en las afueras del pueblo. Por supuesto, ni a Ruth ni a Pedro les importaba lo más mínimo compartir habitación, ni tampoco veían como desaire de la organización el hecho de que no les hubiesen reservado dos plazas. De hecho, Ruth estaba encantada con la idea. En general no le gustaba compartir su espacio, pero con Pedro sería distinto, puesto que ya estaba muy acostumbrada a Pedro y a sus manías, a que fuera Pedro quien recogiera la ropa que Ruth desperdigaba por el suelo cada noche antes de dormir, quien la doblara y la colocara en una silla, refunfuñando entre dientes, a que fuera Pedro quien la arropara en medio de la noche, después de que Ruth se deshiciera, en sueños, de las mantas a patadas, a que Pedro hiciera, en suma, de madre de Ruth, aunque Ruth no supiese identificar el carácter maternal de tales cuidados por no haberlos conocido en la infancia.

La proyección de su película no iba precedida de ninguna expectación. Todo resultó muy sobrio en comparación con los estrenos de Madrid y Barcelona. No hizo falta fingir una felicidad de puertas para fuera, sostenida por los focos y los flashes, la sonrisa tan falsa como un duro de madera, sino que bastó con decir unas palabras antes de la proyección. Ruth engatusó al público con su vestido ceñido, su inglés de acento británico y su sentido del humor. La proyección culminó con un estrépito de aplausos y silbidos: un éxito. Lo bueno fue que luego no siguieron los consabidos abrazos de boa constrictor y besos estampados al aire, las palabras dulzonas pronunciadas en boca de una aspirante a actriz cuyo nombre nadie conoce, el alud de alharacas y zalamerías, el sentirse estrujada entre la ansiosa marea de espectadores que quieren felicitarla a una, bien porque están buscando trabajo, bien porque quieren dejarse ver cerca de la estrella, bien porque ése sea su concepto de la educación, bien porque —todo es posible— de verdad les haya gustado la película. Pero allí todo fue contenido, mucho menos estridente y festivo, todo ateniéndose a un protocolo de formalidad y corrección sajonas: apretones de manos en lugar de besos.

Ruth propuso celebrarlo con una botella de champán.

—Creía que tú ya no bebías —dijo Pedro.

—Llevo casi seis meses prácticamente sin beber. Ya me he hartado. Me merezco un poco de juerga.

Se ventilaron no una sino tres botellas de Möet en el bar del hotel, asediados por productores, periodistas y actores que revoloteaban en torno suyo. A medida que Ruth iba bebiendo más copas, su expresión cambiaba, y los ojos recuperaban el color de antaño, el brillo de agua, el famoso mar que se agitaba tormentoso y verde en sus ojos oceánicos y que Juan supo ver antes de que se enturbiase. Un productor se empeñó en beber champán de su zapato, ocurrencia que fue muy festejada por la concurrencia, y Ruth se deshizo no sólo de los zapatos sino de las medias, empeñada en acariciarle a Pedro la entrepierna con los pies desnudos, para mayores risas y festejos de los que se habían unido a la improvisada juerga. Ruth reconoció el brillo codicioso de la mirada en los ojos del productor, el brillo repetido en tantos ojos a su alrededor, el mismo brillo de los ojos de sus clientes en Londres. Sabía que aquel productor estaba dispuesto a pagar mucho, pero mucho, por acercarse a ella. Regresó a la habitación colgada del brazo de Pedro, con los zapatos en la mano, tarareando los dos a coro *Like a Virgin* en un éxtasis de fervor madonista remanente de otros tiempos. Cuando Ruth se desplomó en la cama no podía dejar de reír. Pedro se tumbó a su lado riéndose con ella y así se quedaron dormidos, la risa aún en los labios, completamente vestidos: él con zapatos y todo, sin haberse quitado el traje de Armani que le había costado un ojo de la cara y que se arrugaría sin remedio; ella con los pendientes de Burés y el collar a juego, pesados, de plata maciza, y la falda del vestido que se le había ido subiendo hasta quedarse arrugada en la cintura; los dos borrachos como cubas, felices como bestias, agotados como niños.

Cuando Ruth volvió a abrir los ojos ya era casi de día, y una débil luz rosada se colaba por la ventana. Todo estaba en calma, olvidados el bullicio y el ajetreo del festival y la gente recorriendo pasillos y zumbando en sus habitaciones, ni siquiera se escuchaba el subir y bajar del ascensor: el silencio era denso, casi coagulado. Se levantó para apagar la luz eléctrica, que se habían dejado encendida, y entonces fue cuando sintió en la cabeza la resaca, pesada como un fardo, que le impedía andar derecha. Una arcada seca le hizo estremecerse contrayéndole el estómago, un reflejo involuntario, aviso del cuerpo que iniciaba el camino de regreso desde un más allá remoto donde el alcohol le había conducido. Ya de pie, y ya apagada la luz, el cuarto apenas iluminado por una claridad de alba neblinosa, se empeñó en quitarle a Pedro los zapatos, pero él, que estaba como un tronco, y que roncaba muy ligeramente, no colaboraba en absoluto, y cuando Ruth, tras varios esfuerzos inútiles, logró por fin tirar con la energía suficiente como para quitarle uno de los zapatos, salió despedida por su propio impulso y se cayó de culo encima de la alfombra, en una postura tan ridícula, que, borracha como estaba, le hizo estallar en una carcajada irreprimible. Fue en aquel momento cuando Pedro abrió los ojos, probablemente despertado por el ruido del costalazo de Ruth, y al encontrársela allí, sobre la alfombra, como un escarabajo panza arriba, con un zapato en la mano y riéndose como una loca, no pudo evitar reírse con ella aunque no supiera muy bien de por qué se reían, y entonces Ruth se alzó como pudo, y avanzó en zigzag hacia la cama, patosa, pero a pesar de todo conservando cierta gracia esencial, como de bailarina algo bebida, y se sentó al lado de él, en una esquina de la cama, el zapato en la mano, todavía sin poder dejar de reír, aunque las carcajadas ya habían amainado y ahora se trataba más bien de risitas entrecortadas, una especie de gorjeos infantiles, y, borracha todavía, de champán y de juerga festiva, se empeñó en hacerle cosquillas a Pedro, y cuando él se defendió, tratando de sujetarle los brazos para inmovilizarla, rodaron enredados por la cama, y antes de que pudieran darse cuenta ya estaban besándose, torpemente al principio, apenas un leve y torpe contacto de los labios, más profundamente luego, explorándose las bocas con las lenguas, saboreando cada uno la saliva del otro, y Ruth no se atrevía a decir nada, a reírse siquiera, no fuera que de repente él cayese en la cuenta de lo que estaba haciendo, una tontería de borrachos, sin duda, un sinsentido que ya no tenía propósito entre dos amigos que hacía tiempo habían desterrado la idea del intercambio erótico en su relación, pero una tontería que ella deseaba, y por eso dejó que él tirara del vestido hacia arriba, incluso alzó los brazos para facilitarle la operación, y cuando luego él fue incapaz de desabrochar el cierre del sujetador, aquel armazón de raso y alambres diseñado para fingir que sus senos de mujer-mujer, de mujer hecha y derecha, se alzaban desafiando la ley de la gravedad como si fueran los de una jovencita pubescente, aquel sujetador pensado para ofrecer sus morbideces en bandeja, como quien dice, balconada de escote y opulencia de blanduras tibias, ella misma manipuló los corchetes con la destreza de la que está acostumbrada a batallar cada día con artilugios semejantes, y cuando las dos tetas, liberadas de su prisión, se desataron y cayeron recuperando su blanda forma original, Ruth no pudo evitar preguntarse si a él, acostumbrado a pechos de varón anchos y planos, no le disuadiría semejante estallido de carne, y se quedó asombrada cuando él empezó a besarle los pezones, pues parecía que sus pechos flojos y caídos no sólo no le desanimaban, sino que incluso le excitaban, y luego fue ella la que le tuvo que ayudar a él a deshacerse de la chaqueta con la que forcejeaba, la que desabrochó como pudo los botones de la camisa de seda, con mucho entusiasmo pero poca pericia, asombrada al encontrarse con aquellos abdominales lisos como una tabla de lavar, aquellos desarrollados bíceps que ella no recordaba, resultado del gimnasio o del constante ajetreo con la cámara al hombro, quién sabría, asombrada ante la suavidad de aquella piel casi tan blanca como la suya propia, constelada de pecas en los hombros, y luego, ¡oh, sorpresa!, aquella cosa dura y grande y caliente entre las piernas, tan grande que al principio casi costaba que entrara, mucho más grande de lo que Ruth la hubiese imaginado nunca, y vigorosamente, decididamente, erecta, dispuesta, preparada, sin ningún reparo aparente ante la obvia, manifiesta, casi excesiva feminidad de Ruth, y luego las caricias, los besos, los abrazos, los breves suspiros, los profundos lamentos de animal en celo, las manos hábiles difuminando fronteras entre la carne y el espíritu, la brutalidad y la delicadeza, el cuerpo y la cabeza, lo masculino y lo femenino, Ruth y Pedro, la piel y la emoción, lo visible y lo invisible. Formando un ser con dos centros iguales en los que se reconciliaba lo discorde. El lento mecanismo del tacto iba desvelando misterios y haciendo aparecer imágenes perdidas. El cuerpo que emergía al contacto de los dedos de Pedro no era el cuerpo de Ruth, sino el cuerpo de la Otra, la Otra por fin entendida y reconciliada. Aquel delirio, espejismo, aquel salirse del cuerpo para fundirse en el de otro, aquella pequeña muerte en vida, precursora de mil muertes y mil renacimientos más, contenía la posibilidad más sencilla de ver el Todo, de volver a entrar de nuevo en la luz blanca.

Quien lo conoce se calla, y quien habla no lo ha conocido.

Un mareo de mezclas de olores: el perfume a canela de Ruth, la colonia de Chanel de Pedro, el deje de sudor y feromonas, y como última nota, en la cúspide, presidiendo ese vértigo de fragancias, un olor acre, a lejía: el aroma boreal del semen.

—Creía que tú y yo sólo éramos amigos —dijo él.

—Considera el sexo como una extensión de la amistad —respondió ella.

—Pero es que yo te quiero.

—Yo también. Te quiero mucho.

—«Te quiero mucho» no es exactamente la frase con la que yo definiría lo que siento. Me estaba refiriendo a un «te quiero» simple, sin el «mucho» añadido.

—¿Sabes? Empiezo a pensar que soy el tipo de persona capaz de quererse a sí misma o a otro, pero nunca a dos a la vez.

—No digas tonterías.

Si existe algo peor que tener que enfrentarse a una rueda de prensa, sin duda es tener que enfrentarse a una rueda de prensa con resaca. A Ruth le reservaron una pequeña sala en el hotel por la que fueron desfilando los periodistas, algunos visiblemente nerviosos, algunos con pinta de cansados, otras declarándose fervientes admiradoras, hermanas en la causa común del feminismo, alguno insinuándose descaradamente, pero todos preguntando más o menos lo mismo, en diferentes versiones y discursos. Resultaba normal que al cabo del día ella se encontrase agotada y triste, cansada de ofrecerse y reinventarse, de repetir una y otra vez las mismas respuestas, como fuera de sí misma. Lo que ya no resultaba tan normal era aquella angustia de presentimiento que le traspasaba el corazón, aquel pensar en Juan continuamente cuando hacía tiempo que su imagen, que su nombre, ya habían abandonando su cabeza, y ¿a qué venía que de pronto, sin razón aparente, la acosase esa necesidad perentoria de saber de él? Era más fuerte que ella misma. No se trataba del impulso romántico que la llevaba en verano a la cabina de la calle para marcar su número, para escuchar su voz en medio del silencio de la línea y de la ciudad desierta, mientras a su alrededor el asfalto parecía derretirse. El impulso que la martirizaba no era el mismo, era una especie de llamada intensa, insoslayable, algo más fuerte que la simple nostalgia. Y entonces recordó lo que Estrella decía cuando le echaba las cartas: tú fíate siempre de tus corazonadas, niña, porque tú tienes visión. En la jerga de Estrella lo de la visión venía a querer decir que una era psíquica, y lo cierto es que las corazonadas de Ruth nunca fallaban: cuando pensaba que Pedro iba a llamar, llamaba, o cuando supo que la cadenita de oro perdida estaba debajo de la cama. Intuiciones, casualidades, el caso es que Ruth siempre se había fiado de ellas.

No se atrevía a llamar a Juan directamente, pero tampoco quería dejar pasar aquello. Quería saber cómo estaba él. Pero no tenían amigos comunes, no había nadie a quien ella pudiera llamar para preguntar, para averiguar si él seguía bien o no, si lo que ella sentía no era corazonada o presagio, sino simple añoranza, y de pronto se le ocurrió la única solución posible, por absurda que pareciera. Al día siguiente, tras calcular la diferencia horaria y elegir una hora en la que, en España, Indalecio estaría en su oficina, se decidió. En información podrían proporcionarle el número de la editorial Paradigma.

Cuando le llamó, él pareció muy asombrado de hablar con ella. Debía de estar al cabo de la calle de que algo había habido entre ella y Juan, pero no podía estar al tanto del alcance de la relación, y además, a ella tanto le daba lo que Indalecio supiese o dejase de saber. Como no podía decirle que le llamaba respondiendo a una corazonada no mencionó que estaba en Sundance, pues hubiera resultado chocante que le llamase desde los Estados Unidos sólo para preguntar casualmente por un antiguo amor. No le quedaba otra alternativa que mentir, o al menos disfrazar un poco la verdad.

—¿Indalecio? Soy Ruth Swanson, supongo que te acordarás de mí. Nos presentó Juan... Juan Ángel de Seoane, quiero decir, hace tiempo, en la presentación del libro de Marcos Giralt.

—Sí, sí, por supuesto que me acuerdo.

Su voz sonaba perpleja. Sin duda se preguntaba qué extraño propósito podía animar a la pelirroja a llamarle, si aparentemente ambos defendían posturas irreconciliables: lo que él llamaba frivolidad ella lo consideraba disolución de barreras entre la alta y la baja cultura.

—Te llamo para preguntarte por Juan, por Juan Ángel de Seoane, supongo que ya sabrás que éramos... amigos. Y el caso es que unos amigos comunes de Bilbao me han dicho que está enfermo, que han oído que tuvo un accidente (*falso del todo*), pero ya sabes, no sé si son rumores o no, y como no tengo su teléfono en Bilbao ni forma de localizarle ahora mismo (*media verdad: no tenía su teléfono en Bilbao, pero sabía el número de su móvil*) y además, tampoco quería molestarle a él si no era importante (*verdad pura*), he pensado que en el caso de que algo le hubiese pasado tú estarías al tanto. Supongo que te parecerá raro que te llame a ti, pero es que no sabía de otra persona que me pudiera dar noticias, y como vosotros sois íntimos...

—Las noticias vuelan, por lo visto. ¿Cuándo te lo han contado?

—Esta mañana (*mentira pura y dura*).

—Pues no sé cómo alguien ha podido enterarse tan pronto.

—Entonces, ¿está bien? ¿Qué le ha pasado?

—No sé si debería contártelo, pero después de lo que me dices supongo que te acabarías enterando de todas formas, y creo que será mejor que te informe yo para que no te lleguen versiones distorsionadas. Está vivo de milagro.

—Pero, ¿qué le ha pasado?

—Que estuvo a punto de ahogarse. Sólo a él se le ocurre salir a nadar mar adentro en esta época, y con la mar picada, además.

—Pero, ¿a quién se le ocurre salir a nadar en el Cantábrico y en pleno invierno?

—A los vascos, por lo visto. Al parecer, en su pueblo es tradición. Algunos van nadando hasta una isla que está enfrente, a unos kilómetros.

—Izaro.

—Izaro, eso es. Y gracias a Dios que dio la casualidad que, por fortuna, había un barco de pesca faenando por allí y lo rescataron. Yo también me enteré por casualidad, no creas. Le estuve llamando ayer al móvil pero no me respondía, y por fin me decidí a llamar a la casa de su padre, y así me enteré de que estaba en el hospital. Pero no es nada grave, no te preocupes, está fuera de peligro. Tragó mucha agua, eso es todo. Y el agotamiento normal en estos casos.

—Ya... *(Larguísima pausa: ninguno de los dos acierta con lo que corresponde decir en estas circunstancias.)* Bueno, pues..., muchísimas gracias. *(El mentón de Ruth empieza a temblar ligeramente, intenta contener como puede la amenaza del llanto, los sollozos llegándole a la boca.)* Ya... nos veremos... por ahí. Hasta pronto.

—Sí, lo mismo digo. Ya nos veremos. Adiós.

—Adiós.

Dudó antes de contárselo a Pedro. Ninguno de los dos lo había nombrado en meses y, así las cosas, la repentina mención del nombre de Juan supondría la ruptura casi escandalosa de un pacto de silencio, de un acuerdo tácito. Raro había sido que Pedro no lo nombrara nunca, y por eso Ruth tampoco lo nombraba, se había inventado un falso y veloz desapego, aunque la procesión fuese por dentro, y le había agradecido que jamás hiciera referencia al nombre que había pasado tan rápidamente de amor a fantasma. Pero habían transcurrido ya seis meses, y Pedro seguía callado, y ella se plegaba a aquel silencio, por cobardía, por temor a resucitar antiguos celos o resquemores, sabiendo —porque siempre lo había sabido— que tras la inquina de Pedro latía algo más denso, más profundo, más oscuro, que el simple afán de protección a la amiga. Un territorio prohibido se había ido haciendo sitio en su lenguaje, extendiendo fronteras, creando tierra de nadie, zona desierta, barranco pedregoso y polvoriento donde ni los cardos encuentran jugo, aislándolos de Juan, rodeando de alambradas su nombre y su recuerdo, desterrando la memoria de Juan al término de lo que no se dice, porque lo que no se nombra no existe, como bien le indicó a Ruth aquel psiquiatra. Y así, confabulados en el silencio, habían seguido evitando el nombre impronunciable incluso en las ocasiones en que hubiera sido natural mencionarlo, al recordar fiestas o estrenos a los que él había asistido. Ni siquiera mentaron el tema de la novela, como si ninguno de los dos se hubiera enterado de la aparición del libro, como si no lo hubiesen visto en los escaparates de las librerías, en los estantes de novedades, reseñado en los suplementos culturales. No mentían, como de costumbre, sólo ocultaban la verdad, fingían una indiferencia que en realidad no hacía sino subrayar lo mucho que aún Juan les importaba y les dolía, pues si hubiesen podido mencionarlo tranquilamente en las conversaciones, como cuando mencionaban a Paco Ramos o a Ángel, o incluso a Julio, entonces significaría que por fin no les dolía la presencia de Juan en la distancia, que por fin, por fin, se habían librado de su influencia, que su sombra no se cernía sobre ellos, amenazante, evocando a una Ruth que existía no hacía tanto, que quizá aún existía en alguna parte, en la desmoronada región de los recuerdos desechados, en algún recoveco inexplorado al que se había replegado, donde se había escondido, una Ruth que cuando se emborrachaba no reía sino lloraba.

Ya habían pasado seis meses, y Ruth pensó que lo mejor sería decir el nombre en alto, admitir que aún se interesaba por él, que aún lo sentía dentro, que seguían unidos por un cordón invisible, que ella había sido capaz de oír en la cabeza los gritos de auxilio de Juan, que no había habido nadie, nadie en toda su larga trayectoria amorosa y erótica, que ella hubiera sentido en la cama tan cercano, tan suyo, tan intensamente parte de sí misma, tan capaz de desentrañar lo oculto, lo mejor y lo peor, de convocar demonios escondidos al conjuro de su voz cuando le susurraba al oído frases impronunciables de día, o impronunciables de noche con cualquier otro, secretos que quedarían para siempre entre él y ella, que ninguno de los dos contaría nunca a nadie no sólo porque no se atrevieran sino porque ni siquiera sabrían cómo hacerlo, *porque quien lo conoce calla y quien habla no lo ha conocido.*

—Eso ha sido un intento de suicidio, está claro —opinó Pedro—. Explícame si no por qué alguien se tira al mar en pleno invierno.

—Ya te lo he dicho, es una tradición en su pueblo.

—Anda ya, Ruth, por favor. Menuda tradición estúpida. Además, está el poema. Estoy seguro de que estaba obsesionado con la idea romántica de ahogarse por amor.

—No, él nunca se suicidaría. Lo dijo un montón de veces. Desprecia a los suicidas. Cree que matarse es una cobardía.

—Mentía, Ruth. Como siempre. Su libro de poemas era una sarta de mentiras. Excepto el poema aquel del monje que se ahoga. Ahí estaba siendo sincero.

—No digas tonterías...

Ruth viajaba tanto en avión que creía haber acumulado los puntos suficientes como para poder dar la vuelta al mundo si hubiese querido. Mantenía una extraña relación de amor-odio con los aviones. Por un lado los detestaba, detestaba de corazón las esperas en los aeropuertos, y el cansancio de los viajes, y los momentos tensos en la cinta de equipajes, siempre con el mismo nudo en el estómago cada vez que aparecía una maleta por aquel hueco y resultaba, una vez más, no ser la suya, temiéndose que volviera a pasar lo que ya había pasado tantas veces, que su maleta llegara rota o que no llegara. Pero el caso es que cuando viajaba, en el aire, en el momento del viaje, no en el antes o el después, se sentía a gusto en aquellas extrañas cunas con alas, inscritas en un espacio de nadie, en el que las cosas sólo podían existir en el presente absoluto, porque parecía que en el cielo todo se aquietaba, como si se congelara en su propio movimiento, y Ruth se iba olvidando de lo que había allí abajo, o lo que había allí abajo se olvidaba de ella. Adoraba mirar por la ventanilla y embeberse de aquella luz del sol distinta, una luz que no rebotaba en tejados, farolas o paredes, una luz horizontal y límpida, como consciente de su propio tránsito. En aquel momento del viaje, a miles de pies sobre la tierra, experimentaba una extraña y muy dulce sensación de lasitud, como si hubiera tomado drogas, algo parecido a lo que sentía cuando de joven probó sus primeros éxtasis. Había oído decir que esa sensación de calma era la consecuencia del desfase en la presión atmosférica, el mal de altura, el atontamiento de los alpinistas, pero ella prefería pensar que era el efecto de la luz, que la luz la inundaba, la llenaba por dentro, porque los pensamientos se le iban disolviendo poco a poco en luz, en modorra, un semisueño de engaño. Ruth se iba desgajando línea a línea de la realidad y sin embargo el cuerpo seguía descansando cómodamente, arrellanado en el asiento. No, no era un sueño completo, aunque de cuando en cuando se le colaran imágenes furtivas, entremezcladas con la conciencia de realidad, de saberse volando en un avión, medio dormida, instalada en la tibia frontera entre vigilia y sueño, consciente de la presencia de Pedro, recompensa silenciosa, allí, a su lado, cómplice sin palabras, qué poco importan ya las historias pasadas, el daño del insulto o la vergüenza, si todo aquello ahora queda del otro lado, queda del otro lado de los ojos cerrados, del sueño que con fuerza va tirando hacia abajo, y Ruth se deja llevar, avanza un poco más, hacia ese promisorio territorio de nadie, siente cómo los pensamientos se van disolviendo en jarabe de sol, abandonándose a un sopor que poco a poco va poblándose de imágenes, de figuras que se van concertando, adquiriendo forma, color y movimiento, hojas verdes y brillantes, ramas rugosas, pequeñas ramitas secundarias, bajando, bajando

bajando

bajando

bajando

Soy un árbol, el eje del mundo, la esencia de la vida. Proporciono hogar, leña, sombra, casa para las aves. Vivo en continua regeneración. Nazco, muero y renazco cada año, en ascensión permanente hacia el cielo, soy sabio. Me comunico con los tres niveles del cosmos: mis raíces hurgan en el subsuelo, mi tronco mora en la tierra, mi copa se eleva hacia el cielo. Reúno la totalidad de los elementos: el agua fluye en mi interior, la tierra se integra en mis raíces, el aire alimenta mis hojas, el fuego surge de mi fricción. No soy laurel, soy serbal. Soy un árbol, un ente perfecto, el eje del mundo, estructura suficiente y completa...

Estructura suficiente y completa.

Madrid - Aberdeen - Barcelona - Altea.